MICHEL STROGOFF

JULES VERNE
EN POCKET CLASSIQUES

LE TOUR DU MONDE EN 80 JOURS, n° 6027
VOYAGE AU CENTRE DE LA TERRE, n° 6056
VINGT MILLE LIEUES SOUS LES MERS, n° 6058
MICHEL STROGOFF, n° 6082

LES GUIDES POCKET CLASSIQUES

Littérature française I. Œuvres, auteurs, personnages, n° 6238
Littérature française II. Mouvements, modes, manifestes, n° 6250

POCKET CLASSIQUES

collection dirigée par Claude AZIZA

JULES VERNE

MICHEL STROGOFF

Moscou – Irkoutsk

Dessins de J. FÉRAT, gravés par Ch. BARBANT

Préface et dossier historique et littéraire par
Jean-Pierre GOLDENSTEIN
« Au fil du texte » par
Claude AZIZA

Édition revue et augmentée

Le Code de la propriété intellectuelle n'autorisant aux termes de l'article L. 122-5, 2e et 3e a, d'une part, que les « copies ou reproductions strictement réservées à l'usage privé du copiste et non destinées à une utilisation collective » et, d'autre part, que les analyses et les courtes citations dans un but d'exemple ou d'illustration, « toute représentation ou reproduction intégrale ou partielle faite sans le consentement de l'auteur ou de ses ayants droit ou ayants cause est illicite » (art. L. 122-4).

Cette représentation ou reproduction, par quelque procédé que ce soit, constituerait donc une contrefaçon sanctionnée par les articles L. 335-2 et suivants du Code de la propriété intellectuelle.

ISBN 2-266-09026-7

SOMMAIRE

* Pour approfondir votre lecture, *Au fil du texte* vous propose une sélection commentée :
- de morceaux « classiques » devenus incontournables, signalés par ●◆ (droit au but).
- d'extraits représentatifs de l'œuvre, signalés par C◆ (en flânant).

PRÉFACE

C'est toujours comme cela. Quand on voit, on n'entend pas; quand on ne voit pas, on entend.

Victor Hugo, *Les Travailleurs de la mer,*

I, v, 5.

Un roman captivant

Vers le début des années 1910, un petit garçon de sept ans environ lit et relit avec fureur *Michel Strogoff* :

> Le tsar de toutes les Russies, c'était Dieu le Père ; suscité du néant par un décret singulier, Michel, chargé, comme toutes les créatures, d'une mission unique et capitale, traversait notre vallée de larmes, écartant les tentations et franchissant les obstacles, goûtait au martyre, bénéficiait d'un concours surnaturel, glorifiait son Créateur puis, au terme de sa tâche, entrait dans l'immortalité.

Ce garçonnet a perdu son père quand il n'avait qu'un an et le destin du personnage de Jules Verne — orphelin de père lui aussi — le fascine. Il vit avec sa mère et ses grands-parents. On l'appelle à ce moment-là Poulou. Il deviendra par la suite Jean-Paul Sartre[1]...

1. Voir J.-P. Sartre, *Les Mots*, Gallimard, coll. « Folio », n° 24, pp. 112-113.

Depuis sa publication en feuilleton dans le *Magasin d'éducation et de récréation* de janvier à décembre 1876 et sa reprise en volume la même année dans la Bibliothèque d'éducation et de récréation de Hetzel, *Michel Strogoff* n'a pas cessé de séduire le public. En 1978 encore, l'épigraphe de *La Vie mode d'emploi* de Georges Perec (« Regarde de tous tes yeux, regarde », Jules Verne, *Michel Strogoff*) témoigne de l'empreinte que cette œuvre a laissée dans l'imaginaire de ses lecteurs.

Il faut dire que dans ce roman bâti comme une course d'obstacles, qui oppose avec un manichéisme tranquille l'ombre et la lumière, le récit, haletant, court la poste pour former ce que Jules Verne lui-même nomme excellemment une *odyssée légendaire* (II, chap. XV). On sait par la correspondance de l'auteur que Verne s'est passionné « à un degré rare » en écrivant les aventures de son courrier du tsar : « Je suis lancé dans la Sibérie, écrit-il à Hetzel, de manière à ne pouvoir m'arrêter un jour ! Oui, je crois que cela va, et je fais aller avec passion... » A cette passion de l'auteur correspond celle du lecteur, séduit par les différents moyens mis en œuvre pour créer la production de l'intérêt romanesque, et qui succombe en toute bonne conscience aux charmes d'une machinerie véritablement jubilatoire.

Prenez un empire immense, la Russie tsariste du XIX⁰ siècle (la date de l'action n'est pas précisée dans le texte mais elle se situe vraisemblablement sous le règne d'Alexandre II autour des années 1860). Imaginez le maître du pays, un autocrate aux mœurs politiques adoucies pour les besoins de l'exportation des productions de Hetzel en direction de la Russie (le prince Orloff, ambassadeur du tsar à Paris, consulté, donna son *nihil obstat* et conseilla de changer le titre ; *Le Courrier du czar* devint ainsi *Michel Strogoff*). Décrivez le tsar à Moscou sous les lambris d'un salon d'apparat où règne l'insouciance (chap. I : « Une fête au Palais-Neuf »). Faites naître au loin

une menace, un soulèvement contre le pouvoir impérial, une invasion tartare soutenue par un Russe
traître à sa patrie — Ogareff (le bien nommé Ivan :
« *y vend* »?) dont l'action est jugée insensée avant
même que le récit commence à proprement parler :
« Fou, en vérité, s'il croyait pouvoir entamer l'empire
moscovite! » Le retour à l'ordre nous est d'emblée
promis, mais entre l'annonce du conflit et sa résolution que de rebondissements palpitants! Encore plus
loin, à 5 523 kilomètres très précisément, à Irkoutsk,
en Sibérie, placez un grand-duc, frère du tsar moscovite. Entre eux deux, un fil télégraphique rompu.
Autant de conditions de base qui installent notre
roman autour d'une problématique de la communication impossible qu'il faut impérativement rétablir.

Une course d'obstacles

Michel Strogoff, comme tout récit, est enclenché
par l'apparition d'un obstacle dans un processus
jusque-là stable. Puisque « le fil est coupé », il faut
avoir recours à un agent humain capable de suppléer
l'agent non humain défaillant. Voilà pourquoi le tsar
fait appel à Michel Strogoff pour faire passer à son
frère une nouvelle que le fil électrique ne peut plus
transmettre. Lisons attentivement la présentation
hyperbolique du fil. Le héros n'est pas encore connu
du lecteur que déjà on découvre les qualités qui lui
seront attribuées (je souligne) :

> Le seul *agent* qui ne craint ni le *froid* ni le *chaud*,
> celui que ni les *rigueurs de l'hiver* ni les *chaleurs de l'été*
> ne peuvent *arrêter*, qui vole avec la rapidité de la
> foudre, le courant électrique, ne pouvait plus se propa-
> ger *à travers la steppe*, et il n'était plus possible de
> prévenir le grand-duc.

Le dialogue entre le tsar et le général Kissoff
confirme que l'homme possède bien les éminentes
qualités déjà attribuées à la technique :

> — C'est un homme vigoureux?

— Sire, il peut supporter jusqu'aux dernières limites le froid, la faim, la soif, la fatigue.

— Il a un corps de fer ?

— Oui, sire.

Il n'y a plus qu'à investir ce messager exceptionnel d'une mission dont dépend le sort de l'empire et à le faire voyager à l'aide des moyens de transport les plus variés — en train, en bateau, en *tarentass*, à cheval, à pied, en *kibitka* et même sur un morceau de glace ! —, de Moscou, l'espace euphorique du début, à Irkoutsk en Sibérie, qui était déjà pour les contemporains de Jules Verne la « terre de l'exil », l'espace disphorique du danger, du siège, de la guerre et de la mort.

En temps ordinaire il faut quatre à cinq semaines pour parcourir cette distance. Michel Strogoff en mettra onze pour remplir sa mission et au prix de quels efforts ! En effet, sans arrêt se dressent de nouveaux obstacles. Sans cesse de nouvelles épreuves vont susciter l'intérêt du lecteur tout en permettant au héros de se « héroïser » encore un peu plus : un orage dans les monts Ourals, un combat avec un ours, une provocation subie de la part d'un brutal voyageur au relais d'Ichim (on apprendra par la suite qu'il s'agissait en fait d'Ivan Ogareff, le principal opposant), le passage de l'Irtych, les Tartares, une blessure, la rencontre de Michel Strogoff avec sa mère (il a promis au tsar de ne pas chercher à la voir), les marais de la Baraba, à nouveau les Tartares, la captivité, le supplice de sa mère, son propre supplice qui le rend aveugle (du moins le lecteur le croit-il jusqu'au coup de théâtre final), le passage de l'Yénisseï sans barque ni bac, les Tartares encore, une nouvelle captivité, une couche de naphte sur le lac Baïkal prête à être enflammée, les loups, le faux courrier du tsar qui se fait passer pour Michel Strogoff, le naphte en flamme...

Un héros au-dessus de tout soupçon

Contrairement à Axel dans *Voyage au centre de la terre*[1], Michel Strogoff est déjà « un homme » avant que commence sa mission. A la fin, lorsqu'il aura triomphé de tous les obstacles, ce sera un surhomme que le tsar décorera très logiquement d'un ordre créé par Catherine II pour bravoure devant l'ennemi, la croix de Saint-Georges : n'a-t-il pas en effet comme l'illustre martyr chrétien tué lui aussi le dragon, l'*ogre* Ogareff ? Mais avant de connaître cette apothéose il se voit contraint d'abandonner sa véritable identité et de voyager sous le nom de Nicolas Korpanoff, négociant demeurant à Irkoutsk. Signalons pour l'anecdote que c'est à une lettre près le nom du marchand de farine Korpamoff qui sauve de la noyade dans l'Irtych la très réelle Eve Félinska, exilée par ukase en Sibérie vers la fin de 1838, et dont on peut lire les souvenirs dans de nombreuses publications du temps (voir « Korpanoff » dans le document II, p. 473).

Michel Strogoff est l'homme des sens perpétuellement aux aguets, à la fois « œil » comme le journaliste français Alcide Jolivet et « oreille » comme son collègue anglais Blount. Lorsqu'il secourt ces deux hommes pendant la nuit d'orage dans les monts Ourals, il ne peut pas les voir qu'il les entend déjà, de même qu'il ne voit pas mais entend la conversation des mystérieux passagers sur le pont du bateau (I, chap. VII). Le courrier du tsar parle peu et réfléchit beaucoup. Son courage se manifeste aussi bien quand il abat l'ours qui menace Nadia que lorsqu'il se laisse insulter au relais d'Ichim sans répondre pour ne pas compromettre sa mission. Ce héros qui place au-dessus de tout le devoir, qui combat pour la Russie et pour le tsar, conserve malgré tout un minimum de faiblesse humaine. Il ne peut supporter de voir sa mère fouettée (II, chap. III) ; c'est ce qui le perdra. La mission, vitale pour le salut de l'Empire, semble alors

1. Voir ce titre dans la même collection.

bien compromise. Le voici prisonnier, supplicié au cours d'une véritable scène d'anthologie traitée par Jules Verne en homme de théâtre avec lever de rideau, ballet, mise en scène et allusion constante au monde du spectacle — « Alcide Jolivet ne put retenir un léger mouvement de tête qui, entre le boulevard Montmartre et la Madeleine, eût voulu dire : "Pas mal ! pas mal !" » Moment intensément dramatique qui n'empêche nullement le héros, apparemment aveugle et privé de tous ses moyens d'action, de prévoir la suite : « J'irai dire à Irkoutsk tout ce que j'ai vu, tout ce que j'ai entendu, et, j'en jure par le Dieu vivant ! le traître me retrouvera un jour face à face ! »

De fait, le face-à-face final entre Michel Strogoff et Ivan Ogareff, qui se fait passer pour le courrier du tzar, figure la lutte éternelle entre la positivité de l'« aveugle » et la négativité du clairvoyant. Le combat entre les deux hommes ne fait que reprendre celui que Michel Strogoff avait mené contre l'ours sibérien. Plus que jamais Ogareff figure l'ogre alors que Michel Strogoff, « vivante statue », devient une sorte de Commandeur qui réincarne la loi du Père.

Qu'on se rassure ; les méchants seront punis, les bons récompensés. La morale est sauve. Les vraies révolutions sont pour plus tard. Pour l'heure, la France républicaine est prête à célébrer les accords franco-russes et à verser dans les caisses de l'Etat tsariste les sommes fabuleuses d'emprunts successifs — une valeur sûre ! — estimées à 12 milliards de francs-or de l'époque, que, de nos jours encore, les descendants des épargnants ne désespèrent pas de pouvoir un jour récupérer. Michel Strogoff épouse Nadia. On devine qu'ils vivront heureux et qu'ils auront beaucoup d'enfants dans un monde qui fermente en sous-main (on dénombre plus de 1 800 émeutes paysannes en 1861, les années 1880-1890 verront se multiplier des centaines de manifestations ouvrières) et qui n'explosera de façon véritable-

ment significative qu'en 1905. Ce bonheur-là ne se
raconte pas. Le racontable romanesque c'est le malheur, la négativité, l'exceptionnel. « Mais ce n'est pas
l'histoire de ses succès, c'est l'histoire de ses épreuves
qui méritait d'être racontée », affirme significative-
ment la dernière phrase du roman (II, chap. xv).

La vue c'est la vie

Ce qui caractérise le héros c'est avant tout le
regard, si bien qu'on pourrait l'appeler, au risque
d'un jeu de mots parfaitement anachronique, « l'œil
de Moscou ». Pour lui, comme l'affirmait naguère
une célèbre campagne de prévention routière, « la
vue c'est la vie ». Innombrables sont les mentions aux
yeux (le regard, les paupières, regarder, lire dans les
yeux...) qui, associées à l'action du feu (la rougeur, la
brûlure, la lumière, les éclairs...), constituent un
réseau de significations auquel le lecteur doit prêter
attention. Tous les personnages, d'une façon ou
d'une autre, sont situés par rapport à cet axe privilé-
gié que le supplice du héros investira d'un sens
majeur.

Dès le début du récit (I, chap. i), la main du tsar,
qui n'est pas encore nommé, « se porta même involontairement à la garde de son épée et remonta vers
ses yeux, qu'elle voila un instant. On eût dit que
l'éclat des lumières le blessait et qu'il recherchait
l'obscurité pour mieux voir en lui-même ». Le tsar
observe Michel Strogoff d'un œil pénétrant, le
regarde « encore une fois bien en face, les yeux dans
les yeux » (I, chap. iii). De la même façon, dans une
scène parallèle à la fin du roman, le grand-duc
regarde Ivan Ogareff, qui se fait passer pour le héros,
pendant quelques instants, avec une extrême attention (II, chap. xiii). La tsigane Sangarre avant de
quitter le bateau regarde Strogoff « avec une insistance singulière », tandis que Nadia fixe obstinément
l'est et ne voit qu'une chose : le but à atteindre (I,
chap. viii). Au relais de poste d'Ichim (I, chap. xii),

lorsque le brutal voyageur qui n'est autre que le traître Ogareff prend les chevaux du prétendu marchand et que ce dernier refuse de se battre, Strogoff regarde le voyageur « les yeux dans les yeux ». Nicolas Pigassof, le double malheureux de Michel Strogoff qui mourra à sa place, a « de bons yeux tout ronds » (II, chap. VI) alors qu'on parle de « l'œil méchant » d'Ivan Ogareff (II, chap. XIII). Strogoff, qui a juré au tsar de ne pas voir sa mère, reconnaît soudain cette dernière parmi les prisonniers au bord de l'eau : « à cette rencontre inattendue, ne se sentant plus maître de lui, [il] porta la main à ses yeux et s'éloigna aussitôt » (II, chap. III).

Le passage du supplice (II, chap. V) est totalement saturé de termes comme : voir, vu, yeux, lumière, cécité, aveuglé, regard, etc., qui dramatisent le récit et lui donnent une intense cohérence symbolique. De semblables mentions sont trop nombreuses pour que nous les relevions toutes ici. Contentons-nous d'observer de plus près un épisode curieux dont la lisibilité est moins assurée. Il s'agit du chapitre qui décrit le supplice de Michel Strogoff. Ce dernier, démasqué, se tient devant l'émir « sans baisser les yeux ». Accusé par Ivan Ogareff d'être un espion, celui qui est chargé de *voir* ce qui se passe chez les autres, il est condamné à ne plus voir. L'origine du choix de sa sentence mérite qu'on s'y arrête. L'émir appuie son doigt sur une page du Koran et désigne ce verset : « Et il ne verra plus les choses de la terre » (cf. l'extrait de *La Jeune Sibérienne* de Xavier de Maistre, document III, p. 485). A la fin de la première partie, juste avant de tomber aux mains des Tartares, Harry Blount fait enrager son confrère français Alcide Jolivet en occupant sans arrêt la ligne télégraphique grâce à laquelle il envoie les dernières nouvelles du front afin que son journal ait la primeur des événements. Pour cela il commence tout simplement à télégraphier à Londres le début de la Genèse, dans la version de Le Maistre de Sacy (1672) : « Au commencement, Dieu créa le ciel et la terre !... » Le correspondant de guerre entrelarde ainsi nouvelles fraîches et « versets de la Bible », du « livre saint », dans un mélange burlesque caractéristique de l'humour vernien : « Deux églises sont en flammes. L'incendie paraît gagner sur la droite. La terre était uniforme et toute nue ; les ténèbres couvraient la face de l'abîme... » Soyons attentifs à la suite de la dépêche qui donne à lire le message suivant : « Des fuyards russes s'échappent de la ville. Or, Dieu dit que la lumière soit faite, et la lumière fut faite !... » Le parallélisme entre les deux épisodes construit un conflit culturel et idéologique qui oppose, discrètement, les valeurs judéo-chrétiennes positives (passage des ténèbres à la lumière) à la négativité prêtée à l'Islam (passage inverse de la lumière aux ténèbres). Ceci est d'autant plus frappant que le substrat apparemment historique de l'action s'avère plutôt fantaisiste. Les troupes russes d'Ivan IV ont soumis les tribus tartares au milieu du XVIᵉ siècle et l'expansionnisme russe en Sibérie occidentale se fera aux dépens des khanats dès le XVIIᵉ siècle. Tourguéniev ne s'y était d'ailleurs pas trompé. Consulté sur *Michel Strogoff*, il avait trouvé l'invasion tartare invraisemblable mais l'axiologie a ses raisons que la raison historique ne connaît pas.

Une histoire de(s) famille(s)

Le père de Michel Strogoff est mort, sa mère vivante. A l'inverse, le père de Nadia Fédor est vivant et sa mère morte. Père, mère, frère, sœur..., ces mentions ponctuent l'œuvre d'une façon si insistante qu'elles en font un véritable roman « familial ».

Michel est orphelin depuis dix ans au moment où débute le roman. Tout ce qu'il sait, il le tient du « redoutable chasseur » qui l'a élevé « à la dure » et lui a appris à se mesurer à « l'ours sibérien, redoutable et féroce animal », le rendant ainsi capable de tuer seul son premier ours à quatorze ans. On ne s'étonne plus dès lors qu'il abatte si habilement celui qui menace Nadia dans les monts Ourals, préfiguration du combat final avec Ivan Ogareff, lui aussi éliminé d'un coup de couteau sibérien. Pierre Strogoff, ce père idéal, porte le même prénom que le père de l'auteur, avoué à Nantes qui aurait tant voulu céder son étude à Jules. Le romancier ne parvient-il pas alors d'une certaine manière à régler un conflit d'adolescence qui lui permet d'échapper à sa façon — en étant passé des écritures à l'écriture — à la fatalité de l'adage tel père, tel fils ?

Le récit déploie une autre figure du père, ou plutôt du Père, avec le tsar. La première mention qui y est faite reste assez mystérieuse. Michel Strogoff entend le bohémien dire à Sangarre : « c'est le père lui-même qui nous envoie… où nous voulons aller ! » (I, chap. v). Parole obscure que Strogoff glosera lui-même au chapitre suivant :

> Singulière coïncidence ! pensa-t-il, entre cet arrêté qui expulse les étrangers originaires de l'Asie et les paroles échangées cette nuit entre ces deux bohémiens de race tsigane. « C'est le Père lui-même qui nous envoie où nous voulons aller ! » a dit ce vieillard. Mais « le Père », c'est l'empereur ! On ne le désigne pas autrement dans le peuple !

C'est d'ailleurs le nom du Père qui décidera l'*iemschik*, le postillon, à tenter l'impossible pour faire avancer ses chevaux pris dans l'orage : « C'est le Père qui l'ordonne ! » (I, chap. x). Et c'est encore le Père qui est invoqué par Michel Strogoff après qu'il a volontairement refusé de se battre lors de la dramatique scène du relais d'Ichim : « Pour la patrie et pour le Père ! » (I, chap. XIII).

Ce que le héros accomplit pour le Père, Nadia — réincarnation fictionnelle de la jeune Prascovie Lopouloff mise en scène par Xavier de Maistre (voir document III) — le réalise pour son père, exilé politique en Sibérie. « Je vais à Irkoutsk où m'attend mon père ! Je vais lui porter les dernières paroles de ma mère ! » (I, chap. IX). Nadia et Michel Strogoff sont tous deux des messagers au service d'un devoir qui les dépasse et leur dicte leur conduite. De son côté, Wassili Fédor, comme ses compagnons d'infortune, n'a pas hésité à payer de son sang sa dette « à la Sainte Russie, — sainte, en vérité, et adorée de ses enfants ! » (II, chap. XII). Le tsar est par conséquent au père ce que la Russie est à la mère. Sauver la mère patrie, pour Michel, c'est obéir aux ordres du père et, notamment, jurer de ne pas voir sa mère, Marfa. Amené à manquer à son serment malgré lui, et donc à compromettre dangereusement sa mission, il ne peut que s'écrier : « Que Dieu et le Père me le pardonnent ! » (II, chap. IX).

Le roman, on le voit, met en scène un réseau serré de références familiales. Le tsar écrit à son frère. Michel et Nadia se font passer pour frère et sœur. La jeune fille a un geste « quasi maternel » pour essuyer une larme « qui allait jaillir de l'œil de son compagnon » (I, chap. XII) et se reconnaît très vite comme « la fille de Marfa » (I, chap. XIII) bien avant de rencontrer la vieille Sibérienne. Lorsque cette rencontre a lieu et que, peu à peu, les liens de sympathie unissent les deux femmes, Marfa n'a pas de peine à reconnaître, dans le portrait que dresse Nadia de Nicolas Korpanoff, elle ne connaît le héros que sous ce nom, la figure de son fils :

> « Tu m'as dit encore [...] que tu avais une sœur aussi bien qu'un frère en lui, et qu'il a veillé sur toi comme une mère ?
> — Oui, oui ! dit Nadia. Frère, sœur, mère, il a été tout pour moi ! » (II, chap. II)

Aussi la jeune fille n'hésite-t-elle pas à rendre « à la mère les soins qu'elle-même avait reçus de son fils » (*ibid.*), ce qui amène Marfa à lui dire : « Que Dieu te récompense, ma fille, de ce que tu fais pour mes vieux ans ! » (*ibid.*).

En contrepoint de ce roman de l'honneur transparaît le récit d'un amour naissant d'abord placé sous le signe de l'indistinction sexuelle :

> Cependant, la pensée de Nadia abandonnait quel-
> quefois les lointaines provinces du lac Baïkal, et se
> reportait alors à la situation présente. L'image de son
> père s'effaçait un peu, et elle revoyait son généreux
> compagnon, tout d'abord sur le chemin de fer de
> Wladimir, où quelque providentiel dessein le lui avait
> fait rencontrer pour la première fois. [...] Elle remer-
> ciait Dieu d'avoir placé à point sur sa route ce vaillant
> protecteur, cet ami généreux et discret. Elle se sentait
> en sûreté près de lui, sous sa garde. Un vrai frère n'eût
> pu mieux faire ! » (I, chap. XII)

qui ne trouvera son aboutissement qu'à la toute fin de
l'aventure :

> Michel Strogoff avait été trouver Nadia, et, devant son
> père, il lui avait dit :
> « Nadia, ma sœur encore, lorsque tu as quitté Riga
> pour venir à Irkoutsk, avais-tu laissé derrière toi un
> autre regret que celui de ta mère ?
> — Non, répondit Nadia, aucun et d'aucune sorte.
> — Ainsi, rien de ton cœur n'est resté là-bas ?
> — Rien, frère.
> — Alors, Nadia, dit Michel Strogoff, je ne crois pas
> que Dieu, nous mettant en présence, en nous faisant
> traverser ensemble de si rudes épreuves, ait voulu
> nous réunir autrement que pour jamais.
> — Ah ! » fit Nadia, en tombant dans les bras de Michel
> Strogoff.
> Et se tournant vers Wassili Fédor :
> « Mon père ! dit-elle toute rougissante.
> — Nadia, lui répondit Wassili Fédor, ma joie sera de
> vous appeler tous les deux mes enfants ! » (II,
> chap. XV).

Cette fin heureuse, conventionnelle s'il en est mais
bien appropriée aussi au jeune public auquel elle
s'adresse en priorité, ne se fera pas, remarquons-le,
sans qu'ait eu lieu une véritable régression au cours
de laquelle le héros censément privé de la vue réap-
prend à marcher au bras de Nadia qui s'occupe de lui
comme le ferait une mère de son enfant :

> Il mangeait les morceaux de pain que sa compagne lui
> présentait l'un après l'autre. Il buvait à la gourde
> qu'elle portait à ses lèvres. (II, chap. VI).

La légitimité l'emporte donc sur tous les plans. Sur le plan politique d'abord. L'empire menacé retrouvera la stabilité d'une autocratie bien tempérée telle que désire la voir la France de l'époque au mépris de la réalité que dénoncent déjà certains : les exilés seront graciés car à la lettre du tsar au grand-duc répondra une lettre du grand-duc au tsar. Sur le plan affectif ensuite. Marfa retrouve son fils, Nadia son père, les héros convolent en justes noces. A l'exception de Nicolas Pigassof, le jeune employé chargé des transmissions *qui ne lit jamais les dépêches qu'il transmet* et qui meurt pour que vivent la Russie et Michel Strogoff, seuls disparaissent les déviants : le traître Ogareff, mâtiné de Mongol par sa mère, et son âme damnée, la Tsigane Sangarre, qui lui sera restée fidèle jusqu'au bout d'une liaison, on s'en doute, coupable.

Une fois encore les forces de la lumière l'auront emporté sur les forces des ténèbres. On le comprend dès lors ; l'orientation d'ouest en est annoncée par le sous-titre, « Moscou-Irkoutsk », ne répond pas qu'à un déplacement géographique relevant du seul contrat d'écriture-lecture réaliste-mimétique mais désigne une dimension capitale de l'œuvre. L'itinéraire qui mène Michel Strogoff du Couchant au Levant conduit le héros, par le biais très symbolique du passage de la « cécité » à la vue, à renaître en dépassant le stade des simples apparences. Tel est le sort que l'on ne peut que souhaiter à un lecteur d'aujourd'hui à qui s'applique indiscutablement l'injonction qui désigne dans le livre le châtiment du courrier du tsar : *regarde de tous tes yeux, regarde !*

I

UNE FÊTE AU PALAIS-NEUF

« SIRE, une nouvelle dépêche.

— D'où vient-elle ?

— De Tomsk.

— Le fil est coupé au-delà de cette ville ?

— Il est coupé depuis hier.

— D'heure en heure, général, fais passer un télégramme à Tomsk, et que l'on me tienne au courant.

— Oui, Sire », répondit le général Kissoff.

Ces paroles étaient échangées à deux heures du matin, au moment où la fête, donnée au Palais-Neuf, était dans toute sa magnificence.

Pendant cette soirée, la musique des régiments de Préobrajensky et de Paulowsky n'avait cessé de jouer ses polkas, ses mazurkas, ses scottischs et ses valses, choisies parmi les meilleures du répertoire. Les couples de danseurs et de danseuses se multipliaient à l'infini à travers les splendides salons de ce palais, élevé à quelques pas de la « vieille maison de pierres », où tant de drames terribles s'étaient accomplis autrefois, et dont les échos se réveillèrent, cette nuit-là, pour répercuter des motifs de quadrilles.

Le grand maréchal de la cour était, d'ailleurs, bien secondé dans ses délicates fonctions. Les grands-ducs et leurs aides de camp, les chambellans de service, les officiers du palais présidaient eux-mêmes à l'organisation des danses. Les grandes-duchesses, couvertes de diamants, les dames d'atour, revêtues de leurs costumes de gala, donnaient vaillamment l'exemple aux femmes des hauts fonctionnaires militaires et civils de l'ancienne « ville aux blanches pierres ». Aussi, lorsque le signal de la « polonaise » retentit, quand les invités de tout rang prirent part à cette promenade cadencée, qui, dans les solennités de ce genre, a toute l'importance d'une danse nationale, le mélange des longues robes étagées de dentelles et des uniformes chamarrés de décorations offrit-il un coup d'œil indescriptible, sous la lumière de cent lustres que décuplait la réverbération des glaces.

Ce fut un éblouissement.

D'ailleurs, le grand salon, le plus beau de tous ceux que possède le Palais-Neuf, faisait à ce cortège de hauts personnages et de femmes splendidement parées un cadre digne de leur magnificence. La riche voûte, avec ses dorures, adoucies déjà sous la patine du temps, était comme étoilée de points lumineux. Les brocarts des rideaux et des portières, accidentés de plis superbes, s'empourpraient de tons chauds, qui se cassaient violemment aux angles de la lourde étoffe.

A travers les vitres des vastes baies arrondies en plein cintre, la lumière dont les salons étaient imprégnés, tamisée par une buée légère, se manifestait au-dehors comme un reflet d'incendie et tranchait vivement avec la nuit qui, pendant quelques heures, enveloppait ce palais étincelant. Aussi, ce contraste attirait-il l'attention de ceux des invités que les danses ne réclamaient pas. Lorsqu'ils s'arrêtaient aux embrasures des fenêtres, ils pouvaient apercevoir quelques clochers, confusément estompés dans l'ombre, qui profilaient çà et là leurs énormes silhouettes. Au-dessous des balcons sculptés, ils voyaient se promener silencieusement de nombreuses sentinelles, le fusil horizontalement couché sur l'épaule, et dont le casque pointu s'empanachait d'une aigrette de flamme sous l'éclat des feux lancés au-dehors. Ils entendaient aussi le pas des patrouilles qui marquait la mesure sur les dalles de pierre, avec plus de justesse peut-être que le pied des danseurs sur le parquet des salons. De temps en temps, le cri des factionnaires se répétait de poste en poste, et, parfois, un appel de trompette, se mêlant aux accords de l'orchestre, jetait ses notes claires au milieu de l'harmonie générale.

Plus bas encore, devant la façade, des masses sombres se détachaient sur les grands cônes de lumière que projetaient les fenêtres du Palais-Neuf. C'étaient des bateaux qui descendaient le cours d'une rivière, dont les eaux, piquées par la lueur vacillante de quelques fanaux, baignaient les premières assises des terrasses.

Le principal personnage du bal, celui qui donnait cette fête, et auquel le général Kissoff avait attribué une qualification réservée aux souverains, était simplement vêtu d'un uniforme d'officier des chasseurs de la garde. Ce n'était point affectation de sa part, mais habitude d'un homme peu sensible aux recherches de l'apparat. Sa tenue contrastait donc avec les costumes superbes qui se mélangeaient autour de lui, et c'est même ainsi qu'il se montrait, la plupart du temps, au milieu de son escorte de Géorgiens, de Cosaques, de Lesghiens, éblouissants escadrons, splendidement revêtus des brillants uniformes du Caucase.

Ce personnage, haut de taille, l'air affable, la physionomie calme, le front soucieux cependant, allait d'un groupe à l'autre, mais il parlait peu, et même il ne semblait prêter qu'une vague attention, soit aux propos joyeux des jeunes invités, soit aux paroles plus graves des hauts fonctionnaires ou des membres du corps diplomatique qui représentaient près de lui les principaux États de l'Europe. Deux ou trois de ces perspicaces hommes politiques — physionomistes par état — avaient bien cru observer sur le visage de leur hôte quelque symptôme d'inquiétude, dont la cause leur échappait, mais pas un seul ne se fût permis de l'interroger à ce sujet. En tout cas, l'intention de l'officier des chasseurs de la garde était, à n'en pas douter, que ses secrètes préoccupations ne troublassent cette fête en aucune façon, et comme il était un de ces rares souverains auxquels presque tout un monde s'est habitué à obéir, même en pensée, les plaisirs du bal ne se ralentirent pas un instant.

Cependant, le général Kissoff attendait que l'officier auquel il venait de communiquer la dépêche expédiée de Tomsk lui donnât l'ordre de se retirer, mais celui-ci restait silencieux. Il avait pris le télégramme, il l'avait lu, et son front s'assombrit davantage. Sa main se porta même involontairement à la garde de son épée et remonta vers ses yeux, qu'elle voila un instant. On eût dit que l'éclat des lumières le blessait et qu'il recherchait l'obscurité pour mieux voir en lui-même.

« Ainsi, reprit-il après avoir conduit le général Kissoff dans l'embrasure d'une fenêtre, depuis hier nous sommes sans communication avec le grand-duc mon frère ?

— Sans communication, Sire, et il est à craindre que les dépêches ne puissent bientôt plus passer la frontière sibérienne.

— Mais les troupes des provinces de l'Amour et d'Iakoutsk, ainsi que celles de la Transbaikalie, ont reçu l'ordre de marcher immédiatement sur Irkoutsk ?

— Cet ordre a été donné par le dernier télégramme que nous avons pu faire parvenir au-delà du lac Baïkal.

— Quant aux gouvernements de l'Yeniseisk, d'Omsk, de Sémipalatinsk, de Tobolsk, nous sommes toujours en communication directe avec eux depuis le début de l'invasion ?

— Oui, Sire, nos dépêches leur parviennent, et nous avons la certitude, à l'heure qu'il est, que les Tartares ne se sont pas avancés au-delà de l'Irtyche et de l'Obi.

— Et du traître Ivan Ogareff, on n'a aucune nouvelle ?

— Aucune, répondit le général Kissoff. Le directeur de la police ne saurait affirmer s'il a passé ou non la frontière.

— Que son signalement soit immédiatement envoyé à Nijni-Novgorod, à Perm, à Ékaterinbourg, à Kassimow, à Tioumen, à Ichim, à Omsk, à Élamsk, à Kolyvan, à Tomsk, à tous les postes télégraphiques avec lesquels le fil correspond encore !

— Les ordres de Votre Majesté vont être exécutés à l'instant, répondit le général Kissoff.

— Silence sur tout ceci ! »

Puis, ayant fait un signe de respectueuse adhésion, le général, après s'être incliné, se confondit d'abord dans la foule, et quitta bientôt les salons, sans que son départ eût été remarqué.

Quant à l'officier, il resta rêveur pendant quelques instants, et lorsqu'il revint se mêler aux divers groupes de militaires et d'hommes politiques qui s'étaient formés sur plusieurs points des salons, son visage avait repris tout le calme dont il s'était un moment départi.

Cependant, le fait grave qui avait motivé ces paroles, rapidement échangées, n'était pas aussi ignoré que l'officier des chasseurs de la garde et le général Kissoff pouvaient le croire. On n'en parlait pas officiellement, il est vrai, ni même officieusement, puisque les langues n'étaient pas déliées « par ordre », mais quelques hauts personnages avaient été informés plus ou moins exactement des événements qui s'accomplissaient au-delà de la frontière. En tout cas, ce qu'ils ne savaient peut-être qu'à peu près, ce dont ils ne s'entretenaient pas, même entre membres du corps diplomatique, deux invités qu'aucun uniforme, aucune décoration ne signalait à cette réception du Palais-Neuf, en causaient à voix basse et paraissaient avoir reçu des informations assez précises.

Comment, par quelle voie, grâce à quel entregent, ces deux simples mortels savaient-ils ce que tant d'autres personnages, et des plus considérables, soupçonnaient à peine ? on n'eût pu le dire. Était-ce chez eux don de prescience ou de prévision ? Possédaient-ils un sens supplémentaire, qui leur permettait de voir au-delà de cet horizon limité auquel est borné tout regard humain ? Avaient-ils un flair particulier pour dépister les nouvelles les plus secrètes ? Grâce à cette habitude, devenue chez eux une seconde nature, de vivre de l'information et par l'information, leur nature s'était-elle donc transformée ? on eût été tenté de l'admettre.

De ces deux hommes, l'un était Anglais, l'autre Français, tous deux grands et maigres, — celui-ci brun comme les méridionaux de la Provence, — celui-là roux comme un gentleman du Lancashire. L'Anglo-Normand, compassé, froid, flegmatique, économe de mouvements et de paroles, semblait ne parler ou gesticuler que sous la détente d'un ressort qui opérait à intervalles réguliers. Au contraire, le Gallo-Romain, vif, pétulant, s'exprimait tout à la fois des lèvres, des yeux, des mains, ayant vingt manières de rendre sa pensée, lorsque son interlocuteur paraissait n'en avoir qu'une seule, immuablement stéréotypée dans son cerveau.

Ces dissemblances physiques eussent facilement frappé le moins observateur des hommes ; mais un physionomiste, en regardant d'un peu près ces deux étrangers, aurait nettement déterminé le contraste physiologique qui les caractérisait, en disant que si le Français était « tout yeux », l'Anglais était « tout oreilles ».

En effet, l'appareil optique de l'un avait été singulièrement perfectionné par l'usage. La sensibilité de sa rétine devait être aussi instantanée que celle de ces prestidigitateurs, qui reconnaissent une carte rien que dans un mouvement rapide de coupe, ou seulement à la disposition d'un tarot inaperçu de tout autre. Ce

Français possédait donc au plus haut degré ce que l'on appelle « la mémoire de l'œil ».

L'Anglais, au contraire, paraissait spécialement organisé pour écouter et pour entendre. Lorsque son appareil auditif avait été frappé du son d'une voix, il ne pouvait plus l'oublier, et dans dix ans, dans vingt ans, il l'eût reconnu entre mille. Ses oreilles n'avaient certainement pas la possibilité de se mouvoir comme celles des animaux qui sont pourvus de grands pavillons auditifs ; mais, puisque les savants ont constaté que les oreilles humaines ne sont « qu'à peu près » immobiles, on aurait eu le droit d'affirmer que celles du susdit Anglais, se dressant, se tordant, s'obliquant, cherchaient à percevoir les sons d'une façon quelque peu apparente pour le naturaliste.

Il convient de faire observer que cette perfection de la vue et de l'ouïe chez ces deux hommes les servait merveilleusement dans leur métier, car l'Anglais était un correspondant du *Daily Telegraph*, et le Français, un correspondant du... De quel journal ou de quels journaux, il ne le disait pas, et lorsqu'on le lui demandait, il répondait plaisamment qu'il correspondait avec « sa cousine Madeleine ». Au fond, ce Français, sous son apparence légère, était très perspicace et très fin. Tout en parlant un peu à tort et à travers, peut-être pour mieux cacher son désir d'apprendre, il ne se livrait jamais. Sa loquacité même le servait à se taire, et peut-être était-il plus serré, plus discret que son confrère du *Daily Telegraph*.

Et si tous deux assistaient à cette fête, donnée au Palais-Neuf dans la nuit du 15 au 16 juillet, c'était en qualité de journalistes, et pour la plus grande édification de leurs lecteurs.

Il va sans dire que ces deux hommes étaient passionnés pour leur mission en ce monde, qu'ils aimaient à se lancer comme des furets sur la piste des nouvelles les plus inattendues, que rien ne les effrayait ni ne les rebutait pour réussir, qu'ils possédaient l'imperturbable sang-froid et la réelle bravoure des gens du métier. Vrais jockeys de ce steeple-chase, de cette chasse à l'information, ils enjambaient les haies, ils franchissaient les rivières, ils sautaient les banquettes avec l'ardeur incomparable de ces coureurs pur sang, qui veulent arriver « bons premiers » ou mourir !

D'ailleurs, leurs journaux ne leur ménageaient pas l'argent, — le plus sûr, le plus rapide, le plus parfait élément d'information connu jusqu'à ce jour. Il faut ajouter aussi, et à leur honneur, que ni l'un ni l'autre ne regardaient ni n'écoutaient jamais par-dessus les murs de la vie privée, et qu'ils n'opéraient que lorsque des intérêts politiques ou sociaux étaient en jeu. En un mot, ils faisaient ce qu'on appelle depuis quelques années « le grand reportage politique et militaire ».

Seulement, on verra, en les suivant de près, qu'ils avaient la plupart du temps une singulière façon d'envisager les faits et surtout leurs conséquences, ayant chacun « leur manière à eux » de voir et d'apprécier. Mais enfin, comme ils y allaient bon jeu, bon argent, et ne s'épargnaient en aucune occasion, on aurait eu mauvaise grâce à les en blâmer.

Le correspondant français se nommait Alcide Jolivet. Harry Blount était le nom du correspondant anglais. Ils venaient de se rencontrer pour la première fois à cette fête du Palais-Neuf, dont ils avaient été chargés de rendre compte dans leur journal. La discordance de leur caractère, jointe à une certaine jalousie de métier, devait les rendre assez peu sympathiques l'un à l'autre. Cependant, ils ne s'évitèrent pas et cherchèrent plutôt à se pressentir réciproquement sur les nouvelles du jour. C'étaient deux chasseurs, après tout, chassant sur le même territoire, dans les mêmes réserves. Ce que l'un manquait pouvait être avantageusement tiré par l'autre, et leur intérêt même voulait qu'ils fussent à portée de se voir et de s'entendre.

Ce soir-là, ils étaient donc tous les deux à l'affût. Il y avait, en effet, quelque chose dans l'air.

« Vraiment, monsieur, cette fête est charmante !... »

« Quand ce ne serait qu'un passage de canards, se disait Alcide Jolivet, ça vaut son coup de fusil ! »

Les deux correspondants furent donc amenés à causer l'un avec l'autre pendant le bal, quelques instants après la sortie du général Kissoff, et ils le firent en se tâtant un peu.

« Vraiment, monsieur, cette petite fête est charmante ! dit d'un air aimable Alcide Jolivet, qui crut devoir entrer en conversation par cette phrase éminemment française.

— J'ai déjà télégraphié : splendide ! répondit froidement Harry Blount, en employant ce mot, spécialement consacré pour exprimer l'admiration quelconque d'un citoyen du Royaume-Uni.

— Cependant, ajouta Alcide Jolivet, j'ai cru devoir marquer en même temps à ma cousine...

— Votre cousine ?... répéta Harry Blount d'un ton surpris, en interrompant son confrère.

— Oui... reprit Alcide Jolivet, ma cousine Madeleine... C'est avec elle que je corresponds ! Elle aime à être informée vite et bien, ma cousine !... J'ai donc cru devoir lui marquer que, pendant cette fête, une sorte de nuage avait semblé obscurcir le front du souverain.

— Pour moi, il m'a paru rayonnant, répondit Harry Blount, qui voulait peut-être dissimuler sa pensée à ce sujet.

— Et, naturellement, vous l'avez fait « rayonner » dans les colonnes du *Daily Telegraph* !

— Précisément.

— Vous rappelez-vous, monsieur Blount, dit Alcide Jolivet, ce qui s'est passé à Zakret en 1812 ?

— Je me le rappelle comme si j'y avais été, monsieur, répondit le correspondant anglais.

— Alors, reprit Alcide Jolivet, vous savez qu'au milieu d'une fête donnée en son honneur, on annonça à l'empereur Alexandre que Napoléon venait de passer le Niémen avec l'avant-garde française. Cependant, l'empereur ne quitta pas la fête, et, malgré l'extrême gravité d'une nouvelle qui pouvait lui coûter l'empire, il ne laissa pas percer plus d'inquiétude...

— Que ne vient d'en montrer notre hôte, lorsque le général Kissoff lui a appris que les fils télégraphiques venaient d'être coupés entre la frontière et le gouvernement d'Irkoutsk.

— Ah! vous connaissez ce détail?

— Je le connais.

— Quant à moi, il me serait difficile de l'ignorer, puisque mon dernier télégramme est allé jusqu'à Oudinsk, fit observer Alcide Jolivet avec une certaine satisfaction.

— Et le mien jusqu'à Krasnoiarsk seulement, répondit Harry Blount d'un ton non moins satisfait.

— Alors vous savez aussi que des ordres ont été envoyés aux troupes de Nikolaevsk?

— Oui, monsieur, en même temps qu'on télégraphiait aux Cosaques du gouvernement de Tobolsk de se concentrer.

— Rien n'est plus vrai, monsieur Blount, ces mesures m'étaient également connues, et croyez bien que mon aimable cousine en saura dès demain quelque chose!

— Exactement comme le sauront, eux aussi, les lecteurs du *Daily Telegraph*, monsieur Jolivet.

— Voilà! Quand on voit tout ce qui se passe!...

— Et quand on écoute tout ce qui se dit!...

— Une intéressante campagne à suivre, monsieur Blount.

— Je la suivrai, monsieur Jolivet.

— Alors, il est possible que nous nous retrouvions sur un terrain moins sûr peut-être que le parquet de ce salon!

— Moins sûr, oui, mais...

— Mais aussi moins glissant! » répondit Alcide Jolivet, qui retint son collègue, au moment où celui-ci allait perdre l'équilibre en se reculant.

Et, là-dessus, les deux correspondants se sépa-

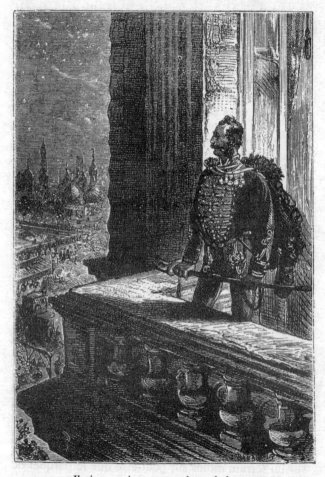

Il vint respirer sur un large balcon...

rèrent, assez contents, en somme, de savoir que l'un n'avait pas distancé l'autre. En effet, ils étaient à deux de jeu.

En ce moment, les portes des salles contiguës au grand salon furent ouvertes. Là se dressaient plusieurs vastes tables merveilleusement servies et chargées à profusion de porcelaines précieuses et de vaisselle d'or. Sur la table centrale, réservée aux princes, aux princesses et aux membres du corps diplomatique, étincelait un surtout d'un prix inestimable, venu des fabriques de Londres, et autour de ce chef-d'œuvre d'orfèvrerie miroitaient, sous le feu des lustres, les mille pièces du plus admirable service qui fût jamais sorti des manufactures de Sèvres.

Les invités du Palais-Neuf commencèrent alors à se diriger vers les salles du souper.

A cet instant, le général Kissoff, qui venait de rentrer, s'approcha rapidement de l'officier des chasseurs de la garde.

« Eh bien ? lui demanda vivement celui-ci, ainsi qu'il avait fait la première fois.

— Les télégrammes ne passent plus Tomsk, Sire.

— Un courrier à l'instant ! »

L'officier quitta le grand salon et entra dans une vaste pièce y attenant. C'était un cabinet de travail, très simplement meublé en vieux chêne, et situé à l'angle du Palais-Neuf. Quelques tableaux, entre autres plusieurs toiles signées d'Horace Vernet, étaient suspendus au mur.

L'officier ouvrit vivement la fenêtre, comme si l'oxygène eût manqué à ses poumons, et il vint respirer, sur un large balcon, cet air pur que distillait une belle nuit de juillet.

Sous ses yeux, baignée par les rayons lunaires, s'arrondissait une enceinte fortifiée, dans laquelle s'élevaient deux cathédrales, trois palais et un arsenal. Autour de cette enceinte se dessinaient trois villes distinctes, Kitaï-Gorod, Beloï-Gorod, Zemlianoï-Gorod, immenses quartiers européens, tartares ou chinois, que dominaient les tours, les clochers, les minarets, les coupoles de trois cents églises, aux dômes verts, surmontés de croix d'argent. Une petite rivière, au cours sinueux, réverbérait çà et là les rayons de la lune. Tout cet ensemble formait une curieuse mosaïque de maisons diversement colorées, qui s'enchâssait dans un vaste cadre de dix lieues.

Cette rivière, c'était la Moskowa, cette ville, c'était Moscou, cette enceinte fortifiée, c'était le Kremlin, et l'officier des chasseurs de la garde, qui, les bras croisés, le front songeur, écoutait vaguement le bruit jeté par le Palais-Neuf sur la vieille cité moscovite, c'était le czar.

II

RUSSES ET TARTARES

Si le czar avait si inopinément quitté les salons du Palais-Neuf, au moment où la fête qu'il donnait aux autorités civiles et militaires et aux principaux notables de Moscou était dans tout son éclat, c'est que de graves événements s'accomplissaient alors au-delà des frontières de l'Oural. On ne pouvait plus en douter, une redoutable invasion menaçait de soustraire à l'autonomie russe les provinces sibériennes.

La Russie asiatique ou Sibérie couvre une aire superficielle de cinq cent soixante mille lieues et compte environ deux millions d'habitants. Elle s'étend depuis les monts Ourals, qui la séparent de la Russie d'Europe, jusqu'au littoral de l'océan Pacifique. Au sud, c'est le Turkestan et l'empire chinois qui la délimitent suivant une frontière assez indéterminée ; au nord c'est l'océan Glacial depuis la mer de Kara jusqu'au détroit de Behring. Elle est divisée en gouvernements ou provinces, qui sont ceux de Tobolsk, d'Yeniseisk, d'Irkoutsk, d'Omsk, de Iakoutsk; elle comprend deux districts, ceux d'Okhotsk et de Kamtschatka, et possède deux pays, maintenant soumis à la domination moscovite, le pays des Kirghis et le pays des Tchouktches.

Cette immense étendue de steppes, qui renferme plus de cent dix degrés de l'ouest à l'est, est à la fois une terre de déportation pour les criminels, une terre d'exil pour ceux qu'un ukase a frappés d'expulsion.

Deux gouverneurs généraux représentent l'autorité suprême des czars en ce vaste pays. L'un réside à Irkoutsk, capitale de la Sibérie orientale; l'autre réside à Tobolsk, capitale de la Sibérie occidentale. La rivière Tchouna, un affluent du fleuve Yeniseï, sépare les deux Sibéries.

Aucun chemin de fer ne sillonne encore ces immenses plaines, dont quelques-unes sont véritablement d'une extrême fertilité. Aucune voie ferrée ne dessert les mines précieuses qui font, sur de vastes étendues, le sol sibérien plus riche au-dessous qu'au-dessus de sa surface. On y voyage en tarentass ou en télègue, l'été; en traîneau, l'hiver.

Une seule communication, mais une communication électrique, joint les deux frontières ouest et est de la Sibérie au moyen d'un fil qui mesure plus de huit mille verstes de long (8 536 kilomètres)[1]. A sa sortie de l'Oural, il passe par Ekaterinbourg, Kassimow, Tioumen, Ichim, Omsk, Elamsk, Kolyvan, Tomsk, Krasnoiarsk, Nijni-Oudinsk, Irkoutsk, Verkne-Nert-schink, Strelink, Albazine, Blagowstenks, Radde, Orlomskaya, Alexandrowskoë, Nikolaevsk, et prend six roubles et dix-neuf kopeks par chaque mot lancé à son extrême limite[2]. D'Irkoutsk un embranchement va se souder à Kiatka sur la frontière mongole, et de

1. La verste vaut 1 067 mètres, c'est-à-dire un peu plus d'un kilomètre.
2. Environ 27 francs. Le rouble (argent) vaut 3 francs 75 centimes. Le kopek (cuivre) vaut 4 centimes.

là, à trente kopeks par mot, la poste transporte les dépêches à Péking en quatorze jours.

C'est ce fil, tendu d'Ekaterinbourg à Nikolaevsk, qui avait été coupé, d'abord en avant de Tomsk, et, quelques heures plus tard, entre Tomsk et Kolyvan.

C'est pourquoi le czar, après la communication que venait de lui faire pour la seconde fois le général Kissoff, n'avait-il répondu que par ces seuls mots : « Un courrier à l'instant ! »

Le czar était, depuis quelques instants, immobile à la fenêtre de son cabinet, lorsque les huissiers en ouvrirent de nouveau la porte. Le grand maître de police apparut sur le seuil.

« Entre, général, dit le czar d'une voix brève, et dis-moi tout ce que tu sais d'Ivan Ogareff.

— C'est un homme extrêmement dangereux, Sire, répondit le grand maître de police.

— Il avait rang de colonel ?

— Oui, Sire.

— C'était un officier intelligent ?

— Très intelligent, mais impossible à maîtriser, et d'une ambition effrénée qui ne reculait devant rien. Il s'est bientôt jeté dans de secrètes intrigues, et c'est alors qu'il a été cassé de son grade par Son Altesse le grand-duc, puis exilé en Sibérie.

— A quelle époque ?

— Il y a deux ans. Gracié après six mois d'exil par la faveur de Votre Majesté, il est rentré en Russie.

— Et, depuis cette époque, n'est-il pas retourné en Sibérie ?

— Oui, Sire, il y est retourné, mais volontairement cette fois », répondit le grand maître de police.

Et il ajouta, en baissant un peu la voix :

« Il fut un temps, Sire, où, quand on allait en Sibérie, on n'en revenait pas !

— Eh bien, moi vivant, la Sibérie est et sera un pays dont on revient ! »

Le czar avait le droit de prononcer ces paroles avec une véritable fierté, car il a souvent montré, par sa clémence, que la justice russe savait pardonner.

Le grand maître de police ne répondit rien, mais il était évident qu'il n'était pas partisan des demi-mesures. Selon lui, tout homme qui avait passé les monts Ourals entre les gendarmes ne devait plus jamais les franchir. Or, il n'en était pas ainsi sous le nouveau règne, et le grand maître de police le déplorait sincèrement ! Comment ! plus de condamnation à perpétuité pour d'autres crimes que les crimes de droit commun ! Comment ! des exilés politiques revenaient de Tobolsk, d'Iakoutsk, d'Irkoutsk ! En vérité, le grand maître de police, habitué aux décisions autocratiques des ukases qui jadis ne pardonnaient pas, ne pouvait admettre cette façon de gouverner ! Mais il se tut, attendant que le czar l'interrogeât de nouveau.

Les questions ne se firent pas attendre.

« Ivan Ogareff, demanda le czar, n'est-il pas rentré une seconde fois en Russie après ce voyage dans les provinces sibériennes, voyage dont le véritable but est resté inconnu ?

— Il y est rentré.

— Et, depuis son retour, la police a perdu ses traces ?

— Non, Sire, car un condamné ne devient véritablement dangereux que du jour où il a été gracié ! »

Le front du czar se plissa un instant. Peut-être le grand maître de police put-il craindre d'avoir été trop loin, — bien que son entêtement dans ses idées fût au moins égal au dévouement sans bornes qu'il avait pour son maître ; mais le czar, dédaignant ces reproches indirects touchant sa politique intérieure, continua brièvement la série de ses questions :

« En dernier lieu, où était Ivan Ogareff ?

— Dans le gouvernement de Perm.

— En quelle ville ?

— A Perm même.

— Qu'y faisait-il ?

— Il semblait inoccupé, et sa conduite n'offrait rien de suspect.

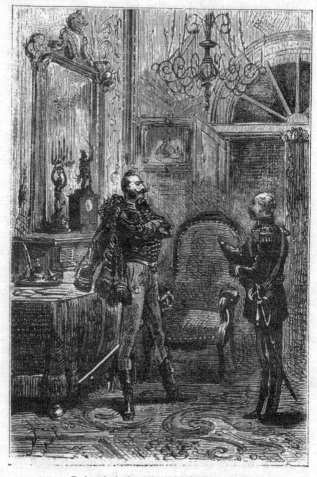

« Oui, général, et je vais t'apprendre... »

— Il n'était pas sous la surveillance de la haute police ?

— Non, Sire.

— A quel moment a-t-il quitté Perm ?

— Vers le mois de mars.

— Pour aller ?...

— On l'ignore.

— Et, depuis cette époque, on ne sait ce qu'il est devenu ?

— On ne le sait.

— Eh bien, je le sais, moi ! répondit le czar. Des avis anonymes, qui n'ont pas passé par les bureaux de la police, m'ont été adressés, et, en présence des faits qui s'accomplissent maintenant au-delà de la frontière, j'ai tout lieu de croire qu'ils sont exacts !

— Voulez-vous dire, Sire, s'écria le grand maître de police, qu'Ivan Ogareff a la main dans l'invasion tartare ?

— Oui, général, et je vais t'apprendre ce que tu ignores. Ivan Ogareff, après avoir quitté le gouvernement de Perm, a passé les monts Ourals. Il s'est jeté en Sibérie, dans les steppes kirghises, et, là, il a tenté, non sans succès, de soulever ces populations nomades. Il est alors descendu plus au sud, jusque dans le Turkestan libre. Là, aux khanats de Boukhara, de Khokhand, de Koundouze, il a trouvé des chefs disposés à jeter leurs hordes tartares dans les provinces sibériennes et à provoquer une invasion générale de l'empire russe en Asie. Le mouvement a été fomenté secrètement, mais il vient d'éclater comme un coup de foudre, et maintenant les voies et moyens de communication sont coupés entre la Sibérie occidentale et la Sibérie orientale ! De plus, Ivan Ogareff, altéré de vengeance, veut attenter à la vie de mon frère ! »

Le czar s'était animé en parlant et marchait à pas précipités. Le grand maître de police ne répondit rien, mais il se disait, à part lui, qu'au temps où les empereurs de Russie ne graciaient jamais un exilé, les projets d'Ivan Ogareff n'auraient pu se réaliser.

Quelques instants s'écoulèrent, pendant lesquels il garda le silence. Puis, s'approchant du czar, qui s'était jeté sur un fauteuil :

« Votre Majesté, dit-il, a sans doute donné des ordres pour que cette invasion fût repoussée au plus vite ?

— Oui, répondit le czar. Le dernier télégramme qui a pu passer à Nijni-Oudinsk a dû mettre en mouvement les troupes des gouvernements d'Yeniseisk, d'Irkoutsk, d'Iakoutsk, celles des provinces de l'Amour et du lac Baïkal. En même temps, les régiments de Perm et de Nijni-Novgorod et les Cosaques de la frontière se dirigent à marche forcée vers les monts Ourals ; mais, malheureusement, il faudra plusieurs semaines avant qu'ils puissent se trouver en face des colonnes tartares !

— Et le frère de Votre Majesté, Son Altesse le grand-duc, en ce moment isolé dans le gouvernement d'Irkoutsk, n'est plus en communication directe avec Moscou ?

— Non.

— Mais il doit savoir, par les dernières dépêches, quelles sont les mesures prises par Votre Majesté et quels secours il doit attendre des gouvernements les plus rapprochés de celui d'Irkoutsk ?

— Il le sait, répondit le czar, mais ce qu'il ignore, c'est qu'Ivan Ogareff, en même temps que le rôle de rebelle, doit jouer le rôle de traître, et qu'il a en lui un ennemi personnel et acharné. C'est au grand-duc qu'Ivan Ogareff doit sa première disgrâce, et, ce qu'il y a de plus grave, c'est que cet homme n'est pas connu de lui. Le projet d'Ivan Ogareff est donc de se rendre à Irkoutsk, et là, sous un faux nom, d'offrir ses services au grand-duc. Puis, après qu'il aura capté sa confiance, lorsque les Tartares auront investi Irkoutsk, il livrera la ville, et avec elle mon frère, dont la vie est directement menacée. Voilà ce que je sais par mes rapports, voilà ce que ne sait pas le grand-duc, et voilà ce qu'il faut qu'il sache !

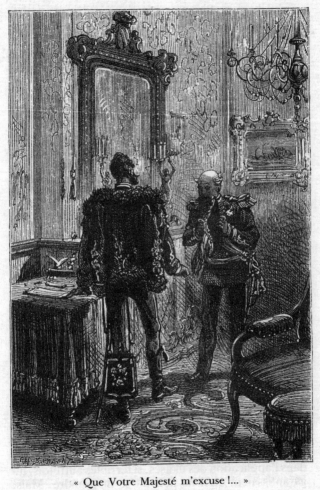

« Que Votre Majesté m'excuse !... »

— Eh bien, Sire, un courrier intelligent, courageux...

— Je l'attends.

— Et qu'il fasse diligence, ajouta le grand maître de police, car permettez-moi d'ajouter, Sire, que c'est une terre propice aux rébellions que cette terre sibérienne !

— Veux-tu dire, général, que les exilés feraient cause commune avec les envahisseurs ? s'écria le czar, qui ne fut pas maître de lui-même devant cette insinuation du grand maître de police.

— Que Votre Majesté m'excuse !... répondit en balbutiant le grand maître de police, car c'était bien véritablement la pensée que lui avait suggérée son esprit inquiet et défiant.

— Je crois aux exilés plus de patriotisme ! reprit le czar.

— Il y a d'autres condamnés que les exilés politiques en Sibérie, répondit le grand maître de police.

— Les criminels ! Oh ! général, ceux-là je te les abandonne ! C'est le rebut du genre humain. Ils ne sont d'aucun pays. Mais le soulèvement, ou plutôt l'invasion n'est pas faite contre l'empereur, c'est contre la Russie, contre ce pays, que les exilés n'ont pas perdu toute espérance de revoir... et qu'ils reverront !... Non, jamais un Russe ne se liguera avec un Tartare pour affaiblir, ne fût-ce qu'une heure, la puissance moscovite ! »

Le czar avait raison de croire au patriotisme de ceux que sa politique tenait momentanément éloignés. La clémence, qui était le fond de sa justice, quand il pouvait en diriger lui-même les effets, les adoucissements considérables qu'il avait adoptés dans l'application des ukases, si terribles autrefois, lui garantissaient qu'il ne pouvait se méprendre. Mais, même sans ce puissant élément de succès apporté à l'invasion tartare, les circonstances n'en étaient pas moins très graves, car il était à craindre qu'une grande partie de la population kirghise ne se joignît aux envahisseurs.

Les Kirghis se divisent en trois hordes, la grande, la petite et la moyenne, et comptent environ quatre cent mille « tentes », soit deux millions d'âmes. De ces diverses tribus, les unes sont indépendantes, et les autres reconnaissent la souveraineté, soit de la Russie, soit des khanats de Khiva, de Khokhand et de Boukhara, c'est-à-dire des plus redoutables chefs du Turkestan. La horde moyenne, la plus riche, est en même temps la plus considérable, et ses campements occupent tout l'espace compris entre les cours d'eau du Sara-Sou, de l'Irtyche, de l'Ichim supérieur, le lac Hadisang et le lac Aksakal. La grande horde, qui occupe les contrées situées dans l'est de la moyenne, s'étend jusqu'aux gouvernements d'Omsk et de Tobolsk. Si donc ces populations kirghises se soulevaient, c'était l'envahissement de la Russie asiatique, et, tout d'abord, la séparation de la Sibérie, à l'est de l'Yeniseï.

Il est vrai que ces Kirghis, fort novices dans l'art de la guerre, sont plutôt des pillards nocturnes et agresseurs de caravanes que des soldats réguliers. Ainsi que l'a dit M. Levchine, « un front serré ou un carré de bonne infanterie résiste à une masse de Kirghis dix fois plus nombreux, et un seul canon peut en détruire une quantité effroyable ».

Soit, mais encore faut-il que ce carré de bonne infanterie arrive dans le pays soulevé, et que les bouches à feu quittent les parcs des provinces russes, qui sont éloignées de deux ou trois mille verstes. Or, sauf par la route directe qui joint Ekaterinbourg à Irkoutsk, les steppes, souvent marécageuses, ne sont pas aisément praticables, et plusieurs semaines s'écouleraient certainement avant que les troupes russes pussent se trouver en mesure de repousser les hordes tartares.

Omsk est le centre de l'organisation militaire de la Sibérie occidentale qui est destinée à tenir en respect les populations kirghises. Là sont les limites que ces nomades, incomplètement soumis, ont plus d'une fois insultées, et, au ministère de la guerre, on avait tout lieu de penser qu'Omsk était déjà très menacé. La ligne des colonies militaires, c'est-à-dire de ces postes de Cosaques qui sont échelonnés depuis Omsk jusqu'à Sémipalatinsk, devait avoir été forcée en plusieurs points. Or, il était à craindre que les « grands sultans » qui gouvernent les districts kirghis n'eussent accepté volontairement ou subi involontairement la domination des Tartares, musulmans comme eux, et qu'à la haine provoquée par l'asservissement ne se fût jointe la haine due à l'antagonisme des religions grecque et musulmane.

Depuis longtemps, en effet, les Tartares du Turkestan, et principalement ceux des khanats de Boukhara, de Khokhand, de Koundouze, cherchaient, aussi bien par la force que par la persuasion, à soustraire les hordes kirghises à la domination moscovite.

Quelques mots seulement sur ces Tartares.

Les Tartares appartiennent plus spécialement à deux races distinctes, la race caucasique et la race mongole.

La race caucasique, celle, a dit Abel de Rémusat, « qui est regardée en Europe comme le type de la beauté de notre espèce, parce que tous les peuples de cette partie du monde en sont issus », réunit sous une même dénomination les Turcs et les indigènes de souche persane.

La race purement mongolique comprend les Mongols, les Mandchoux et les Thibétains.

Les Tartares, qui menaçaient alors l'empire russe, étaient de race caucasique et occupaient plus particulièrement le Turkestan. Ce vaste pays est divisé en différents États, qui sont gouvernés par des khans, d'où la dénomination de khanats. Les principaux khanats sont ceux de Boukhara, de Khiva, de Khokhand, de Koundouze, etc.

A cette époque, le khanat le plus important et le plus redoutable était celui de Boukhara. La Russie avait déjà eu à lutter plusieurs fois avec ses chefs, qui, dans un intérêt personnel et pour leur imposer un autre joug, avaient soutenu l'indépendance des Kirghis contre la domination moscovite. Le chef actuel, Féofar-Khan, marchait sur les traces de ses prédécesseurs.

Ce khanat de Boukhara s'étend du nord au sud, entre les trente-septième et quarante et unième parallèles, et de l'est à l'ouest, entre les soixante et unième et soixante-sixième degrés de longitude, c'est-à-dire sur une surface d'environ dix mille lieues carrées.

On compte dans cet État une population de deux millions cinq cent mille habitants, une armée de soixante mille hommes, portée au triple en temps de guerre, et trente mille cavaliers. C'est un pays riche, varié dans ses productions animales, végétales, minérales, et qui a été agrandi par l'accession des territoires de Balkh, d'Aukoï et de Meïmaneh. Il possède dix-neuf villes considérables. Boukhara, ceinte d'une muraille mesurant plus de huit milles anglais et flanquée de tours, cité glorieuse qui fut illustrée par les Avicenne et autres savants du Xe siècle, est regardée comme le centre de la science musulmane et rangée parmi les plus célèbres de l'Asie centrale; Samarcande, qui possède le tombeau de Tamerlan et ce palais célèbre où l'on garde cette pierre bleue sur laquelle chaque nouveau khan doit venir s'asseoir à son avènement, est défendue par une citadelle extrêmement forte; Karschi, avec sa triple enceinte, située dans une oasis qu'entoure un marais peuplé de tortues et de lézards, est presque imprenable; Tschardjoui est défendue par une population de près de vingt mille âmes; enfin, Katta-Kourgan, Nourata, Djizah, Païkande, Karakoul, Khouzar, etc., forment un ensemble de villes difficiles à réduire. Ce khanat de Boukhara, protégé par ses montagnes, isolé par ses steppes, est donc un État véritablement redoutable, et la Russie serait forcée de lui opposer des forces importantes.

Or, c'était l'ambitieux et farouche Féofar qui gouvernait alors ce coin de la Tartarie. Appuyé sur les autres khans, — principalement ceux de Khokhand et de Koundouze, guerriers cruels et pillards, tout disposés à se jeter dans des entreprises chères à l'instinct tartare, — aidé des chefs qui commandaient à toutes les hordes de l'Asie centrale, il s'était mis à la tête de cette invasion, dont Ivan Ogareff était l'âme. Ce traître, poussé par une ambition insensée autant que par la haine, avait régularisé le mouvement de manière à couper la grande route sibérienne. Fou, en vérité, s'il croyait pouvoir entamer l'empire moscovite ! Sous son inspiration, l'émir — c'est le titre que prennent les khans de Boukhara — avait lancé ses hordes au-delà de la frontière russe. Il avait envahi le gouvernement de Sémipalatinsk, et les Cosaques, qui se trouvaient en trop petit nombre sur ce point, avaient dû reculer devant lui. Il s'était avancé plus loin que le lac Balkhach, entraînant les populations kirghises sur son passage. Pillant, ravageant, enrôlant ceux qui se soumettaient, capturant ceux qui résistaient, il se transportait d'une ville à l'autre, suivi de ces impedimenta de souverain oriental, qu'on pourrait appeler sa maison civile, ses femmes et ses esclaves, — le tout avec l'audace impudente d'un Gengis-Khan moderne.

Où était-il en ce moment ? Jusqu'où ses soldats étaient-ils parvenus à l'heure où la nouvelle de l'invasion arrivait à Moscou ? A quel point de la Sibérie les troupes russes avaient-elles dû reculer ? on ne pouvait le savoir. Les communications étaient interrompues. Le fil, entre Kolyvan et Tomsk, avait-il été brisé par quelques éclaireurs de l'armée tartare, ou l'émir était-il arrivé jusqu'aux provinces de l'Yeniseisk ? Toute la basse Sibérie occidentale était-elle en feu ? Le soulèvement s'étendait-il déjà jusqu'aux régions de l'est ? on ne pouvait le dire. Le seul agent qui ne craint ni le froid ni le chaud, celui que ni les rigueurs de l'hiver ni les chaleurs de l'été ne peuvent arrêter, qui vole avec la rapidité de la foudre, le courant électrique, ne pouvait plus se propager à travers la steppe, et il n'était plus possible de prévenir le grand-duc, enfermé dans Irkoutsk, du danger dont le menaçait la trahison d'Ivan Ogareff.

Un courrier seul pouvait remplacer le courant interrompu. Il faudrait, à cet homme, un certain temps pour franchir les cinq mille deux cents verstes (5 523 kilomètres) qui séparent Moscou d'Irkoutsk. Il devrait, pour traverser les rangs des rebelles et des envahisseurs, déployer à la fois un courage et une intelligence pour ainsi dire surhumains. Mais, avec de la tête et du cœur, on va loin !

« Trouverai-je cette tête et ce cœur ? » se demandait le czar.

III

MICHEL STROGOFF

La porte du cabinet impérial s'ouvrit bientôt, et ◆● l'huissier annonça le général Kissoff.

« Ce courrier ? demanda vivement le czar.

— Il est là, Sire, répondit le général Kissoff.

— Tu as trouvé l'homme qu'il fallait ?

— J'ose en répondre à Votre Majesté.

— Il était de service au palais ?

— Oui, Sire.

— Tu le connais ?

— Personnellement, et plusieurs fois il a rempli avec succès des missions difficiles.

— A l'étranger ?

— En Sibérie même.

— D'où est-il ?

— D'Omsk. C'est un Sibérien.

●◆ Voir *Au fil du texte*, p. VIII.

Le courrier Michel Strogoff entrait dans le cabinet impérial.

— Il a du sang-froid, de l'intelligence, du courage ?

— Oui, Sire, il a tout ce qu'il faut pour réussir là où d'autres échoueraient peut-être.

— Son âge ?

— Trente ans.

— C'est un homme vigoureux ?

— Sire, il peut supporter jusqu'aux dernières limites le froid, la faim, la soif, la fatigue.

— Il a un corps de fer ?

— Oui, Sire.

— Et un cœur ?...

— Un cœur d'or.

— Il se nomme ?

— Michel Strogoff.

— Est-il prêt à partir ?

— Il attend dans la salle des gardes les ordres de Votre Majesté.

— Qu'il vienne », dit le czar.

Quelques instants plus tard, le courrier Michel Strogoff entrait dans le cabinet impérial.

Michel Strogoff était haut de taille, vigoureux, épaules larges, poitrine vaste. Sa tête puissante présentait les beaux caractères de la race caucasique. Ses membres, bien attachés, étaient autant de leviers disposés mécaniquement pour le meilleur accomplissement des ouvrages de force. Ce beau et solide garçon, bien campé, bien planté, n'eût pas été facile à déplacer malgré lui, car, lorsqu'il avait posé ses deux pieds sur le sol, il semblait qu'ils s'y fussent enracinés. Sur sa tête, carrée du haut, large de front, se crépelait une chevelure abondante, qui s'échappait en boucles, quand il la coiffait de la casquette moscovite. Lorsque sa face, ordinairement pâle, venait à se modifier, c'était uniquement sous un battement plus rapide du cœur, sous l'influence d'une circulation plus vive qui lui envoyait la rougeur artérielle. Ses yeux étaient d'un bleu foncé, avec un regard droit, franc, inaltérable, et ils brillaient sous une arcade dont les muscles sourciliers, contractés faiblement, témoignaient d'un

courage élevé, « ce courage sans colère des héros »,
suivant l'expression des physiologistes. Son nez puissant, large de narines, dominait une bouche symé-
trique avec les lèvres un peu saillantes de l'être
généreux et bon.

Michel Strogoff avait le tempérament de l'homme
décidé, qui prend rapidement son parti, qui ne se
ronge pas les ongles dans l'incertitude, qui ne se
gratte pas l'oreille dans le doute, qui ne piétine pas
dans l'indécision. Sobre de gestes comme de paroles,
il savait rester immobile comme un soldat devant son
supérieur ; mais, lorsqu'il marchait, son allure dénotait une grande aisance, une remarquable netteté de
mouvements, — ce qui prouvait à la fois la confiance
et la volonté vivace de son esprit. C'était un de ces
hommes dont la main semble toujours « pleine des
cheveux de l'occasion », figure un peu forcée, mais
qui les peint d'un trait.

Michel Strogoff était vêtu d'un élégant uniforme
militaire, qui se rapprochait de celui des officiers de
chasseurs à cheval en campagne, bottes, éperons,
pantalon demi-collant, pelisse bordée de fourrure et
agrémentée de soutaches jaunes sur fond brun. Sur sa
large poitrine brillaient une croix et plusieurs
médailles.

Michel Strogoff appartenait au corps spécial des
courriers du czar, et il avait rang d'officier parmi ces
hommes d'élite. Ce qui se sentait particulièrement
dans sa démarche, dans sa physionomie, dans toute sa
personne, et ce que le czar reconnut sans peine, c'est
qu'il était « un exécuteur d'ordres ». Il possédait
donc l'une des qualités les plus recommandables en
Russie, suivant l'observation du célèbre romancier
Tourgueniev, qualité qui conduit aux plus hautes
positions de l'empire moscovite.

En vérité, si un homme pouvait mener à bien ce
voyage de Moscou à Irkoutsk, à travers une contrée
envahie, surmonter les obstacles et braver les périls
de toutes sortes, c'était, entre tous, Michel Strogoff.

Circonstance très favorable à la réussite de ses projets, Michel Strogoff connaissait admirablement le pays qu'il allait traverser, et il en comprenait les divers idiomes, non seulement pour l'avoir déjà parcouru, mais parce qu'il était d'origine sibérienne.

Son père, le vieux Pierre Strogoff, mort depuis dix ans, habitait la ville d'Omsk, située dans le gouvernement de ce nom, et sa mère, Marfa Strogoff, y demeurait encore. C'était là, au milieu des steppes sauvages des provinces d'Omsk et de Tobolsk, que le redoutable chasseur sibérien avait élevé son fils Michel « à la dure », suivant l'expression populaire. De sa véritable profession, Pierre Strogoff était chasseur. Été comme hiver, aussi bien par les chaleurs torrides que par des froids qui dépassent quelquefois cinquante degrés au-dessous de zéro, il courait la plaine durcie, les halliers de mélèzes et de bouleaux, les forêts de sapins, tendant ses trappes, guettant le petit gibier au fusil et le gros gibier à la fourche ou au couteau. Le gros gibier n'était rien de moins que l'ours sibérien, redoutable et féroce animal dont la taille égale celle de ses congénères des mers glaciales. Pierre Strogoff avait tué plus de trente-neuf ours, c'est-à-dire que le quarantième était tombé sous ses coups, — et l'on sait, à en croire les légendes cynégétiques de la Russie, combien de chasseurs ont été heureux jusqu'au trente-neuvième ours, qui ont succombé devant le quarantième !

Pierre Strogoff avait donc dépassé sans avoir reçu même une égratignure le nombre fatal. Depuis ce moment, son fils Michel, âgé de onze ans, ne manqua plus de l'accompagner dans ses chasses, portant la « ragatina », c'est-à-dire la fourche, pour venir en aide à son père, armé seulement du couteau. A quatorze ans, Michel Strogoff avait tué son premier ours, tout seul, — ce qui n'était rien ; — mais, après l'avoir dépouillé, il avait traîné la peau du gigantesque animal jusqu'à la maison paternelle, distante de plusieurs verstes, — ce qui indiquait chez l'enfant une vigueur peu commune.

Cette vie lui profita, et, arrivé à l'âge de l'homme fait, il était capable de tout supporter, le froid, le chaud, la faim, la soif, la fatigue. C'était, comme le Yakoute des contrées septentrionales, un homme de fer. Il savait rester vingt-quatre heures sans manger, dix nuits sans dormir, et se faire un abri en pleine steppe, là où d'autres se fussent morfondus à l'air. Doué de sens d'une finesse extrême, guidé par un instinct de Delaware au milieu de la plaine blanche, quand le brouillard interceptait tout horizon, lors même qu'il se trouvait dans le pays des hautes latitudes, où la nuit polaire se prolonge pendant de longs jours, il retrouvait son chemin, là où d'autres n'eussent pu diriger leurs pas. Tous les secrets de son père lui étaient connus. Il avait appris à se guider sur des symptômes presque imperceptibles, projection des aiguilles de glaces, disposition des menues branches d'arbre, émanations apportées des dernières limites de l'horizon, foulée d'herbes dans la forêt, sons vagues qui traversaient l'air, détonations lointaines, passage d'oiseaux dans l'atmosphère embrumée, mille détails qui sont mille jalons pour qui sait les reconnaître. De plus, trempé dans les neiges, comme un damas dans les eaux de Syrie, il avait une santé de fer, ainsi que l'avait dit le général Kissoff, et, ce qui était non moins vrai, un cœur d'or.

L'unique passion de Michel Strogoff était pour sa mère, la vieille Marfa, qui n'avait jamais voulu quitter l'ancienne maison des Strogoff, à Omsk, sur les bords de l'Irtyche, là où le vieux chasseur et elle vécurent si longtemps ensemble. Lorsque son fils la quitta, ce fut le cœur gros, mais en lui promettant de revenir toutes les fois qu'il le pourrait, — promesse qui fut toujours religieusement tenue.

Il avait été décidé que Michel Strogoff, à vingt ans, entrerait au service personnel de l'empereur de Russie, dans le corps des courriers du czar. Le jeune Sibérien, hardi, intelligent, zélé, de bonne conduite, eut d'abord l'occasion de se distinguer spécialement dans un voyage au Caucase, au milieu d'un pays difficile, soulevé par quelques remuants successeurs de Shamyl, puis, plus tard, pendant une importante mission qui l'entraîna jusqu'à Petropolowski, dans le Kamtchatka, à l'extrême limite de la Russie asiatique. Durant ces longues tournées, il déploya des qualités merveilleuses de sang-froid, de prudence, de courage, qui lui valurent l'approbation et la protection de ses chefs, et il fit rapidement son chemin.

Quant aux congés qui lui revenaient de droit, après ces lointaines missions, jamais il ne négligea de les consacrer à sa vieille mère, — fût-il séparé d'elle par des milliers de verstes et l'hiver rendît-il les routes impraticables. Cependant, et pour la première fois, Michel Strogoff, qui venait d'être très employé dans le sud de l'empire, n'avait pas revu la vieille Marfa depuis trois ans, trois siècles! Or, son congé réglementaire allait lui être accordé dans quelques jours, et il avait déjà fait ses préparatifs de départ pour Omsk, quand se produisirent les circonstances que l'on sait. Michel Strogoff fut donc introduit en présence du czar, dans la plus complète ignorance de ce que l'empereur attendait de lui.

Le czar, sans lui adresser la parole, le regarda pendant quelques instants et l'observa d'un œil pénétrant, tandis que Michel Strogoff demeurait absolument immobile.

Puis, le czar, satisfait de cet examen, sans doute, retourna près de son bureau, et, faisant signe au grand maître de police de s'y asseoir, il lui dicta à voix basse une lettre qui ne contenait que quelques lignes.

La lettre libellée, le czar la relut avec une extrême attention, puis il la signa, après avoir fait précéder son nom de ces mots : « Byt po sémou », qui signifient : « Ainsi soit-il », et constituent la formule sacramentelle des empereurs de Russie.

La lettre fut alors introduite dans une enveloppe, que ferma le cachet aux armes impériales.

Le czar, se relevant alors, dit à Michel Strogoff de s'approcher.

Michel Strogoff fit quelques pas en avant et demeura de nouveau immobile, prêt à répondre.

Le czar le regarda encore une fois bien en face, les yeux dans les yeux. Puis, d'une voix brève :

« Ton nom ? demanda-t-il.

— Michel Strogoff, Sire.

— Ton grade ?

— Capitaine au corps des courriers du czar.

— Tu connais la Sibérie ?

— Je suis Sibérien.

— Tu es né ?...

— A Omsk.

— As-tu des parents à Omsk ?

— Oui, Sire.

— Quels parents ?

— Ma vieille mère. »

Le czar suspendit un instant la série de ses questions. Puis, montrant la lettre qu'il tenait à la main :

« Voici une lettre, dit-il, que je te charge, toi, Michel Strogoff, de remettre en main propre au grand-duc et à nul autre que lui.

— Je la remettrai, Sire.

— Le grand-duc est à Irkoutsk.

— J'irai à Irkoutsk.

— Mais il faudra traverser un pays soulevé par des rebelles, envahi par des Tartares, qui auront intérêt à intercepter cette lettre.

— Je le traverserai.

— Tu te défieras surtout d'un traître, Ivan Ogareff, qui se rencontrera peut-être sur ta route.

— Je m'en défierai.

— Passeras-tu par Omsk ?

— C'est mon chemin, Sire.

— Si tu vois ta mère, tu risques d'être reconnu. Il ne faut pas que tu voies ta mère ! »

Michel Strogoff eut une seconde d'hésitation.

« Je ne la verrai pas, dit-il.

— Jure-moi que rien ne pourra te faire avouer ni qui tu es ni où tu vas !

« Va donc, Michel Strogoff !... »

— Je le jure.

— Michel Strogoff, reprit alors le czar, en remettant le pli au jeune courrier, prends donc cette lettre, de laquelle dépend le salut de toute la Sibérie et peut-être la vie du grand-duc mon frère.

— Cette lettre sera remise à Son Altesse le grand-duc.

— Ainsi tu passeras quand même?

— Je passerai, òu l'on me tuera.

— J'ai besoin que tu vives!

— Je vivrai et je passerai », répondit Michel Strogoff.

Le czar parut satisfait de l'assurance simple et calme avec laquelle Michel Strogoff lui avait répondu.

« Va donc, Michel Strogoff, dit-il, va pour Dieu, pour la Russie, pour mon frère et pour moi! »

Michel Strogoff salua militairement, quitta aussitôt le cabinet impérial, et, quelques instants après, le Palais-Neuf.

« Je crois que tu as eu la main heureuse, général, dit le czar.

— Je le crois, Sire, répondit le général Kissoff, et Votre Majesté peut être assurée que Michel Strogoff fera tout ce que peut faire un homme.

— C'est un homme, en effet », dit le czar.

IV

DE MOSCOU À NIJNI-NOVGOROD

La distance que Michel Strogoff allait franchir entre Moscou et Irkoutsk était de cinq mille deux cents verstes (5 523 kilomètres). Lorsque le fil télégraphique n'était pas encore tendu entre les monts

Ourals et la frontière orientale de la Sibérie, le service des dépêches se faisait par des courriers dont les plus rapides employaient dix-huit jours à se rendre de Moscou à Irkoutsk. Mais c'était là l'exception, et cette traversée de la Russie asiatique durait ordinairement de quatre à cinq semaines, bien que tous les moyens de transport fussent mis à la disposition de ces envoyés du czar.

En homme qui ne craint ni le froid ni la neige, Michel Strogoff eût préféré voyager par la rude saison d'hiver, qui permet d'organiser le traînage sur toute l'étendue du parcours. Alors les difficultés inhérentes aux divers genres de locomotion sont en partie diminuées sur ces immenses steppes nivelées par la neige. Plus de cours d'eau à franchir. Partout la nappe glacée sur laquelle le traîneau glisse facilement et rapidement. Peut-être certains phénomènes naturels sont-ils à redouter, à cette époque, tels que permanence et intensité des brouillards, froids excessifs, chasse-neige longs et redoutables, dont les tourbillons enveloppent quelquefois et font périr des caravanes entières. Il arrive bien aussi que des loups, poussés par la faim, couvrent la plaine par milliers. Mais mieux eût valu courir ces risques, car, avec ce dur hiver, les envahisseurs tartares se fussent de préférence cantonnés dans les villes, leurs maraudeurs n'auraient pas couru la steppe, tout mouvement de troupes eût été impraticable, et Michel Strogoff eût plus facilement passé. Mais il n'avait à choisir ni son temps ni son heure. Quelles que fussent les circonstances, il devait les accepter et partir.

Telle était donc la situation, que Michel Strogoff envisagea nettement, et il se prépara à lui faire face.

D'abord, il ne se trouvait plus dans les conditions ordinaires d'un courrier du czar. Cette qualité, il fallait même que personne ne pût la soupçonner sur son passage. Dans un pays envahi, les espions fourmillent. Lui reconnu, sa mission était compromise. Aussi, en lui remettant une somme importante, qui

devait suffire à son voyage et le faciliter dans une
certaine mesure, le général Kissoff ne lui donna-t-il
aucun ordre écrit portant cette mention : service de
l'empereur, qui est le Sésame par excellence. Il se
contenta de le munir d'un « podaroshna ».

Ce podaroshna était fait au nom de Nicolas Korpanoff, négociant, demeurant à Irkoutsk. Il autorisait
Nicolas Korpanoff à se faire accompagner, le cas
échéant, d'une ou plusieurs personnes, et, en outre, il
était, par mention spéciale, valable même pour le cas
où le gouvernement moscovite interdirait à tous
autres nationaux de quitter la Russie.

Le podaroshna n'est autre chose qu'un permis de
prendre les chevaux de poste ; mais Michel Strogoff
ne devait s'en servir que dans le cas où ce permis ne
risquerait pas de faire suspecter sa qualité, c'est-à-
dire tant qu'il serait sur le territoire européen. Il
résultait donc, de cette circonstance, qu'en Sibérie,
c'est-à-dire lorsqu'il traverserait les provinces soulevées, il ne pourrait ni agir en maître dans les relais de
poste, ni se faire délivrer des chevaux de préférence à
tous autres, ni réquisitionner les moyens de transport
pour son usage personnel. Michel Strogoff ne devait
pas l'oublier : il n'était plus un courrier, mais un
simple marchand, Nicolas Korpanoff, qui allait de
Moscou à Irkoutsk, et, comme tel, soumis à toutes les
éventualités d'un voyage ordinaire.

Passer inaperçu, — plus ou moins rapidement, —
mais passer, tel devait être son programme.

Il y a trente ans, l'escorte d'un voyageur de qualité
ne comprenait pas moins de deux cents Cosaques
montés, deux cents fantassins, vingt-cinq cavaliers
baskirs, trois cents chameaux, quatre cents chevaux,
vingt-cinq chariots, deux bateaux portatifs et deux
pièces de canon. Tel était le matériel nécessité par un
voyage en Sibérie.

Lui, Michel Strogoff, n'aurait ni canons, ni cavaliers, ni fantassins, ni bêtes de somme. Il irait en
voiture ou à cheval, quand il le pourrait ; à pied, s'il
fallait aller à pied.

Les quatorze cents premières verstes (1 493 kilomètres), mesurant la distance comprise entre Moscou et la frontière russe, ne devaient offrir aucune difficulté. Chemin de fer, voitures de poste, bateaux à vapeur, chevaux des divers relais, étaient à la disposition de tous, et, par conséquent, à la disposition du courrier du czar.

Donc, ce matin même du 16 juillet, n'ayant plus rien de son uniforme, muni d'un sac de voyage qu'il portait sur son dos, vêtu d'un simple costume russe, tunique serrée à la taille, ceinture traditionnelle du moujik, larges culottes, bottes sanglées à la jarretière, Michel Strogoff se rendit à la gare pour y prendre le premier train. Il ne portait point d'armes, ostensiblement du moins ; mais sous sa ceinture se dissimulait un revolver, et, dans sa poche, un de ces larges coutelas qui tiennent du couteau et du yatagan, avec lesquels un chasseur sibérien sait éventrer proprement un ours, sans détériorer sa précieuse fourrure.

Il y avait un assez grand concours de voyageurs à la gare de Moscou. Les gares des chemins de fer russes sont des lieux de réunion très fréquentés, autant au moins de ceux qui regardent partir que de ceux qui partent. Il se tient là comme une petite bourse de nouvelles.

Le train dans lequel Michel Strogoff prit place devait le déposer à Nijni-Novgorod. Là s'arrêtait, à cette époque, la voie ferrée qui, reliant Moscou à Saint-Pétersbourg, doit se continuer jusqu'à la frontière russe. C'était un trajet de quatre cents verstes environ (426 kilomètres), et le train allait les franchir en une dizaine d'heures. Michel Strogoff, une fois arrivé à Nijni-Novgorod, prendrait, suivant les circonstances, soit la route de terre, soit les bateaux à vapeur du Volga, afin d'atteindre au plus tôt les montagnes de l'Oural.

Michel Strogoff s'étendit donc dans son coin, comme un digne bourgeois que ses affaires n'inquiètent pas outre mesure, et qui cherche à tuer le temps par le sommeil.

Michel Strogoff s'étendit dans un coin.

Néanmoins, comme il n'était pas seul dans son compartiment, il ne dormit que d'un œil et il écouta de ses deux oreilles.

En effet, le bruit du soulèvement des hordes kirghises et de l'invasion tartare n'était pas sans avoir transpiré quelque peu. Les voyageurs, dont le hasard faisait ses compagnons de voyage, en causaient, mais non sans quelque circonspection.

Ces voyageurs, ainsi que la plupart de ceux que transportait le train, étaient des marchands qui se rendaient à la célèbre foire de Nijni-Novgorod. Monde nécessairement très mêlé, composé de Juifs, de Turcs, de Cosaques, de Russes, de Géorgiens, de Kalmouks et autres, mais presque tous parlant la langue nationale.

On discutait donc le pour et le contre des graves événements qui s'accomplissaient alors au-delà de l'Oural, et ces marchands semblaient craindre que le gouvernement russe ne fût amené à prendre quelques mesures restrictives, surtout dans les provinces confinant à la frontière, — mesures dont le commerce souffrirait certainement.

Il faut le dire, ces égoïstes ne considéraient la guerre, c'est-à-dire la répression de la révolte et la lutte contre l'invasion, qu'au seul point de vue de leurs intérêts menacés. La présence d'un simple soldat, revêtu de son uniforme, — et l'on sait combien l'importance de l'uniforme est grande en Russie, — eût certainement suffi à contenir les langues de ces marchands. Mais, dans le compartiment occupé par Michel Strogoff, rien ne pouvait faire soupçonner la présence d'un militaire, et le courrier du czar, voué à l'incognito, n'était pas homme à se trahir.

Il écoutait donc.

« On affirme que les thés de caravane sont en hausse, disait un Persan, reconnaissable à son bonnet fourré d'astrakan et à sa robe brune à larges plis, usée par le frottement.

— Oh! les thés n'ont rien à craindre de la baisse,

répondit un vieux Juif à mine renfrognée. Ceux qui
sont sur le marché de Nijni-Novgorod s'expédieront
facilement par l'ouest, mais il n'en sera malheureusement pas de même des tapis de Boukhara!

— Comment! Vous attendez donc un envoi de
Boukhara? lui demanda le Persan.

— Non, mais un envoi de Samarcande, et il n'en
est que plus exposé! Comptez donc sur les expédi-
tions d'un pays qui est soulevé par les khans depuis
Khiva jusqu'à la frontière chinoise!

— Bon! répondit le Persan, si les tapis n'arrivent
pas, les traites n'arriveront pas davantage, je suppose!

— Et le bénéfice, Dieu d'Israël! s'écria le petit
Juif, le comptez-vous pour rien?

— Vous avez raison, dit un autre voyageur, les
articles de l'Asie centrale risquent fort de manquer
sur le marché, et il en sera des tapis de Samarcande
comme des laines, des suifs et des châles d'Orient.

— Eh! prenez garde, mon petit père! répondit un
voyageur russe à l'air goguenard. Vous allez horriblement graisser vos châles, si vous les mêlez avec vos
suifs!

— Cela vous fait rire! répliqua aigrement le marchand, qui goûtait peu ce genre de plaisanteries.

— Eh! quand on s'arracherait les cheveux, quand
on se couvrirait de cendres, répondit le voyageur,
cela changerait-il le cours des choses? Non! pas plus
que le cours des marchandises!

— On voit bien que vous n'êtes pas marchand! fit
observer le petit Juif.

— Ma foi, non, digne descendant d'Abraham! Je
ne vends ni houblon, ni édredon, ni miel, ni cire, ni
chènevis, ni viandes salées, ni caviar, ni bois, ni laine,
ni rubans, ni chanvre, ni lin, ni maroquin, ni pellete-
ries!...

— Mais en achetez-vous? demanda le Persan, qui
interrompit la nomenclature du voyageur.

— Le moins que je peux, et seulement pour ma

consommation particulière, répondit celui-ci en clignant de l'œil.

— C'est un plaisant! dit le Juif au Persan.

— Ou un espion! répondit celui-ci en baissant la voix. Défions-nous, et ne parlons pas plus qu'il ne faut! La police n'est pas tendre par le temps qui court, et on ne sait trop avec qui l'on voyage! »

Dans un autre coin du compartiment, on parlait un peu moins des produits mercantiles, mais un peu plus de l'invasion tartare et de ses fâcheuses conséquences.

« Les chevaux de Sibérie vont être réquisitionnés, disait un voyageur, et les communications deviendront bien difficiles entre les diverses provinces de l'Asie centrale!

— Est-il certain, lui demanda son voisin, que les Kirghis de la horde moyenne aient fait cause commune avec les Tartares?

— On le dit, répondit le voyageur en baissant la voix, mais qui peut se flatter de savoir quelque chose dans ce pays!

— J'ai entendu parler de concentration de troupes à la frontière. Les Cosaques du Don sont déjà rassemblés sur le cours du Volga, et on va les opposer aux Kirghis révoltés.

— Si les Kirghis ont descendu le cours de l'Irtyche, la route d'Irkoutsk ne doit pas être sûre! répondit le voisin. D'ailleurs, hier, j'ai voulu envoyer un télégramme à Krasnoiarsk, et il n'a pas pu passer. Il est à craindre qu'avant peu les colonnes tartares n'aient isolé la Sibérie orientale!

— En somme, petit père, reprit le premier interlocuteur, ces marchands ont raison d'être inquiets pour leur commerce et leurs transactions. Après avoir réquisitionné les chevaux, on réquisitionnera les bateaux, les voitures, tous les moyens de transport, jusqu'au moment où il ne sera plus permis de faire un pas sur toute l'étendue de l'empire.

— Je crains bien que la foire de Nijni-Novgorod ne

finisse pas aussi brillamment qu'elle a commencé ! répondit le second interlocuteur, en secouant la tête. Mais la sûreté et l'intégrité du territoire russe avant tout. Les affaires ne sont que les affaires ! »

Si, dans ce compartiment, le sujet des conversations particulières ne variait guère, il ne variait pas davantage dans les autres voitures du train ; mais partout un observateur eût observé une extrême circonspection dans les propos que les causeurs échangeaient entre eux. Lorsqu'ils se hasardaient quelquefois sur le domaine des faits, ils n'allaient jamais jusqu'à pressentir les intentions du gouvernement moscovite, ni à les apprécier.

C'est ce qui fut très justement remarqué par l'un des voyageurs d'un wagon placé en tête du train. Ce voyageur — évidemment un étranger — regardait de tous ses yeux et faisait vingt questions auxquelles on ne répondait que très évasivement. A chaque instant, penché hors de la portière, dont il tenait la vitre baissée, au vif désagrément de ses compagnons de voyage, il ne perdait pas un point de vue de l'horizon de droite. Il demandait le nom des localités les plus insignifiantes, leur orientation, quel était leur commerce, leur industrie, le nombre de leurs habitants, la moyenne de la mortalité par sexe, etc., et tout cela il l'inscrivait sur un carnet déjà surchargé de notes.

C'était le correspondant Alcide Jolivet, et s'il faisait tant de questions insignifiantes, c'est qu'au milieu de tant de réponses qu'elles amenaient, il espérait surprendre quelque fait intéressant « pour sa cousine ». Mais, naturellement, on le prenait pour un espion, et on ne disait pas devant lui un mot qui eût trait aux événements du jour.

Aussi, voyant qu'il ne pouvait rien apprendre de relatif à l'invasion tartare, écrivit-il sur son carnet :

« Voyageurs d'une discrétion absolue. En matière politique, très durs à la détente. »

Et tandis qu'Alcide Jolivet notait minutieusement

ses impressions de voyage, son confrère, embarqué comme lui dans le même train, et voyageant dans le même but, se livrait au même travail d'observation dans un autre compartiment. Ni l'un ni l'autre ne s'étaient rencontrés, ce jour-là, à la gare de Moscou, et ils ignoraient réciproquement qu'ils fussent partis pour visiter le théâtre de la guerre.

Seulement, Harry Blount, parlant peu, mais écoutant beaucoup, n'avait point inspiré à ses compagnons de route les mêmes défiances qu'Alcide Jolivet. Aussi ne l'avait-on pas pris pour un espion, et ses voisins, sans se gêner, causaient-ils devant lui, en se laissant même aller plus loin que leur circonspection naturelle n'aurait dû le comporter. Le correspondant du *Daily Telegraph* avait donc pu observer combien les événements préoccupaient ces marchands qui se rendaient à Nijni-Novgorod, et à quel point le commerce avec l'Asie centrale était menacé dans son transit.

Aussi n'hésita-t-il pas à noter sur son carnet cette observation on ne peut plus juste :

« Voyageurs extrêmement inquiets. Il n'est question que de la guerre, et ils en parlent avec une liberté qui doit étonner entre le Volga et la Vistule ! »

Les lecteurs du *Daily Telegraph* ne pouvaient manquer d'être aussi bien renseignés que la « cousine » d'Alcide Jolivet.

Et, de plus, comme Harry Blount, assis à la gauche du train, n'avait vu qu'une partie de la contrée, qui était assez accidentée, sans se donner la peine de regarder la partie de droite, formée de longues plaines, il ne manqua pas d'ajouter avec l'aplomb britannique :

« Pays montagneux entre Moscou et Wladimir. »

Cependant, il était visible que le gouvernement russe, en présence de ces graves éventualités, prenait quelques mesures sévères, même à l'intérieur de l'empire. Le soulèvement n'avait pas franchi la frontière sibérienne, mais dans ces provinces du Volga, si voisines du pays kirghis, on pouvait craindre l'effet des mauvaises influences.

En effet, la police n'avait encore pu retrouver les traces d'Ivan Ogareff. Ce traître, appelant l'étranger pour venger ses rancunes personnelles, avait-il rejoint Féofar-Khan, ou bien cherchait-il à fomenter la révolte dans le gouvernement de Nijni-Novgorod, qui, à cette époque de l'année, renfermait une population composée de tant d'éléments divers ? N'avait-il pas parmi ces Persans, ces Arméniens, ces Kalmouks, qui affluaient au grand marché, des affidés chargés de provoquer un mouvement à l'intérieur ? Toutes ces hypothèses étaient possibles, surtout dans un pays tel que la Russie.

En effet, ce vaste empire, qui compte douze millions de kilomètres carrés, ne peut pas avoir l'homogénéité des États de l'Europe occidentale. Entre les divers peuples qui le composent, il existe forcément plus que des nuances. Le territoire russe, en Europe, en Asie, en Amérique, s'étend du quinzième degré de longitude est au cent trente-troisième degré de longitude ouest, soit un développement de près de deux cents degrés[1], et du trente-huitième parallèle sud au quatre-vingt-unième parallèle nord, soit quarante-trois degrés[2]. On y compte plus de soixante-dix millions d'habitants. On y parle trente langues différentes. La race slave y domine sans doute, mais elle comprend, avec les Russes, des Polonais, des Lithuaniens, des Courlandais. Que l'on y ajoute les Finnois, les Estoniens, les Lapons, les Tchérémisses, les Tchouvaches, les Permiaks, les Allemands, les Grecs, les Tartares, les tribus caucasiennes, les hordes mongoles, kalmoukes, samoyèdes, kamtschadales, aléoutes, et l'on comprendra que l'unité d'un aussi vaste État ait été difficile à maintenir, et qu'elle n'ait pu être que l'œuvre du temps, aidée par la sagesse des gouvernements.

Quoi qu'il en soit, Ivan Ogareff avait su, jusqu'alors, échapper à toutes les recherches, et, très

1. Soit 2 500 lieues environ.
2. Soit 1 000 lieues.

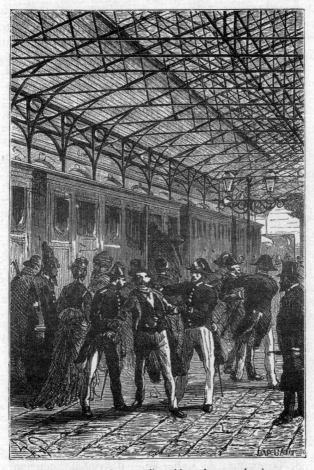

Le train repartait sans s'inquiéter du retardataire...

probablement, il devait avoir rejoint l'armée tartare. Mais, à chaque station où s'arrêtait le train, des inspecteurs se présentaient qui examinaient les voyageurs et leur faisaient subir à tous une inspection minutieuse, car, par ordre du grand maître de police, ils étaient à la recherche d'Ivan Ogareff. Le gouvernement, en effet, croyait savoir que ce traître n'avait pas encore pu quitter la Russie européenne. Un voyageur paraissait-il suspect, il allait s'expliquer au poste de police, et, pendant ce temps, le train repartait sans s'inquiéter en aucune façon du retardataire.

Avec la police russe, qui est très péremptoire, il est absolument inutile de vouloir raisonner. Ses employés sont revêtus de grades militaires, et ils opèrent militairement. Le moyen, d'ailleurs, de ne pas obéir sans souffler mot à des ordres émanant d'un souverain qui a le droit d'employer cette formule en tête de ses ukases : « Nous, par la grâce de Dieu, empereur et autocrate de toutes les Russies, de Moscou, Kief, Wladimir et Novgorod, czar de Kazan, d'Astrakan, czar de Pologne, czar de Sibérie, czar de la Chersonèse Taurique, seigneur de Pskof, grand prince de Smolensk, de Lithuanie, de Volhynie, de Podolie et de Finlande, prince d'Estonie, de Livonie, de Courlande et de Semigallie, de Bialystok, de Karélie, de Iougrie, de Perm, de Viatka, de Bolgarie et de plusieurs autres pays, seigneur et grand prince du territoire de Nijni-Novgorod, de Tchernigof, de Riazan, de Polotsk, de Rostof, de Jaroslavl, de Bielozersk, d'Oudorie, d'Obdorie, de Kondinie, de Vitepsk, de Mstislaf, dominateur des régions hyperboréennes, seigneur des pays d'Ivérie, de Kartalinie, de Grouzinie, de Kabardinie, d'Arménie, seigneur héréditaire et suzerain des princes tcherkesses, de ceux des montagnes et autres, héritier de la Norvège, duc de Schleswig-Holstein, de Stormarn, de Dittmarsen et d'Oldenbourg. » Puissant souverain, en vérité, que celui dont les armes sont un aigle à deux têtes, tenant un sceptre et un globe, qu'entourent les

Puis les yeux baissés, elle se disposa...

écussons de Novgorod, de Wladimir, de Kief, de Kazan, d'Astrakan, de Sibérie, et qu'enveloppe le collier de l'ordre de Saint-André, surmonté d'une couronne royale !

Quant à Michel Strogoff, il était en règle, et, par conséquent, à l'abri de toute mesure de police.

A la station de Wladimir, le train s'arrêta pendant quelques minutes, — ce qui parut suffire au correspondant du *Daily Telegraph* pour prendre, au double point de vue physique et moral, un aperçu extrêmement complet de cette ancienne capitale de la Russie.

A la gare de Wladimir, de nouveaux voyageurs montèrent dans le train. Entre autres, une jeune fille se présenta à la portière du compartiment occupé par Michel Strogoff.

Une place vide se trouvait devant le courrier du czar. La jeune fille s'y plaça, après avoir déposé près d'elle un modeste sac de voyage en cuir rouge qui semblait former tout son bagage. Puis, les yeux baissés, sans même avoir regardé les compagnons de route que le hasard lui donnait, elle se disposa pour un trajet qui devait durer encore quelques heures.

Michel Strogoff ne put s'empêcher de considérer attentivement sa nouvelle voisine. Comme elle se trouvait placée de manière à aller en arrière, il lui offrit même sa place, qu'elle pouvait préférer, mais elle le remercia en s'inclinant légèrement.

Cette jeune fille devait avoir de seize à dix-sept ans, Sa tête, véritablement charmante, présentait le type slave dans toute sa pureté, — type un peu sévère, qui la destinait à devenir plutôt belle que jolie, lorsque quelques années de plus auraient fixé définitivement ses traits. D'une sorte de fanchon qui la coiffait s'échappaient à profusion des cheveux d'un blond doré. Ses yeux étaient bruns avec un regard velouté d'une douceur infinie. Son nez droit se rattachait à ses joues, un peu maigres et pâles, par des ailes légèrement mobiles. Sa bouche était finement dessinée, mais il semblait qu'elle eût, depuis longtemps, désappris de sourire.

La jeune voyageuse était grande, élancée, autant qu'on pouvait juger de sa taille sous l'ample pelisse très simple qui la recouvrait. Bien que ce fût encore une « très jeune fille », dans toute la pureté de l'expression, le développement de son front élevé, la forme nette de la partie inférieure de sa figure, donnait l'idée d'une grande énergie morale, — détail qui n'échappa point à Michel Strogoff. Évidemment, cette jeune fille avait déjà souffert dans le passé, et l'avenir, sans doute, ne s'offrait pas à elle sous des couleurs riantes, mais il était non moins certain qu'elle avait su lutter et qu'elle était résolue à lutter encore contre les difficultés de la vie. Sa volonté devait être vivace, persistante, et son calme inaltérable, même dans des circonstances où un homme serait exposé à fléchir ou à s'irriter.

Telle était l'impression que faisait naître cette jeune fille, à première vue. Michel Strogoff, étant lui-même d'une nature énergique, devait être frappé du caractère de cette physionomie, et, tout en prenant garde de ne point l'importuner par l'insistance de son regard, il observa sa voisine avec une certaine attention.

Le costume de la jeune voyageuse était à la fois d'une simplicité et d'une propreté extrêmes. Elle n'était pas riche, cela se devinait aisément, mais on eût vainement cherché sur ses vêtements quelque marque de négligence. Tout son bagage tenait dans un sac de cuir, fermé à clef, et que, faute de place, elle tenait sur ses genoux.

Elle portait une longue pelisse de couleur sombre, sans manches, qui se rajustait gracieusement à son cou par un liséré bleu. Sous cette pelisse, une demi-jupe, sombre aussi, recouvrait une robe qui lui tombait aux chevilles, et dont le pli inférieur était orné de quelques broderies peu voyantes. Des demi-bottes en cuir ouvragé, et assez fortes de semelles, comme si elles eussent été choisies en prévision d'un long voyage, chaussaient ses pieds, qui étaient petits.

Michel Strogoff, à certains détails, crut reconnaître dans ces habits la coupe des costumes livoniens, et il pensa que sa voisine devait être originaire des provinces baltiques.

Mais où allait cette jeune fille, seule, à cet âge où l'appui d'un père ou d'une mère, la protection d'un frère, sont pour ainsi dire obligés? Venait-elle donc, après un trajet déjà long, des provinces de la Russie occidentale? Se rendait-elle seulement à Nijni-Novgorod, ou bien le but de son voyage était-il au-delà des frontières orientales de l'empire? Quelque parent, quelque ami l'attendait-il à l'arrivée du train? N'était-il pas plus probable, au contraire, qu'à sa descente du wagon, elle se trouverait aussi isolée dans la ville que dans ce compartiment, où personne — elle devait le croire — ne semblait se soucier d'elle? Cela était probable.

En effet, les habitudes que l'on contracte dans l'isolement se montraient d'une façon très visible dans la manière d'être de la jeune voyageuse. La façon dont elle entra dans le wagon et dont elle se disposa pour la route, le peu d'agitation qu'elle produisit autour d'elle, le soin qu'elle prit de ne déranger et de ne gêner personne, tout indiquait l'habitude qu'elle avait d'être seule et de ne compter que sur elle-même.

Michel Strogoff l'observait avec intérêt, mais, réservé lui-même, il ne chercha pas à faire naître une occasion de lui parler, bien que plusieurs heures dussent s'écouler avant l'arrivée du train à Nijni-Novgorod.

Une fois seulement, le voisin de cette jeune fille — ce marchand qui mélangeait si imprudemment les suifs et les châles — s'étant endormi et menaçant sa voisine de sa grosse tête qui vacillait d'une épaule à l'autre, Michel Strogoff le réveilla assez brusquement et lui fit comprendre qu'il eût à se tenir droit et d'une façon plus convenable.

Le marchand, assez grossier de sa nature, grom-

Voyageurs plus ou moins bousculés, cris...

mela quelques paroles contre « les gens qui se mêlent de ce qui ne les regarde pas » ; mais Michel Strogoff le regarda d'un air si peu accommodant, que le dormeur s'appuya du côté opposé et délivra la jeune voyageuse de son incommode voisinage.

Celle-ci regarda un instant le jeune homme, et il y eut un remerciement muet et modeste dans son regard.

Mais une circonstance se présenta, qui donna à Michel Strogoff une idée juste du caractère de cette jeune fille.

Douze verstes avant d'arriver à la gare de Nijni-Novgorod, à une brusque courbe de la voie ferrée, le train éprouva un choc très violent. Puis, pendant une minute, il courut sur la pente d'un remblai.

Voyageurs plus ou moins culbutés, cris, confusion, désordre général dans les wagons, tel fut l'effet produit tout d'abord. On pouvait craindre que quelque accident grave ne se produisît. Aussi, avant même que le train fût arrêté, les portières s'ouvrirent-elles, et les voyageurs, effarés, n'eurent-ils qu'une pensée : quitter les voitures et chercher refuge sur la voie.

Michel Strogoff songea tout d'abord à sa voisine ; mais, tandis que les voyageurs de son compartiment se précipitaient au-dehors, criant et se bousculant, la jeune fille était restée tranquillement à sa place, le visage à peine altéré par une légère pâleur.

Elle attendait. Michel Strogoff attendit aussi.

Elle n'avait pas fait un mouvement pour descendre du wagon. Il ne bougea pas non plus.

Tous deux demeurèrent impassibles.

« Une énergique nature ! » pensa Michel Strogoff.

Cependant, tout danger avait promptement disparu. Une rupture du bandage du wagon de bagages avait provoqué d'abord le choc, puis l'arrêt du train, mais peu s'en était fallu que, rejeté hors des rails, il n'eût été précipité du haut du remblai dans une fondrière. Il y eut là une heure de retard. Enfin, la voie dégagée, le train reprit sa marche, et, à huit heures et demie du soir, il arrivait en gare à Nijni-Novgorod.

Avant que personne eût pu descendre des wagons, les inspecteurs de police se présentèrent aux portières et examinèrent les voyageurs.

Michel Strogoff montra son podaroshna, libellé au nom de Nicolas Korpanoff. Donc, nulle difficulté.

Quant aux autres voyageurs du compartiment, tous à destination de Nijni-Novgorod, ils ne parurent point suspects, heureusement pour eux.

La jeune fille, elle, présenta, non pas un passeport, puisque le passeport n'est plus exigé en Russie, mais un permis revêtu d'un cachet particulier, et qui semblait être d'une nature spéciale.

L'inspecteur le lut avec attention. Puis, après avoir examiné attentivement celle dont il contenait le signalement :

« Tu es de Riga ? dit-il.

— Oui, répondit la jeune fille.

— Tu vas à Irkoutsk ?

— Oui.

— Par quelle route ?

— Par la route de Perm.

— Bien, répondit l'inspecteur. Aie soin de faire viser ton permis à la maison de police de Nijni-Novgorod. »

La jeune fille s'inclina en signe d'affirmation.

En entendant ces demandes et ces réponses, Michel Strogoff éprouva à la fois un sentiment de surprise et de pitié. Quoi ! cette jeune fille seule, en route pour cette lointaine Sibérie, et cela lorsque, à ses dangers habituels, se joignaient tous les périls d'un pays envahi et soulevé ! Comment arriverait-elle ? que deviendrait-elle ?...

L'inspection finie, les portières des wagons furent alors ouvertes, mais, avant que Michel Strogoff eût pu faire un mouvement vers elle, la jeune Livonienne, descendue la première, avait disparu dans la foule qui encombrait les quais de la gare.

V

UN ARRÊTÉ EN DEUX ARTICLES

Nijni-Novgorod, Novgorod-la-Basse, situé au confluent du Volga et de l'Oka, est le chef-lieu du gouvernement de ce nom. C'était là que Michel Strogoff devait abandonner la voie ferrée, qui, à cette époque, ne se prolongeait pas au-delà de cette ville. Ainsi donc, à mesure qu'il avançait, les moyens de communication devenaient d'abord moins rapides, ensuite moins sûrs.

Nijni-Novgorod, qui en temps ordinaire ne compte que trente à trente-cinq mille habitants, en renfermait alors plus de trois cent mille, c'est-à-dire que sa population était décuplée. Cet accroissement était dû à la célèbre foire qui se tient dans ses murs pendant une période de trois semaines. Autrefois, c'était Makariew qui bénéficiait de ce concours de marchands, mais, depuis 1817, la foire a été transportée à Nijni-Novgorod.

La ville, assez morne d'habitude, présentait donc une animation extraordinaire. Dix races différentes de négociants, européens ou asiatiques, y fraternisaient sous l'influence des transactions commerciales.

Bien que l'heure à laquelle Michel Strogoff quitta la gare fût déjà avancée, il y avait encore grand rassemblement de monde sur ces deux villes, séparées par le cours du Volga, que comprend Nijni-Novgorod, et dont la plus haute, bâtie sur un roc escarpé, est défendue par un de ces forts qu'on appelle « kreml » en Russie.

Si Michel Strogoff eût été forcé de séjourner à Nijni-Novgorod, il aurait eu quelque peine à découvrir un hôtel ou même une auberge à peu près convenable. Il y avait encombrement. Cependant, comme il ne pouvait partir immédiatement, puisqu'il lui fallait prendre le steam-boat du Volga, il dut s'enquérir d'un gîte quelconque. Mais, auparavant, il voulut connaître exactement l'heure du départ, et il se rendit aux bureaux de la Compagnie, dont les bateaux font le service entre Nijni-Novgorod et Perm.

Là, à son grand déplaisir, il apprit que le *Caucase* — c'était le nom du steam-boat — ne partait pour Perm que le lendemain, à midi. Dix-sept heures à attendre ! c'était fâcheux pour un homme aussi pressé, et, cependant, il lui fallut se résigner. Ce qu'il fit, car il ne récriminait jamais inutilement.

D'ailleurs, dans les circonstances actuelles, aucune voiture, télègue ou tarentass, berline ou cabriolet de poste, ni aucun cheval ne l'eût conduit plus vite, soit à Perm, soit à Kazan. Mieux valait donc attendre le départ du steam-boat, — véhicule plus rapide qu'aucun autre, et qui devait lui faire regagner le temps perdu.

Voilà donc Michel Strogoff, allant par la ville, et cherchant, sans trop s'en inquiéter, quelque auberge afin d'y passer la nuit. Mais de cela il ne s'embarrassait guère, et, sans la faim qui le talonnait, il eût probablement erré jusqu'au matin dans les rues de Nijni-Novgorod. Ce dont il se mit en quête, ce fut d'un souper plutôt que d'un lit. Or il trouva les deux à l'enseigne de la *Ville de Constantinople*.

Là, l'aubergiste lui offrit une chambre assez convenable, peu garnie de meubles, mais à laquelle ne manquaient ni l'image de la Vierge, ni les portraits de quelques saints, auxquels une étoffe dorée servait de cadre. Un canard farci de hachis aigre, enlisé dans une crème épaisse, du pain d'orge, du lait caillé, du sucre en poudre mélangé de cannelle, un pot de kwass, sorte de bière très commune en Russie, lui furent servis aussitôt, et il ne lui en fallait pas tant pour se rassasier. Il se rassasia donc, et mieux même que son voisin de table, qui, en qualité de « vieux croyant » de la secte des Raskolniks, ayant fait vœu d'abstinence, rejetait les pommes de terre de son assiette et se gardait bien de sucrer son thé.

Son souper terminé, Michel Strogoff, au lieu de monter à sa chambre, reprit machinalement sa promenade à travers la ville. Mais, bien que le long crépuscule se prolongeât encore, déjà la foule se dissipait, les rues se faisaient peu à peu désertes, et chacun regagnait son logis.

Pourquoi Michel Strogoff ne s'était-il pas mis tout bonnement au lit, comme il convient après toute une journée passée en chemin de fer? Pensait-il donc à cette jeune Livonienne qui, pendant quelques heures, avait été sa compagne de voyage? N'ayant rien de mieux à faire, il y pensait. Craignait-il que, perdue dans cette ville tumultueuse, elle ne fût exposée à quelque insulte? Il le craignait, et avait raison de le craindre. Espérait-il donc la rencontrer et, au besoin, s'en faire le protecteur? Non. La rencontrer était difficile. Quant à la protéger... de quel droit?

« Seule, se disait-il, seule au milieu de ces nomades! Et encore les dangers présents ne sont-ils rien auprès de ceux que l'avenir lui réserve! La Sibérie! Irkoutsk! Ce que je vais tenter pour la Russie et le czar, elle va le faire, elle, pour... Pour qui? Pour quoi? Elle est autorisée à franchir la frontière! Et le pays au-delà est soulevé! Des bandes tartares courent dans les steppes!... »

Michel Strogoff s'arrêtait par instants et se prenait à réfléchir.

« Sans doute, pensa-t-il, cette idée de voyager lui est venue avant l'invasion! Peut-être elle-même ignore-t-elle ce qui se passe!... Mais non, ces marchands ont causé devant elle des troubles de la Sibérie... et elle n'a pas paru étonnée... Elle n'a même demandé aucune explication... Mais alors elle savait donc, et, sachant, elle va!... La pauvre fille!... Il faut que le motif qui l'entraîne soit bien puissant! Mais, si courageuse qu'elle soit — et elle l'est assurément —, ses forces la trahiront en route, et, sans parler des dangers et des obstacles, elle ne pourra supporter les fatigues d'un tel voyage!... Jamais elle ne pourra atteindre Irkoutsk! »

« Qu'est-ce que tu fais là ? »

Cependant, Michel Strogoff allait toujours au hasard, mais, comme il connaissait parfaitement la ville, retrouver son chemin ne pouvait être embarrassant pour lui.

Après avoir marché pendant une heure environ, il vint s'asseoir sur un banc adossé à une grande case de bois, qui s'élevait, au milieu de beaucoup d'autres, sur une très vaste place.

Il était là depuis cinq minutes, lorsqu'une main s'appuya fortement sur son épaule.

« Qu'est-ce que tu fais là ? lui demanda d'une voix rude un homme de haute taille qu'il n'avait pas vu venir.

— Je me repose, répondit Michel Strogoff.

— Est-ce que tu aurais l'intention de passer la nuit sur ce banc ? reprit l'homme.

— Oui, si cela me convient, répliqua Michel Strogoff d'un ton un peu trop accentué pour le simple marchand qu'il devait être.

— Approche donc qu'on te voie ! » dit l'homme.

Michel Strogoff, se rappelant qu'il fallait être prudent avant tout, recula instinctivement.

« On n'a pas besoin de me voir », répondit-il.

Et il mit, avec sang-froid, un intervalle d'une dizaine de pas entre son interlocuteur et lui.

Il lui sembla alors, en l'observant bien, qu'il avait affaire à une sorte de bohémien, tel qu'il s'en rencontre dans toutes les foires, et dont il n'est pas agréable de subir le contact ni physique ni moral. Puis, en regardant plus attentivement dans l'ombre qui commençait à s'épaissir, il aperçut près de la case un vaste chariot, demeure habituelle et ambulante de ces zingaris ou tsiganes qui fourmillent en Russie, partout où il y a quelques kopeks à gagner.

Cependant, le bohémien avait fait deux ou trois pas en avant, et il se préparait à interpeller plus directement Michel Strogoff, quand la porte de la case s'ouvrit. Une femme, à peine visible, s'avança vivement, et dans un idiome assez rude, que Michel

Strogoff reconnut être un mélange de mongol et de sibérien :

« Encore un espion ! dit-elle. Laisse-le faire et viens souper. Le "papluka[1]" attend. »

Michel Strogoff ne put s'empêcher de sourire de la qualification dont on le gratifiait, lui qui redoutait particulièrement les espions.

Mais, dans la même langue, bien que l'accent de celui qui l'employait fût très différent de celui de la femme, le bohémien répondit quelques mots qui signifiaient :

« Tu as raison, Sangarre ! D'ailleurs, nous serons partis demain !

— Demain ? répliqua à mi-voix la femme d'un ton qui dénotait une certaine surprise.

— Oui, Sangarre, répondit le bohémien, demain, et c'est le Père lui-même qui nous envoie... où nous voulons aller ! »

Là-dessus, l'homme et la femme rentrèrent dans la case, dont la porte fut fermée avec soin.

« Bon ! se dit Michel Strogoff, si ces bohémiens tiennent à ne pas être compris, quand ils parleront devant moi, je leur conseille d'employer une autre langue ! »

En sa qualité de Sibérien, et pour avoir passé son enfance dans la steppe, Michel Strogoff, on l'a dit, entendait presque tous ces idiomes usités depuis la Tartarie jusqu'à la mer Glaciale. Quant à la signification précise des paroles échangées entre le bohémien et sa compagne, il ne s'en préoccupa pas davantage. En quoi cela pouvait-il l'intéresser ?

L'heure étant déjà fort avancée, il songea alors à rentrer à l'auberge, afin d'y prendre quelque repos. Il suivit, en s'en allant, le cours du Volga, dont les eaux disparaissaient sous la sombre masse d'innombrables bateaux. L'orientation du fleuve lui fit alors reconnaître quel était l'endroit qu'il venait de quitter. Cette agglomération de chariots et de cases occupait

1. Sorte de gâteau feuilleté.

précisément la vaste place où se tenait, chaque année, le principal marché de Nijni-Novgorod, — ce qui expliquait, en cet endroit, le rassemblement de ces bateleurs et bohémiens venus de tous les coins du monde.

Michel Strogoff, une heure après, dormait d'un sommeil quelque peu agité sur un de ces lits russes, qui semblent si durs aux étrangers, et le lendemain, 17 juillet, il se réveillait au grand jour.

Cinq heures encore à passer à Nijni-Novgorod, cela lui semblait un siècle. Que pouvait-il faire pour occuper cette matinée, si ce n'était d'errer comme la veille à travers les rues de la ville? Une fois son déjeuner fini, son sac bouclé, son podaroshna visé à la maison de police, il n'aurait plus qu'à partir. Mais, n'étant point homme à se lever après le soleil, il quitta son lit, il s'habilla, il plaça soigneusement la lettre aux armes impériales au fond d'une poche pratiquée dans la doublure de sa tunique, sur laquelle il serra sa ceinture; puis, il ferma son sac et l'assujettit sur son dos. Cela fait, ne voulant pas revenir à la *Ville de Constantinople*, et comptant déjeuner sur les bords du Volga, près de l'embarcadère, il régla sa dépense et quitta l'auberge.

Par surcroît de précaution, Michel Strogoff se rendit d'abord aux bureaux des steam-boats, et, là, il s'assura que le *Caucase* partait bien à l'heure dite. La pensée lui vint alors pour la première fois que, puisque la jeune Livonienne devait prendre la route de Perm, il était fort possible que son projet fût aussi de s'embarquer sur le *Caucase*, auquel cas Michel Strogoff ne pourrait manquer de faire route avec elle.

La ville haute, avec son kremlin, dont la circonférence mesure deux verstes, et qui ressemble à celui de Moscou, était alors fort abandonnée. Le gouverneur n'y demeurait même plus. Mais, autant la ville haute était morte, autant la ville basse était vivante!

Michel Strogoff, après avoir traversé le Volga sur un pont de bateaux, gardé par des Cosaques à cheval,

C'était un mouvement, une excitation...

arriva à l'emplacement même où, la veille, il s'était heurté à quelque campement de bohémiens. C'était un peu en dehors de la ville que se tenait cette foire de Nijni-Novgorod, avec laquelle celle de Leipzig elle-même ne saurait rivaliser. Dans une vaste plaine, située au-delà du Volga, s'élevait le palais provisoire du gouverneur général, et c'est là, par ordre, que réside ce haut fonctionnaire pendant toute la durée de la foire, qui, grâce aux éléments dont elle se compose, nécessite une surveillance de tous les instants.

Cette plaine était alors couverte de maisons de bois, symétriquement disposées, de manière à laisser entre elles des avenues assez larges pour permettre à la foule d'y circuler aisément. Une certaine agglomération de ces cases, de toutes les grandeurs et de toutes les formes, formait un quartier différent, affecté à un genre spécial de commerce. Il y avait le quartier des fers, le quartier des fourrures, le quartier des laines, le quartier des bois, le quartier des tissus, le quartier des poissons secs, etc. Quelques maisons étaient même construites en matériaux de haute fantaisie, les unes avec du thé en briques, d'autres avec des moellons de viande salée, c'est-à-dire avec les échantillons des marchandises que leurs propriétaires y débitaient aux acheteurs. Singulière réclame, tant soit peu américaine !

Dans ces avenues, le long de ces allées, le soleil étant fort au-dessus de l'horizon, puisque, ce matin-là, il s'était levé avant quatre heures, l'affluence était déjà considérable. Russes, Sibériens, Allemands, Cosaques, Turkomans, Persans, Géorgiens, Grecs, Ottomans, Indous, Chinois, mélange extraordinaire d'Européens et d'Asiatiques, causaient, discutaient, péroraient, trafiquaient. Tout ce qui se vend ou s'achète semblait avoir été entassé sur cette place. Porteurs, chevaux, chameaux, ânes, bateaux, chariots, tout ce qui peut servir au transport des marchandises, était accumulé sur ce champ de foire.

Fourrures, pierres précieuses, étoffes de soie, cache-mires des Indes, tapis turcs, armes du Caucase, tissus de Smyrne ou d'Ispahan, armures de Tiflis, thés de la caravane, bronzes européens, horlogerie de la Suisse, velours et soieries de Lyon, cotonnades anglaises, articles de carrosserie, fruits, légumes, minerais de l'Oural, malachites, lapis-lazuli, aromates, parfums, plantes médicinales, bois, goudrons, cordages, cornes, citrouilles, pastèques, etc., tous les produits de l'Inde, de la Chine, de la Perse, ceux de la mer Caspienne et de la mer Noire, ceux de l'Amérique et de l'Europe, étaient réunis sur ce point du globe.

C'était un mouvement, une excitation, une cohue, un brouhaha dont on ne saurait donner une idée, les indigènes de classe inférieure étant fort démonstra-tifs, et les étrangers ne leur cédant guère sur ce point. Il y avait là des marchands de l'Asie centrale, qui avaient mis un an à traverser ses longues plaines, en escortant leurs marchandises, et qui ne devaient pas revoir d'une année leurs boutiques ou leurs comp-toirs. Enfin, telle est l'importance de cette foire de Nijni-Novgorod, que le chiffre des transactions ne s'y élève pas à moins de cent millions de roubles[1].

Puis, sur les places, entre les quartiers de cette ville improvisée, c'était une agglomération de bateleurs de toute espèce : saltimbanques et acrobates, assourdis-sant avec les hurlements de leurs orchestres et les vociférations de leur parade ; bohémiens, venus des montagnes et disant la bonne aventure aux badauds d'un public toujours renouvelé ; zingaris ou tsiganes — nom que les Russes donnent aux gypsies, qui sont les anciens descendants des Cophtes —, chantant leurs airs les plus colorés et dansant leurs danses les plus originales ; comédiens de théâtres forains, repré-sentant des drames de Shakespeare, appropriés au goût des spectateurs, qui s'y portaient en foule. Puis, dans les longues avenues, des montreurs d'ours pro-

1. Environ trois cent quatre-vingt-treize millions de francs.

menaient en liberté leurs équilibristes à quatre pattes, des ménageries retentissaient de rauques cris d'animaux, stimulés par le fouet acéré ou la baguette rougie du dompteur, enfin, au milieu de la grande place centrale, encadré par un quadruple cercle de dilettanti enthousiastes, un chœur de « mariniers du Volga », assis sur le sol comme sur le pont de leurs barques, simulait l'action de ramer, sous le bâton d'un chef d'orchestre, véritable timonier de ce bateau imaginaire !

Coutume bizarre et charmante ! au-dessus de toute cette foule, une nuée d'oiseaux s'échappaient des cages dans lesquelles on les avait apportés. Suivant un usage très suivi à la foire de Nijni-Novgorod, en échange de quelques kopeks charitablement offerts par de bonnes âmes, les geôliers ouvraient la porte à leurs prisonniers, et c'était par centaines qu'ils s'envolaient en jetant leurs petits cris joyeux.

Tel était l'aspect de la plaine, tel il devait être pendant les six semaines que dure ordinairement la célèbre foire de Nijni-Novgorod. Puis, après cette assourdissante période, l'immense brouhaha s'éteindrait comme par enchantement, la ville haute reprendrait son caractère officiel, la ville basse retomberait dans sa monotonie ordinaire, et, de cette énorme affluence de marchands, appartenant à toutes les contrées de l'Europe et de l'Asie centrale, il ne resterait ni un seul vendeur qui eût quoi que ce soit à vendre encore, ni un seul acheteur qui eût encore quoi que ce soit à acheter.

Il convient d'ajouter ici que cette fois, au moins, la France et l'Angleterre étaient chacune représentées au grand marché de Nijni-Novgorod par deux des produits les plus distingués de la civilisation moderne, MM. Harry Blount et Alcide Jolivet.

En effet, les deux correspondants étaient venus chercher là des impressions au profit de leurs lecteurs, et ils employaient de leur mieux les quelques heures qu'ils avaient à perdre, car, eux aussi, ils allaient prendre passage sur le *Caucase*.

Ils se rencontrèrent précisément l'un et l'autre sur le champ de foire, et n'en furent que médiocrement étonnés, puisqu'un même instinct devait les entraîner sur la même piste; mais, cette fois, ils ne se parlèrent pas et se bornèrent à se saluer assez froidement.

Alcide Jolivet, optimiste par nature, semblait, d'ailleurs, trouver que tout se passait convenablement, et, comme le hasard lui avait heureusement fourni la table et le gîte, il avait jeté sur son carnet quelques notes particulièrement honnêtes pour la ville de Nijni-Novgorod.

Au contraire, Harry Blount, après avoir vainement cherché à souper, s'était vu forcé de coucher à la belle étoile. Il avait donc envisagé les choses à un tout autre point de vue, et méditait un article foudroyant contre une ville dans laquelle les hôteliers refusaient de recevoir des voyageurs qui ne demandaient qu'à se laisser écorcher « au moral et au physique » !

Michel Strogoff, une main dans sa poche, tenant de l'autre sa longue pipe à tuyau de merisier, semblait être le plus indifférent et le moins impatient des hommes. Cependant, à une certaine contraction de ses muscles sourciliers, un observateur eût facilement reconnu qu'il rongeait son frein.

Depuis deux heures environ, il courait les rues de la ville pour revenir invariablement au champ de foire. Tout en circulant entre les groupes, il observait qu'une réelle inquiétude se montrait chez tous les marchands venus des contrées voisines de l'Asie. Les transactions en souffraient visiblement. Que bateleurs, saltimbanques et équilibristes fissent grand bruit devant leurs échoppes, cela se concevait, car ces pauvres diables n'avaient rien à risquer dans une entreprise commerciale, mais les négociants hésitaient à s'engager avec les trafiquants de l'Asie centrale, dont le pays était troublé par l'invasion tartare.

Autre symptôme, aussi, qui devait être remarqué. En Russie, l'uniforme militaire apparaît en toute occasion. Les soldats se mêlent volontiers à la foule, et précisément, à Nijni-Novgorod, pendant cette période de la foire, les agents de la police sont habituellement aidés par de nombreux Cosaques, qui, la lance sur l'épaule, maintiennent l'ordre dans cette agglomération de trois cent mille étrangers.

Or, ce jour-là, les militaires, Cosaques ou autres, faisaient défaut au grand marché. Sans doute, en prévision d'un départ subit, ils avaient été consignés à leurs casernes.

Cependant, si les soldats ne se montraient pas, il n'en était pas ainsi des officiers. Depuis la veille, les aides de camp, partant du palais du gouverneur général, s'élançaient en toutes directions. Il se faisait donc un mouvement inaccoutumé, que la gravité des événements pouvait seule expliquer. Les estafettes se multipliaient sur les routes de la province, soit du côté de Wladimir, soit du côté des monts Ourals. L'échange de dépêches télégraphiques avec Moscou et Saint-Pétersbourg était incessant. La situation de Nijni-Novgorod, non loin de la frontière sibérienne, exigeait évidemment de sérieuses précautions. On ne pouvait pas oublier qu'au XIVe siècle la ville avait été deux fois prise par les ancêtres de ces Tartares, que l'ambition de Féofar-Khan jetait à travers les steppes kirghises.

Un haut personnage, non moins occupé que le gouverneur général, était le maître de police. Ses inspecteurs et lui, chargés de maintenir l'ordre, de recevoir les réclamations, de veiller à l'exécution des règlements, ne chômaient pas. Les bureaux de l'administration, ouverts nuit et jour, étaient incessamment assiégés, aussi bien par les habitants de la ville que par les étrangers, européens ou asiatiques.

Or, Michel Strogoff se trouvait précisément sur la place centrale, lorsque le bruit se répandit que le maître de police venait d'être mandé par estafette au palais du gouverneur général. Une importante dépêche, arrivée de Moscou, disait-on, motivait ce déplacement.

Alors, d'une voix haute, il lut...

Le maître de police se rendit donc au palais du gouverneur, et aussitôt, comme par un pressentiment général, la nouvelle circula que quelque mesure grave, en dehors de toute prévision, de toute habitude, allait être prise.

Michel Strogoff écoutait ce qui se disait, afin d'en profiter, le cas échéant.

« On va fermer la foire ! s'écriait l'un.

— Le régiment de Nijni-Novgorod vient de recevoir son ordre de départ ! répondait l'autre.

— On dit que les Tartares menacent Tomsk !

— Voici le maître de police ! » cria-t-on de toutes parts.

Un fort brouhaha s'était élevé subitement, qui se dissipa peu à peu, et auquel succéda un silence absolu. Chacun pressentait quelque grave communication de la part du gouvernement.

Le maître de police, précédé de ses agents, venait de quitter le palais du gouverneur général. Un détachement de Cosaques l'accompagnait et faisait ranger la foule à force de bourrades, violemment données et patiemment reçues.

Le maître de police arriva au milieu de la place centrale, et chacun put voir qu'il tenait une dépêche à la main.

Alors, d'une voix haute, il lut la déclaration suivante :

« ARRÊTÉ DU GOUVERNEUR DE NIJNI-NOVGOROD.

« 1° Défense à tout sujet russe de sortir de la province, pour quelque cause que ce soit.

« 2° Ordre à tous étrangers d'origine asiatique de quitter la province dans les vingt-quatre heures. »

VI

FRÈRE ET SŒUR

Ces mesures, très funestes pour les intérêts privés,
les circonstances les justifiaient absolument.

« Défense à tout sujet russe de sortir de la province », si Ivan Ogareff était encore dans la province,
c'était l'empêcher, non sans d'extrêmes difficultés
tout au moins, de rejoindre Féofar-Khan, et enlever
au chef tartare un lieutenant redoutable.

« Ordre à tous étrangers d'origine asiatique de
quitter la province dans les vingt-quatre heures »,
c'était éloigner en bloc ces trafiquants venus de l'Asie
centrale, ainsi que ces bandes de bohémiens, de
gypsies, de tsiganes, qui ont plus ou moins d'affinités
avec les populations tartares ou mongoles et que la
foire y avait réunis. Autant de têtes, autant d'espions,
et leur expulsion était certainement commandée par
l'état des choses.

Mais on comprend aisément l'effet de ces deux
coups de foudre, tombant sur la ville de Nijni-Novgorod, nécessairement plus visée et plus atteinte
qu'aucune autre.

Ainsi donc, les nationaux que des affaires eussent
appelés au-delà des frontières sibériennes ne pouvaient plus quitter la province, momentanément du
moins. La teneur du premier article de l'arrêté était
formelle. Il n'admettait aucune exception. Tout intérêt privé devait s'effacer devant l'intérêt général.

Quant au second article de l'arrêté, l'ordre d'expulsion qu'il contenait était aussi sans réplique. Il ne
concernait point d'autres étrangers que ceux qui
étaient d'origine asiatique, mais ceux-ci n'avaient
plus qu'à réemballer leurs marchandises et à
reprendre la route qu'ils venaient de parcourir.
Quant à tous ces saltimbanques, dont le nombre était
considérable, et qui avaient près de mille verstes à

➥ Voir *Au fil du texte*, p. VIII.

franchir pour atteindre la frontière la plus rapprochée, c'était pour eux la misère à bref délai.

Aussi s'éleva-t-il tout d'abord, contre cette mesure
insolite, un murmure de protestation, un cri de désespoir, que la présence des Cosaques et des agents de la
police eut promptement réprimé.

Et presque aussitôt ce qu'on pourrait appeler le
déménagement de cette vaste plaine commença. Les
toiles tendues devant les échoppes se replièrent ; les
théâtres forains s'en allèrent par morceaux ; les
danses et les chants cessèrent ; les parades se turent ;
les feux s'éteignirent ; les cordes des équilibristes se
détendirent ; les vieux chevaux poussifs de ces
demeures ambulantes revinrent des écuries aux brancards. Agents et soldats, le fouet ou la baguette à la
main, stimulaient les retardataires et ne se gênaient
point d'abattre les tentes, avant même que les
pauvres bohèmes les eussent quittées. Évidemment,
sous l'influence de ces mesures, avant le soir, la place
de Nijni-Novgorod serait entièrement évacuée, et au
tumulte du grand marché succéderait le silence du
désert.

Et encore faut-il le répéter, — car c'était une
aggravation obligée de ces mesures, — à tous ces
nomades que le décret d'exclusion frappait directement, les steppes de la Sibérie étaient même inter-
dites, et il leur faudrait se jeter dans le sud de la mer
Caspienne, soit en Perse, soit en Turquie, soit dans
les plaines du Turkestan. Les postes de l'Oural et des
montagnes qui forment comme le prolongement de ce
fleuve sur la frontière russe ne leur eussent pas permis
de passer. C'était donc un millier de verstes qu'ils
étaient dans la nécessité de parcourir, avant de pouvoir fouler un sol libre.

Au moment où la lecture de l'arrêté avait été faite
par le maître de police, Michel Strogoff fut frappé
d'un rapprochement qui surgit instinctivement dans
son esprit.

« Singulière coïncidence ! pensa-t-il, entre cet

arrêté qui expulse les étrangers originaires de l'Asie et les paroles échangées cette nuit entre ces deux bohémiens de race tsigane. " C'est le Père lui-même qui nous envoie où nous voulons aller ! " a dit ce vieillard. Mais " le Père ", c'est l'empereur ! On ne le désigne pas autrement dans le peuple ! Comment ces bohémiens pouvaient-ils prévoir la mesure prise contre eux, comment l'ont-ils connue d'avance, et où veulent-ils donc aller ? Voilà des gens suspects, et auxquels l'arrêté du gouverneur me paraît, cependant, devoir être plus utile que nuisible ! »

Mais cette réflexion, fort juste à coup sûr, fut coupée net par une autre qui devait chasser toute autre pensée de l'esprit de Michel Strogoff. Il oublia les tsiganes, leurs propos suspects, l'étrange coïncidence qui résultait de la publication de l'arrêté... Le souvenir de la jeune Livonienne venait de se présenter soudain à lui.

« La pauvre enfant ! s'écria-t-il comme malgré lui. Elle ne pourra plus franchir la frontière ! »

En effet, la jeune fille était de Riga, elle était Livonienne, Russe par conséquent, elle ne pouvait donc plus quitter le territoire russe ! Ce permis qui lui avait été délivré avant les nouvelles mesures n'était évidemment plus valable. Toutes les routes de la Sibérie venaient de lui être impitoyablement fermées, et, quel que fût le motif qui la conduisît à Irkoutsk, il lui était dès à présent interdit de s'y rendre.

Cette pensée préoccupa vivement Michel Strogoff. Il s'était dit, vaguement d'abord, que, sans rien négliger de ce qu'exigeait de lui son importante mission, il lui serait possible, peut-être, d'être de quelque secours à cette brave enfant, et cette idée lui avait souri. Connaissant les dangers qu'il aurait personnellement à affronter, lui, homme énergique et vigoureux, dans un pays dont les routes lui étaient cependant familières, il ne pouvait pas méconnaître que ces dangers seraient infiniment plus redoutables pour une jeune fille. Puisqu'elle se rendait à Irkoutsk, elle aurait à suivre la même route que lui, elle serait obligée de passer au milieu des hordes des envahisseurs, comme il allait tenter de le faire lui-même. Si, en outre, et selon toute probabilité, elle n'avait à sa disposition que les ressources nécessaires à un voyage entrepris pour des circonstances ordinaires, comment parviendrait-elle à l'accomplir dans les conditions que les événements allaient rendre non seulement périlleuses, mais coûteuses?

« Eh bien! s'était-il dit, puisqu'elle prend la route de Perm, il est presque impossible que je ne la rencontre pas. Donc, je pourrai veiller sur elle sans qu'elle s'en doute, et, comme elle m'a tout l'air d'être aussi pressée que moi d'arriver à Irkoutsk, elle ne me causera aucun retard. »

Mais une pensée en amène une autre. Michel Strogoff n'avait raisonné jusque-là que dans l'hypothèse d'une bonne action à faire, d'un service à rendre. Une idée nouvelle venait de naître dans son cerveau, et la question se présenta à lui sous un tout autre aspect.

« Au fait, se dit-il, mais je puis avoir besoin d'elle plus qu'elle n'aurait besoin de moi. Sa présence peut ne pas m'être inutile et servirait à déjouer tout soupçon à mon égard. Dans l'homme courant seul à travers la steppe, on peut plus aisément deviner le courrier du czar. Si, au contraire, cette jeune fille m'accompagne, je serai bien mieux aux yeux de tous le Nicolas Korpanoff de mon podaroshna. Donc, il faut qu'elle m'accompagne! Donc, il faut qu'à tout prix je la retrouve! Il n'est pas probable que depuis hier soir elle ait pu se procurer quelque voiture pour quitter Nijni-Novgorod. Cherchons-la, et que Dieu me conduise! »

Michel Strogoff quitta la grande place de Nijni-Novgorod, où le tumulte, produit par l'exécution des mesures prescrites, atteignait en ce moment à son comble. Récriminations des étrangers proscrits, cris des agents et des Cosaques qui les brutalisaient, c'était un tumulte indescriptible. La jeune fille qu'il cherchait ne pouvait être là.

Il était neuf heures du matin. Le steam-boat ne partait qu'à midi. Michel Strogoff avait donc environ deux heures à employer pour retrouver celle dont il voulait faire sa compagne de voyage.

Il traversa de nouveau le Volga et parcourut les quartiers de l'autre rive, où la foule était bien moins considérable. Il visita, on pourrait dire rue par rue, la ville haute et la ville basse. Il entra dans les églises, refuge naturel de tout ce qui pleure, de tout ce qui souffre. Nulle part il ne rencontra la jeune Livonienne.

« Et cependant, répétait-il, elle ne peut encore avoir quitté Nijni-Novgorod. Cherchons toujours ! »

Michel Strogoff erra ainsi pendant deux heures. Il allait sans s'arrêter, il ne sentait pas la fatigue, il obéissait à un sentiment impérieux qui ne lui permettait plus de réfléchir. Le tout vainement.

Il lui vint alors à l'esprit que la jeune fille n'avait peut-être pas eu connaissance de l'arrêté, — circonstance improbable, cependant, car un tel coup de foudre n'avait pu éclater sans être entendu de tous. Intéressée, évidemment, à connaître les moindres nouvelles qui venaient de la Sibérie, comment aurait-elle pu ignorer les mesures prises par le gouverneur, mesures qui la frappaient si directement ?

Mais enfin, si elle les ignorait, elle viendrait donc, dans quelques heures, au quai d'embarquement, et, là, quelque agent impitoyable lui refuserait brutalement passage ! Il fallait à tout prix que Michel Strogoff la vît auparavant, et qu'elle pût, grâce à lui, éviter cet échec.

Mais ses recherches furent vaines, et il eut bientôt perdu tout espoir de la retrouver.

Il était alors onze heures. Michel Strogoff, bien qu'en toute autre circonstance cela eût été inutile, songea à présenter son podaroshna aux bureaux du maître de police. L'arrêté ne pouvait évidemment le

Là, sur un banc, tombée plutôt qu'assise...

concerner, puisque le cas était prévu pour lui, mais il voulait s'assurer que rien ne s'opposerait à sa sortie de la ville.

Michel Strogoff dut donc retourner sur l'autre rive du Volga, dans le quartier où se trouvaient les bureaux du maître de police.

Là, il y avait grande affluence, car si les étrangers avaient ordre de quitter la province, ils n'en étaient pas moins soumis à certaines formalités pour partir. Sans cette précaution, quelque Russe, plus ou moins compromis dans le mouvement tartare, aurait pu, grâce à un déguisement, passer la frontière, — ce que l'arrêté prétendait empêcher. On vous renvoyait, mais encore fallait-il que vous eussiez la permission de vous en aller.

Donc, bateleurs, bohémiens, zingaris, tsiganes, mêlés aux marchands de la Perse, de la Turquie, de l'Inde, du Turkestan, de la Chine, encombraient la cour et les bureaux de la maison de police.

Chacun se hâtait, car les moyens de transport allaient être singulièrement recherchés de cette foule de gens expulsés, et ceux qui s'y prendraient trop tard courraient grand risque de ne pas être en mesure de quitter la ville dans le délai prescrit, — ce qui les eût exposés à quelque brutale intervention des agents du gouverneur.

Michel Strogoff, grâce à la vigueur de ses coudes, put traverser la cour. Mais entrer dans les bureaux et parvenir jusqu'au guichet des employés, c'était une besogne bien autrement difficile. Cependant, un mot qu'il dit à l'oreille d'un inspecteur et quelques roubles donnés à propos furent assez puissants pour lui faire obtenir passage.

L'agent, après l'avoir introduit dans la salle d'attente, alla prévenir un employé supérieur.

Michel Strogoff ne pouvait donc tarder à être en règle avec la police et libre de ses mouvements.

En attendant, il regarda autour de lui. Et que vit-il ?

Là, sur un banc, tombée plutôt qu'assise, une jeune fille, en proie à un muet désespoir, bien qu'il pût à peine voir sa figure, dont le profil seul se dessinait sur la muraille.

Michel Strogoff ne s'était pas trompé. Il venait de reconnaître la jeune Livonienne.

Ne connaissant pas l'arrêté du gouverneur, elle était venue au bureau de police pour faire viser son permis !... On lui avait refusé le visa. Sans doute elle était autorisée à se rendre à Irkoutsk, mais l'arrêté était formel, il annulait toutes autorisations antérieures, et les routes de la Sibérie lui étaient fermées.

Michel Strogoff, très heureux de l'avoir enfin retrouvée, s'approcha de la jeune fille.

Celle-ci le regarda un instant, et son visage s'éclaira d'une lueur fugitive en revoyant son compagnon de voyage. Elle se leva, par instinct, et, comme un naufragé qui se raccroche à une épave, elle allait lui demander assistance...

En ce moment, l'agent toucha l'épaule de Michel Strogoff.

« Le maître de police vous attend, dit-il.

— Bien », répondit Michel Strogoff.

Et, sans dire un mot à celle qu'il avait tant cherchée depuis la veille, sans la rassurer d'un geste qui eût pu compromettre et elle et lui-même, il suivit l'agent à travers les groupes compacts.

La jeune Livonienne, voyant disparaître celui-là seul qui eût pu peut-être lui venir en aide, retomba sur son banc.

Trois minutes ne s'étaient pas écoulées, que Michel Strogoff reparaissait dans la salle, accompagné d'un agent. Il tenait à la main son podaroshna, qui lui faisait libres les routes de la Sibérie.

Il s'approcha alors de la jeune Livonienne, et, lui tendant la main :

« Sœur... » dit-il.

Elle comprit ! Elle se leva, comme si quelque soudaine inspiration ne lui eût pas permis d'hésiter !

« Sœur », dit-il

« Sœur, répéta Michel Strogoff, nous sommes autorisés à continuer notre voyage à Irkoutsk. Viens-tu ?

— Je te suis, frère », répondit la jeune fille, en mettant sa main dans la main de Michel Strogoff.

Et tous deux quittèrent la maison de police.

VII

EN DESCENDANT LE VOLGA

Un peu avant midi, la cloche du steam-boat attirait à l'embarcadère du Volga un grand concours de monde, puisqu'il y avait là ceux qui partaient et ceux qui auraient voulu partir. Les chaudières du *Caucase* étaient en pression suffisante. Sa cheminée ne laissait plus échapper qu'une fumée légère, tandis que l'extrémité du tuyau d'échappement et le couvercle des soupapes se couronnaient de vapeur blanche.

Il va sans dire que la police surveillait le départ du *Caucase*, et se montrait impitoyable à ceux des voyageurs qui ne se trouvaient pas dans les conditions voulues pour quitter la ville.

De nombreux Cosaques allaient et venaient sur le quai, prêt à prêter main-forte aux agents, mais ils n'eurent point à intervenir, et les choses se passèrent sans résistance.

A l'heure réglementaire, le dernier coup de cloche retentit, les amarres furent larguées, les puissantes roues du steam-boat battirent l'eau de leurs palettes articulées, et le *Caucase* fila rapidement entre les deux villes dont se compose Nijni-Novgorod.

Michel Strogoff et la jeune Livonienne avaient pris passage à bord du *Caucase*. Leur embarquement s'était fait sans aucune difficulté. On le sait, le poda-

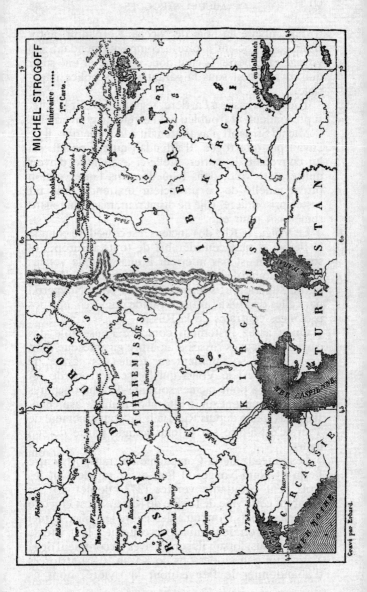

MICHEL STROGOFF
Itinéraire ⁕⁕⁕⁕⁕
1re Carte.

Gravé par Erhard.

roshna, libellé au nom de Nicolas Korpanoff, autorisait ce négociant à être accompagné pendant son voyage en Sibérie. C'était donc un frère et une sœur qui voyageaient sous la garantie de la police impériale.

Tous deux, assis à l'arrière, regardaient fuir la ville, si profondément troublée par l'arrêté du gouverneur.

Michel Strogoff n'avait rien dit à la jeune fille, il ne l'avait pas interrogée. Il attendait qu'elle parlât, s'il lui convenait de parler. Celle-ci avait hâte d'avoir quitté cette ville, dans laquelle, sans l'intervention providentielle de ce protecteur inattendu, elle fût restée prisonnière. Elle ne disait rien, mais son regard remerciait pour elle.

Le Volga, le Rha des anciens, est considéré comme le fleuve le plus considérable de toute l'Europe, et son cours n'est pas inférieur à quatre mille verstes (4 300 kilomètres). Ses eaux, assez insalubres dans sa partie supérieure, sont modifiées à Nijni-Novgorod par celles de l'Oka, affluent rapide qui s'échappe des provinces centrales de la Russie.

On a assez justement comparé l'ensemble des canaux et fleuves russes à un arbre gigantesque dont les branches se ramifient sur toutes les parties de l'empire. C'est le Volga qui forme le tronc de cet arbre, et il a pour racines soixante-dix embouchures qui s'épanouissent sur le littoral de la mer Caspienne. Il est navigable depuis Rjef, ville du gouvernement de Tver, c'est-à-dire sur la plus grande partie de son cours.

Les bateaux de la Compagnie de transports entre Perm et Nijni-Novgorod font assez rapidement les trois cent cinquante verstes (373 kilomètres) qui séparent cette ville de la ville de Kazan. Il est vrai que ces steam-boats n'ont qu'à descendre le Volga, lequel ajoute environ deux milles de courant à leur vitesse propre. Mais, lorsqu'ils sont arrivés au confluent de la Kama, un peu au-dessous de Kazan, ils sont forcés d'abandonner le fleuve pour la rivière, dont ils doivent alors remonter le cours jusqu'à Perm. Donc, tout compte établi, et bien que sa machine fût puissante, le *Caucase* ne devait pas faire plus de seize verstes à l'heure. En réservant une heure d'arrêt à Kazan, le voyage de Nijni-Novgorod à Perm devait donc durer soixante à soixante-deux heures environ.

Ce steam-boat, d'ailleurs, était fort bien aménagé, et les passagers, suivant leur condition ou leurs ressources, y occupaient trois classes distinctes. Michel Strogoff avait eu soin de retenir deux cabines de première classe, de sorte que sa jeune compagne pouvait se retirer dans la sienne et s'isoler quand bon lui semblait.

Le *Caucase* était très encombré de passagers de toutes catégories. Un certain nombre de trafiquants asiatiques avaient jugé bon de quitter immédiatement Nijni-Novgorod. Dans la partie du steam-boat réservée à la première classe se voyaient des Arméniens en longues robes et coiffés d'espèces de mitres, — des Juifs, reconnaissables à leurs bonnets coniques, — de riches Chinois dans leur costume traditionnel, robe très large, bleue, violette ou noire, ouverte devant et derrière, et recouverte d'une seconde robe à larges manches dont la coupe rappelle celle des popes, — des Turcs, qui portaient encore le turban national, — des Indous, à bonnet carré, avec un simple cordon pour ceinture, et dont quelques-uns, plus spécialement désignés sous le nom de Shikarpouris, tiennent entre leurs mains tout le trafic de l'Asie centrale, — enfin des Tartares, chaussés de bottes agrémentées de soutaches multicolores, et la poitrine plastronnée de broderies. Tous ces négociants avaient dû entasser dans la cale et sur le pont leurs nombreux bagages, dont le transport devait leur coûter cher, car, réglementairement, ils n'avaient droit qu'à un poids de vingt livres par personne.

A l'avant du *Caucase* étaient groupés des passagers plus nombreux, non seulement des étrangers, mais aussi des Russes, auxquels l'arrêté ne défendait pas de regagner les villes de la province.

Il y avait là des moujiks, coiffés de bonnets ou de casquettes, vêtus d'une chemise à petits carreaux sous leur vaste pelisse, et des paysans du Volga, pantalon bleu fourré dans leurs bottes, chemise de coton rose serrée par une corde, casquette plate ou bonnet de feutre. Quelques femmes, vêtues de robes de cotonnade à fleurs, portaient le tablier à couleurs vives et le mouchoir à dessins rouges sur la tête. C'étaient principalement des passagers de troisième classe, que, très heureusement, la perspective d'un long voyage de retour ne préoccupait pas. En somme, cette partie du pont était fort encombrée. Aussi les passagers de l'arrière ne s'aventuraient-ils guère parmi ces groupes très mélangés, dont la place était marquée sur l'avant des tambours.

Cependant, le *Caucase* filait de toute la vitesse de ses aubes entre les rives du Volga. Il croisait de nombreux bateaux auxquels des remorqueurs faisaient remonter le cours du fleuve et qui transportaient toutes sortes de marchandises à Nijni-Novgorod. Puis passaient des trains de bois, longs comme ces interminables files de sargasses de l'Atlantique, et des chalands chargés à couler bas, noyés jusqu'au plat-bord. Voyage inutile à présent, puisque la foire venait d'être brusquement dissoute à son début.

Les rives du Volga, éclaboussées par le sillage du steam-boat, se couronnaient de volées de canards qui fuyaient en poussant des cris assourdissants. Un peu plus loin, sur ces plaines sèches, bordées d'aunes, de saules, de trembles, s'éparpillaient quelques vaches d'un rouge foncé, des troupeaux de moutons à toison brune, de nombreuses agglomérations de porcs et de porcelets blancs et noirs. Quelques champs, semés de maigre sarrasin et de seigle, s'étendaient jusqu'à l'arrière-plan de coteaux à demi cultivés, mais qui, en somme, n'offraient aucun point de vue remarquable. Dans ces paysages monotones, le crayon d'un dessinateur, en quête de quelque site pittoresque, n'eût rien trouvé à reproduire.

Deux heures après le départ du *Caucase*, la jeune Livonienne, s'adressant à Michel Strogoff, lui dit :

« Tu vas à Irkoutsk, frère ?

— Oui, sœur, répondit le jeune homme. Nous faisons tous les deux la même route. Par conséquent, partout où je passerai, tu passeras.

— Demain, frère, tu sauras pourquoi j'ai quitté les rives de la Baltique pour aller au-delà des monts Ourals.

— Je ne te demande rien, sœur.

— Tu sauras tout, répondit la jeune fille, dont les lèvres ébauchèrent un triste sourire. Une sœur ne doit rien cacher à son frère. Mais aujourd'hui, je ne pourrais !... La fatigue, le désespoir m'avaient brisée !

— Veux-tu reposer dans ta cabine ? demanda Michel Strogoff.

— Oui... oui... et demain...

— Viens donc... »

Il hésitait à finir sa phrase, comme s'il eût voulu l'achever par le nom de sa compagne, qu'il ignorait encore.

« Nadia, dit-elle en lui tendant la main.

— Viens, Nadia, répondit Michel Strogoff, et use sans façon de ton frère Nicolas Korpanoff. »

Et il conduisit la jeune fille à la cabine qui avait été retenue pour elle sur le salon de l'arrière.

Michel Strogoff revint sur le pont, et, avide des nouvelles qui pouvaient peut-être modifier son itinéraire, il se mêla aux groupes de passagers, écoutant, mais ne prenant point part aux conversations. D'ailleurs, si le hasard faisait qu'il fût interrogé et dans l'obligation de répondre, il se donnerait pour le négociant Nicolas Korpanoff, que le *Caucase* reconduisait à la frontière, car il ne voulait pas que l'on pût se douter qu'une permission spéciale l'autorisait à voyager en Sibérie.

Les étrangers que le steam-boat transportait ne pouvaient évidemment parler que des événements du jour, de l'arrêté et de ses conséquences. Ces pauvres gens, à peine remis des fatigues d'un voyage à travers l'Asie centrale, se voyaient forcés de revenir, et s'ils n'exhalaient pas hautement leur colère et leur désespoir, c'est qu'ils ne l'osaient. Une peur, mêlée de respect, les retenait. Il était possible que des inspecteurs de police, chargés de surveiller les passagers, fussent secrètement embarqués à bord du *Caucase*, et mieux valait tenir sa langue, l'expulsion, après tout, étant encore préférable à l'emprisonnement dans une forteresse. Aussi, parmi ces groupes, ou l'on se taisait, ou les propos s'échangeaient avec une telle circonspection, qu'on ne pouvait guère en tirer quelque utile renseignement.

Mais si Michel Strogoff n'eut rien à apprendre de ce côté, si même les bouches se fermèrent plus d'une fois à son approche, — car on ne le connaissait pas, — ses oreilles furent bientôt frappées par les éclats d'une voix peu soucieuse d'être ou non entendue.

L'homme à la voix gaie parlait russe, mais avec un accent étranger, et son interlocuteur, plus réservé, lui répondait dans la même langue, qui n'était pas non plus sa langue originelle.

« Comment, disait le premier, comment, vous sur ce bateau, mon cher confrère, vous que j'ai vu à la fête impériale de Moscou, et seulement entrevu à Nijni-Novgorod ?

— Moi-même, répondit le second d'un ton sec.

— Eh bien, franchement, je ne m'attendais pas à être immédiatement suivi par vous, et de si près !

— Je ne vous suis pas, monsieur, je vous précède !

— Précède ! précède ! Mettons que nous marchons de front, du même pas, comme deux soldats à la parade, et, provisoirement du moins, convenons, si vous le voulez, que l'un ne dépassera pas l'autre !

— Je vous dépasserai, au contraire.

— Nous verrons cela, quand nous serons sur le théâtre de la guerre ; mais jusque-là, que diable ! soyons compagnons de route. Plus tard, nous aurons bien le temps et l'occasion d'être rivaux !

— Ennemis.

— Ennemis, soit! Vous avez dans vos paroles, cher confrère, une précision qui m'est tout particulièrement agréable. Avec vous, au moins, on sait à quoi s'en tenir!

— Où est le mal?

— Il n'y en a aucun. Aussi, à mon tour, je vous demanderai la permission de préciser notre situation réciproque.

— Précisez.

— Vous allez à Perm... comme moi?

— Comme vous.

— Et, probablement, vous vous dirigerez de Perm sur Ekaterinbourg, puisque c'est la route la meilleure et la plus sûre par laquelle on puisse franchir les monts Ourals?

— Probablement.

— Une fois la frontière passée, nous serons en Sibérie, c'est-à-dire en pleine invasion.

— Nous y serons!

— Eh bien alors, mais seulement alors, ce sera le moment de dire : « Chacun pour soi, et Dieu pour... »

— Dieu pour moi!

— Dieu pour vous, tout seul! Très bien! Mais, puisque nous avons devant nous une huitaine de jours neutres, et puisque très certainement les nouvelles ne pleuvront pas en route, soyons amis jusqu'au moment où nous redeviendrons rivaux.

— Ennemis.

— Oui! c'est juste, ennemis! Mais, jusque-là agissons de concert et ne nous entre-dévorons pas! Je vous promets, d'ailleurs, de garder pour moi tout ce que je pourrai voir...

— Et moi, tout ce que je pourrai entendre.

— Est-ce dit?

— C'est dit.

— Votre main?

— La voilà. »

Et la main du premier interlocuteur, c'est-à-dire cinq doigts largement ouverts, secoua vigoureusement les deux doigts que lui tendit flegmatiquement le second.

« A propos, dit le premier, j'ai pu, ce matin, télégraphier à ma cousine le texte même de l'arrêté dès dix heures dix-sept minutes.

— Et moi je l'ai adressé au *Daily Telegraph* dès dix heures treize.

— Bravo, monsieur Blount.

— Trop bon, monsieur Jolivet.

— A charge de revanche !

— Ce sera difficile !

— On essaiera pourtant ! »

Ce disant, le correspondant français salua familièrement le correspondant anglais, qui, inclinant sa tête, lui rendit son salut avec une raideur toute britannique.

Ces deux chasseurs de nouvelles, l'arrêté du gouverneur ne les concernait pas, puisqu'ils n'étaient ni Russes, ni étrangers d'origine asiatique. Ils étaient donc partis, et s'ils avaient quitté ensemble Nijni-Novgorod, c'est que le même instinct les poussait en avant. Il était donc naturel qu'ils eussent pris le même moyen de transport et qu'ils suivissent la même route jusqu'aux steppes sibériennes. Compagnons de voyage, amis ou ennemis, ils avaient devant eux huit jours avant « que la chasse fût ouverte ». Et alors au plus adroit ! Alcide Jolivet avait fait les premières avances, et, si froidement que ce fût, Harry Blount les avait acceptées.

Quoi qu'il en soit, au dîner de ce jour, le Français, toujours ouvert et même un peu loquace, l'Anglais, toujours fermé, toujours gourmé, trinquaient à la même table, en buvant un Cliquot authentique, à six roubles la bouteille, généreusement fait avec la sève fraîche des bouleaux du voisinage.

En entendant ainsi causer Alcide Jolivet et Harry Blount, Michel Strogoff s'était dit :

« Voici des curieux et des indiscrets que je ren-
contrerai probablement sur ma route. Il me paraît
prudent de les tenir à distance. »

La jeune Livonienne ne vint pas dîner. Elle dormait dans sa cabine, et Michel Strogoff ne voulut pas
la faire réveiller. Le soir arriva donc sans qu'elle eût
reparu sur le pont du *Caucase*.

Le long crépuscule imprégnait alors l'atmosphère
d'une fraîcheur que les passagers recherchèrent avidement après l'accablante chaleur du jour. Quand
l'heure fut avancée, la plupart ne songèrent même
pas à regagner les salons ou les cabines. Étendus sur
les bancs, ils respiraient avec délices un peu de cette
brise que développait la vitesse du steam-boat. Le
ciel, à cette époque de l'année et sous cette latitude,
devait à peine s'obscurcir entre le soir et le matin, et il
laissait au timonier toute aisance pour se diriger au
milieu des nombreuses embarcations qui descendaient ou remontaient le Volga.

Cependant, entre onze heures et deux heures du
matin, la lune étant nouvelle, il fit à peu près nuit.
Presque tous les passagers du pont dormaient alors,
et le silence n'était plus troublé que par le bruit des
palettes, frappant l'eau à intervalles réguliers.

Une sorte d'inquiétude tenait éveillé Michel Strogoff. Il allait et venait, mais toujours à l'arrière du
steam-boat. Une fois, cependant, il lui arriva de
dépasser la chambre des machines. Il se trouva alors
sur la partie réservée aux voyageurs de seconde et de
troisième classe.

Là, on dormait, non seulement sur les bancs, mais
aussi sur les ballots, les colis et même sur les planches
du pont. Seuls, les matelots de quart se tenaient
debout sur le gaillard d'avant. Deux lueurs, l'une
verte, l'autre rouge, projetées par les fanaux de
tribord et de bâbord, envoyaient quelques rayons
obliques sur les flancs du steam-boat.

Il fallait une certaine attention pour ne pas piétiner
les dormeurs, capricieusement étendus çà et là.

Il montait l'échelle du gaillard d'avant.

C'étaient pour la plupart des moujiks, habitués de coucher à la dure et auxquels les planches d'un pont devaient suffire. Néanmoins, ils auraient fort mal accueilli, sans doute, le maladroit qui les eût éveillés à coups de botte.

Michel Strogoff faisait donc attention à ne heurter personne. En allant ainsi vers l'extrémité du bateau, il n'avait d'autre idée que de combattre le sommeil par une promenade un peu plus longue.

Or, il était arrivé à la partie antérieure du pont, et il montait déjà l'échelle du gaillard d'avant, lorsqu'il entendit parler près de lui. Il s'arrêta. Les voix semblaient venir d'un groupe de passagers, enveloppés de châles et de couvertures, qu'il était impossible de reconnaître dans l'ombre. Mais il arrivait parfois, lorsque la cheminée du steam-boat, au milieu des volutes de fumée, s'empanachait de flammes rougeâtres, que des étincelles semblaient courir à travers le groupe, comme si des milliers de paillettes se fussent subitement allumées sous un rayon lumineux.

Michel Strogoff allait passer outre, lorsqu'il entendit plus distinctement certaines paroles, prononcées en cette langue bizarre qui avait déjà frappé son oreille pendant la nuit, sur le champ de foire.

Instinctivement, il eut la pensée d'écouter. Protégé par l'ombre du gaillard, il ne pouvait être aperçu. Quant à voir les passagers qui causaient, cela lui était impossible. Il dut donc se borner à prêter l'oreille.

Les premiers mots qui furent échangés n'avaient aucune importance, — du moins pour lui, — mais ils lui permirent de reconnaître précisément les deux voix de femme et d'homme qu'il avait entendues à Nijni-Novgorod. Dès lors, redoublement d'attention de sa part. Il n'était pas impossible, en effet, que ces tsiganes, dont il avait surpris un lambeau de conversation, maintenant expulsés avec tous leurs congénères, ne fussent à bord du *Caucase*.

Et bien lui en prit d'écouter, car ce fut assez distinctement qu'il entendit cette demande et cette réponse, faites en idiome tartare :

« On dit qu'un courrier est parti de Moscou pour Irkoutsk !

— On le dit, Sangarre, mais ou ce courrier arrivera trop tard, ou il n'arrivera pas ! »

Michel Strogoff tressaillit involontairement à cette réponse, qui le visait si directement. Il essaya de reconnaître si l'homme et la femme qui venaient de parler étaient bien ceux qu'il soupçonnait, mais l'ombre était alors trop épaisse, et il n'y put réussir.

Quelques instants après, Michel Strogoff, sans avoir été aperçu, avait regagné l'arrière du steam-boat, et, la tête dans les mains, il s'asseyait à l'écart. On eût pu croire qu'il dormait.

Il ne dormait pas et ne songeait pas à dormir. Il réfléchissait à ceci, non sans une assez vive appréhension :

« Qui donc sait mon départ, et qui donc a intérêt à le savoir ? »

VIII

EN REMONTANT LA KAMA

Le lendemain, 18 juillet, à six heures quarante du matin, le *Caucase* arrivait à l'embarcadère de Kazan, que sept verstes (7 kilomètres et demi) séparent de la ville.

Kazan est située au confluent du Volga et de la Kazanka. C'est un important chef-lieu de gouvernement et d'archevêché grec, en même temps qu'un siège d'université. La population variée de cette « goubernie » se compose de Tchérémisses, de Mordviens, de Tchouvaches, de Volsalks, de Vigoulitches, de Tartares, — cette dernière race ayant conservé plus spécialement le caractère asiatique.

Bien que la ville fût assez éloignée du débarcadère, une foule nombreuse se pressait sur le quai. On venait aux nouvelles. Le gouverneur de la province avait pris un arrêté identique à celui de son collègue de Nijni-Novgorod. On voyait là des Tartares vêtus d'un cafetan à manches courtes et coiffés de bonnets pointus dont les larges bords rappellent celui du Pierrot traditionnel. D'autres, enveloppés d'une longue houppelande, la tête couverte d'une petite calotte, ressemblaient à des Juifs polonais. Des femmes, la poitrine plastronnée de clinquant, la tête couronnée d'un diadème relevé en forme de croissant, formaient divers groupes dans lesquels on discutait.

Des officiers de police, mêlés à cette foule, quelques Cosaques, la lance au poing, maintenaient l'ordre et faisaient faire place aussi bien aux passagers qui débarquaient du *Caucase* qu'à ceux qui y embarquaient, mais après avoir minutieusement examiné ces deux catégories de voyageurs. C'étaient, d'une part, des Asiatiques frappés du décret d'expulsion, et, de l'autre, quelques familles de moujiks qui s'arrêtaient à Kazan.

Michel Strogoff regardait d'un air assez indifférent ce va-et-vient particulier à tout embarcadère auquel vient d'accoster un steam-boat. Le *Caucase* devait faire escale à Kazan pendant une heure, temps nécessaire au renouvellement de son combustible.

Quant à débarquer, Michel Strogoff n'en eut pas même l'idée. Il n'aurait pas voulu laisser seule à bord la jeune Livonienne, qui n'avait pas encore reparu sur le pont.

Les deux journalistes, eux, s'étaient levés dès l'aube comme il convient à tout chasseur diligent. Ils descendirent sur la rive du fleuve et se mêlèrent à la foule, chacun de son côté. Michel Strogoff aperçut, d'un côté, Harry Blount, le carnet à la main, crayonnant quelques types ou notant quelque observation, de l'autre, Alcide Jolivet, se contentant de parler, sûr de sa mémoire, qui ne pouvait rien oublier.

Le bruit courait, sur toute la frontière orientale de la Russie, que le soulèvement et l'invasion prenaient des proportions considérables. Les communications entre la Sibérie et l'empire étaient déjà extrêmement difficiles. Voilà ce que Michel Strogoff, sans avoir quitté le pont du *Caucase*, entendait dire aux nouveaux embarqués.

Or, ces propos ne laissaient pas de lui causer une véritable inquiétude, et ils excitaient l'impérieux désir qu'il avait d'être au-delà des monts Ourals, afin de juger par lui-même de la gravité des événements et de se mettre en mesure de parer à toute éventualité. Peut-être allait-il même demander des renseignements plus précis à quelque indigène de Kazan, lorsque son attention fut tout à coup distraite.

Parmi les voyageurs qui quittaient le *Caucase*, Michel Strogoff reconnut alors la troupe des tsiganes qui, la veille, figurait encore sur le champ de foire de Nijni-Novgorod. Là, sur le pont du steam-boat, se trouvaient et le vieux bohémien et la femme qui l'avait traité d'espion. Avec eux, sous leur direction, sans doute, débarquaient une vingtaine de danseuses et de chanteuses, de quinze à vingt ans, enveloppées de mauvaises couvertures qui recouvraient leurs jupes à paillettes.

Ces étoffes, piquées alors par les premiers rayons du soleil, rappelèrent à Michel Strogoff cet effet singulier qu'il avait observé pendant la nuit. C'était tout ce paillon de bohème qui étincelait dans l'ombre, lorsque la cheminée du steam-boat vomissait quelques flammes.

« Il est évident, se dit-il, que cette troupe de tsiganes, après être restée sous le pont pendant le jour, est venue se blottir sous le gaillard pendant la nuit. Tenaient-ils donc à se montrer le moins possible, ces bohémiens ? Ce n'est pourtant pas dans les habitudes de leur race ! »

Michel Strogoff ne douta plus alors que le propos qui le touchait directement ne fût parti de ce groupe

Au moment où la troupe bohémienne...

noir, pailleté par les lueurs du bord, et n'eût été échangé entre le vieux tsigane et la femme à laquelle il avait donné le nom mongol de Sangarre.

Michel Strogoff, par un mouvement involontaire, se porta donc vers la coupée du steam-boat, au moment où la troupe bohémienne allait le quitter pour n'y plus revenir.

Le vieux bohémien était là, dans une humble attitude, peu conforme avec l'effronterie naturelle à ses congénères. On eût dit qu'il cherchait plutôt à éviter les regards qu'à les attirer. Son lamentable chapeau, rôti par tous les soleils du monde, s'abaissait profondément sur sa face ridée. Son dos voûté se bombait sous une vieille souquenille dont il s'enveloppait étroitement, malgré la chaleur. Il eût été difficile, sous ce misérable accoutrement, de juger de sa taille et de sa figure.

Près de lui, la tsigane Sangarre, femme de trente ans, brune de peau, grande, bien campée, les yeux magnifiques, les cheveux dorés, se tenait dans une pose superbe.

De ces jeunes danseuses, plusieurs étaient remarquablement jolies, tout en ayant le type franchement accusé de leur race. Les tsiganes sont généralement attrayantes, et plus d'un de ces grands seigneurs russes, qui font profession de lutter d'excentricité avec les Anglais, n'a pas hésité à choisir sa femme parmi ces bohémiennes.

L'une d'elles fredonnait une chanson d'un rythme étrange, dont les premiers vers peuvent se traduire ainsi :

> Le corail luit sur ma peau brune,
> L'épingle d'or à mon chignon !
> Je vais chercher fortune
> Au pays de...

La rieuse fille continua sa chanson sans doute, mais Michel Strogoff ne l'écoutait plus.

En effet, il lui sembla que la tsigane Sangarre le regardait avec une insistance singulière. On eût dit que cette bohémienne voulait ineffaçablement graver ses traits dans sa mémoire.

Puis, quelques instants après, Sangarre débarquait la dernière, lorsque le vieillard et sa troupe avaient déjà quitté le *Caucase*.

« Voilà une effrontée bohémienne ! se dit Michel Strogoff. Est-ce qu'elle m'aurait reconnu pour l'homme qu'elle a traité d'espion à Nijni-Novgorod ? Ces damnées tsiganes ont des yeux de chat ! Elles y voient clair la nuit, et celle-là pourrait bien savoir… »

Michel Strogoff fut sur le point de suivre Sangarre et sa troupe, mais il se retint.

« Non, pensa-t-il, pas de démarche irréfléchie ! Si je fais arrêter ce vieux diseur de bonne aventure et sa bande, mon incognito risque d'être dévoilé. Les voilà débarqués, d'ailleurs, et, avant qu'ils aient passé la frontière, je serai déjà loin de l'Oural. Je sais bien qu'ils peuvent prendre la route de Kazan à Ichim, mais elle n'offre aucune ressource, et un tarentass, attelé de bons chevaux de Sibérie, devancera toujours un chariot de bohémiens ! Allons, ami Korpanoff, reste tranquille ! »

D'ailleurs, à ce moment, le vieux tsigane et Sangarre avaient disparu dans la foule.

Si Kazan est justement appelée « la porte de l'Asie », si cette ville est considérée comme le centre de tout le transit du commerce sibérien et boukharien, c'est que deux routes viennent s'y amorcer, qui donnent passage à travers les monts Ourals. Mais Michel Strogoff avait choisi très judicieusement en prenant celle qui va par Perm, Ekaterinbourg et Tioumen. C'est la grande route de poste, bien fournie de relais entretenus aux frais de l'État, et elle se prolonge depuis Ichim jusqu'à Irkoutsk.

Il est vrai qu'une seconde route, — celle dont Michel Strogoff venait de parler, — évitant le léger détour de Perm, relie également Kazan à Ichim, en passant par Iélabouga, Menzelinsk, Birsk, Zla-

Alcide Jolivet allait-il donc manquer le départ...

toouste, où elle quitte l'Europe, Tchélabinsk, Cha-
drinsk et Kourganne. Peut-être même est-elle un peu
plus courte que l'autre, mais cet avantage est singulièrement diminué par l'absence des maisons de
poste, le mauvais entretien du sol, la rareté des
villages. Michel Strogoff, avec raison, ne pouvait être
qu'approuvé du choix qu'il avait fait, et si, ce qui
paraissait probable, ces bohémiens suivaient cette
seconde route de Kazan à Ichim, il avait toutes
chances d'y arriver avant eux.

Une heure après, la cloche sonnait à l'avant du
Caucase, appelant les nouveaux passagers, rappelant
les anciens. Il était sept heures du matin. Le chargement du combustible venait d'être achevé. Les tôles
des chaudières frissonnaient sous la pression de la
vapeur. Le steam-boat était prêt à partir.

Les voyageurs, qui allaient de Kazan à Perm,
occupaient déjà leurs places à bord.

En ce moment, Michel Strogoff remarqua que, des
deux journalistes, Harry Blount était le seul qui eût
rejoint le steam-boat.

Alcide Jolivet allait-il donc manquer le départ?

Mais, à l'instant où l'on détachait les amarres,
apparut Alcide Jolivet, tout courant. Le steam-boat
avait déjà débordé, la passerelle était même retirée
sur le quai, mais Alcide Jolivet ne s'embarrassa pas de
si peu, et, sautant avec la légèreté d'un clown, il
retomba sur le pont du *Caucase*, presque dans les bras
de son confrère.

« J'ai cru que le *Caucase* allait partir sans vous, dit
celui-ci d'un air moitié figue, moitié raisin.

— Bah! répondit Alcide Jolivet, j'aurais bien su
vous rattraper, quand j'aurais dû fréter un bateau aux
frais de ma cousine, ou courir la poste à vingt kopeks
par verste et par cheval. Que voulez-vous? Il y avait
loin de l'embarcadère au télégraphe!

— Vous êtes allé au télégraphe? demanda Harry
Blount, dont les lèvres se pincèrent aussitôt.

— J'y suis allé! répondit Alcide Jolivet avec son
plus aimable sourire.

— Et il fonctionne toujours jusqu'à Kolyvan?

— Cela, je l'ignore, mais je puis vous assurer, par exemple, qu'il fonctionne de Kazan à Paris!

— Vous avez adressé une dépêche... à votre cousine?...

— Avec enthousiasme.

— Vous avez donc appris?...

— Tenez, mon petit père, pour parler comme les Russes, répondit Alcide Jolivet, je suis bon enfant, moi, et je ne veux rien avoir de caché pour vous. Les Tartares, Féofar-Khan à leur tête, ont dépassé Sémipalatinsk et descendent le cours de l'Irtyche. Faites-en votre profit! »

Comment! Une si grave nouvelle, et Harry Blount ne la connaissait pas, et son rival, qui l'avait vraisemblablement apprise de quelque habitant de Kazan, l'avait aussitôt transmise à Paris! Le journal anglais était distancé! Aussi, Harry Blount, croisant ses mains derrière son dos, alla-t-il s'asseoir à l'arrière du steam-boat, sans ajouter une parole.

Vers dix heures du matin, la jeune Livonienne, ayant quitté sa cabine, monta sur le pont.

Michel Strogoff, allant à elle, lui tendit la main.

« Regarde, sœur », lui dit-il après l'avoir amenée jusque sur l'avant du *Caucase*.

Et, en effet, le site valait qu'on l'examinât avec quelque attention.

Le *Caucase* arrivait, en ce moment, au confluent du Volga et de la Kama. C'est là qu'il allait quitter le grand fleuve, après l'avoir descendu pendant plus de quatre cents verstes, pour remonter l'importante rivière sur un parcours de quatre cent soixante verstes (490 kilomètres).

En cet endroit, les eaux des deux courants mêlaient leurs teintes un peu différentes, et la Kama, rendant à la rive gauche le même service que l'Oka avait rendu à sa rive droite en traversant Nijni-Novgorod, l'assainissait encore de son limpide affluent.

La Kama s'ouvrait largement alors, et ses rives

boisées étaient charmantes. Quelques voiles blanches animaient ses belles eaux, tout imprégnées de rayons solaires. Les coteaux, plantés de trembles, d'aunes et parfois de grands chênes, fermaient l'horizon par une ligne harmonieuse, que l'éclatante lumière de midi confondait en certains points avec le fond du ciel.

Mais ces beautés naturelles ne semblaient pas pouvoir détourner, même un instant, les pensées de la jeune Livonienne. Elle ne voyait qu'une chose, le but à atteindre, et la Kama n'était pour elle qu'un chemin plus facile pour y arriver. Ses yeux brillaient extraordinairement en regardant vers l'est, comme si elle eût voulu percer de son regard cet impénétrable horizon.

Nadia avait laissé sa main dans la main de son compagnon, et bientôt, se retournant vers lui :

« A quelle distance sommes-nous de Moscou ? lui demanda-t-elle.

— A neuf cents verstes ! répondit Michel Strogoff.

— Neuf cents sur sept mille ! » murmura la jeune fille.

C'était l'heure du déjeuner, qui fut annoncé par quelques tintements de la cloche. Nadia suivit Michel Strogoff au restaurant du steam-boat. Elle ne voulut point toucher à ces hors-d'œuvre, servis à part, tels que caviar, harengs coupés en petites tranches, eau-de-vie de seigle anisée, destinés à stimuler l'appétit, suivant un usage commun à tous les pays du Nord, en Russie comme en Suède ou en Norvège. Nadia mangea peu, et peut-être comme une pauvre fille dont les ressources sont très restreintes. Michel Strogoff crut donc devoir se contenter du menu qui allait suffire à sa compagne, c'est-à-dire d'un peu de « koulbat », sorte de pâté fait avec des jaunes d'œufs, du riz et de la viande pilée, de choux rouges farcis au caviar [1] et de thé pour toute boisson.

Ce repas ne fut donc ni long ni coûteux, et, moins

1. Le caviar est un mets russe qui se compose d'œufs d'esturgeon salés.

de vingt minutes après s'être mis tous les deux à table, Michel Strogoff et Nadia remontaient ensemble sur le pont du *Caucase*.

Alors, ils s'assirent à l'arrière, et, sans autre préambule, Nadia, baissant la voix de manière à n'être entendue que de lui seul :

« Frère, dit-elle, je suis la fille d'un exilé. Je me nomme Nadia Fédor. Ma mère est morte à Riga, il y a un mois à peine, et je vais à Irkoutsk rejoindre mon père pour partager son exil.

— Je vais moi-même à Irkoutsk, répondit Michel Strogoff, et je regarderai comme une faveur du Ciel de remettre Nadia Fédor, saine et sauve, entre les mains de son père.

— Merci, frère ! » répondit Nadia.

Michel Strogoff ajouta alors qu'il avait obtenu un podaroshna spécial pour la Sibérie, et que, du côté des autorités russes, rien ne pourrait entraver sa marche.

Nadia n'en demanda pas davantage. Elle ne voyait qu'une chose dans la rencontre providentielle de ce jeune homme simple et bon : le moyen pour elle d'arriver jusqu'à son père.

« J'avais, lui dit-elle, un permis qui me donnait l'autorisation de me rendre à Irkoutsk ; mais l'arrêté du gouverneur de Nijni-Novgorod est venu l'annuler, et sans toi, frère, je n'aurais pu quitter la ville où tu m'as trouvée et dans laquelle, bien sûr, je serais morte !

— Et seule, Nadia, répondit Michel Strogoff, seule, tu osais t'aventurer à travers les steppes de la Sibérie !

— C'était mon devoir, frère.

— Mais ne savais-tu pas que le pays, soulevé et envahi, était devenu presque infranchissable ?

— L'invasion tartare n'était pas connue quand je quittai Riga, répondit la jeune Livonienne. C'est à Moscou seulement que j'ai appris cette nouvelle !

— Et, malgré cela, tu as poursuivi ta route ?

— C'était mon devoir. »

Ce mot résumait tout le caractère de cette courageuse jeune fille. Ce qui était son devoir, Nadia n'hésitait jamais à le faire.

Elle parla alors de son père, Wassili Fédor. C'était un médecin estimé de Riga. Il exerçait sa profession avec succès et vivait heureux au milieu des siens. Mais son affiliation à une société secrète étrangère ayant été établie, il reçut l'ordre de partir pour Irkoutsk, et les gendarmes, qui lui apportaient cet ordre, le conduisirent sans délai au-delà de la frontière.

Wassili Fédor n'eut que le temps d'embrasser sa femme, déjà bien souffrante, sa fille, qui allait peut-être rester sans appui, et, pleurant sur ces deux êtres qu'il aimait, il partit.

Depuis deux ans, il habitait la capitale de la Sibérie orientale, et, là, il avait pu continuer, mais presque sans profit, sa profession de médecin. Néanmoins, peut-être eût-il été heureux, autant qu'un exilé peut l'être, si sa femme et sa fille eussent été près de lui. Mais Mme Fédor, déjà bien affaiblie, n'aurait pu quitter Riga. Vingt mois après le départ de son mari, elle mourut dans les bras de sa fille, qu'elle laissait seule et presque sans ressources. Nadia Fédor demanda alors et obtint facilement du gouvernement russe l'autorisation de rejoindre son père à Irkoutsk. Elle lui écrivit qu'elle partait. A peine avait-elle de quoi suffire à ce long voyage, et, cependant, elle n'hésita pas à l'entreprendre. Elle faisait ce qu'elle pouvait !... Dieu ferait le reste.

Pendant ce temps, le *Caucase* remontait le courant de la rivière. La nuit était venue, et l'air s'imprégnait d'une délicieuse fraîcheur. Des étincelles s'échappaient par milliers de la cheminée du steam-boat, chauffée au bois de pin, et, au murmure des eaux brisées sous son étrave, se mêlaient les rugissements des loups qui infestaient dans l'ombre la rive droite de la Kama.

IX

EN TARENTASS NUIT ET JOUR

Le lendemain, 19 juillet, le *Caucase* s'arrêtait au débarcadère de Perm, dernière station qu'il desservît sur la Kama.

Ce gouvernement, dont Perm est la capitale, est l'un des plus vastes de l'empire russe, et, franchissant les monts Ourals, il empiète sur le territoire de la Sibérie. Carrières de marbre, salines, gisements de platine et d'or, mines de charbon y sont exploités sur une grande échelle. En attendant que Perm, par sa situation, devienne une ville de premier ordre, elle est fort peu attrayante, très sale, très boueuse, et n'offre aucune ressource. A ceux qui vont de Russie en Sibérie, ce manque de confort est assez indifférent, car ils viennent de l'intérieur et sont munis de tout le nécessaire ; mais à ceux qui arrivent des contrées de l'Asie centrale, après un long et fatigant voyage, il ne déplairait pas, sans doute, que la première ville européenne de l'empire, située à la frontière asiatique, fût mieux approvisionnée.

C'est à Perm que les voyageurs revendent leurs véhicules, plus ou moins endommagés par une longue traversée au milieu des plaines de la Sibérie. C'est là aussi que ceux qui passent d'Europe en Asie achètent des voitures pendant l'été, des traîneaux pendant l'hiver, avant de se lancer pour plusieurs mois au milieu des steppes.

Michel Strogoff avait déjà arrêté son programme de voyage, et il n'était plus question que de l'exécuter.

Il existe un service de malle-poste qui franchit assez rapidement la chaîne des monts Ourals, mais, les circonstances étant données, ce service était désorganisé. Ne l'eût-il pas été, que Michel Strogoff, voulant aller rapidement, sans dépendre de personne, n'aurait pas pris la malle-poste. Il préférait, avec raison, acheter une voiture et courir de relais en relais, en activant par des « na vodkou[1] » supplémentaires le zèle de ces postillons appelés iemschiks dans le pays.

Malheureusement, par suite des mesures prises contre les étrangers d'origine asiatique, un grand nombre de voyageurs avaient déjà quitté Perm, et, par conséquent, les moyens de transport étaient extrêmement rares. Michel Strogoff serait donc dans la nécessité de se contenter du rebut des autres. Quant aux chevaux, tant que le courrier du czar ne serait pas en Sibérie, il pourrait sans danger exhiber son podaroshna, et les maîtres de poste attelleraient pour lui de préférence. Mais, ensuite, une fois hors de la Russie européenne, il ne pourrait plus compter que sur la puissance des roubles.

Mais à quel genre de véhicule atteler ces chevaux ? A une télègue ou à un tarentass ?

La télègue n'est qu'un véritable chariot découvert, à quatre roues, dans la confection duquel il n'entre absolument que du bois. Roues, essieux, chevilles, caisse, brancards, les arbres du voisinage ont tout fourni, et l'ajustement des diverses pièces dont la télègue se compose n'est obtenu qu'au moyen de cordes grossières. Rien de plus primitif, rien de moins confortable, mais aussi rien de plus facile à réparer, si quelque accident se produit en route. Les sapins ne manquent pas sur la frontière russe, et les essieux poussent naturellement dans les forêts. C'est au moyen de la télègue que se fait la poste extraordinaire, connue sous le nom de « perekladnoï », et pour laquelle toutes routes sont bonnes. Quelquefois, il faut bien l'avouer, les liens qui attachent l'appareil se rompent, et, tandis que le train de derrière reste embourbé dans quelque fondrière, le train de devant arrive au relais sur ses deux roues, — mais ce résultat est considéré déjà comme satisfaisant.

1. Pourboires.

Michel Strogoff aurait bien été forcé d'employer la télègue, s'il n'eût été assez heureux pour découvrir un tarentass.

Ce n'est pas que ce dernier véhicule soit le dernier mot du progrès de l'industrie carrossière. Les ressorts lui manquent aussi bien qu'à la télègue ; le bois, à défaut du fer, n'y est pas épargné ; mais ses quatre roues, écartées de huit à neuf pieds à l'extrémité de chaque essieu, lui assurent un certain équilibre sur des routes cahoteuses et trop souvent dénivelées. Un garde-crotte protège ses voyageurs contre les boues du chemin, et une forte capote de cuir, pouvant se rabaisser et le fermer presque hermétiquement, en rend l'occupation moins désagréable par les grandes chaleurs et les violentes bourrasques de l'été. Le tarentass est d'ailleurs aussi solide, aussi facile à réparer que la télègue, et, d'autre part, il est moins sujet à laisser son train d'arrière en détresse sur les grands chemins.

Du reste, ce ne fut pas sans de minutieuses recherches que Michel Strogoff parvint à découvrir ce tarentass, et il était probable qu'on n'en eût pas trouvé un second dans toute la ville de Perm. Malgré cela, il en débattit sévèrement le prix, pour la forme, afin de rester dans son rôle de Nicolas Korpanoff, simple négociant d'Irkoutsk.

Nadia avait suivi son compagnon dans ses courses à la recherche d'un véhicule. Bien que le but à atteindre fût différent, tous deux avaient une égale hâte d'arriver, et, par conséquent, de partir. On eût dit qu'une même volonté les animait.

« Sœur, dit Michel Strogoff, j'aurais voulu trouver pour toi quelque voiture plus confortable.

— Tu me dis cela, frère, à moi qui serais allée, même à pied, s'il l'avait fallu, rejoindre mon père !

— Je ne doute pas de ton courage, Nadia, mais il est des fatigues physiques qu'une femme ne peut supporter.

— Je les supporterai, quelles qu'elles soient,

Une demi-heure plus tard, trois chevaux de poste...

répondit la jeune fille. Si tu entends une plainte s'échapper de mes lèvres, laisse-moi en route et continue seul ton voyage ! »

Une demi-heure plus tard, sur la présentation du podaroshna, trois chevaux de poste étaient attelés au tarentass. Ces animaux, couverts d'un long poil, ressemblaient à des ours hauts sur pattes. Ils étaient petits, mais ardents, étant de race sibérienne.

Voici comment le postillon, l'iemschik, les avait attelés : l'un, le plus grand, était maintenu entre deux longs brancards qui portaient à leur extrémité antérieure un cerceau, appelé « douga », chargé de houppes et de sonnettes ; les deux autres étaient simplement attachés par des cordes aux marchepieds du tarentass. Du reste, pas de harnais, et pour guides, rien qu'une simple ficelle.

Ni Michel Strogoff, ni la jeune Livonienne n'emportaient de bagages. Les conditions de rapidité dans lesquelles devait se faire le voyage de l'un, les ressources plus que modestes de l'autre, leur avaient interdit de s'embarrasser de colis. Dans cette circonstance, c'était heureux, car ou le tarentass n'aurait pu prendre les bagages, ou il n'aurait pu prendre les voyageurs. Il n'était fait que pour deux personnes, sans compter l'iemschik, qui ne se tient sur son siège étroit que par un miracle d'équilibre.

Cet iemschik change, d'ailleurs, à chaque relais. Celui auquel revenait la conduite du tarentass pendant la première étape était Sibérien, comme ses chevaux, et non moins poilu qu'eux, cheveux longs, coupés carrément sur le front, chapeau à bords relevés, ceinture rouge, capote à parements croisés sur des boutons frappés au chiffre impérial.

L'iemschik, en arrivant avec son attelage, avait tout d'abord jeté un regard inquisiteur sur les voyageurs du tarentass. Pas de bagages ! — et où diable les aurait-il fourrés ? — Donc, apparence peu fortunée. Il fit une moue des plus significatives.

« Des corbeaux, dit-il sans se soucier d'être

Le tarentass quittait Perm au milieu d'un nuage de poussière.

entendu ou non, des corbeaux à six kopeks par verste !

— Non ! des aigles, répondit Michel Strogoff, qui comprenait parfaitement l'argot des iemschiks, des aigles, entends-tu, à neuf kopeks par verste, le pourboire en sus ! »

Un joyeux claquement de fouet lui répondit. Le « corbeau », dans la langue des postillons russes, c'est le voyageur avare ou indigent, qui, aux relais de paysans, ne paie les chevaux qu'à deux ou trois kopeks par verste. L'« aigle », c'est le voyageur qui ne recule pas devant les hauts prix, sans compter les généreux pourboires. Aussi le corbeau ne peut-il avoir la prétention de voler aussi rapidement que l'oiseau impérial.

Nadia et Michel Strogoff prirent immédiatement place dans le tarentass. Quelques provisions, peu encombrantes et mises en réserve dans le caisson, devaient leur permettre, en cas de retard, d'atteindre les maisons de poste, qui sont très confortablement installées, sous la surveillance de l'État. La capote fut rabattue, car la chaleur était insoutenable, et, à midi, le tarentass, enlevé par ses trois chevaux, quittait Perm au milieu d'un nuage de poussière.

La façon dont l'iemschik maintenait l'allure de son attelage eût été certainement remarquée de tous autres voyageurs qui, n'étant ni Russes ni Sibériens, n'eussent pas été habitués à ces façons d'agir. En effet, le cheval de brancard, régulateur de la marche, un peu plus grand que ses congénères, gardait imperturbablement, et quelles que fussent les pentes de la route, un trot très allongé, mais d'une régularité parfaite. Les deux autres chevaux ne semblaient connaître d'autre allure que le galop et se démenaient avec mille fantaisies fort amusantes. L'iemschik, d'ailleurs, ne les frappait pas. Tout au plus les stimulait-il par les mousquetades éclatantes de son fouet. Mais que d'épithètes il leur prodiguait, lorsqu'ils se conduisaient en bêtes dociles et consciencieuses, sans

compter les noms de saints dont il les affublait! La
ficelle qui lui servait de guides n'aurait eu aucune
action sur des animaux à demi emportés, mais,
« napravo », à droite, « na lèvo », à gauche, — ces
mots, prononcés d'une voix gutturale, faisaient meilleur effet que bride ou bridon.

Et que d'aimables interpellations suivant la circonstance!

« Allez, mes colombes! répétait l'iemschik. Allez,
gentilles hirondelles! Volez, mes petits pigeons!
Hardi, mon cousin de gauche! Pousse, mon petit père
de droite! »

Mais aussi, quand la marche se ralentissait, que
d'expressions insultantes, dont les susceptibles animaux semblaient comprendre la valeur!

« Va donc, escargot du diable! Malheur à toi,
limace! Je t'écorcherai vive, tortue, et tu seras damnée dans l'autre monde! »

Quoi qu'il en soit de ces façons de conduire, qui
exigent plus de solidité au gosier que de vigueur au
bras des iemschiks, le tarentass volait sur la route et
dévorait de douze à quatorze verstes à l'heure.

Michel Strogoff était habitué à ce genre de véhicule
et à ce mode de transport. Ni les soubresauts, ni les
cahots ne pouvaient l'incommoder. Il savait qu'un
attelage russe n'évite ni les cailloux, ni les ornières, ni
les fondrières, ni les arbres renversés, ni les fossés qui
ravinent la route. Il était fait à cela. Sa compagne
risquait d'être blessée par les contrecoups du tarentass, mais elle ne se plaignit pas.

Pendant les premiers instants du voyage, Nadia,
ainsi emportée à toute vitesse, demeura sans parler.
Puis, toujours obsédée de cette pensée unique, arriver, arriver :

« J'ai compté trois cents verstes entre Perm et
Ekaterinbourg, frère! dit-elle. Me suis-je trompée?

— Tu ne t'es pas trompée, Nadia, répondit Michel
Strogoff, et lorsque nous aurons atteint Ekaterinbourg, nous serons au pied même des monts Ourals,
sur leur versant opposé.

— Que durera cette traversée dans la montagne?

— Quarante-huit heures, car nous voyagerons nuit et jour. — Je dis nuit et jour, Nadia, ajouta-t-il, car je ne peux pas m'arrêter même un instant, et il faut que je marche sans relâche vers Irkoutsk.

— Je ne te retarderai pas, frère, non, pas même une heure, et nous voyagerons nuit et jour.

— Eh bien, alors, Nadia, puisse l'invasion tartare nous laisser le chemin libre, et, avant vingt jours, nous serons arrivés!

— Tu as déjà fait ce voyage? demanda Nadia.

— Plusieurs fois.

— Pendant l'hiver, nous aurions été plus rapidement et plus sûrement, n'est-ce pas?

— Oui, plus rapidement surtout, mais tu aurais bien souffert du froid et des neiges!

— Qu'importe! L'hiver est l'ami du Russe.

— Oui, Nadia, mais quel tempérament à toute épreuve il faut pour résister à une telle amitié! J'ai vu souvent la température tomber dans les steppes sibériennes à plus de quarante degrés au-dessous de glace! J'ai senti, malgré mon vêtement de peau de renne[1], mon cœur se glacer, mes membres se tordre, mes pieds se geler sous leurs triples chaussettes de laine! J'ai vu les chevaux de mon traîneau recouverts d'une carapace de glace, leur respiration figée aux naseaux! J'ai vu l'eau-de-vie de ma gourde se changer en pierre dure que le couteau ne pouvait entamer!... Mais mon traîneau filait comme l'ouragan! Plus d'obstacles sur la plaine nivelée et blanche à perte de vue! Plus de cours d'eau dont on est obligé de chercher les passages guéables! Plus de lacs qu'il faut traverser en bateau! Partout la glace dure, la route libre, le chemin assuré! Mais au prix de quelles souffrances, Nadia! Ceux-là seuls pourraient le dire, qui ne sont pas revenus, et dont le chasse-neige a bientôt recouvert les cadavres!

---

1. Ce vêtement se nomme « dakha »; il est très léger et, cependant, absolument imperméable au froid.

— Cependant, tu es revenu, frère, dit Nadia.

— Oui, mais je suis Sibérien, et tout enfant, quand je suivais mon père dans ses chasses, je m'accoutumais à ces dures épreuves. Mais toi, lorsque tu m'as dit, Nadia, que l'hiver ne t'aurait pas arrêtée, que tu serais partie seule, prête à lutter contre les redoutables intempéries du climat sibérien, il m'a semblé te voir perdue dans les neiges et tombant pour ne plus te relever!

— Combien de fois as-tu traversé la steppe pendant l'hiver? demanda la jeune Livonienne.

— Trois fois, Nadia, lorsque j'allais à Omsk.

— Et qu'allais-tu faire à Omsk?

— Voir ma mère qui m'attendait!

— Et moi, je vais à Irkoutsk, où m'attend mon père! Je vais lui porter les dernières paroles de ma mère! C'est te dire, frère, que rien n'aurait pu m'empêcher de partir!

— Tu es une brave enfant, Nadia, répondit Michel Strogoff, et Dieu lui-même t'aurait conduite! »

Pendant cette journée, le tarentass fut mené rapidement par les iemschiks qui se succédèrent à chaque relais. Les aigles de la montagne n'eussent pas trouvé leur nom déshonoré par ces « aigles » de la grande route. Le haut prix payé par chaque cheval, les pourboires largement octroyés, recommandaient les voyageurs d'une façon toute spéciale. Peut-être les maîtres de poste trouvèrent-ils singulier, après la publication de l'arrêté, qu'un jeune homme et sa sœur, évidemment Russes tous les deux, pussent courir librement à travers la Sibérie, fermée à tous autres, mais leurs papiers étaient en règle, et ils avaient le droit de passer. Aussi les poteaux kilométriques restaient-ils rapidement en arrière du tarentass.

Du reste, Michel Strogoff et Nadia n'étaient pas seuls à suivre la route de Perm à Ekaterinbourg. Dès les premiers relais, le courrier du czar avait appris qu'une voiture le précédait; mais, comme les chevaux ne lui manquaient pas, il ne s'en préoccupa pas autrement.

Pendant cette journée, les quelques haltes, durant lesquelles se reposa le tarentass, ne furent uniquement faites que pour les repas. Aux maisons de poste, on trouve à se loger et à se nourrir. D'ailleurs, à défaut de relais, la maison du paysan russe n'eût pas été moins hospitalière. Dans ces villages, qui se ressemblent presque tous, avec leur chapelle à murailles blanches et à toitures vertes, le voyageur peut frapper à toutes les portes. Elles lui seront ouvertes. Le moujik viendra, la figure souriante, et tendra la main à son hôte. On lui offrira le pain et le sel, on mettra le « samovar » sur le feu, et il sera comme chez lui. La famille déménagera plutôt, afin de lui faire place. L'étranger, quand il arrive, est le parent de tous. C'est « celui que Dieu envoie ».

En arrivant le soir, Michel Strogoff, poussé par une sorte d'instinct, demanda au maître de poste depuis combien d'heures la voiture qui le précédait avait passé au relais.

« Depuis deux heures, petit père, lui répondit le maître de poste.

— C'est une berline ?

— Non, une télègue.

— Combien de voyageurs ?

— Deux.

— Et ils vont grand train ?

— Des aigles !

— Qu'on attelle rapidement. »

Michel Strogoff et Nadia, décidés à ne pas s'arrêter une heure, voyagèrent toute la nuit.

Le temps continuait à être beau, mais on sentait que l'atmosphère, devenue pesante, se saturait peu à peu d'électricité. Aucun nuage n'interceptait les rayons stellaires, et il semblait qu'une sorte de buée chaude s'élevât du sol. Il était à craindre que quelque orage de se déchaînât dans les montagnes, et ils y sont terribles. Michel Strogoff, habitué à reconnaître les symptômes atmosphériques, pressentait une prochaine lutte des éléments, qui ne laissa pas de le préoccuper.

La nuit se passa sans incident. Malgré les cahots du tarentass, Nadia put dormir pendant quelques heures. La capote, à demi relevée, permettait d'aspirer le peu d'air que les poumons cherchaient avidement dans cette atmosphère étouffante.

Michel Strogoff veilla toute la nuit, se défiant des iemschiks, qui s'endorment trop volontiers sur leur siège, et pas une heure ne fut perdue aux relais, pas une heure sur la route.

Le lendemain, 20 juillet, vers huit heures du matin, les premiers profils des monts Ourals se dessinèrent dans l'est. Cependant, cette importante chaîne, qui sépare la Russie d'Europe de la Sibérie, se trouvait encore à une assez grande distance, et on ne pouvait compter l'atteindre avant la fin de la journée. Le passage des montagnes devrait donc nécessairement s'effectuer pendant la nuit prochaine.

Durant cette journée, le ciel resta constamment couvert, et, par conséquent, la température fut un peu plus supportable, mais le temps était extrêmement orageux.

Peut-être, avec cette apparence, eût-il été plus prudent de ne pas s'engager dans la montagne en pleine nuit, et c'est ce qu'eût fait Michel Strogoff, s'il lui eût été permis d'attendre ; mais quand, au dernier relais, l'iemschik lui signala quelques coups de tonnerre qui roulaient dans les profondeurs du massif, il se contenta de lui dire :

« Une télègue nous précède toujours ?

— Oui.

— Quelle avance a-t-elle maintenant sur nous ?

— Une heure environ.

— En avant, et triple pourboire, si nous sommes demain matin à Ekaterinbourg ! »

X

UN ORAGE DANS LES MONTS OURALS

☞ Les monts Ourals se développent sur une étendue
de près de trois mille verstes (3 200 kilomètres) entre
l'Europe et l'Asie. Qu'on les appelle de ce nom
d'Ourals, qui est d'origine tartare, ou de celui de
Poyas, suivant la dénomination russe, ils sont justement nommés, puisque ces deux noms signifient
« ceinture » dans les deux langues. Nés sur le littoral
de la mer Arctique, ils vont mourir sur les bords de la
Caspienne.

Telle était la frontière que Michel Strogoff devait
franchir pour passer de Russie en Sibérie, et, on l'a
dit, en prenant la route qui va de Perm à Ekaterinbourg, située sur le versant oriental des monts
Ourals, il avait agi sagement. C'était la voie la plus
facile et la plus sûre, celle qui sert au transit de tout le
commerce de l'Asie centrale.

La nuit devait suffire à cette traversée des montagnes, si aucun accident ne survenait. Malheureusement, les premiers grondements du tonnerre annon-
çaient un orage que l'état particulier de l'atmosphère
devait rendre redoutable. La tension électrique était
telle, qu'elle ne pouvait se résoudre que par un éclat
violent.

Michel Strogoff veilla à ce que sa jeune compagne
fût installée aussi bien que possible. La capote,
qu'une bourrasque aurait facilement arrachée, fut
maintenue plus solidement au moyen de cordes qui se
croisaient au-dessus et à l'arrière. On doubla les traits
des chevaux, et, par surcroît de précaution, le heurte-
quin des moyeux fut rembourré de paille, autant pour
assurer la solidité des roues que pour adoucir les
chocs, difficiles à éviter dans une nuit obscure. Enfin,
l'avant-train et l'arrière-train, dont les essieux étaient
simplement chevillés à la caisse du tarentass, furent

☞ Voir *Au fil du texte*, p. VIII.

reliés l'un à l'autre par une traverse de bois assujettie au moyen de boulons et d'écrous. Cette traverse tenait lieu de la barre courbe qui, dans les berlines suspendues sur des cols de cygne, rattache les deux essieux l'un à l'autre.

Nadia reprit sa place au fond de la caisse, et Michel Strogoff s'assit près d'elle. Devant la capote, complètement abaissée, pendaient deux rideaux de cuir, qui, dans une certaine mesure, devaient abriter les voyageurs contre la pluie et les rafales.

Deux grosses lanternes avaient été fixées au côté gauche du siège de l'iemschik et jetaient obliquement des lueurs blafardes peu propres à éclairer la route. Mais c'étaient les feux de position du véhicule, et, s'ils dissipaient à peine l'obscurité, du moins pouvaient-ils empêcher l'abordage de quelque autre voiture courant à contre-bord.

On le voit, toutes les précautions étaient prises, et, devant cette nuit menaçante, il était bon qu'elles le fussent.

« Nadia, nous sommes prêts, dit Michel Strogoff.

— Partons », répondit la jeune fille.

L'ordre fut donné à l'iemschik, et le tarentass s'ébranla en remontant les premières rampes des monts Ourals.

Il était huit heures, le soleil allait se coucher. Cependant le temps était déjà très sombre, malgré le crépuscule qui se prolonge sous cette latitude. D'énormes vapeurs semblaient surbaisser la voûte du ciel, mais aucun vent ne les déplaçait encore. Toutefois, si elles demeuraient immobiles dans le sens d'un horizon à l'autre, il n'en était pas ainsi du zénith au nadir, et la distance qui les séparait du sol diminuait visiblement. Quelques-unes de ces bandes répandaient une sorte de lumière phosphorescente et soustendaient à l'œil des arcs de soixante à quatre-vingts degrés. Leurs zones semblaient se rapprocher peu à peu du sol, et elles resserraient leur réseau, de manière à bientôt étreindre la montagne, comme si quelque ouragan supérieur les eût chassées de haut en bas. D'ailleurs, la route montait vers ces grosses nuées, très denses et presque arrivées déjà au degré de condensation. Avant peu, route et vapeurs se confondraient, et si, en ce moment, les nuages ne se résolvaient pas en pluie, le brouillard serait tel que le tarentass ne pourrait plus avancer, sans risquer de tomber dans quelque précipice.

Cependant, la chaîne des monts Ourals n'atteint qu'une médiocre hauteur. L'altitude de leur plus haut sommet ne dépasse pas cinq mille pieds. Les neiges éternelles y sont inconnues, et celles qu'un hiver sibérien entasse à leurs cimes se dissolvent entièrement au soleil de l'été. Les plantes et les arbres y poussent à toute hauteur. Ainsi que l'exploitation des mines de fer et de cuivre, celle des gisements de pierres précieuses nécessite un concours assez considérable d'ouvriers. Aussi, ces villages qu'on appelle « zavody » s'y rencontrent assez fréquemment, et la route, percée à travers les grands défilés, est aisément praticable aux voitures de poste.

Mais ce qui est facile par le beau temps et en pleine lumière offre difficultés et périls, lorsque les éléments luttent violemment entre eux et qu'on est pris dans la lutte.

Michel Strogoff savait, pour l'avoir éprouvé déjà, ce qu'est un orage dans la montagne, et peut-être trouvait-il, avec raison, ce météore aussi redoutable que ces terribles chasse-neige qui, pendant l'hiver, s'y déchaînent avec une incomparable violence.

Au départ, la pluie ne tombait pas encore. Michel Strogoff avait soulevé les rideaux de cuir qui protégeaient l'intérieur du tarentass, et il regardait devant lui, tout en observant les côtés de la route, que la lueur vacillante des lanternes peuplait de fantasques silhouettes.

Nadia, immobile, les bras croisés, regardait aussi, mais sans se pencher, tandis que son compagnon, le corps à demi hors de la caisse, interrogeait à la fois le ciel et la terre.

L'atmosphère était absolument tranquille, mais d'un calme menaçant. Pas une molécule d'air ne se déplaçait encore. On eût dit que la nature, à demi étouffée, ne respirait plus, et que ses poumons, c'est-à-dire ces nuages mornes et denses, atrophiés par quelque cause, ne pouvaient plus fonctionner. Le silence eût été absolu sans le grincement des roues du tarentass qui broyaient le gravier de la route, le gémissement des moyeux et des ais de la machine, l'aspiration bruyante des chevaux auxquels manquait l'haleine, et le claquement de leurs pieds ferrés sur les cailloux qui étincelaient au choc.

Du reste, route absolument déserte. Le tarentass ne croisait ni un piéton, ni un cavalier, ni un véhicule quelconque, dans ces étroits défilés de l'Oural, par cette nuit menaçante. Pas un feu de charbonnier dans les bois, pas un campement de mineurs dans les carrières exploitées, pas une hutte perdue sous les taillis. Il fallait de ces raisons qui ne permettent ni une hésitation ni un retard pour entreprendre la traversée de la chaîne dans ces conditions. Michel Strogoff n'avait pas hésité. Cela ne lui était pas possible ; mais alors — et cela commençait à le préoccuper singulièrement — quels pouvaient donc être ces voyageurs dont la télègue précédait son tarentass, et quelles raisons majeures avaient-ils d'être si imprudents ?

Michel Strogoff, pendant quelque temps, resta ainsi en observation. Vers onze heures, les éclairs commencèrent à illuminer le ciel et ne discontinuèrent plus. A leur rapide lueur, on voyait apparaître et disparaître la silhouette des grands pins qui se massaient aux divers points de la route. Puis, lorsque le tarentass s'approchait à raser la bordure du chemin, de profonds gouffres s'éclairaient sous la déflagration des nues. De temps en temps, un roulement plus grave du véhicule indiquait qu'il franchissait un pont de madriers à peine équarris, jeté sur quelque crevasse, et le tonnerre semblait rouler au-dessous de lui. D'ailleurs, l'espace ne tarda pas à

s'emplir de bourdonnements monotones, qui devenaient d'autant plus graves qu'ils montaient davantage dans les hauteurs du ciel. A ces bruits divers se
mêlaient les cris et les interjections de l'iemschik,
tantôt flattant, tantôt gourmandant ses pauvres bêtes,
plus fatiguées de la lourdeur de l'air que de la raideur
du chemin. Les sonnettes du brancard ne pouvaient
même plus les animer, et, par instants, elles fléchissaient sur leurs jambes.

« A quelle heure arriverons-nous au sommet du
col? demanda Michel Strogoff à l'iemschik.

— A une heure du matin,... si nous y arrivons!
répondit celui-ci en secouant la tête.

— Dis donc, l'ami, tu n'en es pas à ton premier
orage dans la montagne, n'est-ce pas?

— Non, et fasse Dieu que celui-ci ne soit pas mon
dernier!

— As-tu donc peur?

— Je n'ai pas peur, mais je te répète que tu as eu
tort de partir.

— J'aurais eu plus grand tort de rester.

— Va donc, mes pigeons! » répliqua l'iemschik,
en homme qui n'est pas là pour discuter, mais pour
obéir.

En ce moment, un frémissement lointain se fit
entendre. C'était comme un millier de sifflements
aigus et assourdissants, qui traversaient l'atmosphère, calme jusqu'alors. A la lueur d'un éblouissant
éclair qui fut presque aussitôt suivi d'un éclat de
tonnerre terrible, Michel Strogoff aperçut de grands
pins qui se tordaient sur une cime. Le vent se déchaînait, mais il ne troublait encore que les hautes
couches de l'air. Quelques bruits secs indiquèrent que
certains arbres, vieux ou mal enracinés, n'avaient pu
résister à la première attaque de la bourrasque. Une
avalanche de troncs brisés traversa la route, après
avoir formidablement rebondi sur les rocs, et alla se
perdre dans l'abîme de gauche, à deux cents pas en
avant du tarentass.

« Sois prête à tout. Voici l'orage ! »

Il parvint, non sans peine, à maîtriser les chevaux.

Les chevaux s'étaient arrêtés court.

« Va donc, mes jolies colombes! » cria l'iemschik en mêlant les claquements de son fouet aux roulements du tonnerre.

Michel Strogoff saisit la main de Nadia.

« Dors-tu, sœur? lui demanda-t-il.

— Non, frère.

— Sois prête à tout. Voici l'orage!

— Je suis prête. »

Michel Strogoff n'eut que le temps de fermer les rideaux de cuir du tarentass.

La bourrasque arrivait en foudre.

L'iemschik, sautant de son siège, se jeta à la tête de ses chevaux, afin de les maintenir, car un immense danger menaçait tout l'attelage.

En effet, le tarentass, immobile, se trouvait alors à un tournant de la route par lequel débouchait la bourrasque. Il fallait donc le tenir tête au vent, sans quoi, pris de côté, il eût immanquablement chaviré et eût été précipité dans un profond abîme que le chemin côtoyait sur la gauche. Les chevaux, repoussés par les rafales, se cabraient, et leur conducteur ne pouvait parvenir à les calmer. Aux interpellations amicales avaient succédé dans sa bouche les qualifications les plus insultantes. Rien n'y faisait. Les malheureuses bêtes, aveuglées par les décharges électriques, épouvantées par les éclats incessants de la foudre, qui étaient comparables à des détonations d'artillerie, menaçaient de briser leurs traits et de s'enfuir. L'iemschik n'était plus maître de son attelage.

A ce moment, Michel Strogoff, s'élançant d'un bond hors du tarentass, lui vint en aide. Doué d'une force peu commune, il parvint, non sans peine, à maîtriser les chevaux.

Mais la furie de l'ouragan redoublait alors. La route, en cet endroit, s'évasait en forme d'entonnoir et laissait la bourrasque s'y engouffrer, comme elle eût fait dans ces manches d'aération tendues au vent à bord des steamers. En même temps, une avalanche de pierres et de troncs d'arbres commençait à rouler du haut des talus.

« Nous ne pouvons rester ici, dit Michel Strogoff.

— Nous n'y resterons pas non plus! s'écria l'iemschik, tout effaré, en se raidissant de toutes ses forces contre cet effroyable déplacement des couches d'air. L'ouragan aura bientôt fait de nous envoyer au bas de la montagne, et par le plus court!

— Prends le cheval de droite, poltron! répondit Michel Strogoff. Moi, je réponds de celui de gauche! »

Un nouvel assaut de la rafale interrompit Michel Strogoff. Le conducteur et lui durent se courber jusqu'à terre pour ne pas être renversés; mais la voiture, malgré leurs efforts et ceux des chevaux qu'ils maintenaient debout au vent, recula de plusieurs longueurs, et, sans un tronc d'arbre qui l'arrêta, elle était précipitée hors de la route.

« N'aie pas peur, Nadia! cria Michel Strogoff.

— Je n'ai pas peur », répondit la jeune Livonienne, sans que sa voix trahît la moindre émotion.

Les roulements de tonnerre avaient cessé un instant, et l'effroyable bourrasque, après avoir franchi le tournant, se perdait dans les profondeurs du défilé.

« Veux-tu redescendre? dit l'iemschik.

— Non, il faut remonter! Il faut passer ce tournant! Plus haut, nous aurons l'abri du talus!

— Mais les chevaux refusent!

— Fais comme moi, et tire-les en avant!

— La bourrasque va revenir!

— Obéiras-tu?

— Tu le veux!

— C'est le Père qui l'ordonne! répondit Michel Strogoff, qui invoqua pour la première fois le nom de l'empereur, ce nom tout-puissant, maintenant, sur trois parties du monde.

— Va donc, mes hirondelles! » s'écria l'iemschik, saisissant le cheval de droite, pendant que Michel Strogoff en faisait autant de celui de gauche.

Les chevaux, ainsi tenus, reprirent péniblement la route. Ils ne pouvaient plus se jeter de côté, et le cheval de brancard, n'étant plus tiraillé sur ses flancs, put garder le milieu du chemin. Mais, hommes et bêtes, pris debout par les rafales, ne faisaient guère trois pas sans en perdre un et quelquefois deux. Ils glissaient, ils tombaient, ils se relevaient. A ce jeu, le véhicule risquait fort de se détraquer. Si la capote n'eût pas été solidement assujettie, le tarentass eût été décoiffé du premier coup.

Michel Strogoff et l'iemschik mirent plus de deux heures à remonter cette portion du chemin, longue d'une demi-verste au plus, et qui était si directement exposée au fouet de la bourrasque. Le danger alors n'était pas seulement dans ce formidable ouragan qui luttait contre l'attelage et ses deux conducteurs, mais surtout dans cette grêle de pierres et de troncs brisés que la montagne secouait et projetait sur eux.

Soudain, un de ces blocs fut aperçu, dans l'épanouissement d'un éclair, se mouvant avec une rapidité croissante et roulant dans la direction du tarentass.

L'iemschik poussa un cri.

Michel Strogoff, d'un vigoureux coup de fouet, voulut faire avancer l'attelage, qui refusa.

Quelques pas seulement, et le bloc eût passé en arrière !...

Michel Strogoff, en un vingtième de seconde, vit à la fois le tarentass atteint, sa compagne écrasée ! Il comprit qu'il n'avait plus le temps de l'arracher vivante du véhicule !...

Mais alors, se jetant à l'arrière, trouvant dans cet immense péril une force surhumaine, le dos à l'essieu, les pieds arc-boutés au sol, il repoussa de quelques pieds la lourde voiture.

L'énorme bloc, en passant, frôla la poitrine du jeune homme et lui coupa la respiration, comme eût fait un boulet de canon, en broyant les silex de la route qui étincelèrent au choc.

« Frère ! s'était écriée Nadia épouvantée, qui avait vu toute cette scène à la lueur de l'éclair.

— Nadia ! répondit Michel Strogoff, Nadia, ne crains rien !...

— Ce n'est pas pour moi que je pouvais craindre !

— Dieu est avec nous, sœur !

— Avec moi, bien sûr, frère, puisqu'il t'a mis sur ma route ! » murmura la jeune fille.

La poussée du tarentass, due à l'effort de Michel Strogoff, ne devait pas être perdue. Ce fut l'élan donné qui permit aux chevaux affolés de reprendre leur première direction. Traînés, pour ainsi dire, par Michel Strogoff et l'iemschik, ils remontèrent la route jusqu'à un col étroit, orienté sud et nord, où ils devaient être abrités contre les assauts directs de la tourmente. Le talus de droite faisait là une sorte de redan, dû à la saillie d'un énorme rocher qui occupait le centre d'un remous. Le vent n'y tourbillonnait donc pas, et la place y était tenable, tandis qu'à la circonférence de ce cyclone ni hommes ni chevaux n'eussent pu résister.

Et, en effet, quelques sapins, dont la cime dépassait l'arête du rocher, furent étêtés en un clin d'œil, comme si une faux gigantesque eût nivelé le talus au ras de leur ramure.

L'orage était alors dans toute sa fureur. Les éclairs emplissaient le défilé, et les éclats du tonnerre ne discontinuaient plus. Le sol, frémissant sous ces coups furieux, semblait trembler, comme si le massif de l'Oural eût été soumis à une trépidation générale.

Très heureusement, le tarentass avait pu être, pour ainsi dire, remisé dans une profonde anfractuosité que la bourrasque ne frappait que d'écharpe. Mais il n'était pas si bien défendu que quelques contre-courants obliques, déviés par des saillies du talus, ne l'atteignissent parfois avec violence. Il se heurtait alors contre la paroi du rocher, à faire craindre qu'il ne fût brisé en mille pièces.

Nadia dut abandonner la place qu'elle y occupait.

Michel Strogoff, après avoir cherché à la lueur d'une des lanternes, découvrit une excavation, due au pic de quelque mineur, et la jeune fille put s'y blottir, en attendant que le voyage pût être repris.

En ce moment, — il était une heure du matin, — la pluie commença à tomber, et bientôt les rafales, faites d'eau et de vent, acquirent une violence extrême, sans pouvoir cependant éteindre les feux du ciel. Cette complication rendait tout départ impossible.

Donc, quelle que fût l'impatience de Michel Strogoff, — et l'on comprend qu'elle fût grande, — il lui fallut laisser passer le plus fort de la tourmente. Arrivé d'ailleurs au col même qui franchit la route de Perm à Ekaterinbourg, il n'avait plus qu'à descendre les pentes des monts Ourals, et descendre, dans ces conditions, sur un sol raviné par les mille torrents de la montagne, au milieu des tourbillons d'air et d'eau, c'était absolument jouer sa vie, c'était courir à l'abîme.

« Attendre, c'est grave, dit alors Michel Strogoff, mais c'est sans doute éviter de plus longs retards. La violence de l'orage me fait espérer qu'il ne durera pas. Vers trois heures, le jour commencera à reparaître, et la descente, que nous ne pouvons risquer dans l'obscurité, deviendra, sinon facile, du moins possible après le lever du soleil.

— Attendons, frère, répondit Nadia, mais si tu retardes ton départ, que ce ne soit pas pour m'épargner une fatigue ou un danger !

— Nadia, je sais que tu es décidée à tout braver, mais, en nous compromettant tous deux, je risquerais plus que ma vie, plus que la tienne, je manquerais à la tâche, au devoir que j'ai avant tout à accomplir !

— Un devoir !... » murmura Nadia.

En ce moment, un violent éclair déchira le ciel, et sembla, pour ainsi dire, volatiliser la pluie. Aussitôt un coup sec retentit. L'air fut rempli d'une odeur sulfureuse, presque asphyxiante, et un bouquet de

« Des cris, frère ! Écoute ! »

grands pins, frappé par le fluide électrique à vingt pas du tarentass, s'enflamma comme une torche gigantesque.

L'iemschik, jeté à terre par une sorte de choc en retour, se releva heureusement sans blessures.

Puis, après que les derniers roulements du tonnerre se furent perdus dans les profondeurs de la montagne, Michel Strogoff sentit la main de Nadia s'appuyer fortement sur la sienne, et il l'entendit murmurer ces mots à son oreille :

« Des cris, frère ! Écoute ! »

XI

VOYAGEURS EN DÉTRESSE

En effet, pendant cette courte accalmie, des cris se faisaient entendre vers la partie supérieure de la route, et à une distance assez rapprochée de l'anfractuosité qui abritait le tarentass.

C'était comme un appel désespéré, évidemment jeté par quelque voyageur en détresse.

Michel Strogoff, prêtant l'oreille, écoutait.

L'iemschik écoutait aussi, mais en secouant la tête, comme s'il lui eût semblé impossible de répondre à cet appel.

« Des voyageurs qui demandent du secours ! s'écria Nadia.

— S'ils ne comptent que sur nous !... répondit l'iemschik.

— Pourquoi non ? s'écria Michel Strogoff. Ce qu'ils feraient pour nous en pareille circonstance, ne devons-nous pas le faire pour eux ?

— Mais vous n'allez pas exposer la voiture et les chevaux !...

— J'irai à pied, répondit Michel Strogoff, en interrompant l'iemschik.

— Je t'accompagne, frère, dit la jeune Livonienne.

— Non, reste, Nadia. L'iemschik demeurera près de toi. Je ne veux pas le laisser seul...

— Je resterai, répondit Nadia.

— Quoi qu'il arrive, ne quitte pas cet abri !

— Tu me retrouveras là où je suis. »

Michel Strogoff serra la main de sa compagne, et, franchissant le tournant du talus, il disparut aussitôt dans l'ombre.

« Ton frère a tort, dit l'iemschik à la jeune fille.

— Il a raison », répondit simplement Nadia.

Cependant, Michel Strogoff remontait rapidement la route. S'il avait grande hâte de porter secours à ceux qui jetaient ces cris de détresse, il avait grand désir aussi de savoir quels pouvaient être ces voyageurs que l'orage n'avait pas empêchés de s'aventurer dans la montagne, car il ne doutait pas que ce ne fussent ceux dont la télègue précédait toujours son tarentass.

La pluie avait cessé, mais la bourrasque redoublait de violence. Les cris, apportés par le courant atmosphérique, devenaient de plus en plus distincts. De l'endroit où Michel Strogoff avait laissé Nadia, on ne pouvait rien voir. La route était sinueuse, et la lueur des éclairs ne laissait apparaître que le saillant des talus qui coupaient le lacet du chemin. Les rafales, brusquement brisées à tous ces angles, formaient des remous difficiles à franchir, et il fallait à Michel Strogoff une force peu commune pour leur résister.

Mais il fut bientôt évident que les voyageurs, dont les cris se faisaient entendre, ne devaient plus être éloignés. Bien que Michel Strogoff ne pût encore les voir, soit qu'ils eussent été rejetés hors de la route, soit que l'obscurité les dérobât à ses regards, leurs paroles, cependant, arrivaient assez distinctement à son oreille.

Or, voici ce qu'il entendit, — ce qui ne laissa pas de lui causer une certaine surprise :

Les rafales brusquement brisées...

doptés d'une agilité inhérente qui paraissait être
probablement embourbé dans quelque sorte de

même. Suppard s'approchait, deux voyageurs
et Larroque en retra
la campagne deux voyageurs lointains, nul

« Butor ! reviendras-tu ?

— Je te ferai knouter au prochain relais !

— Entends-tu, postillon du diable ! Eh ! là-bas !

— Voilà comme ils vous conduisent dans ce pays !...

— Et ce qu'ils appellent une télègue !

— Eh ! triple brute ! Il détale toujours et ne paraît pas s'apercevoir qu'il nous laisse en route !

— Me traiter ainsi, moi ! un Anglais accrédité ! Je me plaindrai à la chancellerie, et je le ferai pendre ! »

Celui qui parlait ainsi était véritablement dans une grosse colère. Mais, tout à coup, il sembla à Michel Strogoff que le second interlocuteur prenait son parti de ce qui se passait, car l'éclat de rire le plus inattendu, au milieu d'une telle scène, retentit soudain et fut suivi de ces paroles :

« Eh bien ! non ! décidément, c'est trop drôle !

— Vous osez rire ! répondit d'un ton passablement aigre le citoyen du Royaume-Uni.

— Certes oui, cher confrère, et de bon cœur, et c'est ce que j'ai de mieux à faire ! Je vous engage à en faire autant ! Parole d'honneur, c'est trop drôle, ça ne s'est jamais vu !... »

En ce moment, un violent coup de tonnerre remplit le défilé d'un fracas effroyable, que les échos de la montagne multiplièrent dans une proportion grandiose. Puis, après que le dernier roulement se fut éteint, la voix joyeuse retentit encore, disant :

« Oui, extraordinairement drôle ! Voilà certainement qui n'arriverait pas en France !

— Ni en Angleterre ! » répondit l'Anglais.

Sur la route, largement éclairée alors par les éclairs, Michel Strogoff aperçut, à vingt pas, deux voyageurs, juchés l'un près de l'autre sur le banc de derrière d'un singulier véhicule, qui paraissait être profondément embourbé dans quelque ornière.

Michel Strogoff s'approcha des deux voyageurs, dont l'un continuait de rire et l'autre de maugréer, et il reconnut les deux correspondants de journaux, qui, embarqués sur le *Caucase*, avaient fait en sa compagnie la route de Nijni-Novgorod à Perm.

« Eh! bonjour, monsieur! s'écria le Français. Enchanté de vous voir dans cette circonstance! Permettez-moi de vous présenter mon ennemi intime, monsieur Blount. »

Le reporter anglais salua, et peut-être allait-il, à son tour, présenter son confrère Alcide Jolivet, conformément aux règles de la politesse, quand Michel Strogoff lui dit :

« Inutile, messieurs, nous nous connaissons, puisque nous avons déjà voyagé ensemble sur le Volga.

— Ah! très bien! Parfait! monsieur...?

— Nicolas Korpanoff, négociant d'Irkoutsk, répondit Michel Strogoff. Mais m'apprendrez-vous quelle aventure, si lamentable pour l'un, si plaisante pour l'autre, vous est arrivée?

— Je vous fais juge, monsieur Korpanoff, répondit Alcide Jolivet. Imaginez-vous que notre postillon est parti avec l'avant-train de son infernal véhicule, nous laissant en panne sur l'arrière-train de son absurde équipage! La pire moitié d'une télègue pour deux, plus de guide, plus de chevaux! N'est-ce pas absolument et superlativement drôle!

— Pas drôle du tout! répondit l'Anglais.

— Mais si, confrère! Vous ne savez vraiment pas prendre les choses par leur bon côté!

— Et comment, s'il vous plaît, pourrons-nous continuer notre route? demanda Harry Blount.

— Rien n'est plus simple, répondit Alcide Jolivet. Vous allez vous atteler à ce qui nous reste de voiture; moi, je prendrai les guides, je vous appellerai mon petit pigeon, comme un véritable iemschik, et vous marcherez comme un vrai postier!

— Monsieur Jolivet, répondit l'Anglais, cette plaisanterie passe les bornes, et...

— Soyez calme, confrère. Quand vous serez fourbu, je vous remplacerai, et vous aurez droit de me traiter d'escargot poussif ou de tortue qui se pâme, si je ne vous mène pas d'un train d'enfer! »

Alcide Jolivet disait toutes ces choses avec une telle bonne humeur, que Michel Strogoff ne put s'empêcher de sourire.

« Messieurs, dit-il alors, il y a mieux à faire. Nous sommes arrivés, ici, au col supérieur de la chaîne de l'Oural, et, par conséquent, nous n'avons plus maintenant qu'à descendre les pentes de la montagne. Ma voiture est là, à cinq cents pas en arrière. Je vous prêterai un de mes chevaux, on l'attellera à la caisse de votre télègue, et demain, si aucun accident ne se produit, nous arriverons ensemble à Ekaterinbourg.

— Monsieur Korpanoff, répondit Alcide Jolivet, voici une proposition qui part d'un cœur généreux!

— J'ajoute, monsieur, répondit Michel Strogoff, que si je ne vous offre pas de monter dans mon tarentass, c'est qu'il ne contient que deux places, et que ma sœur et moi, nous les occupons déjà.

— Comment donc, monsieur, répondit Alcide Jolivet, mais mon confrère et moi, avec votre cheval et l'arrière-train de notre demi-télègue, nous irions au bout du monde!

— Monsieur, reprit Harry Blount, nous acceptons votre offre obligeante. Quant à cet iemschik!...

— Oh! croyez bien que ce n'est pas la première fois que pareille aventure lui arrive! répondit Michel Strogoff.

— Mais, alors, pourquoi ne revient-il pas? Il sait parfaitement qu'il nous a laissés en arrière, le misérable!

— Lui! Il ne s'en doute même pas!

— Quoi! Ce brave homme ignore qu'une scission s'est opérée entre les deux parties de sa télègue?

— Il l'ignore, et c'est de la meilleure foi du monde qu'il conduit son avant-train à Ekaterinbourg!

— Quand je vous disais que c'était tout ce qu'il y a de plus plaisant, confrère! s'écria Alcide Jolivet.

— Si donc, messieurs, vous voulez me suivre,

reprit Michel Strogoff, nous rejoindrons ma voiture, et...

— Mais la télègue? fit observer l'Anglais.

— Ne craignez pas qu'elle s'envole, mon cher Blount! s'écria Alcide Jolivet. La voilà si bien enracinée dans le sol, que si on l'y laissait, au printemps prochain il y pousserait des feuilles!

— Venez donc, messieurs, dit Michel Strogoff, et nous ramènerons ici le tarentass. »

Le Français et l'Anglais, descendant de la banquette de fond, devenue ainsi siège de devant, suivirent Michel Strogoff.

Tout en marchant, Alcide Jolivet, suivant son habitude, causait avec sa bonne humeur, que rien ne pouvait altérer.

« Ma foi, monsieur Korpanoff, dit-il à Michel Strogoff, vous nous tirez là d'un fier embarras!

— Je n'ai fait, monsieur, répondit Michel Strogoff, que ce que tout autre eût fait à ma place. Si les voyageurs ne s'entraidaient pas, il n'y aurait plus qu'à barrer les routes!

— A charge de revanche, monsieur. Si vous allez loin dans les steppes, il est possible que nous nous rencontrions encore, et... »

Alcide Jolivet ne demandait pas d'une façon formelle à Michel Strogoff où il allait, mais celui-ci, ne voulant pas avoir l'air de dissimuler, répondit aussitôt :

« Je vais à Omsk, messieurs.

— Et monsieur Blount et moi, reprit Alcide Jolivet, nous allons un peu devant nous, là où il y aura peut-être quelque balle, mais, à coup sûr, quelque nouvelle à attraper.

— Dans les provinces envahies? demanda Michel Strogoff avec un certain empressement.

— Précisément, monsieur Korpanoff, et il est probable que nous ne nous y rencontrerons pas!

— En effet, monsieur, répondit Michel Strogoff. Je suis peu friand de coups de fusil ou de coups de lance, et trop pacifique de mon naturel pour m'aventurer là où l'on se bat.

— Désolé, monsieur, désolé, et, véritablement, nous ne pourrons que regretter de nous séparer sitôt ! Mais, en quittant Ekaterinbourg, peut-être notre bonne étoile voudra-t-elle que nous voyagions encore ensemble, ne fût-ce que pendant quelques jours ?

— Vous vous dirigez sur Omsk ? demanda Michel Strogoff, après avoir réfléchi un instant.

— Nous n'en savons rien encore, répondit Alcide Jolivet, mais très certainement nous irons directement jusqu'à Ichim, et, une fois là, nous agirons selon les événements.

— Eh bien, messieurs, dit Michel Strogoff, nous irons de conserve jusqu'à Ichim. »

Michel Strogoff eût évidemment mieux aimé voyager seul, mais il ne pouvait, sans que cela parût au moins singulier, chercher à se séparer de deux voyageurs qui allaient suivre la même route que lui. D'ailleurs, puisqu'Alcide Jolivet et son compagnon avaient l'intention de s'arrêter à Ichim, sans immédiatement continuer sur Omsk, il n'y avait aucun inconvénient à faire avec eux cette partie du voyage.

« Eh bien, messieurs, répondit-il, voilà qui est convenu. Nous ferons route ensemble. »

Puis, du ton le plus indifférent :

« Savez-vous avec quelque certitude où en est l'invasion tartare ? demanda-t-il.

— Ma foi, monsieur, nous n'en savons que ce qu'on en disait à Perm, répondit Alcide Jolivet. Les Tartares de Féofar-Khan ont envahi toute la province de Sémipalatinsk, et, depuis quelques jours, ils descendent à marche forcée le cours de l'Irtyche. Il faut donc vous hâter si vous voulez les devancer à Omsk.

— En effet, répondit Michel Strogoff.

— On ajoutait aussi que le colonel Ogareff avait réussi à passer la frontière sous un déguisement, et qu'il ne pouvait tarder à rejoindre le chef tartare au centre même du pays soulevé.

— Mais comment l'aurait-on su ? demanda Michel
Strogoff, que ces nouvelles, plus ou moins véridiques,
intéressaient directement.

— Eh ! comme on sait toutes ces choses, répondit
Alcide Jolivet. C'est dans l'air.

— Et vous avez des raisons sérieuses de penser que
le colonel Ogareff est en Sibérie ?

— J'ai même entendu dire qu'il avait dû prendre la
route de Kazan à Ekaterinbourg.

— Ah ! vous saviez cela, monsieur Jolivet ? dit
alors Harry Blount, que l'observation du correspondant français tira de son mutisme.

— Je le savais, répondit Alcide Jolivet.

— Et saviez-vous qu'il devait être déguisé en bohémien ? demanda Harry Blount.

— En bohémien ! s'écria presque involontairement
Michel Strogoff, qui se rappela la présence du vieux
tsigane à Nijni-Novgorod, son voyage à bord du
Caucase et son débarquement à Kazan.

— Je le savais assez pour en faire l'objet d'une
lettre à ma cousine, répondit en souriant Alcide
Jolivet.

— Vous n'avez pas perdu votre temps à Kazan ! fit
observer l'Anglais d'un ton sec.

— Mais non, cher confrère, et, pendant que le
Caucase s'approvisionnait, je faisais comme le *Caucase !* »

Michel Strogoff n'écoutait plus les reparties
qu'Harry Blount et Alcide Jolivet échangeaient entre
eux. Il songeait à cette troupe de bohémiens, à ce
vieux tsigane dont il n'avait pu voir le visage, à la
femme étrange qui l'accompagnait, au singulier
regard qu'elle avait jeté sur lui, et il cherchait à
rassembler dans son esprit tous les détails de cette
rencontre, lorsqu'une détonation se fit entendre à
une courte distance.

« Ah ! messieurs, en avant ! » s'écria Michel Strogoff.

« Tiens ! pour un digne négociant qui fuit les coups

de feu, se dit Alcide Jolivet, il court bien vite à l'endroit où ils éclatent ! »

Et, suivi d'Harry Blount, qui n'était pas homme à rester en arrière, il se précipita sur les pas de Michel Strogoff.

Quelques instants après, tous trois étaient en face du saillant qui abritait le tarentass au tournant du chemin.

Le bouquet de pins allumé par la foudre brûlait encore. La route était déserte. Cependant, Michel Strogoff n'avait pu se tromper. Le bruit d'une arme à feu était bien arrivé jusqu'à lui.

Soudain, un formidable grognement se fit entendre, et une seconde détonation éclata au-delà du talus.

« Un ours ! s'écria Michel Strogoff, qui ne pouvait se méprendre à ce grognement. Nadia ! Nadia ! »

Et, tirant son coutelas de sa ceinture, Michel Strogoff s'élança par un bond formidable et tourna le contrefort derrière lequel la jeune fille avait promis de l'attendre.

Les pins, alors dévorés par les flammes du tronc à la cime, éclairaient largement la scène.

Au moment où Michel Strogoff atteignit le tarentass, une masse énorme recula jusqu'à lui.

C'était un ours de grande taille. La tempête l'avait chassé des bois qui hérissaient ce talus de l'Oural, et il était venu chercher refuge dans cette excavation, sa retraite habituelle, sans doute, que Nadia occupait alors.

Deux des chevaux, effrayés de la présence de l'énorme animal, brisant leurs traits, avaient pris la fuite, et l'iemschik, ne pensant qu'à ses bêtes, oubliant que la jeune fille allait rester seule en présence de l'ours, s'était jeté à leur poursuite.

La courageuse Nadia n'avait pas perdu la tête. L'animal, qui ne l'avait pas vue tout d'abord, s'était attaqué à l'autre cheval de l'attelage. Nadia, quittant alors l'anfractuosité dans laquelle elle s'était blottie,

« Tu n'es pas blessée, sœur ?... »

avait couru à la voiture, pris un des revolvers de Michel Strogoff, et, marchant hardiment sur l'ours, elle avait fait feu à bout portant.

L'animal, légèrement blessé à l'épaule, s'était retourné contre la jeune fille, qui avait cherché d'abord à l'éviter en tournant autour du tarentass, dont le cheval cherchait à briser ses liens. Mais ces chevaux une fois perdus dans la montagne, c'était tout le voyage compromis. Nadia était donc revenue droit à l'ours, et, avec un sang-froid surprenant, au moment même où les pattes de l'animal allaient s'abattre sur sa tête, elle avait fait feu sur lui une seconde fois.

C'était cette seconde détonation qui venait d'éclater à quelques pas de Michel Strogoff. Mais il était là. D'un bond il se jeta entre l'ours et la jeune fille. Son bras ne fit qu'un seul mouvement de bas en haut, et l'énorme bête, fendue du ventre à la gorge, tomba sur le sol comme une masse inerte.

C'était un beau spécimen de ce fameux coup des chasseurs sibériens, qui tiennent à ne pas endommager cette précieuse fourrure des ours, dont ils tirent un haut prix.

« Tu n'es pas blessée, sœur ? dit Michel Strogoff, en se précipitant vers la jeune fille.

— Non, frère », répondit Nadia.

En ce moment apparurent les deux journalistes.

Alcide Jolivet se jeta à la tête du cheval, et il faut croire qu'il avait le poignet solide, car il parvint à le contenir. Son compagnon et lui avaient vu la rapide manœuvre de Michel Strogoff.

« Diable ! s'écria Alcide Jolivet, pour un simple négociant, monsieur Korpanoff, vous maniez joliment le couteau du chasseur !

— Très joliment même, ajouta Harry Blount.

— En Sibérie, messieurs, répondit Michel Strogoff, nous sommes forcés de faire un peu de tout ! »

Alcide Jolivet regarda alors le jeune homme.

Vu en pleine lumière, le couteau sanglant à la

main, avec sa haute taille, son air résolu, le pied posé sur le corps de l'ours qu'il venait d'abattre, Michel Strogoff était beau à voir.

« Un rude gaillard ! » se dit Alcide Jolivet.

S'avançant alors respectueusement, son chapeau à la main, il vint saluer la jeune fille.

Nadia s'inclina légèrement.

Alcide Jolivet, se tournant alors vers son compagnon :

« La sœur vaut le frère ! dit-il. Si j'étais ours, je ne me frotterais pas à ce couple redoutable et charmant ! »

Harry Blount, droit comme un piquet, se tenait, chapeau bas, à quelque distance. La désinvolture de son compagnon avait pour effet d'ajouter encore à sa raideur habituelle.

En ce moment reparut l'iemschik, qui était parvenu à rattraper ses deux chevaux. Il jeta tout d'abord un œil de regret sur le magnifique animal, gisant sur le sol, qu'il allait être obligé d'abandonner aux oiseaux de proie, et il s'occupa de réinstaller son attelage.

Michel Strogoff lui fit alors connaître la situation des deux voyageurs et son projet de mettre un des chevaux du tarentass à leur disposition.

« Comme il te plaira, répondit l'iemschik. Seulement, deux voitures au lieu d'une...

— Bon ! l'ami, répondit Alcide Jolivet, qui comprit l'insinuation, on te paiera double.

— Va donc, mes tourtereaux ! » cria l'iemschik.

Nadia était remontée dans le tarentass, que suivaient à pied Michel Strogoff et ses deux compagnons.

Il était trois heures. La bourrasque, alors dans sa période décroissante, ne se déchaînait plus aussi violemment à travers le défilé, et la route fut remontée rapidement.

Aux premiers lueurs de l'aube, le tarentass avait rejoint la télègue, qui était consciencieusement embourbée jusqu'au moyeu de ses roues. On compre-

nait parfaitement qu'un vigoureux coup de collier de
son attelage eût opéré la séparation des deux trains.

Un des chevaux de flanc du tarentass fut attelé à
l'aide de cordes à la caisse de la télègue. Les deux
journalistes reprirent place sur le banc de leur singulier équipage, et les voitures se mirent aussitôt en
mouvement. Du reste, elles n'avaient plus qu'à descendre les pentes de l'Oural, — ce qui n'offrait
aucune difficulté.

Six heures après, les deux véhicules, l'un suivant
l'autre, arrivaient à Ekaterinbourg, sans qu'aucun
incident fâcheux eût marqué la seconde partie de leur
voyage.

Le premier individu que les journalistes aperçurent
sur la porte de la maison de poste, ce fut leur
iemschik, qui semblait les attendre.

Ce digne Russe avait vraiment une bonne figure,
et, sans plus d'embarras, l'œil souriant, il s'avança
vers ses voyageurs, et, leur tendant la main, il réclama
son pourboire.

La vérité oblige à dire que la fureur d'Harry Blount
éclata avec une violence toute britannique, et si
l'iemschik ne se fût prudemment reculé, un coup de
poing, porté suivant toutes les règles de la boxe, lui
eût payé son « na vodkou » en pleine figure.

Alcide Jolivet, lui, voyant cette colère, riait à se
tordre, et comme il n'avait jamais ri peut-être.

« Mais il a raison, ce pauvre diable ! s'écriait-il. Il
est dans son droit, mon cher confrère ! Ce n'est pas sa
faute si nous n'avons pas trouvé le moyen de le
suivre ! »

Et tirant quelques kopeks de sa poche :

« Tiens, l'ami, dit-il en les remettant à l'iemschik,
empoche ! Si tu ne les as pas gagnés, ce n'est pas ta
faute ! »

Ceci redoubla l'irritation d'Harry Blount, qui voulait s'en prendre au maître de poste et lui faire un
procès.

« Un procès, en Russie ! s'écria Alcide Jolivet.

Si l'iemschik ne se fût prudemment reculé...

Mais si les choses n'ont pas changé, confrère, vous n'en verriez pas la fin! Vous ne savez donc pas l'histoire de cette nourrice russe qui réclamait douze mois d'allaitement à la famille de son nourrisson?

— Je ne la sais pas, répondit Harry Blount.

— Alors, vous ne savez pas non plus ce qu'était devenu ce nourrisson, quand fut rendu le jugement qui lui donnait gain de cause?

— Et qu'était-il, s'il vous plaît?

— Colonel des hussards de la garde! »

Et, sur cette réponse, tous d'éclater de rire.

Quant à Alcide Jolivet, enchanté de sa repartie, il tira son carnet de sa poche et y inscrivit en souriant cette note, destinée à figurer au dictionnaire moscovite :

« Télègue, voiture russe à quatre roues, quand elle part, — et à deux roues, quand elle arrive! »

XII

UNE PROVOCATION

☞ Ekaterinbourg, géographiquement, est une ville d'Asie, car elle est située au-delà des monts Ourals, sur les dernières pentes orientales de la chaîne. Néanmoins, elle dépend du gouvernement de Perm, et, par conséquent, elle est comprise dans une des grandes divisions de la Russie d'Europe. Cet empiétement administratif doit avoir sa raison d'être. C'est comme un morceau de la Sibérie qui reste entre les mâchoires russes.

Ni Michel Strogoff ni les deux correspondants ne pouvaient être embarrassés de trouver des moyens de locomotion dans une ville aussi considérable, fondée depuis 1723. A Ekaterinbourg, s'élève le premier

☞ Voir *Au fil du texte*, p. IX.

Hôtel des monnaies de tout l'empire; là est concentrée la direction générale des mines. Cette ville est donc un centre industriel important, dans un pays où abondent les usines métallurgiques et autres exploitations où se lavent le platine et l'or.

A cette époque, la population d'Ekaterinbourg s'était fort accrue. Russes ou Sibériens, menacés par l'invasion tartare, y avaient afflué, après avoir fui les provinces déjà envahies par les hordes de Féofar-Khan, et principalement le pays kirghis, qui s'étend dans le sud-ouest de l'Irtyche jusqu'aux frontières du Turkestan.

Si donc les moyens de locomotion avaient dû être rares pour atteindre Ekaterinbourg, ils abondaient, au contraire, pour quitter cette ville. Dans les conjonctures actuelles, les voyageurs se souciaient peu, en effet, de s'aventurer sur les routes sibériennes.

De ce concours de circonstances, il résulta qu'Harry Blount et Alcide Jolivet trouvèrent facilement à remplacer par une télègue complète la fameuse demi-télègue qui les avait transportés tant bien que mal à Ekaterinbourg. Quant à Michel Strogoff, le tarentass lui appartenait, il n'avait pas trop souffert du voyage à travers les monts Ourals, et il suffisait d'y atteler trois bons chevaux pour l'entraîner rapidement sur la route d'Irkoutsk.

Jusqu'à Tioumen et même jusqu'à Novo-Zaïmskoë, cette route devait être assez accidentée, car elle se développait encore sur ces capricieuses ondulations du sol qui donnent naissance aux premières pentes de l'Oural. Mais, après l'étape de Novo-Zaïmskoë, commençait l'immense steppe, qui s'étend jusqu'aux approches de Krasnoïarsk, sur un espace de dix-sept cents verstes environ (1 815 kilomètres).

C'était à Ichim, on le sait, que les deux correspondants avaient l'intention de se rendre, c'est-à-dire à six cent trente verstes d'Ekaterinbourg. Là, ils devaient prendre conseil des événements, puis se

Le diligent Français avait trouvé un tarentass.

diriger à travers les régions envahies, soit ensemble, soit séparément, suivant que leur instinct de chasseurs les jetterait sur une piste ou sur une autre.

Or, cette route d'Ekaterinbourg à Ichim — qui se dirige vers Irkoutsk — était la seule que pût prendre Michel Strogoff. Seulement, lui qui ne courait pas après les nouvelles, et qui aurait voulu éviter, au contraire, le pays dévasté par les envahisseurs, il était bien résolu à ne s'arrêter nulle part.

« Messieurs, dit-il donc à ses nouveaux compagnons, je serai très satisfait de faire avec vous une partie de mon voyage, mais je dois vous prévenir que je suis extrêmement pressé d'arriver à Omsk, car ma sœur et moi nous y allons rejoindre notre mère. Qui sait même si nous arriverons avant que les Tartares aient envahi la ville ! Je ne m'arrêterai donc aux relais que le temps de changer de chevaux, et je voyagerai jour et nuit !

— Nous comptons bien en agir ainsi, répondit Harry Blount.

— Soit, reprit Michel Strogoff, mais ne perdez pas un instant. Louez ou achetez une voiture dont....

— Dont l'arrière-train, ajouta Alcide Jolivet, veuille bien arriver en même temps que l'avant-train à Ichim. »

Une demi-heure après, le diligent Français avait trouvé, facilement d'ailleurs, un tarentass, à peu près semblable à celui de Michel Strogoff, et dans lequel son compagnon et lui s'installèrent aussitôt.

Michel Strogoff et Nadia reprirent place dans leur véhicule, et, à midi, les deux attelages quittèrent de conserve la ville d'Ekaterinbourg.

Nadia était enfin en Sibérie et sur cette longue route qui conduit à Irkoutsk ! Quelles devaient être alors les pensées de la jeune Livonienne ? Trois rapides chevaux l'emportaient à travers cette terre de l'exil, où son père était condamné à vivre, longtemps peut-être, et si loin de son pays natal ! Mais c'était à peine si elle voyait se dérouler devant ses yeux ces longues steppes, qui, un instant, lui avaient été fermées, car son regard allait plus loin que l'horizon, derrière lequel il cherchait le visage de l'exilé! Elle n'observait rien du pays qu'elle traversait avec cette vitesse de quinze verstes à l'heure, rien de ces contrées de la Sibérie occidentale, si différentes des contrées de l'est. Ici, en effet, peu de champs cultivés, un sol pauvre, au moins à sa surface, car, dans ses entrailles, il recèle abondamment le fer, le cuivre, le platine et l'or. Aussi partout des exploitations industrielles, mais rarement des établissements agricoles. Comment trouverait-on des bras pour cultiver la terre, ensemencer les champs, récolter les moissons, lorsqu'il est plus productif de fouiller le sol à coups de mine, à coups de pic? Ici, le paysan a fait place au mineur. La pioche est partout, la bêche nulle part.

Cependant, la pensée de Nadia abandonnait quelquefois les lointaines provinces du lac Baïkal, et se reportait alors à sa situation présente. L'image de son père s'effaçait un peu, et elle revoyait son généreux compagnon, tout d'abord sur le chemin de fer de Wladimir, où quelque providentiel dessein le lui avait fait rencontrer pour la première fois. Elle se rappelait ses attentions pendant le voyage, son arrivée à la maison de police de Nijni-Novgorod, la cordiale simplicité avec laquelle il lui avait parlé en l'appelant du nom de sœur, son empressement près d'elle pendant la descente du Volga, enfin tout ce qu'il avait fait, dans cette terrible nuit d'orage à travers les monts Ourals, pour défendre sa vie au péril de la sienne!

Nadia songeait donc à Michel Strogoff. Elle remerciait Dieu d'avoir placé à point sur sa route ce vaillant protecteur, cet ami généreux et discret. Elle se sentait en sûreté près de lui, sous sa garde. Un vrai frère n'eût pu mieux faire! Elle ne redoutait plus aucun obstacle, elle se croyait maintenant certaine d'atteindre son but.

Quant à Michel Strogoff, il parlait peu et réfléchissait beaucoup. Il remerciait Dieu de son côté de lui avoir donné dans cette rencontre de Nadia, en même temps que le moyen de dissimuler sa véritable individualité, une bonne action à faire. L'intrépidité calme de la jeune fille était pour plaire à son âme vaillante. Que n'était-elle sa sœur en effet ? Il éprouvait autant de respect que d'affection pour sa belle et héroïque compagne. Il sentait que c'était là un de ces cœurs purs et rares sur lesquels on peut compter.

Cependant, depuis qu'il foulait le sol sibérien, les vrais dangers commençaient pour Michel Strogoff. Si les deux journalistes ne se trompaient pas, si Ivan Ogareff avait passé la frontière, il fallait agir avec la plus extrême circonspection. Les circonstances étaient maintenant changées, car les espions tartares devaient fourmiller dans les provinces sibériennes. Son incognito dévoilé, sa qualité de courrier du czar reconnue, c'en était fait de sa mission, de sa vie peut-être ! Michel Strogoff sentit plus lourdement alors le poids de la responsabilité qui pesait sur lui.

Pendant que les choses étaient ainsi dans la première voiture, que se passait-il dans la seconde ? Rien que de fort ordinaire. Alcide Jolivet parlait par phrases, Harry Blount répondait par monosyllabes. Chacun envisageait les choses à sa façon et prenait des notes sur les quelques incidents du voyage, — incidents qui furent d'ailleurs peu variés pendant cette traversée des premières provinces de la Sibérie occidentale.

A chaque relais, les deux correspondants descendaient et se retrouvaient avec Michel Strogoff. Lorsqu'aucun repas ne devait être pris dans la maison de poste, Nadia ne quittait pas le tarentass. Lorsqu'il fallait déjeuner ou dîner, elle venait s'asseoir à table ; mais, toujours très réservée, elle ne se mêlait que fort peu à la conversation.

Alcide Jolivet, sans jamais sortir d'ailleurs des bornes d'une parfaite convenance, ne laissait pas d'être empressé près de la jeune Livonienne, qu'il trouvait charmante. Il admirait l'énergie silencieuse qu'elle montrait au milieu des fatigues d'un voyage fait dans de si dures conditions.

Ces temps d'arrêt forcés ne plaisaient que médiocrement à Michel Strogoff. Aussi pressait-il le départ à chaque relais, excitant les maîtres de poste, stimulant les iemschiks, hâtant l'attellement des tarentass. Puis, le repas rapidement terminé, — trop rapidement toujours au gré d'Harry Blount, qui était un mangeur méthodique, — on partait, et les journalistes, eux aussi, étaient menés comme des aigles, car ils payaient princièrement, et, ainsi que disait Alcide Jolivet, « en aigles de Russie[1] ».

Il va sans dire qu'Harry Blount ne faisait aucun frais vis-à-vis de la jeune fille. C'était un des rares sujets de conversation sur lesquels il ne cherchait pas à discuter avec son compagnon. Cet honorable gentleman n'avait pas pour habitude de faire deux choses à la fois.

Et Alcide Jolivet lui ayant demandé, une fois, quel pouvait être l'âge de la jeune Livonienne :

« Quelle jeune Livonienne ? répondit-il le plus sérieusement du monde, en fermant à demi les yeux.

— Eh parbleu ! la sœur de Nicolas Korpanoff !

— C'est sa sœur ?

— Non, sa grand-mère ! répliqua Alcide Jolivet, démonté par tant d'indifférence. — Quel âge lui donnez-vous ?

— Si je l'avais vue naître, je le saurais ! » répondit simplement Harry Blount, en homme qui ne voulait pas s'engager.

Le pays alors parcouru par les deux tarentass était presque désert. Le temps était assez beau, le ciel couvert à demi, la température plus supportable. Avec des véhicules mieux suspendus, les voyageurs n'auraient pas eu à se plaindre du voyage. Ils allaient comme vont les berlines de poste en Russie, c'est-à-dire avec une vitesse merveilleuse.

1. Monnaie d'or russe qui vaut 5 roubles. Le rouble est une monnaie d'argent qui vaut 100 kopeks, soit 3 fr. 92.

Mais si le pays semblait abandonné, cet abandon tenait aux circonstances actuelles. Dans les champs, peu ou pas de ces paysans sibériens, à figure pâle et grave, qu'une célèbre voyageuse a justement comparés aux Castillans, moins la morgue. Çà et là, quelques villages déjà évacués, ce qui indiquait l'approche des troupes tartares. Les habitants, emmenant leurs troupeaux de moutons, leurs chameaux, leurs chevaux, s'étaient réfugiés dans les plaines du nord. Quelques tribus de la grande horde des Kirghis nomades, restées fidèles, avaient aussi transporté leurs tentes au-delà de l'Irtyche ou de l'Obi, pour échapper aux déprédations des envahisseurs.

Fort heureusement, le service de la poste se faisait toujours régulièrement. De même, le service du télégraphe, jusqu'aux points que raccordait encore le fil. A chaque relais, les maîtres de poste fournissaient les chevaux dans les conditions réglementaires. A chaque station aussi, les employés, assis à leur guichet, transmettaient les dépêches qui leur étaient confiées, ne les retardant que pour les télégrammes de l'État. Aussi Harry Blount et Alcide Jolivet en usaient-ils largement.

Ainsi donc, jusqu'ici, le voyage de Michel Strogoff s'accomplissait dans des conditions satisfaisantes. Le courrier du czar n'avait éprouvé aucun retard, et, s'il parvenait à tourner la pointe faite en avant de Krasnoiarsk par les Tartares de Féofar-Khan, il était certain d'arriver avant eux à Irkoutsk et dans le minimum de temps obtenu jusqu'alors.

Le lendemain du jour où les deux tarentass avaient quitté Ekaterinbourg, ils atteignaient la petite ville de Toulouguisk, à sept heures du matin, après avoir franchi une distance de deux cent vingt verstes, sans incident digne d'être relaté.

Là, une demi-heure fut consacrée au déjeuner. Cela fait, les voyageurs repartirent avec une vitesse que la promesse d'un certain nombre de kopeks rendait seule explicable.

Le 22 juillet, les deux tarentass arrivaient.

Le même jour, 22 juillet, à une heure du soir, les deux tarentass arrivaient, soixante verstes plus loin, à Tioumen.

Tioumen, dont la population normale est de dix mille habitants, en comptait alors le double. Cette ville, premier centre industriel que les Russes créèrent en Sibérie, dont on remarque les belles usines métallurgiques et la fonderie de cloches, n'avait jamais présenté une telle animation.

Les deux correspondants allèrent aussitôt aux nouvelles. Celles que les fugitifs sibériens apportaient du théâtre de la guerre n'étaient pas rassurantes.

On disait, entre autres choses, que l'armée de Féofar-Khan s'approchait rapidement de la vallée de l'Ichim, et l'on confirmait que le chef tartare allait être bientôt rejoint par le colonel Ivan Ogareff, s'il ne l'était déjà. D'où cette conclusion naturelle que les opérations seraient alors poussées dans l'est de la Sibérie avec la plus grande activité.

Quant aux troupes russes, il avait fallu les appeler principalement des provinces européennes de la Russie, et, étant encore assez éloignées, elles ne pouvaient s'opposer à l'invasion. Cependant, les Cosaques du gouvernement de Tobolsk se dirigeaient à marche forcée sur Tomsk, dans l'espoir de couper les colonnes tartares.

A huit heures du soir, soixante-quinze verstes de plus avaient été dévorées par les deux tarentass, et ils arrivaient à Yaloutorowsk.

On relaya rapidement, et, au sortir de la ville, la rivière Tobol fut passée dans un bac. Son cours, très paisible, rendit facile cette opération, qui devait se renouveler plus d'une fois sur le parcours, et probablement dans des conditions moins favorables.

A minuit, cinquante-cinq verstes au-delà (58 kilomètres et demi), le bourg de Novo-Saimsk était atteint, et les voyageurs laissaient enfin derrière eux ce sol légèrement accidenté par des coteaux couverts d'arbres, dernières racines des montagnes de l'Oural.

Ici commençait véritablement ce qu'on appelle la steppe sibérienne, qui se prolonge jusqu'aux environs de Krasnoïarsk. C'était la plaine sans limites, une sorte de vaste désert herbeux, à la circonférence duquel venaient se confondre la terre et le ciel sur une courbe qu'on eût dit nettement tracée au compas. Cette steppe ne présentait aux regards d'autre saillie que le profil des poteaux télégraphiques disposés sur chaque côté de la route, et dont les fils vibraient sous la brise comme des cordes de harpe. La route elle-même ne se distinguait du reste de la plaine que par la fine poussière qui s'enlevait sous la route des tarentass. Sans ce ruban blanchâtre, qui se déroulait à perte de vue, on eût pu se croire au désert.

Michel Strogoff et ses compagnons se lancèrent avec une vitesse plus grande encore à travers la steppe. Les chevaux, excités par l'iemschik et qu'aucun obstacle ne pouvait retarder, dévoraient l'espace. Les tarentass couraient directement sur Ichim, là où les deux correspondants devaient s'arrêter, si aucun événement ne venait modifier leur itinéraire.

Deux cents verstes environ séparent Novo-Saïmsk de la ville d'Ichim, et le lendemain, avant huit heures du soir, elles devaient et pouvaient être franchies, à la condition de ne pas perdre un instant. Dans la pensée des iemschiks, si les voyageurs n'étaient pas de grands seigneurs ou de hauts fonctionnaires, ils étaient dignes de l'être, ne fût-ce que par leur générosité dans le règlement des pourboires.

Le lendemain, 23 juillet, en effet, les deux tarentass n'étaient plus qu'à trente verstes d'Ichim.

En ce moment, Michel Strogoff aperçut sur la route, et à peine visible au milieu des volutes de poussière, une voiture qui précédait la sienne. Comme ses chevaux, moins fatigués, couraient avec une rapidité plus grande, il ne devait pas tarder à l'atteindre.

Ce n'était ni un tarentass, ni une télègue, mais une

berline de poste, toute poudreuse, et qui devait avoir déjà fait un long voyage. Le postillon frappait son attelage à tour de bras et ne le maintenait au galop qu'à force d'injures et de coups. Cette berline n'était certainement pas passée par Novo-Saimsk, et elle n'avait dû rejoindre la route d'Irkoutsk que par quelque route perdue de la steppe.

Michel Strogoff et ses compagnons, en voyant cette berline qui courait sur Ichim, n'eurent qu'une même pensée, la devancer et arriver avant elle au relais, afin de s'assurer avant tout des chevaux disponibles. Ils dirent donc un mot à leurs iemschiks, qui se trouvèrent bientôt en ligne avec l'attelage surmené de la berline.

Ce fut Michel Strogoff qui arriva le premier.

A ce moment, une tête parut à la portière de la berline.

Michel Strogoff eut à peine le temps de l'observer. Cependant, si vite qu'il passât, il entendit très directement ce mot, prononcé d'une voix impérieuse, qui lui fut adressé :

« Arrêtez ! »

On ne s'arrêta pas. Au contraire, et la berline fut bientôt devancée par les deux tarentass.

Ce fut alors une course de vitesse, car l'attelage de la berline, excité sans doute par la présence et l'allure des chevaux qui le dépassaient, retrouva des forces pour se maintenir pendant quelques minutes. Les trois voitures avaient disparu dans un nuage de poussière. De ces nuages blanchâtres s'échappaient, comme une pétarade, des claquements de fouet, mêlés de cris d'excitation et d'interjections de colère.

Néanmoins, l'avantage resta à Michel Strogoff et à ses compagnons, — avantage qui pouvait être très important, si le relais était peu fourni de chevaux. Deux voitures à atteler, c'était peut-être plus que ne pourrait faire le maître de poste, du moins dans un court délai.

Une demi-heure après, la berline, restée en arrière,

n'était plus qu'un point à peine visible à l'horizon de la steppe.

Il était huit heures du soir, lorsque les deux tarentass arrivèrent au relais de poste, à l'entrée d'Ichim.

Les nouvelles de l'invasion étaient de plus en plus mauvaises. La ville était directement menacée par l'avant-garde des colonnes tartares, et, depuis deux jours, les autorités avaient dû se replier sur Tobolsk. Ichim n'avait plus ni un fonctionnaire ni un soldat.

Michel Strogoff, arrivé au relais, demanda immédiatement des chevaux pour lui.

Il avait été bien avisé de devancer la berline. Trois chevaux seulement étaient en état d'être immédiatement attelés. Les autres rentraient fatigués de quelque longue étape.

Le maître de poste donna l'ordre d'atteler.

Quant aux deux correspondants, auxquels il parut bon de s'arrêter à Ichim, ils n'avaient pas à se préoccuper d'un moyen de transport immédiat, et ils firent remiser leur voiture.

Dix minutes après son arrivée au relais, Michel Strogoff fut prévenu que son tarentass était prêt à partir.

« Bien », répondit-il.

Puis, allant aux deux journalistes :

« Maintenant, messieurs, puisque vous restez à Ichim, le moment est venu de nous séparer.

— Quoi, monsieur Korpanoff, dit Alcide Jolivet, ne resterez-vous pas même une heure à Ichim ?

— Non, monsieur, et je désire même avoir quitté la maison de poste avant l'arrivée de cette berline que nous avons devancée.

— Craignez-vous donc que ce voyageur ne cherche à vous disputer les chevaux du relais ?

— Je tiens surtout à éviter toute difficulté.

— Alors, monsieur Korpanoff, dit Alcide Jolivet, il ne nous reste plus qu'à vous remercier encore une fois du service que vous nous avez rendu et du plaisir que nous avons eu à voyager en votre compagnie.

— Il est possible, d'ailleurs, que nous nous retrouvions dans quelques jours à Omsk, ajouta Harry Blount.

— C'est possible, en effet, répondit Michel Strogoff, puisque j'y vais directement.

— Eh bien! bon voyage, monsieur Korpanoff, dit alors Alcide Jolivet, et Dieu vous garde des télègues. »

Les deux correspondants tendaient la main à Michel Strogoff avec l'intention de la lui serrer le plus cordialement possible, lorsque le bruit d'une voiture se fit entendre au-dehors.

Presque aussitôt, la porte de la maison de poste s'ouvrit brusquement, et un homme parut.

C'était le voyageur de la berline, un individu à tournure militaire, âgé d'une quarantaine d'années, grand, robuste, tête forte, épaules larges, épaisses moustaches se raccordant avec ses favoris roux. Il portait un uniforme sans insignes. Un sabre de cavalerie traînait à sa ceinture, et il tenait à la main un fouet à manche court.

« Des chevaux, demanda-t-il avec l'air impérieux d'un homme habitué à commander.

— Je n'ai plus de chevaux disponibles, répondit le maître de poste, en s'inclinant.

— Il m'en faut à l'instant.

— C'est impossible.

— Quels sont donc ces chevaux qui viennent d'être attelés au tarentass que j'ai vu à la porte du relais?

— Ils appartiennent à ce voyageur, répondit le maître de poste en montrant Michel Strogoff.

— Qu'on les dételle!... » dit le voyageur d'un ton qui n'admettait pas de réplique.

Michel Strogoff s'avança alors.

« Ces chevaux sont retenus par moi, dit-il.

— Peu m'importe! Il me les faut. Allons! Vivement! Je n'ai pas de temps à perdre!

— Je n'ai pas de temps à perdre non plus », répondit Michel Strogoff, qui voulait être calme et se contenait non sans peine.

Nadia était près de lui, calme aussi, mais secrètement inquiète d'une scène qu'il eût mieux valu éviter.

« Assez ! » répéta le voyageur.

Puis, allant au maître de poste :

« Qu'on dételle ce tarentass, s'écria-t-il avec un geste de menace, et que les chevaux soient mis à ma berline ! »

Le maître de poste, très embarrassé, ne savait à qui obéir, et il regardait Michel Strogoff, dont c'était évidemment le droit de résister aux injustes exigences du voyageur.

Michel Strogoff hésita un instant. Il ne voulait pas faire usage de son podaroshna, qui eût attiré l'attention sur lui, il ne voulait pas non plus, en cédant les chevaux, retarder son voyage, et, cependant, il ne voulait pas engager une lutte qui eût pu compromettre sa mission.

Les deux journalistes le regardaient, prêts d'ailleurs à le soutenir, s'il faisait appel à eux.

« Mes chevaux resteront à ma voiture », dit Michel Strogoff, mais sans élever le ton plus qu'il ne convenait à un simple marchand d'Irkoutsk.

Le voyageur s'avança alors vers Michel Strogoff, et lui posant rudement la main sur l'épaule :

« C'est comme cela ! dit-il d'une voix éclatante. Tu ne veux pas me céder tes chevaux ?

— Non, répondit Michel Strogoff.

— Eh bien, ils seront à celui de nous deux qui va pouvoir repartir ! Défends-toi, car je ne te ménagerai pas ! »

Et, en parlant ainsi, le voyageur tira vivement son sabre du fourreau et se mit en garde.

Nadia s'était jetée devant Michel Strogoff.

Harry Blount et Alcide Jolivet s'avancèrent vers lui.

« Je ne me battrai pas, dit simplement Michel Strogoff, qui, pour mieux se contenir, croisa ses bras sur sa poitrine.

— Tu ne te battras pas ?

« Détends-toi, car je ne te ménagerai pas ! »

— Non.

— Même après ceci ? » s'écria le voyageur.

Et, avant qu'on eût pu le retenir, le manche de son fouet frappa l'épaule de Michel Strogoff.

A cette insulte, Michel Strogoff pâlit affreusement. Ses mains se levèrent toutes ouvertes, comme si elles allaient broyer ce brutal personnage. Mais, par un suprême effort, il parvint à se maîtriser. Un duel, c'était plus qu'un retard, c'était peut-être sa mission manquée !... Mieux valait perdre quelques heures !... Oui ! mais dévorer cet affront !

« Te battras-tu, maintenant, lâche ? répéta le voyageur, en ajoutant la grossièreté à la brutalité.

— Non ! répondit Michel Strogoff, qui ne bougea pas, mais qui regarda le voyageur les yeux dans les yeux.

— Les chevaux, et à l'instant ! » dit alors celui-ci.

Et il sortit de la salle.

Le maître de poste le suivit aussitôt, non sans avoir haussé les épaules, après avoir examiné Michel Strogoff d'un air peu approbateur.

L'effet produit sur les journalistes par cet incident ne pouvait pas être à l'avantage de Michel Strogoff. Leur déconvenue était visible. Ce robuste jeune homme se laisser frapper ainsi et ne pas demander raison d'une pareille insulte ! Ils se contentèrent donc de le saluer et se retirèrent, Alcide Jolivet disant à Harry Blount :

« Je n'aurais pas cru cela d'un homme qui découd si proprement les ours de l'Oural ! Serait-il donc vrai que le courage a ses heures et ses formes ? C'est à n'y rien comprendre ! Après cela, il nous manque peut-être, à nous autres, d'avoir jamais été serfs ! »

Un instant après, un bruit de roues et le claquement d'un fouet indiquaient que la berline, attelée des chevaux du tarentass, quittait rapidement la maison de poste.

Nadia, impassible, Michel Strogoff, encore frémissant, restèrent seuls dans la salle du relais.

Le courrier du czar, les bras toujours croisés sur sa poitrine, s'était assis. On eût dit une statue. Toutefois, une rougeur, qui ne devait pas être la rougeur de la honte, avait remplacé la pâleur sur son mâle visage.

Nadia ne doutait pas que de formidables raisons eussent pu seules faire dévorer à un tel homme une telle humiliation.

Donc, allant à lui, comme il était venu à elle à la maison de police de Nijni-Novgorod :

« Ta main, frère ! » dit-elle.

Et, en même temps, son doigt, par un geste quasi maternel, essuya une larme qui allait jaillir de l'œil de son compagnon.

XIII

AU-DESSUS DE TOUT, LE DEVOIR

Nadia avait deviné qu'un mobile secret dirigeait tous les actes de Michel Strogoff, que celui-ci, pour quelque raison inconnue d'elle, ne s'appartenait pas, qu'il n'avait pas le droit de disposer de sa personne, et que, dans cette circonstance, il venait d'immoler héroïquement au devoir jusqu'au ressentiment d'une mortelle injure.

Nadia ne demanda, d'ailleurs, aucune explication à Michel Strogoff. La main qu'elle lui avait tendue ne répondait-elle pas d'avance à tout ce qu'il eût pu lui dire ?

Michel Strogoff demeura muet pendant toute cette soirée. Le maître de poste ne pouvant plus fournir de chevaux frais que le lendemain matin, c'était une nuit entière à passer au relais. Nadia dut donc en profiter pour prendre quelque repos, et une chambre fut préparée pour elle.

« Pour la patrie et pour le Père ! » murmura-t-il.

La jeune fille eût préféré, sans doute, ne pas quitter son compagnon, mais elle sentait qu'il avait besoin d'être seul, et elle se disposa à gagner la chambre qui lui était destinée.

Cependant, au moment où elle allait se retirer, elle ne put s'empêcher de lui dire adieu.

« Frère... » murmura-t-elle.

Mais Michel Strogoff, d'un geste, l'arrêta. Un soupir gonfla la poitrine de la jeune fille, et elle quitta la salle.

Michel Strogoff ne se coucha pas. Il n'aurait pu dormir, même une heure. A cette place que le fouet du brutal voyageur avait touchée, il ressentait comme une brûlure.

« Pour la patrie et pour le Père ! » murmura-t-il enfin en terminant sa prière du soir.

Toutefois, il éprouva alors un insurmontable besoin de savoir quel était cet homme qui l'avait frappé, d'où il venait, où il allait. Quant à sa figure, les traits en étaient si bien gravés dans sa mémoire, qu'il ne pouvait craindre de les oublier jamais.

Michel Strogoff fit demander le maître de poste.

Celui-ci, un Sibérien de vieille roche, vint aussitôt, et, regardant le jeune homme d'un peu haut, il attendit d'être interrogé.

« Tu es du pays ? lui demanda Michel Strogoff.

— Oui.

— Connais-tu cet homme qui a pris mes chevaux ?

— Non.

— Tu ne l'as jamais vu ?

— Jamais !

— Qui crois-tu que soit cet homme ?

— Un seigneur qui sait se faire obéir ! »

Le regard de Michel Strogoff entra comme un poignard dans le cœur du Sibérien, mais la paupière du maître de poste ne se baissa pas.

« Tu te permets de me juger ! s'écria Michel Strogoff.

— Oui, répondit le Sibérien, car il est des choses

« Va-t'en, mon ami, lui dit-il. Je te tuerais ! »

qu'un simple marchand lui-même ne reçoit pas sans les rendre!

— Les coups de fouet?

— Les coups de fouet, jeune homme! Je suis d'âge et de force à te le dire! »

Michel Strogoff s'approcha du maître de poste et lui posa ses deux puissantes mains sur les épaules.

Puis, d'une voix singulièrement calme :

« Va-t'en, mon ami, lui dit-il, va-t'en! Je te tuerais! »

Le maître de poste, cette fois, avait compris.

« Je l'aime mieux comme ça », murmura-t-il.

Et il se retira sans ajouter un mot.

Le lendemain, 24 juillet, à huit heures du matin, le tarentass était attelé de trois vigoureux chevaux. Michel Strogoff et Nadia y prirent place, et Ichim, dont tous les deux devaient garder un si terrible souvenir, eut bientôt disparu derrière un coude de la route.

Aux divers relais où il s'arrêta pendant cette journée, Michel Strogoff put constater que la berline le précédait toujours sur la route d'Irkoutsk, et que le voyageur, aussi pressé que lui, ne perdait pas un instant en traversant la steppe.

A quatre heures du soir, soixante-quinze verstes plus loin, à la station d'Abatskaïa, la rivière d'Ichim, l'un des principaux affluents de l'Irtyche, dut être franchie.

Ce passage fut un peu plus difficile que celui du Tobol. En effet, le courant de l'Ichim était assez rapide en cet endroit. Pendant l'hiver sibérien, tous ces cours d'eau de la steppe, gelés sur une épaisseur de plusieurs pieds, sont aisément praticables, et le voyageur les traverse même sans s'en apercevoir, car leur lit a disparu sous l'immense nappe blanche qui recouvre uniformément la steppe, mais, en été, les difficultés peuvent être grandes à les franchir.

En effet, deux heures furent employées au passage de l'Ichim, — ce qui exaspéra Michel Strogoff,

d'autant plus que les bateliers lui donnèrent d'inquié-
tantes nouvelles de l'invasion tartare.

Voici ce qui se disait :

Quelques éclaireurs de Féofar-Khan auraient déjà
paru sur les deux rives de l'Ichim inférieur, dans les
contrées méridionales du gouvernement de Tobolsk.
Omsk était très menacé. On parlait d'un engagement
qui avait eu lieu entre les troupes sibériennes et
tartares sur la frontière des grandes hordes kirghises,
— engagement qui n'avait pas été à l'avantage des
Russes, trop faibles sur ce point. De là, repliement de
ces troupes, et, par suite, émigration générale des
paysans de la province. On racontait d'horribles atro-
cités commises par les envahisseurs, pillage, vol,
incendie, meurtres. C'était le système de la guerre à
la tartare. On fuyait donc de tous côtés l'avant-garde
de Féofar-Khan. Aussi, devant ce dépeuplement des
bourgs et des hameaux, la plus grande crainte de
Michel Strogoff était-elle que les moyens de transport
ne vinssent à lui manquer. Il avait donc une hâte
extrême d'arriver à Omsk. Peut-être, au sortir de
cette ville, pourrait-il prendre l'avance sur les éclaireurs tartares qui descendaient la vallée de l'Irtyche,
et retrouver la route libre jusqu'à Irkoutsk.

C'est à cet endroit même, où le tarentass venait de
franchir le fleuve, que se termine ce qu'on appelle en
langage militaire la « chaîne d'Ichim », chaîne de
tours ou de fortins en bois, qui s'étend depuis la
frontière sud de la Sibérie sur un espace de quatre
cents verstes environ (427 kilomètres). Autrefois, ces
fortins étaient occupés par des détachements de
Cosaques, et ils protégeaient la contrée aussi bien
contre les Kirghis que contre les Tartares. Mais,
abandonnés, depuis que le gouvernement moscovite
croyait ces hordes réduites à une soumission absolue,
ils ne pouvaient plus servir, précisément alors qu'ils
auraient été si utiles. La plupart de ces fortins
venaient d'être réduits en cendres, et quelques
fumées que les bateliers montrèrent à Michel Stro-

goff, tourbillonnant au-dessus de l'horizon méridional, témoignaient de l'approche de l'avant-garde tartare.

Dès que le bac eut déposé le tarentass et son attelage sur la rive droite de l'Ichim, la route de la steppe fut reprise à toute vitesse.

Il était sept heures du soir. Le temps était très couvert. Aussi, à plusieurs reprises, tomba-t-il une pluie d'orage, qui eut pour résultat d'abattre la poussière et de rendre les chemins meilleurs.

Michel Strogoff, depuis le relais d'Ichim, était demeuré taciturne. Cependant il était toujours attentif à préserver Nadia des fatigues de cette course sans trêve ni repos, mais la jeune fille ne se plaignait pas. Elle eût voulu donner des ailes aux chevaux du tarentass. Quelque chose lui criait que son compagnon avait plus de hâte encore qu'elle-même d'arriver à Irkoutsk, et combien de verstes les en séparaient encore !

Il lui vint aussi à la pensée que si Omsk était envahie par les Tartares, la mère de Michel Strogoff, qui habitait cette ville, courrait des dangers dont son fils devait extrêmement s'inquiéter, et que cela suffisait à expliquer son impatience d'arriver près d'elle.

Nadia crut donc, à un certain moment, devoir lui parler de la vieille Marfa, de l'isolement où elle pourrait se trouver au milieu de ces graves événements.

« Tu n'as reçu aucune nouvelle de ta mère depuis le début de l'invasion ? lui demanda-t-elle.

— Aucune, Nadia. La dernière lettre que ma mère m'a écrite date déjà de deux mois, mais elle m'apportait de bonnes nouvelles. Marfa est une femme énergique, une vaillante Sibérienne. Malgré son âge, elle a conservé toute sa force morale. Elle sait souffrir.

— J'irai la voir, frère, dit Nadia vivement. Puisque tu me donnes ce nom de sœur, je suis la fille de Marfa ! »

Et, comme Michel Strogoff ne répondait pas :

« Peut-être, ajouta-t-elle, ta mère a-t-elle pu quitter Omsk?

— Cela est possible, Nadia, répondit Michel Strogoff, et même j'espère qu'elle aura gagné Tobolsk. La
vieille Marfa a la haine du Tartare. Elle connaît la
steppe, elle n'a pas peur, et je souhaite qu'elle ait pris
son bâton, et redescendu les rives de l'Irtyche. Il n'y a
pas un endroit de la province qui ne soit connu d'elle.
Combien de fois a-t-elle parcouru tout le pays avec le
vieux père, et combien de fois, moi-même enfant, les
ai-je suivis dans leurs courses à travers le désert
sibérien! Oui, Nadia, j'espère que ma mère aura
quitté Omsk!

— Et quand la verras-tu?

— Je la verrai… au retour.

— Cependant, si ta mère est à Omsk, tu prendras
bien une heure pour aller l'embrasser?

— Je n'irai pas l'embrasser!

— Tu ne la verras pas?

— Non, Nadia…! répondit Michel Strogoff, dont
la poitrine se gonflait et qui comprenait qu'il ne
pourrait continuer de répondre aux questions de la
jeune fille.

— Tu dis : non! Ah! frère, pour quelles raisons, si
ta mère est à Omsk, peux-tu refuser de la voir?

— Pour quelles raisons, Nadia! Tu me demandes
pour quelles raisons! s'écria Michel Strogoff d'une
voix si profondément altérée que la jeune fille en
tressaillit. Mais pour les raisons qui m'ont fait patient
jusqu'à la lâcheté avec le misérable dont… »

Il ne put achever sa phrase.

« Calme-toi, frère, dit Nadia de sa voix la plus
douce. Je ne sais qu'une chose, ou plutôt je ne la sais
pas, je la sens! C'est qu'un sentiment domine maintenant toute ta conduite : celui d'un devoir plus sacré,
s'il en peut être un, que celui qui lie le fils à la mère! »

Nadia se tut, et, de ce moment, elle évita tout sujet
de conversation qui pût se rapporter à la situation
particulière de Michel Strogoff. Il y avait là quelque
secret à respecter. Elle le respecta.

Le lendemain, 25 juillet, à trois heures du matin, le tarentass arrivait au relais de poste de Tioukalinsk, après avoir franchi une distance de cent vingt verstes depuis le passage de l'Ichim.

On relaya rapidement. Cependant, et pour la première fois, l'iemschik fit quelques difficultés pour partir, affirmant que des détachements tartares battaient la steppe, et que voyageurs, chevaux et voitures seraient de bonne prise pour ces pillards.

Michel Strogoff ne triompha du mauvais vouloir de l'iemschik qu'à prix d'argent, car, en cette circonstance comme en plusieurs autres, il ne voulut pas faire usage de son podaroshna. Le dernier ukase, transmis par le fil télégraphique, était connu dans les provinces sibériennes, et un Russe, par cela même qu'il était spécialement dispensé d'obéir à ses prescriptions, se fût certainement signalé à l'attention publique, — ce que le courrier du czar devait par-dessus tout éviter. Quant aux hésitations de l'iemschik, peut-être le drôle spéculait-il sur l'impatience du voyageur ? Peut-être aussi avait-il réellement raison de craindre quelque mauvaise aventure ?

Enfin, le tarentass partit, et fit si bien diligence qu'à trois heures du soir, quatre-vingts verstes plus loin, il atteignait Koulatsinskoë. Puis, une heure après, il se trouvait sur les bords de l'Irtyche. Omsk n'était plus qu'à une vingtaine de verstes.

C'est un large fleuve que l'Irtyche, et l'une des principales artères sibériennes qui roulent leurs eaux vers le nord de l'Asie. Né sur les monts Altaï, il se dirige obliquement du sud-est au nord-ouest et va se jeter dans l'Obi, après un parcours de près de sept mille verstes.

A cette époque de l'année, qui est celle de la crue des rivières de tout le bassin sibérien, le niveau des eaux de l'Irtyche était excessivement élevé. Par suite, le courant, violemment établi, presque torrentiel, rendait assez difficile le passage du fleuve. Un nageur, si bon qu'il fût, n'aurait pu le franchir, et, même au moyen d'un bac, cette traversée de l'Irtyche n'était pas sans offrir quelque danger.

Mais ces dangers, comme tous autres, ne pouvaient arrêter, même un instant, Michel Strogoff et Nadia, décidés à les braver, quels qu'ils fussent.

Cependant, Michel Strogoff proposa à sa jeune compagne d'opérer d'abord lui-même le passage du fleuve, en s'embarquant dans le bac chargé du tarentass et de l'attelage, car il craignait que le poids de ce chargement ne rendît le bac moins sûr. Après avoir déposé chevaux et voiture sur l'autre rive, il reviendrait prendre Nadia.

Nadia refusa. C'eût été un retard d'une heure, et elle ne voulait pas, pour sa seule sûreté, être la cause d'un retard.

L'embarquement se fit non sans peine, car les berges étaient en partie inondées, et le bac ne pouvait pas les accoster d'assez près.

Toutefois, après une demi-heure d'efforts, le batelier eut installé dans le bac le tarentass et les trois chevaux. Michel Strogoff, Nadia et l'iemschik s'y embarquèrent alors, et l'on déborda.

Pendant les premières minutes, tout alla bien. Le courant de l'Irtyche, brisé en amont par une longue pointe de la rive, formait un remous que le bac traversa facilement. Les deux bateliers poussaient avec de longues gaffes qu'ils maniaient très adroitement ; mais, à mesure qu'ils gagnaient le large, le fond du lit du fleuve s'abaissant, il ne leur resta bientôt presque plus de bout pour y appuyer leur épaule. L'extrémité des gaffes ne dépassait pas d'un pied la surface des eaux, — ce qui en rendait l'emploi pénible et insuffisant.

Michel Strogoff et Nadia, assis à l'arrière du bac, et toujours portés à craindre quelque retard, observaient avec une certaine inquiétude la manœuvre des bateliers.

« Attention ! » cria l'un d'eux à son camarade.

Ce cri était motivé par la nouvelle direction que

venait de prendre le bac avec une extrême vitesse. Il subissait alors l'action directe du courant et descendait rapidement le fleuve. Il s'agissait donc, en employant utilement les gaffes, de le mettre en situation de biaiser avec le fil des eaux. C'est pourquoi, en appuyant le bout de leurs gaffes dans une suite d'entailles ménagées au-dessous du plat-bord, les bateliers parvinrent-ils à faire obliquer le bac, et il gagna peu à peu vers la rive droite.

On pouvait certainement calculer qu'il l'atteindrait à cinq ou six verstes en aval du point d'embarquement, mais il n'importait après tout, si bêtes et gens débarquaient sans accident.

Les deux bateliers, hommes vigoureux, stimulés en outre par la promesse d'un haut péage, ne doutaient pas d'ailleurs de mener à bien cette difficile traversée de l'Irtyche.

Mais ils comptaient sans un incident qu'ils étaient impuissants à prévenir, et ni leur zèle ni leur habileté n'auraient rien pu faire en cette circonstance.

Le bac se trouvait engagé dans le milieu du courant, à égale distance environ des deux rives, et il descendait avec une vitesse de deux verstes à l'heure, lorsque Michel Strogoff, se levant, regarda attentivement en amont du fleuve.

Il aperçut alors plusieurs barques que le courant emportait avec une grande rapidité, car à l'action de l'eau se joignait celle des avirons dont elles étaient armées.

La figure de Michel Strogoff se contracta tout à coup, et une exclamation lui échappa.

« Qu'y a-t-il ? » demanda la jeune fille.

Mais avant que Michel Strogoff eût eu le temps de lui répondre, un des bateliers s'écriait avec l'accent de l'épouvante :

« Les Tartares ! les Tartares ! »

C'étaient, en effet, des barques, chargées de soldats, qui descendaient rapidement l'Irtyche, et, avant quelques minutes, elles devaient avoir atteint le bac, trop pesamment encombré pour fuir devant elles.

Les bateliers, terrifiés par cette apparition, poussèrent des cris de désespoir et abandonnèrent leurs
gaffes.

« Du courage, mes amis ! s'écria Michel Strogoff,
du courage ! Cinquante roubles pour vous si nous
atteignons la rive droite avant l'arrivée de ces
barques ! »

Les bateliers, ranimés par ces paroles, reprirent la
manœuvre et continuèrent à biaiser avec le courant,
mais il fut bientôt évident qu'ils ne pourraient éviter
l'abordage des Tartares.

Ceux-ci passeraient-ils sans les inquiéter ? c'était
peu probable ! On devait tout craindre, au contraire,
de ces pillards !

« N'aie pas peur, Nadia, dit Michel Strogoff, mais
sois prête à tout !

— Je suis prête, répondit Nadia.

— Même à te jeter dans le fleuve, quand je te le
dirai ?

— Quand tu me le diras.

— Aie confiance en moi, Nadia.

— J'ai confiance ! »

Les barques tartares n'étaient plus qu'à une distance de cent pieds. Elles portaient un détachement
de soldats boukhariens, qui allaient tenter une
reconnaissance sur Omsk.

Le bac se trouvait encore à deux longueurs de la
rive. Les bateliers redoublèrent d'efforts. Michel
Strogoff se joignit à eux et saisit une gaffe, qu'il
manœuvra avec une force surhumaine. S'il pouvait
débarquer le tarentass et l'enlever au galop de l'attelage, il avait quelques chances d'échapper à ces Tartares, qui n'étaient pas montés.

Mais tant d'efforts devaient être inutiles !

« Saryn na kitchou ! » crièrent les soldats de la
première barque.

Michel Strogoff reconnut ce cri de guerre des
pirates tartares, auquel on ne devait répondre qu'en
se couchant à plat ventre.

Elle était déposée dans une des barques.

Et comme ni les bateliers ni lui n'obéirent à cette injonction, une violente décharge eut lieu, et deux des chevaux furent atteints mortellement.

En ce moment, un choc se produisit... Les barques avaient abordé le bac par le travers.

« Viens, Nadia! » s'écria Michel Strogoff, prêt à se jeter par-dessus le bord.

La jeune fille allait le suivre, quand Michel Strogoff, frappé d'un coup de lance, fut précipité dans le fleuve. Le courant l'entraîna, sa main s'agita un instant au-dessus des eaux, et il disparut.

Nadia avait poussé un cri, mais, avant qu'elle eût le temps de se jeter à la suite de Michel Strogoff, elle était saisie, enlevée, et déposée dans une des barques.

Un instant après, les bateliers avaient été tués à coups de lance, et le bac dérivait à l'aventure, pendant que les Tartares continuaient à descendre le cours de l'Irtyche.

XIV

MÈRE ET FILS

Omsk est la capitale officielle de la Sibérie occidentale. Ce n'est pas la ville la plus importante du gouvernement de ce nom, puisque Tomsk est plus peuplée et plus considérable, mais c'est à Omsk que réside le gouverneur général de cette première moitié de la Russie asiatique.

Omsk, à proprement parler, se compose de deux villes distinctes, l'une qui est uniquement habitée par les autorités et les fonctionnaires, l'autre où demeurent plus spécialement les marchands sibériens, bien qu'elle soit peu commerçante cependant.

�➤ Voir *Au fil du texte*, p. IX.

Cette ville compte environ douze à treize mille habitants. Elle est défendue par une enceinte flanquée de bastions, mais ces fortifications sont en terre, et elles ne pouvaient la protéger que très insuffisamment. Aussi les Tartares, qui le savaient bien, tentèrent-ils à cette époque de l'enlever de vive force, et ils y réussirent après quelques jours d'investissement.

La garnison d'Omsk, réduite à deux mille hommes, avait vaillamment résisté. Mais, accablée par les troupes de l'émir, repoussée peu à peu de la ville marchande, elle avait dû se réfugier dans la ville haute.

C'est là que le gouverneur général, ses officiers, ses soldats s'étaient retranchés. Ils avaient fait du haut quartier d'Omsk une sorte de citadelle, après en avoir crénelé les maisons et les églises, et, jusqu'alors, ils tenaient bon dans cette sorte de kreml improvisé, sans grand espoir d'être secourus à temps. Et effet, les troupes tartares, qui descendaient le cours de l'Irtyche, recevaient chaque jour de nouveaux renforts, et, circonstance plus grave, elles étaient alors dirigées par un officier, traître à son pays, mais homme de grand mérite et d'une audace à toute épreuve.

C'était le colonel Ivan Ogareff.

Ivan Ogareff, terrible comme un de ces chefs tartares qu'il poussait en avant, était un militaire instruit. Ayant en lui un peu de sang mongol par sa mère, qui était d'origine asiatique, il aimait la ruse, il se plaisait à imaginer des embûches, et ne répugnait à aucun moyen, lorsqu'il voulait surprendre quelque secret ou tendre quelque piège. Fourbe par nature, il avait volontiers recours aux plus vils déguisements, se faisant mendiant à l'occasion, excellant à prendre toutes les formes et toutes les allures. De plus, il était cruel, et il se fût fait bourreau au besoin. Féofar-Khan avait en lui un lieutenant digne de le seconder dans cette guerre sauvage.

Or, quand Michel Strogoff arriva sur les bords de

l'Irtyche, Ivan Ogareff était déjà maître d'Omsk, et il pressait d'autant plus le siège du haut quartier de la ville, qu'il avait hâte de rejoindre Tomsk, où le gros de l'armée tartare venait de se concentrer.

Tomsk, en effet, avait été prise par Féofar-Khan depuis quelques jours, et c'est de là que les envahisseurs, maîtres de la Sibérie centrale, devaient marcher sur Irkoutsk.

Irkoutsk était le véritable objectif d'Ivan Ogareff.

Le plan de ce traître était de se faire agréer du grand-duc sous un faux nom, de capter sa confiance, et, l'heure venue, de livrer aux Tartares la ville et le grand-duc lui-même.

Avec une telle ville et un tel otage, toute la Sibérie asiatique devait tomber aux mains des envahisseurs.

Or, on le sait, ce complot était connu du czar, et c'était pour le déjouer qu'avait été confiée à Michel Strogoff l'importante missive dont il était porteur. De là aussi, les instructions les plus sévères qui avaient été données au jeune courrier, de passer incognito à travers la contrée envahie.

Cette mission, il l'avait fidèlement exécutée jusqu'ici, mais, maintenant, pourrait-il en poursuivre l'accomplissement ?

Le coup qui avait frappé Michel Strogoff n'était pas mortel. En nageant de manière à éviter d'être vu, il avait atteint la rive droite, où il tomba évanoui entre les roseaux.

Quand il revint à lui, il se trouva dans la cabane d'un moujik qui l'avait recueilli et soigné, et auquel il devait d'être encore vivant. Depuis combien de temps était-il l'hôte de ce brave Sibérien ? il n'eût pu le dire. Mais, lorsqu'il rouvrit les yeux, il vit une bonne figure barbue, penchée sur lui, qui le regardait d'un œil compatissant. Il allait demander où il était, lorsque le moujik, le prévenant, lui dit :

« Ne parle pas, petit père, ne parle pas ! Tu es encore trop faible. Je vais te dire où tu es et tout ce qui s'est passé depuis que je t'ai rapporté dans ma cabane. »

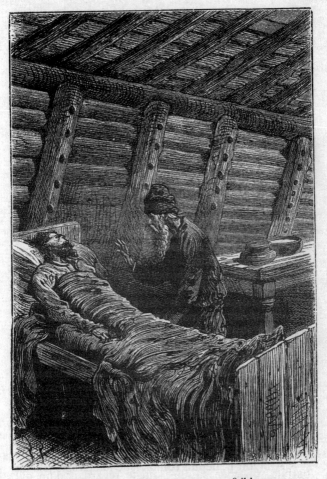

Ne parle pas. Tu es encore trop faible.

Et le moujik raconta à Michel Strogoff les divers
incidents de la lutte dont il avait été témoin, l'attaque
du bac par les barques tartares, le pillage des tarentass, le massacre des bateliers!...

Mais Michel Strogoff ne l'écoutait plus, et, portant
la main à son vêtement, il sentit la lettre impériale,
toujours serrée sur sa poitrine.

Il respira, mais ce n'était pas tout.

« Une jeune fille m'accompagnait! dit-il.

— Ils ne l'ont pas tuée! répondit le moujik, allant
au-devant de l'inquiétude qu'il lisait dans les yeux de
son hôte. Ils l'ont emmenée dans leur barque, et ils
ont continué de descendre l'Irtyche! C'est une prisonnière de plus à joindre à tant d'autres que l'on conduit
à Tomsk! »

Michel Strogoff ne put répondre. Il mit la main sur
son cœur pour en comprimer les battements.

Mais, malgré tant d'épreuves, le sentiment du
devoir dominait son âme tout entière :

« Où suis-je? demanda-t-il.

— Sur la rive droite de l'Irtyche, et seulement à
cinq verstes d'Omsk, répondit le moujik.

— Quelle blessure ai-je donc reçue, qui ait pu me
foudroyer ainsi? Ce n'est pas un coup de feu?

— Non, un coup de lance à la tête, cicatrisé maintenant, répondit le moujik. Après quelques jours de
repos, petit père, tu pourras continuer ta route. Tu es
tombé dans le fleuve, mais les Tartares ne t'ont ni
touché ni fouillé, et ta bourse est toujours dans ta
poche. »

Michel Strogoff tendit la main au moujik. Puis, se
redressant par un subit effort :

« Ami, dit-il, depuis combien de temps suis-je dans
ta cabane?

— Depuis trois jours.

— Trois jours perdus!

— Trois jours pendant lesquels tu as été sans
connaissance!

— As-tu un cheval à me vendre?

— Tu veux partir?

— A l'instant.

— Je n'ai ni cheval ni voiture, petit père! Où les Tartares ont passé, il ne reste plus rien!

— Eh bien, j'irai à pied à Omsk chercher un cheval...

— Quelques heures de repos encore, et tu seras mieux en état de continuer ton voyage!

— Pas une heure!

— Viens donc! répondit le moujik, comprenant qu'il n'y avait pas à lutter contre la volonté de son hôte. Je te conduirai moi-même, ajouta-t-il. D'ailleurs, les Russes sont encore en grand nombre à Omsk, et tu pourras peut-être passer inaperçu.

— Ami, répondit Michel Strogoff, que le Ciel te récompense de tout ce que tu as fait pour moi!

— Une récompense! Les fous seuls en attendent sur la terre », répondit le moujik.

Michel Strogoff sortit de la cabane. Lorsqu'il voulut marcher, il fut pris d'un éblouissement tel que, sans le secours du moujik, il serait tombé, mais le grand air le remit promptement. Il ressentit alors le coup qui lui avait été porté à la tête, et dont son bonnet de fourrure avait heureusement amorti la violence. Avec l'énergie qu'on lui connaît, il n'était pas homme à se laisser abattre pour si peu. Un seul but se dressait devant ses yeux, c'était cette lointaine Irkoutsk qu'il lui fallait atteindre! Mais il lui fallait traverser Omsk sans s'y arrêter.

« Dieu protège ma mère et Nadia! murmura-t-il. Je n'ai pas encore le droit de penser à elles! »

Michel Strogoff et le moujik arrivèrent bientôt au quartier marchand de la ville basse, et, bien qu'elle fût occupée militairement, ils y entrèrent sans difficulté. L'enceinte de terre avait été détruite en maint endroit, et c'étaient autant de brèches par lesquelles pénétraient ces maraudeurs qui suivaient les armées de Féofar-Khan.

A l'intérieur d'Omsk, dans les rues, sur les places,

fourmillaient les soldats tartares, mais on pouvait remarquer qu'une main de fer leur imposait une discipline à laquelle ils étaient peu accoutumés. En effet, ils ne marchaient point isolément, mais par groupes armés, en mesure de se défendre contre toute agression.

Sur la grande place, transformée en camp que gardaient de nombreuses sentinelles, deux mille Tartares bivouaquaient en bon ordre. Les chevaux, attachés à des piquets, mais toujours harnachés, étaient prêts à partir au premier ordre. Omsk ne pouvait être qu'une halte provisoire pour cette cavalerie tartare, qui devait lui préférer les riches plaines de la Sibérie orientale, là où les villes sont plus opulentes, les campagnes plus fertiles, et, par conséquent, le pillage plus fructueux.

Au-dessus de la ville marchande s'étageait le haut quartier, qu'Ivan Ogareff, malgré plusieurs assauts vigoureusement donnés, mais bravement repoussés, n'avait encore pu réduire. Sur ses murailles crénelées flottait le drapeau national aux couleurs de la Russie.

Ce ne fut pas sans un légitime orgueil que Michel Strogoff et son guide le saluèrent de leurs vœux.

Michel Strogoff connaissait parfaitement la ville d'Omsk, et, tout en suivant son guide, il évita les rues trop fréquentées. Ce n'était pas qu'il pût craindre d'être reconnu. Dans cette ville, sa vieille mère aurait seule pu l'appeler de son vrai nom, mais il avait juré de ne pas la voir, et il ne la verrait pas. D'ailleurs, — il le souhaitait de tout cœur, — peut-être avait-elle fui dans quelque portion tranquille de la steppe.

Le moujik, très heureusement, connaissait un maître de poste qui, en le payant bien, ne refuserait pas, suivant lui, soit de louer, soit de vendre voiture ou chevaux. Resterait la difficulté de quitter la ville, mais les brèches, pratiquées à l'enceinte, devaient faciliter la sortie de Michel Strogoff.

Le moujik conduisait donc son hôte directement au relais, lorsque, dans une rue étroite, Michel Strogoff s'arrêta soudain et se rejeta derrière un pan de mur.

« Qu'as-tu ? lui demanda vivement le moujik, très étonné de ce brusque mouvement.

— Silence », se hâta de répondre Michel Strogoff, en mettant un doigt sur ses lèvres.

En ce moment, un détachement de Tartares débouchait de la place principale et prenait la rue que Michel Strogoff et son compagnon venaient de suivre pendant quelques instants.

En tête du détachement, composé d'une vingtaine de cavaliers, marchait un officier vêtu d'un uniforme très simple. Bien que ses regards se portassent rapidement de côté et d'autre, il ne pouvait avoir vu Michel Strogoff, qui avait précipitamment opéré sa retraite.

Le détachement allait au grand trot dans cette rue étroite. Ni l'officier, ni son escorte ne prenaient garde aux habitants. Ces malheureux avaient à peine le temps de se ranger à leur passage. Aussi y eut-il quelques cris à demi étouffés, auxquels répondirent immédiatement des coups de lance, et la rue fut dégagée en un instant.

Quand l'escorte eut disparu :

« Quel est cet officier ? » demanda Michel Strogoff en se retournant vers le moujik.

Et, pendant qu'il faisait cette question, son visage était pâle comme celui d'un mort.

« C'est Ivan Ogareff, répondit le Sibérien mais d'une voix basse qui respirait la haine.

— Lui ! » s'écria Michel Strogoff, auquel ce mot échappa avec un accent de rage qu'il ne put maîtriser.

Il venait de reconnaître dans cet officier le voyageur qui l'avait frappé au relais d'Ichim !

Et, fût-ce une illumination de son esprit, ce voyageur, bien qu'il n'eût fait que l'entrevoir, lui rappela en même temps le vieux tsigane, dont il avait surpris les paroles au marché de Nijni-Novgorod.

Michel Strogoff ne se trompait pas. Ces deux hommes n'en faisaient qu'un. C'était sous le vêtement d'un tsigane, mêlé à la troupe de Sangarre, qu'Ivan Ogareff avait pu quitter la province de Nijni-

Novgorod, où il était allé chercher, parmi les étrangers si nombreux que la foire avait amenés de l'Asie centrale, les affidés qu'il voulait associer à l'accomplissement de son œuvre maudite. Sangarre et ses tsiganes, véritables espions à sa solde, lui étaient absolument dévoués. C'était lui qui, pendant la nuit, sur le champ de foire, avait prononcé cette phrase singulière dont Michel Strogoff pouvait maintenant comprendre le sens, c'était lui qui voyageait à bord du *Caucase* avec toute la bande bohémienne, c'était lui qui, par cette autre route de Kazan à Ichim à travers l'Oural, avait gagné Omsk, où maintenant il commandait en maître.

Il y avait à peine trois jours qu'Ivan Ogareff était arrivé à Omsk, et, sans leur funeste rencontre à Ichim, sans l'événement qui venait de le retenir trois jours sur les bords de l'Irtyche, Michel Strogoff l'eût évidemment devancé sur la route d'Irkoutsk !

Et qui sait combien de malheurs eussent été évités dans l'avenir !

En tout cas, et plus que jamais, Michel Strogoff devait fuir Ivan Ogareff et faire en sorte de ne point en être vu. Lorsque le moment serait venu de se rencontrer avec lui face à face, il saurait le retrouver, — fût-il maître de la Sibérie tout entière !

Le moujik et lui reprirent donc leur course à travers la ville, et ils arrivèrent à la maison de poste. Quitter Omsk par une des brèches de l'enceinte ne serait pas difficile, la nuit venue. Quant à racheter une voiture pour remplacer le tarentass, ce fut impossible. Il n'y en avait ni à louer ni à vendre. Mais quel besoin Michel Strogoff avait-il d'une voiture maintenant ? N'était-il pas seul, hélas ! à voyager ? Un cheval devait lui suffire, et, très heureusement, ce cheval, il put se le procurer. C'était un animal de fond, apte à supporter de longues fatigues, et dont Michel Strogoff, habile cavalier, pourrait tirer un bon parti.

Le cheval fut payé un haut prix, et, quelques minutes plus tard, il était prêt à partir.

« Mon fils ! »

Il était alors quatre heures du soir.

Michel Strogoff, obligé d'attendre la nuit pour franchir l'enceinte, mais ne voulant pas se montrer dans les rues d'Omsk, resta dans la maison de poste, et, là, il se fit servir quelque nourriture.

Il y avait grande affluence dans la salle commune. Ainsi que cela se passait dans les gares russes, les habitants, très anxieux, venaient y chercher des nouvelles. On parlait de l'arrivée prochaine d'un corps de troupes moscovites, non pas à Omsk, mais à Tomsk, — corps destiné à reprendre cette ville sur les Tartares de Féofar-Khan.

Michel Strogoff prêtait une oreille attentive à tout ce qui se disait, mais il ne se mêlait point aux conversations.

Tout à coup, un cri le fit tressaillir, un cri qui le pénétra jusqu'au fond de l'âme, et ces deux mots furent pour ainsi dire jetés à son oreille :

« Mon fils ! »

Sa mère, la vieille Marfa, était devant lui ! Elle lui souriait, toute tremblante ! Elle lui tendait les bras !...

Michel Strogoff se leva. Il allait s'élancer...

La pensée du devoir, le danger sérieux qu'il y avait pour sa mère et pour lui dans cette regrettable rencontre, l'arrêtèrent soudain, et tel fut son empire sur lui-même, que pas un muscle de sa figure ne remua.

Vingt personnes étaient réunies dans la salle commune. Parmi elles, il y avait peut-être des espions, et ne savait-on pas dans la ville que le fils de Marfa Strogoff appartenait au corps des courriers du czar ?

Michel Strogoff ne bougea pas.

« Michel ! s'écria sa mère.

— Qui êtes-vous, ma brave dame ? demanda Michel Strogoff, balbutiant ces mots plutôt qu'il ne les prononça.

— Qui je suis ? tu le demandes ! Mon enfant, est-ce que tu ne reconnais plus ta mère ?

— Vous vous trompez !... répondit froidement Michel Strogoff. Une ressemblance vous abuse... »

La vieille Marfa alla droit à lui, et là, les yeux dans les yeux :

« Tu n'es pas le fils de Pierre et de Marfa Strogoff ? » dit-elle.

Michel Strogoff aurait donné sa vie pour pouvoir serrer librement sa mère dans ses bras !... mais s'il cédait, c'en était fait de lui, d'elle, de sa mission, de son serment !... Se dominant tout entier, il ferma les yeux pour ne pas voir les inexprimables angoisses qui contractaient le visage vénéré de sa mère, il retira ses mains pour ne pas étreindre les mains frémissantes qui le cherchaient.

« Je ne sais, en vérité, ce que vous voulez dire, ma bonne femme, répondit-il en reculant de quelques pas.

— Michel ! cria encore la vieille mère.

— Je ne me nomme pas Michel ! Je n'ai jamais été votre fils ! Je suis Nicolas Korpanoff, marchand à Irkoutsk !... »

Et, brusquement, il quitta la salle commune, pendant que ces mots retentissaient une dernière fois :

« Mon fils ! mon fils ! »

Michel Strogoff, à bout d'efforts, était parti. Il ne vit pas sa vieille mère, qui était retombée presque inanimée sur un banc. Mais, au moment où le maître de poste se précipitait pour la secourir, la vieille femme se releva. Une révélation subite s'était faite dans son esprit. Elle, reniée par son fils ! ce n'était pas possible ! Quant à s'être trompée et à prendre un autre pour lui, impossible également. C'était bien son fils qu'elle venait de voir, et, s'il ne l'avait pas reconnue, c'est qu'il ne voulait pas, c'est qu'il ne devait pas la reconnaître, c'est qu'il avait des raisons terribles pour en agir ainsi ! Et alors, refoulant en elle ses sentiments de mère, elle n'eut plus qu'une pensée : « L'aurai-je perdu sans le vouloir ? »

« Je suis folle ! dit-elle à ceux qui l'interrogeaient. Mes yeux m'ont trompée ! Ce jeune homme n'est pas mon enfant ! Il n'avait pas sa voix ! N'y pensons plus ! Je finirais par le voir partout. »

Moins de dix minutes après, un officier tartare se présentait à la maison de poste.

« Marfa Strogoff ? demanda-t-il.

— C'est moi, répondit la vieille femme d'un ton si calme et le visage si tranquille, que les témoins de la rencontre qui venait de se produire ne l'auraient pas reconnue.

— Viens », dit l'officier.

Marfa Strogoff, d'un pas assuré, suivit l'officier tartare et quitta la maison de poste.

Quelques instants après, Marfa Strogoff se trouvait au bivouac de la grande place, en présence d'Ivan Ogareff, auquel tous les détails de cette scène avaient été rapportés immédiatement.

Ivan Ogareff, soupçonnant la vérité, avait voulu interroger lui-même la vieille Sibérienne.

« Ton nom ? demanda-t-il d'un ton rude.

— Marfa Strogoff.

— Tu as un fils ?

— Oui.

— Il est courrier du czar ?

— Oui.

— Où est-il ?

— A Moscou.

— Tu es sans nouvelles de lui ?

— Sans nouvelles.

— Depuis combien de temps ?

— Depuis deux mois.

— Quel est donc ce jeune homme que tu appelais ton fils, il y a quelques instants, au relais de poste ?

— Un jeune Sibérien que j'ai pris pour lui, répondit Marfa Strogoff. C'est le dixième en qui je crois retrouver mon fils depuis que la ville est pleine d'étrangers ! Je crois le voir partout !

— Ainsi ce jeune homme n'était pas Michel Strogoff ?

— Ce n'était pas Michel Strogoff.

— Sais-tu, vieille femme, que je puis te faire torturer jusqu'à ce que tu avoues la vérité ?

« Sais-tu que je puis te faire torturer ?...

— J'ai dit la vérité, et la torture ne me fera rien changer à mes paroles.

— Ce Sibérien n'était pas Michel Strogoff ? demanda une seconde fois Ivan Ogareff.

— Non ! Ce n'était pas lui, répondit une seconde fois Marfa Strogoff. Croyez-vous que pour rien au monde je renierais un fils comme celui que Dieu m'a donné ? »

Ivan Ogareff regarda d'un œil méchant la vieille femme qui le bravait en face. Il ne doutait pas qu'elle n'eût reconnu son fils dans ce jeune Sibérien. Or, si ce fils avait d'abord renié sa mère, et si sa mère le reniait à son tour, ce ne pouvait être que par un motif des plus graves.

Donc, pour Ivan Ogareff, il n'était plus douteux que le prétendu Nicolas Korpanoff ne fût Michel Strogoff, courrier du czar, se cachant sous un faux nom, et chargé de quelque mission qu'il eût été capital pour lui de connaître. Aussi donna-t-il immédiatement ordre de se mettre à sa poursuite. Puis :

« Que cette femme soit dirigée sur Tomsk », dit-il en se retournant vers Marfa Strogoff.

Et, pendant que les soldats l'entraînaient avec brutalité, il ajouta entre ses dents :

« Quand le moment sera venu, je saurai bien la faire parler, cette vieille sorcière ! »

XV

LES MARAIS DE LA BARABA

Il était heureux que Michel Strogoff eût si brusquement quitté le relais. Les ordres d'Ivan Ogareff avaient été aussitôt transmis à toutes les issues de la ville, et son signalement envoyé à tous les chefs de poste, afin qu'il ne pût sortir d'Omsk. Mais, à ce moment, il avait déjà franchi une des brèches de l'enceinte, son cheval courait la steppe, et, n'ayant pas été immédiatement poursuivi, il devait réussir à s'échapper.

C'était le 29 juillet, à huit heures du soir, que Michel Strogoff avait quitté Omsk. Cette ville se trouve à peu près à mi-route de Moscou à Irkoutsk, où il lui fallait arriver sous dix jours, s'il voulait devancer les colonnes tartares. Évidemment, le déplorable hasard qui l'avait mis en présence de sa mère avait trahi son incognito. Ivan Ogareff ne pouvait plus ignorer qu'un courrier du czar venait de passer à Omsk, se dirigeant sur Irkoutsk. Les dépêches que portait ce courrier devaient avoir une importance extrême. Michel Strogoff savait donc que l'on ferait tout pour s'emparer de lui.

Mais ce qu'il ne savait pas, ce qu'il ne pouvait savoir, c'est que Marfa Strogoff était aux mains d'Ivan Ogareff, et qu'elle allait payer, de sa vie peut-être, le mouvement qu'elle n'avait pu retenir en se trouvant soudain en présence de son fils ! Et il était heureux qu'il l'ignorât ! Eût-il pu résister à cette nouvelle épreuve ?

Michel Strogoff pressait donc son cheval, lui communiquant toute l'impatience fiévreuse qui le dévorait, ne lui demandant qu'une chose, c'était de le porter rapidement jusqu'à un nouveau relais, où il pût l'échanger contre un attelage plus rapide.

A minuit, il avait franchi soixante-dix verstes et s'arrêtait à la station de Koulikovo. Mais là, ainsi qu'il le craignait, il ne trouva ni chevaux, ni voitures. Quelques détachements tartares avaient dépassé la grande route de la steppe. Tout avait été volé ou réquisitionné, soit dans les villages, soit dans les maisons de poste. C'est à peine si Michel Strogoff put obtenir quelque nourriture pour son cheval et pour lui.

Il lui importait donc de le ménager, ce cheval, car il

ne savait plus quand et comment il pourrait le remplacer. Cependant, voulant mettre le plus grand espace possible entre lui et les cavaliers qu'Ivan Ogareff devait avoir lancés à sa poursuite, il résolut de pousser plus avant. Après une heure de repos, il reprit donc sa course à travers la steppe.

Jusqu'alors les circonstances atmosphériques avaient heureusement favorisé le voyage du courrier du czar. La température était supportable. La nuit, très courte à cette époque, mais éclairée de cette demi-clarté de la lune qui se tamise à travers les nuages, rendait la route praticable. Michel Strogoff allait, d'ailleurs, en homme sûr de son chemin, sans un doute, sans une hésitation. Malgré les pensées douloureuses qui l'obsédaient, il avait conservé une extrême lucidité d'esprit et marchait à son but, comme si ce but eût été visible à l'horizon. Lorsqu'il s'arrêtait un instant, à quelque tournant de la route, c'était pour laisser reprendre haleine à son cheval. Alors, il mettait pied à terre, pour le soulager un instant, puis il posait son oreille sur le sol et écoutait si quelque bruit de galop ne se propageait pas à la surface de la steppe. Quand il n'avait perçu aucun son suspect, il reprenait sa marche en avant.

Ah! si toute cette contrée sibérienne eût été envahie par la nuit polaire, cette nuit permanente de plusieurs mois! Il en était à le désirer, pour la franchir plus sûrement.

Le 30 juillet, à neuf heures du matin, Michel Strogoff dépassait la station de Touroumoff et se jetait dans la contrée marécageuse de la Baraba.

Là, sur un espace de trois cents verstes, les difficultés naturelles pouvaient être extrêmement grandes. Il le savait, mais il savait aussi qu'il les surmonterait quand même.

Ces vastes marais de la Baraba, compris du nord au sud entre le soixantième et le cinquante-deuxième parallèle, servent de réservoir à toutes les eaux pluviales qui ne trouvent d'écoulement ni vers l'Obi, ni vers l'Irtyche. Le sol de cette vaste dépression est entièrement argileux, par conséquent imperméable, de telle sorte que les eaux y séjournent et en font une région très difficile à traverser pendant la saison chaude.

Là, cependant, passe la route d'Irkoutsk, et c'est au milieu de mares, d'étangs, de lacs, de marais dont le soleil provoque les exhalaisons malsaines, qu'elle se développe, pour la plus grande fatigue et souvent pour le plus grand danger du voyageur.

En hiver, lorsque le froid a solidifié tout ce qui est liquide, lorsque la neige a nivelé le sol et condensé les miasmes, les traîneaux peuvent facilement et impunément glisser sur la croûte durcie de la Baraba. Les chasseurs fréquentent assidûment alors la giboyeuse contrée, à la poursuite des martres, des zibelines et de ces précieux renards dont la fourrure est si recherchée. Mais, pendant l'été, le marais redevient fangeux, pestilentiel, impraticable même, lorsque le niveau des eaux est trop élevé.

Michel Strogoff lança son cheval au milieu d'une prairie tourbeuse, que ne revêtait plus ce gazon demi-ras de la steppe, dont les immenses troupeaux sibériens se nourrissent exclusivement. Ce n'était plus la prairie sans limites, mais une sorte d'immense taillis de végétaux arborescents.

Le gazon s'élevait alors à cinq ou six pieds de hauteur. L'herbe avait fait place aux plantes marécageuses, auxquelles l'humidité, aidée de la chaleur estivale, donnait des proportions gigantesques. C'étaient principalement des joncs et des butomes, qui formaient un réseau inextricable, un impénétrable treillis, parsemé de mille fleurs, remarquables par la vivacité de leurs couleurs, entre lesquelles brillaient des lis et des iris, dont les parfums se mêlaient aux buées chaudes qui s'évaporaient du sol.

Michel Strogoff, galopant entre ces taillis de joncs, n'était plus visible des marais qui bordaient la route. Les grandes herbes montaient plus haut que lui, et son passage n'était marqué que par le vol d'innombrables oiseaux aquatiques, qui se levaient sur la lisière du chemin et s'éparpillaient par groupes criards dans les profondeurs du ciel.

Cependant, la route était nettement tracée. Ici, elle s'allongeait directement entre l'épais fourré des plantes marécageuses ; là, elle contournait les rives sinueuses de vastes étangs, dont quelques-uns, mesurant plusieurs verstes de longueur et de largeur, ont mérité le nom de lacs. En d'autres endroits, il n'avait pas été possible d'éviter les eaux stagnantes que le chemin traversait, non sur des ponts, mais sur des plates-formes branlantes, ballastées d'épaisses couches d'argile, et dont les madriers tremblaient comme une planche trop faible jetée au-dessus d'un abîme. Quelques-unes de ces plates-formes se prolongeaient sur un espace de deux à trois cents pieds, et plus d'une fois, les voyageurs, ou tout au moins les voyageuses des tarentass, y ont éprouvé un malaise analogue au mal de mer.

Michel Strogoff, lui, que le sol fût solide ou qu'il fléchît sous ses pieds, courait toujours sans s'arrêter, sautant les crevasses qui s'ouvraient entre les madriers pourris ; mais, si vite qu'ils allassent, le cheval et le cavalier ne purent échapper aux piqûres de ces insectes diptères, qui infestent ce pays marécageux.

Les voyageurs obligés de traverser la Baraba, pendant l'été, ont le soin de se munir de masques de crins, auxquels se rattache une cotte de mailles en fil de fer très ténu, qui leur couvre les épaules. Malgré ces précautions, il en est peu qui ne ressortent de ces marais sans avoir la figure, le cou, les mains criblés de points rouges. L'atmosphère semble y être hérissée de fines aiguilles, et on serait fondé à croire qu'une armure de chevalier ne suffirait pas à protéger contre le dard de ces diptères. C'est là une funeste région, que l'homme dispute chèrement aux tipules, aux cousins, aux maringouins, aux taons, et même à des

Le cheval, taonné par ces venimeux diptères.

milliards d'insectes microscopiques, qui ne sont pas visibles à l'œil nu ; mais, si on ne les voit pas, on les sent à leurs intolérables piqûres, auxquelles les chasseurs sibériens les plus endurcis n'ont jamais pu se faire.

Le cheval de Michel Strogoff, taonné par ces venimeux diptères, bondissait comme si les molettes de mille éperons lui fussent entrées dans le flanc. Pris d'une rage folle, il s'emportait, il s'emballait, il franchissait verste sur verste, avec la vitesse d'un express, se battant les flancs de sa queue, cherchant dans la rapidité de sa course un adoucissement à son supplice.

Il fallait être un aussi bon cavalier que Michel Strogoff pour ne pas être désarçonné par les réactions de son cheval, ses arrêts brusques, les sauts qu'il faisait pour échapper à l'aiguillon des diptères. Devenu insensible, pour ainsi dire, à la douleur physique, comme s'il eût été sous l'influence d'une anesthésie permanente, ne vivant plus que par le désir d'arriver à son but, coûte que coûte, il ne voyait qu'une chose dans cette course insensée, c'est que la route fuyait rapidement derrière lui.

Qui croirait que cette contrée de la Baraba, si malsaine pendant les chaleurs, pût donner asile à une population quelconque ?

Cela était, cependant. Quelques hameaux sibériens apparaissaient de loin en loin entre les joncs gigantesques. Hommes, femmes, enfants, vieillards, revêtus de peaux de bêtes, la figure recouverte de vessies enduites de poix, faisaient paître de maigres troupeaux de moutons ; mais, pour préserver ces animaux de l'atteinte des insectes, ils les tenaient sous le vent de foyers de bois vert, qu'ils alimentaient nuit et jour, et dont l'âcre fumée se propageait lentement au-dessus de l'immense marécage.

Lorsque Michel Strogoff sentait que son cheval, rompu de fatigue, était sur le point de s'abattre, il s'arrêtait à l'un de ces misérables hameaux, et là, oublieux de ses propres fatigues, il frottait lui-même les piqûres du pauvre animal avec de la graisse chaude, selon la coutume sibérienne ; puis, il lui donnait une bonne ration de fourrage, et ce n'était qu'après l'avoir bien pansé, bien pourvu, qu'il songeait à lui-même, qu'il réparait ses forces, en mangeant quelque morceau de pain et de viande, en buvant quelque verre de kwass. Une heure après, deux heures au plus, il reprenait à toute vitesse l'interminable route d'Irkoutsk.

Quatre-vingt-dix verstes furent ainsi franchies depuis Touroumoff, et le 30 juillet, à quatre heures du soir, Michel Strogoff, insensible à toute fatigue, arrivait à Elamsk.

Là, il fallut donner une nuit de repos à son cheval. Le courageux animal n'eût pu continuer plus longtemps ce voyage.

A Elamsk, pas plus qu'ailleurs, il n'existait aucun moyen de transport. Pour les mêmes raisons qu'aux bourgades précédentes, voitures ou chevaux, tout manquait.

Elamsk, petite ville que les Tartares n'avaient pas encore visitée, était presque entièrement dépeuplée, car elle pouvait être facilement envahie par le sud, et difficilement secourue par le nord. Aussi, relais de poste, bureaux de police, hôtel du gouvernement, étaient-ils abandonnés par ordre supérieur, et, d'une part les fonctionnaires, de l'autre les habitants en mesure d'émigrer, s'étaient-ils retirés à Kamsk, au centre de la Baraba.

Michel Strogoff dut donc se résigner à passer la nuit à Elamsk, pour permettre à son cheval de se reposer pendant douze heures. Il se rappelait les recommandations qui lui avaient été faites à Moscou : traverser la Sibérie incognito, arriver quand même à Irkoutsk, mais, dans une certaine mesure, ne pas sacrifier la réussite à la rapidité du voyage, et, par conséquent, il devait ménager l'unique moyen de transport qui lui restât.

Le lendemain, Michel Strogoff quittait Elamsk au moment où l'on signalait les premiers éclaireurs tartares, à dix verstes en arrière, sur la route de la Baraba, et il s'élançait de nouveau à travers la marécageuse contrée. La route était plane, ce qui la rendait plus facile, mais très sinueuse, ce qui l'allongeait. Impossible, d'ailleurs, de la quitter pour courir en droite ligne à travers cet infranchissable réseau des étangs et des mares.

Le surlendemain, 1er août, cent vingt verstes plus loin, à midi, Michel Strogoff arrivait au bourg de Spaskoë, et, à deux heures, il faisait halte à celui de Pokrowskoë.

Son cheval, surmené depuis son départ d'Elamsk, n'aurait pas pu faire un pas de plus.

Là, Michel Strogoff dut perdre encore, pour un repos forcé, la fin de cette journée et la nuit tout entière ; mais, reparti le lendemain matin, toujours courant à travers le sol à demi inondé, le 2 août, à quatre heures du soir, après une étape de soixante-quinze verstes, il atteignit Kamsk.

Le pays avait changé. Cette petite bourgade de Kamsk est comme une île, habitable et saine, située au milieu de l'inhabitable contrée. Elle occupe le centre même de la Baraba. Là, grâce aux assainissements obtenus par la canalisation du Tom, affluent de l'Irtyche qui passe à Kamsk, les marécages pestilentiels se sont transformés en pâturages de la plus grande richesse. Cependant, ces améliorations n'ont pas encore tout à fait triomphé des fièvres qui, pendant l'automne, rendent dangereux le séjour de cette ville. Mais c'est encore là que les indigènes de la Baraba cherchent un refuge, lorsque les miasmes paludéens les chassent des autres parties de la province.

L'émigration provoquée par l'invasion tartare n'avait pas encore dépeuplé la petite ville de Kamsk. Ses habitants se croyaient probablement en sûreté au centre de la Baraba, ou, du moins, ils pensaient avoir le temps de fuir, s'ils étaient directement menacés.

Michel Strogoff, quelque désir qu'il en eût, ne put donc apprendre aucune nouvelle en cet endroit. C'est à lui, plutôt, que le gouverneur se fût adressé, s'il eût connu la véritable qualité du prétendu marchand d'Irkoutsk. Kamsk, en effet, par sa situation même, semblait être en dehors du monde sibérien et des graves événements qui le troublaient.

D'ailleurs, Michel Strogoff ne se montra que peu ou pas. Être inaperçu ne lui suffisait plus, il eût voulu être invisible. L'expérience du passé le rendait de plus en plus circonspect pour le présent et l'avenir. Aussi se tint-il à l'écart et, peu soucieux de courir les rues de la bourgade, ne voulut-il même pas quitter l'auberge dans laquelle il était descendu.

Michel Strogoff aurait pu trouver une voiture à Kamsk et remplacer par un véhicule plus commode le cheval qui le portait depuis Omsk. Mais, après mûre réflexion, il craignit que l'achat d'un tarentass n'attirât l'attention sur lui, et, tant qu'il n'aurait pas dépassé la ligne maintenant occupée par les Tartares, ligne qui coupait la Sibérie à peu près suivant la vallée de l'Irtyche, il ne voulait pas risquer de donner prise aux soupçons.

D'ailleurs, pour achever la difficile traversée de la Baraba, pour fuir à travers le marécage, au cas où quelque danger l'eût menacé trop directement, pour distancer des cavaliers lancés à sa poursuite, pour se jeter, s'il le fallait, même au plus épais du fourré des joncs, un cheval valait évidemment mieux qu'une voiture. Plus tard, au-delà de Tomsk, ou même de Krasnoiarsk, dans quelque centre important de la Sibérie orientale, Michel Strogoff verrait ce qu'il conviendrait de faire.

Quant à son cheval, il n'eut même pas la pensée de l'échanger contre un autre. Il était fait à ce vaillant animal. Il savait ce qu'il en pouvait tirer. En l'achetant à Omsk, il avait eu la main heureuse, et, en l'amenant chez ce maître de poste, c'était un grand service que lui avait rendu le généreux moujik. D'ailleurs, si Michel Strogoff s'était déjà attaché à son cheval, celui-ci semblait se faire peu à peu aux fatigues d'un tel voyage, et, à la condition de lui réserver quelques heures de repos, son cavalier pouvait espérer qu'il irait jusqu'au-delà des provinces envahies.

Donc, pendant la soirée et pendant la nuit du 2 au 3 août, Michel Strogoff resta confiné dans son auberge, à l'entrée de la ville, auberge peu fréquentée et à l'abri des importuns ou des curieux.

Brisé par la fatigue, il se coucha, après avoir veillé à ce que son cheval ne manquât de rien ; mais il ne put dormir que d'un sommeil intermittent. Trop de souvenirs, trop d'inquiétudes l'assaillaient à la fois. L'image de sa vieille mère, celle de sa jeune et intrépide compagne, laissées derrière lui, sans protection, passaient alternativement devant son esprit et s'y confondaient souvent dans une même pensée.

Puis, il revenait à la mission qu'il avait juré de remplir. Ce qu'il voyait depuis son départ de Moscou lui en montrait de plus en plus l'importance. Le mouvement était extrêmement grave, et la complicité d'Ogareff le rendait plus redoutable encore. Et, quand ses regards tombaient sur la lettre revêtue du cachet impérial, — cette lettre, qui sans doute contenait le remède à tant de maux, le salut de tout ce pays déchiré par la guerre, — Michel Strogoff sentait en lui comme un désir farouche de s'élancer à travers la steppe, de franchir à vol d'oiseau la distance qui le séparait d'Irkoutsk, d'être aigle pour s'élever au-dessus des obstacles, d'être ouragan pour passer à travers les airs avec une rapidité de cent verstes à l'heure, d'arriver enfin en face du grand-duc et de lui crier : « Altesse, de la part de Sa Majesté le czar! »

Le lendemain matin, à six heures, Michel Strogoff repartit avec l'intention de faire dans cette journée les quatre-vingts verstes (85 kilomètres) qui séparent Kamsk du hameau d'Oubinsk. Au-delà d'un rayon de vingt verstes, il retrouva la marécageuse Baraba, qu'aucune dérivation n'asséchait plus, et dont le sol était souvent noyé sous un pied d'eau. La route était alors difficile à reconnaître, mais, grâce à son extrême prudence, cette traversée ne fut marquée par aucun accident.

Michel Strogoff, arrivé à Oubinsk, laissa son cheval reposer pendant toute la nuit, car il voulait, dans la journée suivante, enlever sans débrider les cent verstes qui se développent entre Oubinsk et Ikoulskoë. Il partit donc dès l'aube, mais, malheureusement, dans cette partie, le sol de la Baraba fut de plus en plus détestable.

En effet, entre Oubinsk et Kamakova, les pluies, très abondantes quelques semaines auparavant, s'étaient conservées dans cette étroite dépression comme dans une imperméable cuvette. Il n'y avait même plus solution de continuité à cet interminable réseau des mares, des étangs et des lacs. L'un de ces lacs, — assez considérable pour avoir mérité d'être admis à la nomenclature géographique, — ce Tchang, chinois par son nom, dut être côtoyé sur une largeur de plus de vingt verstes et au prix de difficultés extrêmes. De là quelques retards que toute l'impatience de Michel Strogoff ne pouvait empêcher. Il avait d'ailleurs été bien avisé en ne prenant pas une voiture à Kamsk, car son cheval passa là où aucun véhicule n'aurait pu passer.

Le soir, à neuf heures, Michel Strogoff, arrivé à Ikoulskoë, s'y arrêta pendant toute la nuit. Dans ce bourg perdu de la Baraba, les nouvelles de la guerre faisaient absolument défaut. Par sa nature même, cette portion de la province, placée dans la fourche que formaient les deux colonnes tartares en se bifurquant l'une sur Omsk, l'autre sur Tomsk, avait échappé jusqu'ici aux horreurs de l'invasion.

Mais les difficultés naturelles allaient enfin s'amoindrir, car, s'il n'éprouvait aucun retard, Michel Strogoff devait, dès le lendemain, avoir quitté la Baraba. Il retrouverait alors une route praticable, lorsqu'il aurait franchi les cent vingt-cinq verstes (133 kilomètres) qui le séparaient encore de Kolyvan.

Arrivé à ce bourg important, il ne serait plus qu'à une égale distance de Tomsk. Il prendrait alors conseil des circonstances, et, très probablement, il se déciderait à tourner cette ville, que Féofar-Khan occupait, si les nouvelles étaient exactes.

Mais si ces bourgs, tels qu'Ikoulskoë, tels que Karguinsk, qu'il dépassa le lendemain, étaient relativement tranquilles, grâce à leur situation dans la Baraba, où les colonnes tartares eussent difficilement manœuvré, n'était-il pas à craindre que, sur les rives plus riches de l'Obi, Michel Strogoff, n'ayant plus à redouter d'obstacles physiques, n'eût tout à appréhender de l'homme ? cela était vraisemblable. Toutefois, s'il le fallait, il n'hésiterait pas à se jeter hors de la route d'Irkoutsk. A voyager alors à travers la steppe, il risquerait évidemment de se trouver sans ressource. Là, en effet, plus de chemin tracé, plus de villes ni de villages. A peine quelques fermes isolées, ou simples huttes de pauvres gens, hospitaliers sans doute, mais chez lesquels se trouverait à peine le nécessaire ! Cependant, il n'y aurait pas à hésiter.

Enfin, vers trois heures et demie du soir, après avoir dépassé la station de Kargatsk, Michel Strogoff quittait les dernières dépressions de la Baraba, et le sol dur et sec du territoire sibérien sonnait de nouveau sous le pied de son cheval.

Il avait quitté Moscou le 15 juillet. Donc, ce jour-là, 5 août, en y comprenant plus de soixante-dix heures perdues sur les bords de l'Irtyche, vingt et un jours s'étaient écoulés depuis son départ.

Quinze cents verstes le séparaient encore d'Irkoutsk.

XVI

UN DERNIER EFFORT

Michel Strogoff avait raison de redouter quelque mauvaise rencontre dans ces plaines qui se prolongent au-delà de la Baraba. Les champs, foulés du pied des chevaux, montraient que les Tartares y avaient passé, et de ces barbares on pouvait dire ce que l'on a dit des Turcs : « Là où le Turc passe, l'herbe ne repousse jamais ! »

Michel Strogoff devait donc prendre les plus minutieuses précautions en traversant cette contrée. Quelques volutes de fumée qui se tordaient au-dessus de l'horizon indiquaient que bourgs et hameaux brûlaient encore. Ces incendies avaient-ils été allumés par l'avant-garde, ou l'armée de l'émir s'était-elle déjà avancée jusqu'aux dernières limites de la province ? Féofar-Khan se trouvait-il de sa personne dans le gouvernement de l'Yeniseisk ? Michel Strogoff ne le savait et ne pouvait rien décider sans être fixé à cet égard. Le pays était-il donc si abandonné qu'il ne s'y trouvât plus un seul Sibérien pour le renseigner ?

Michel Strogoff fit deux verstes sur la route absolument déserte. Il cherchait du regard, à droite et à gauche, quelque maison qui n'eût pas été délaissée. Toutes celles qu'il visita étaient vides.

Une hutte, cependant, qu'il aperçut entre les arbres, fumait encore. Lorsqu'il en approcha, il vit, à quelques pas des restes de sa maison, un vieillard, entouré d'enfants qui pleuraient. Une femme, jeune encore, sa fille sans doute, la mère de ces petits, agenouillée sur le sol, regardait d'un œil hagard cette scène de désolation. Elle allaitait un enfant de quelques mois, auquel son lait devait manquer bientôt. Tout, autour de cette famille, n'était que ruines et dénuement !

Michel Strogoff alla au vieillard.

« Peux-tu me répondre ? » lui dit-il d'une voix grave.

« Peux-tu me répondre ? lui dit-il d'une voix grave.

— Parle, répondit le vieillard.

— Les Tartares ont passé par ici ?

— Oui, puisque ma maison est en flammes !

— Était-ce une armée ou un détachement ?

— Une armée puisque, si loin que ta vue s'étende, nos champs sont dévastés !

— Commandée par l'émir ?...

— Par l'émir, puisque les eaux de l'Obi sont devenues rouges !

— Et Féofar-Khan est entré à Tomsk ?

— A Tomsk.

— Sais-tu si les Tartares se sont emparés de Kolyvan ?

— Non, puisque Kolyvan ne brûle pas encore !

— Merci, ami. — Puis-je faire quelque chose pour toi et les tiens ?

— Rien.

— Au revoir.

— Adieu. »

Et Michel Strogoff, après avoir mis vingt-cinq roubles sur les genoux de la malheureuse femme, qui n'eut même pas la force de le remercier, pressa son cheval et reprit sa marche, interrompue un instant.

Il savait maintenant une chose, c'est qu'à tout prix il devait éviter de passer à Tomsk. Aller à Kolyvan, où les Tartares n'étaient pas encore, c'était possible. S'y ravitailler pour une longue étape, c'était ce qu'il fallait faire. Se jeter ensuite hors de la route d'Irkoutsk pour tourner Tomsk, après avoir franchi l'Obi, il n'y avait pas d'autre parti à prendre.

Ce nouvel itinéraire décidé, Michel Strogoff ne devait pas hésiter un instant. Il n'hésita pas, et, imprimant à son cheval une allure rapide et régulière, il suivit la route directe qui aboutissait à la rive gauche de l'Obi, dont quarante verstes le séparaient encore. Trouverait-il un bac pour le traverser, ou, les Tartares ayant détruit les bateaux du fleuve, serait-il forcé de le passer à la nage ? Il aviserait.

Quant à son cheval, bien épuisé alors, Michel Strogoff, après lui avoir demandé ce qui lui restait de force pour cette dernière étape, devrait chercher à l'échanger contre un autre à Kolyvan. Il sentait bien qu'avant peu le pauvre animal manquerait sous lui. Kolyvan devait donc être comme un nouveau point de départ, car, à partir de cette ville, son voyage s'effectuerait dans des conditions nouvelles. Tant qu'il parcourrait le pays ravagé, les difficultés seraient grandes encore, mais si, après avoir évité Tomsk, il pouvait reprendre la route d'Irkoutsk à travers la province d'Yeniseisk, que les envahisseurs ne désolaient pas encore, il devait avoir atteint son but en quelques jours.

La nuit était venue, après une assez chaude journée. Une assez profonde obscurité, à minuit, enveloppa la steppe. Le vent, complètement tombé au coucher du soleil, laissait à l'atmosphère un calme complet. Seul, le bruit des pas du cheval se faisait entendre sur la route déserte, et aussi quelques paroles avec lesquelles son maître l'encourageait. Au milieu de ces ténèbres, il fallait une extrême attention pour ne pas se jeter hors du chemin, bordé d'étangs et de petits cours d'eau, tributaires de l'Obi.

Michel Strogoff s'avançait donc aussi rapidement que possible, mais avec une certaine circonspection. Il s'en rapportait non moins à l'excellence de ses yeux, qui perçaient l'ombre, qu'à la prudence de son cheval, dont il connaissait la sagacité.

A ce moment, Michel Strogoff, ayant mis pied à terre, cherchait à reconnaître exactement la direction de la route, lorsqu'il lui sembla entendre un murmure confus qui venait de l'ouest. C'était comme le bruit d'une chevauchée lointaine sur la terre sèche. Pas de doute. Il se produisait, à une ou deux verstes en arrière, un certain cadencement de pas qui frappaient régulièrement le sol.

Michel Strogoff écouta avec plus d'attention, après avoir posé son oreille à l'axe même du chemin.

Michel Strogoff s'avançait avec circonscription.

« C'est un détachement de cavaliers qui vient par la route d'Omsk, se dit-il. Il marche rapidement, car le bruit augmente. Sont-ce des Russes ou des Tartares ? »

Michel Strogoff écouta encore.

« Oui, dit-il, ces cavaliers viennent au grand trot ! Avant dix minutes, ils seront ici ! Mon cheval ne saurait les devancer. Si ce sont des Russes, je me joindrai à eux. Si ce sont des Tartares, il faut les éviter ! Mais comment ? Où me cacher dans cette steppe ? »

Michel Strogoff regarda autour de lui, et son œil si pénétrant découvrit une masse confusément estompée dans l'ombre, à une centaine de pas en avant, sur la gauche de la route.

« Il y a là quelque taillis, se dit-il. Y chercher refuge, c'est m'exposer peut-être à être pris, si ces cavaliers le fouillent, mais je n'ai pas le choix ! Les voilà ! les voilà ! »

Quelques instants après, Michel Strogoff, traînant son cheval par la bride, arrivait à un petit bois de mélèzes, auquel la route donnait accès. Au-delà et en deçà, complètement dégarnie d'arbres, elle se développait entre des fondrières et des étangs, que séparaient des buissons nains, faits d'ajoncs et de bruyères. Des deux côtés, le terrain était donc absolument impraticable, et le détachement devait forcément passer devant ce petit bois, puisqu'il suivait le grand chemin d'Irkoutsk.

Michel Strogoff se jeta sous le couvert des mélèzes, et, s'y étant enfoncé d'une quarantaine de pas, il fut arrêté par un cours d'eau qui fermait ce taillis par une enceinte semi-circulaire.

Mais l'ombre était si épaisse, que Michel Strogoff ne courait aucun risque d'être vu, à moins que ce petit bois ne fût minutieusement fouillé. Il conduisit donc son cheval jusqu'au cours d'eau, et il l'attacha à un arbre, puis, il revint s'étendre à la lisière du bois, afin de reconnaître à quel parti il avait affaire.

« Des torches ! » se dit-il.

A peine Michel Strogoff avait-il pris place derrière un bouquet de mélèzes, qu'une lueur assez confuse apparut, sur laquelle tranchaient çà et là quelques points brillants qui s'agitaient dans l'ombre.

« Des torches ! » se dit-il.

Et il recula vivement, en se glissant comme un sauvage dans la portion la plus épaisse du taillis.

En approchant du bois, le pas des chevaux commença à se ralentir. Ces cavaliers éclairaient-ils donc la route avec l'intention d'en observer les moindres détours ?

Michel Strogoff dut le craindre, et, instinctivement, il recula jusqu'à la berge du cours d'eau, prêt à s'y plonger, s'il le fallait.

Le détachement, arrivé à la hauteur du taillis, s'arrêta. Les cavaliers mirent pied à terre. Ils étaient cinquante environ. Une dizaine d'entre eux portaient des torches, qui éclairaient la route dans un large rayon.

A certains préparatifs, Michel Strogoff reconnut que, par un bonheur inattendu, le détachement ne songeait aucunement à visiter le taillis, mais à bivouaquer en cet endroit, pour faire reposer les chevaux et permettre aux hommes de prendre quelque nourriture.

En effet, les chevaux, débridés, commencèrent à paître l'herbe épaisse qui tapissait le sol. Quant aux cavaliers, ils s'étendirent au long de la route et se partagèrent les provisions de leurs havresacs.

Michel Strogoff avait conservé tout son sang-froid, et, se glissant entre les hautes herbes, il chercha à voir, puis à entendre.

C'était un détachement qui venait d'Omsk. Il se composait de cavaliers usbecks, race dominante en Tartarie, que leur type rapproche sensiblement des Mongols. Ces hommes, bien constitués, d'une taille au-dessus de la moyenne, aux traits rudes et sauvages, étaient coiffés du « talpak », sorte de bonnet de peau de mouton noir, et chaussés de bottes jaunes

à hauts talons, dont le bout se relevait en pointe,
comme aux souliers du Moyen Age. Leur pelisse,
faite d'indienne ouatée avec du coton écru, les serrait
à la taille par une ceinture de cuir soutachée de rouge.
Ils étaient armés, défensivement d'un bouclier, et
offensivement d'un sabre courbe, d'un long coutelas
et d'un fusil à pierre suspendu à l'arçon de la selle.
Sur leurs épaules se drapait un manteau de feutre de
couleur éclatante.

Les chevaux, qui paissaient en toute liberté sur la
lisière du taillis, étaient de race usbèque, comme ceux
qui les montaient. Cela se voyait parfaitement à la
lueur des torches qui projetaient un vif éclat sous la
ramure des mélèzes. Ces animaux, un peu plus petits
que le cheval turcoman, mais doués d'une force
remarquable, sont des bêtes de fond qui ne
connaissent pas d'autre allure que celle du galop.

Ce détachement était conduit par un « pendja-
baschi », c'est-à-dire un commandant de cinquante
hommes, ayant en sous-ordre un « deh-baschi »,
simple commandant de dix hommes. Ces deux officiers portaient un casque et une demi-cotte de
mailles ; de petites trompettes, attachées à l'arçon de
leur selle, formaient le signe distinctif de leur grade.

Le pendja-baschi avait dû faire reposer ses
hommes, fatigués d'une longue étape. Tout en cau-
sant, le second officier et lui, fumant le « beng »
feuille de chanvre qui forme la base du « haschich »
dont les Asiatiques font un si grand usage, allaient et
venaient dans le bois, de sorte que Michel Strogoff,
sans être vu, put saisir et comprendre leur conversation, car ils s'exprimaient en langue tartare.

Dès les premiers mots de cette conversation,
l'attention de Michel Strogoff fut singulièrement
surexcitée.

En effet, c'était de lui qu'il s'agissait.

« Ce courrier ne saurait avoir une telle avance sur
nous, dit le pendja-baschi, et, d'autre part, il est
absolument impossible qu'il ait suivi d'autre route
que celle de la Baraba.

— Qui sait s'il a quitté Omsk? répondit le deh-baschi. Peut-être est-il encore caché dans quelque maison de la ville?

— Ce serait à souhaiter, vraiment! Le colonel Ogareff n'aurait plus à craindre que les dépêches dont ce courrier est évidemment porteur n'arrivassent à destination!

— On dit que c'est un homme du pays, un Sibérien, reprit le deh-baschi. Comme tel, il doit connaître la contrée, et il est possible qu'il ait quitté la route d'Irkoutsk, sauf à la rejoindre plus tard!

— Mais alors nous serions en avance sur lui, répondit le pendja-baschi, car nous avons quitté Omsk moins d'une heure après son départ, et nous avons suivi le chemin le plus court de toute la vitesse de nos chevaux. Donc, ou il est resté à Omsk, ou nous arriverons avant lui à Tomsk, de manière à lui couper la retraite, et, dans les deux cas, il n'atteindra pas Irkoutsk.

— Une rude femme, cette vieille Sibérienne, qui est évidemment sa mère! » dit le deh-baschi.

A cette phrase, le cœur de Michel Strogoff battit à se briser.

« Oui, répondit le pendja-baschi, elle a bien soutenu que ce prétendu marchand n'était pas son fils, mais il était trop tard. Le colonel Ogareff ne s'y est pas laissé prendre, et, comme il l'a dit, il saura bien faire parler la vieille sorcière, quand le moment en sera venu. »

Autant de mots, autant de coups de poignard pour Michel Strogoff! Il était reconnu pour être un courrier du czar! Un détachement de cavaliers, lancé à sa poursuite, ne pouvait manquer de lui couper la route! Et, suprême douleur! sa mère était entre les mains des Tartares, et le cruel Ogareff se faisait fort de la faire parler lorsqu'il le voudrait!

Michel Strogoff savait bien que l'énergique Sibérienne ne parlerait pas, et qu'il lui en coûterait la vie!...

Michel Strogoff ne croyait pas pouvoir haïr Ivan Ogareff plus qu'il ne l'avait haï jusqu'à ce moment, et, cependant, un flot de haine nouvelle monta jusqu'à son cœur. L'infâme qui trahissait son pays menaçait maintenant de torturer sa mère !

La conversation continua entre les deux officiers, et Michel Strogoff crut comprendre qu'aux environs de Kolyvan un engagement était imminent entre les troupes moscovites venant du nord et les troupes tartares. Un petit corps russe de deux mille hommes, signalé sur le cours inférieur de l'Obi, venait à marche forcée vers Tomsk. Si cela était, ce corps, qui allait se trouver aux prises avec le gros des troupes de Féofar-Khan, serait inévitablement anéanti, et la route d'Irkoutsk appartiendrait tout entière aux envahisseurs.

Quant à lui-même, Michel Strogoff apprit, par quelques mots du pendja-baschi, que sa tête était mise à prix, et qu'ordre était donné de le prendre mort ou vif.

Donc, il y avait nécessité immédiate de devancer les cavaliers usbecks sur la route d'Irkoutsk et de mettre l'Obi entre eux et lui. Mais, pour cela, il fallait fuir avant que le bivouac fût levé.

Cette résolution prise, Michel Strogoff se prépara à l'exécuter.

En effet, la halte ne pouvait se prolonger, et le pendja-baschi ne comptait pas donner à ses hommes plus d'une heure de repos, bien que leurs chevaux n'eussent pu être échangés contre des chevaux frais depuis Omsk, et qu'ils dussent être fatigués dans la même mesure et pour les mêmes raisons que celui de Michel Strogoff.

Il n'y avait donc pas un instant à perdre. Il était une heure du matin. Il fallait profiter de l'obscurité que l'aube allait chasser bientôt, pour quitter le petit bois et se jeter sur la route ; mais, bien que la nuit dût la favoriser, le succès d'une telle fuite paraissait presque impossible.

Michel Strogoff, ne voulant rien donner au hasard, prit le temps de réfléchir et pesa attentivement les chances pour et contre, afin de mettre les meilleures dans son jeu.

De la disposition des lieux, il résultait ceci : c'est qu'il ne pourrait s'échapper par l'arrière-plan du taillis, fermé par un arc de mélèzes dont la grande route traçait la corde. Le cours d'eau qui bordait cet arc était non seulement profond, mais assez large et très boueux. De grands ajoncs en rendaient le passage absolument impraticable. Sous cette eau trouble, on sentait une fondrière vaseuse, sur laquelle le pied ne pouvait prendre un point d'appui. En outre, au-delà du cours d'eau, le sol, coupé de buissons, ne se fût prêté que très difficilement aux manœuvres d'une fuite rapide. L'alerte une fois donnée, Michel Strogoff, poursuivi à outrance et bientôt cerné, devait immanquablement tomber aux mains des cavaliers tartares.

Il n'y avait donc qu'une seule voie praticable, une seule, la grande route. Chercher à l'atteindre en contournant la lisière du bois, et, sans éveiller l'attention, franchir un quart de verste avant d'avoir été aperçu, demander à son cheval ce qui lui restait d'énergie et de vigueur, dût-il tomber mort en arrivant aux rives de l'Obi, puis, soit par un bac, soit à la nage, si tout autre moyen de transport manquait, traverser cet important fleuve, voilà ce que devait tenter Michel Strogoff.

Son énergie, son courage s'étaient décuplés en face du danger. Il y allait de sa vie, de sa mission, de l'honneur de son pays, peut-être du salut de sa mère. Il ne pouvait hésiter et se mit à l'œuvre.

Il n'y avait plus un seul instant à perdre. Déjà un certain mouvement se produisait parmi les hommes du détachement. Quelques cavaliers allaient et venaient sur le talus de la route, devant la lisière du bois. Les autres étaient encore couchés au pied des arbres, mais leurs chevaux se rassemblaient peu à peu vers la partie centrale du taillis.

Michel Strogoff eut d'abord la pensée de s'emparer de l'un de ces chevaux, mais il se dit avec raison qu'ils devaient être aussi fatigués que le sien. Mieux valait donc se confier à celui dont il était sûr, et qui lui avait rendu tant de bons services. Cette courageuse bête, cachée par un haut buisson de bruyères, avait échappé aux regards des Usbecks. Ceux-ci, d'ailleurs, ne s'étaient pas enfoncés jusqu'à l'extrême limite du bois.

Michel Strogoff, en rampant sous l'herbe, s'approcha de son cheval, qui était couché sur le sol. Il le flatta de la main, il lui parla doucement, il parvint à le faire lever sans bruit.

En ce moment, circonstance favorable, les torches, entièrement consumées, étaient éteintes, et l'obscurité restait encore assez profonde, au moins sous le couvert des mélèzes.

Michel Strogoff, après avoir remis le mors, assuré la sangle de la selle, éprouvé la courroie des étriers, commença à tirer doucement son cheval par la bride. Du reste, l'intelligent animal, comme s'il eût compris ce que l'on voulait de lui, suivit docilement son maître, sans faire entendre le plus léger hennissement.

Toutefois, quelques chevaux usbecks dressèrent la tête et se dirigèrent peu à peu vers la lisière du taillis.

Michel Strogoff tenait de la main droite son revolver, prêt à casser la tête au premier cavalier tartare qui s'approcherait. Mais, très heureusement, l'éveil ne fut pas donné, et il put atteindre l'angle que le bois faisait à droite en rejoignant la route.

L'intention de Michel Strogoff, pour éviter d'être vu, était de ne se mettre en selle que le plus tard possible, et seulement après avoir dépassé un tournant qui se trouvait à deux cents pas du taillis.

Malheureusement, au moment où Michel Strogoff allait franchir la lisière du taillis, le cheval d'un Usbeck, le flairant, hennit et s'élança sur la route.

Son maître courut à lui pour le ramener, mais,

apercevant une silhouette qui se détachait confusément aux premières lueurs de l'aube :

« Alerte ! » cria-t-il.

A ce cri, tous les hommes du bivouac se relevèrent
et se précipitèrent sur la route.

Michel Strogoff n'avait plus qu'à enfourcher son
cheval et à l'enlever au galop.

Les deux officiers du détachement s'étaient portés
en avant et excitaient leurs hommes.

Mais déjà Michel Strogoff s'était mis en selle.

En ce moment, une détonation éclata, et il sentit
une balle qui traversait sa pelisse.

Sans tourner la tête, sans répondre, il piqua des
deux, et, franchissant la lisière du taillis par un bond
formidable, il s'élança bride abattue dans la direction
de l'Obi.

Les chevaux usbecks étant déharnachés, il allait
donc pouvoir prendre une certaine avance sur les
cavaliers du détachement ; mais ceux-ci ne pouvaient
tarder à se jeter sur ses traces, et, en effet, moins de
deux minutes après qu'il eut quitté le bois, il entendit
le bruit de plusieurs chevaux qui, peu à peu,
gagnaient sur lui.

Le jour commençait à se faire alors, et les objets
devenaient visibles dans un plus large rayon.

Michel Strogoff, tournant la tête, aperçut un cavalier qui l'approchait rapidement.

C'était le deh-baschi. Cet officier, supérieurement
monté, tenait la tête du détachement et menaçait
d'atteindre le fugitif.

Sans s'arrêter, Michel Strogoff tendit vers lui son
revolver, et, d'une main qui ne tremblait pas, il le visa
un instant. L'officier usbeck, atteint en pleine poitrine, roula sur le sol.

Mais les autres cavaliers le suivaient de près, et,
sans s'attarder près du deh-baschi, s'excitant par leurs
propres vociférations, enfonçant l'éperon dans le
flanc de leurs chevaux, ils diminuèrent peu à peu la
distance qui les séparait de Michel Strogoff.

D'une main qui ne tremblait pas, il le visa.

Pendant une demi-heure, cependant, celui-ci put se maintenir hors de portée des armes tartares, mais il sentait bien que son cheval faiblissait, et, à chaque instant, il craignait que, butant contre quelque obstacle, il ne tombât pour ne plus se relever.

Le jour était assez clair alors, bien que le soleil ne se fût pas encore montré au-dessus de l'horizon.

A deux verstes au plus se développait une ligne pâle, que bordaient quelques arbres assez espacés.

C'était l'Obi, qui coulait du sud-ouest au nord-est, presque au ras du sol, et dont la vallée n'était que la steppe elle-même.

Plusieurs fois, des coups de fusil furent tirés sur Michel Strogoff, mais sans l'atteindre, et, plusieurs fois aussi, il dut décharger son revolver sur ceux des cavaliers qui le serraient de trop près. Chaque fois, un Usbeck roula à terre, au milieu des cris de rage de ses compagnons.

Mais cette poursuite ne pouvait se terminer qu'au désavantage de Michel Strogoff. Son cheval n'en pouvait plus, et, cependant, il parvint à l'enlever jusqu'à la berge du fleuve.

Le détachement usbeck, à ce moment, n'était plus qu'à cinquante pas en arrière de lui.

Sur l'Obi, absolument désert, pas de bac, pas un bateau qui pût servir à passer le fleuve.

« Courage, mon brave cheval ! s'écria Michel Strogoff. Allons ! Un dernier effort ! »

Et il se précipita dans le fleuve, qui mesurait en cet endroit une demi-verste de largeur.

Le courant, très vif, était extrêmement difficile à remonter. Le cheval de Michel Strogoff n'avait pied nulle part. Donc, sans point d'appui, c'était à la nage qu'il devait couper ces eaux rapides comme celles d'un torrent. Les braver, c'était, pour Michel Strogoff, faire un miracle de courage.

Les cavaliers s'étaient arrêtés sur la berge du fleuve, et ils hésitaient à s'y précipiter.

Mais, à ce moment, le pendja-baschi, saisissant son

Le cheval de Michel Strogoff, frappé au flanc...

fusil, visa avec soin le fugitif, qui se trouvait déjà au milieu du courant. Le coup partit, et le cheval de Michel Strogoff, frappé au flanc, s'engloutit sous son maître.

Celui-ci se débarrassa vivement de ses étriers, au moment où l'animal disparaissait sous les eaux du fleuve. Puis, plongeant à propos au milieu d'une grêle de balles, il parvint à atteindre la rive droite du fleuve et disparut dans les roseaux qui hérissaient la berge de l'Obi.

XVII

VERSETS ET CHANSONS

Michel Strogoff était relativement en sûreté. Toutefois, sa situation restait encore terrible.

Maintenant que le fidèle animal, qui l'avait si courageusement servi, venait de trouver la mort dans les eaux du fleuve, comment, lui, pourrait-il continuer son voyage?

Il était à pied, sans vivres, dans un pays ruiné par l'invasion, battu par les éclaireurs de l'émir, et il se trouvait encore à une distance considérable du but qu'il fallait atteindre.

« Par le Ciel, j'arriverai! s'écria-t-il, répondant ainsi à toutes les raisons de défaillance que son esprit venait un instant d'entrevoir. Dieu protège la sainte Russie! »

Michel Strogoff était alors hors de portée des cavaliers usbecks. Ceux-ci n'avaient point osé le poursuivre à travers le fleuve, et, d'ailleurs, ils devaient croire qu'il s'était noyé, car, après sa disparition sous les eaux, ils n'avaient pu le voir atteindre la rive droite de l'Obi.

A deux verstes en avant, une petite ville.

Mais Michel Strogoff, se glissant entre les roseaux gigantesques de la berge, avait gagné une partie plus élevée de la rive, non sans peine, cependant, car un épais limon, déposé à l'époque du débordement des eaux, la rendait peu praticable.

Une fois sur un terrain plus solide, Michel Strogoff arrêta ce qu'il convenait de faire. Ce qu'il voulait avant tout, c'était éviter Tomsk, occupée par les troupes tartares. Néanmoins, il lui fallait gagner quelque bourgade, et au besoin quelque relais de poste, où il pût se procurer un cheval. Ce cheval trouvé, il se jetterait en dehors des chemins battus, et il ne reprendrait la route d'Irkoutsk qu'aux environs de Krasnoiarsk. A partir de ce point, s'il se hâtait, il espérait trouver la voie libre encore, et il pourrait descendre au sud-est les provinces du lac Baïkal.

Tout d'abord, Michel Strogoff commença par s'orienter.

A deux verstes en avant, en suivant le cours de l'Obi, une petite ville, pittoresquement étagée, s'élevait sur une légère intumescence du sol. Quelques églises, à coupoles byzantines, coloriées de vert et d'or, se profilaient sur le fond gris du ciel.

C'était Kolyvan, où les fonctionnaires et les employés de Kamsk et autres villes vont se réfugier pendant l'été pour fuir le climat malsain de la Baraba. Kolyvan, d'après les nouvelles que le courrier du czar avait apprises, ne devait pas être encore aux mains des envahisseurs. Les troupes tartares, scindées en deux colonnes, s'étaient portées à gauche sur Omsk, à droite sur Tomsk, négligeant le pays intermédiaire.

Le projet, simple et logique, que forma Michel Strogoff, ce fut de gagner Kolyvan avant que les cavaliers usbecks, qui remontaient la rive gauche de l'Obi, y fussent arrivés. Là, dût-il en payer dix fois la valeur, il se procurerait des habits, un cheval, et rejoindrait la route d'Irkoutsk à travers la steppe méridionale.

Il était trois heures du matin. Les environs de

Kolyvan, parfaitement calmes alors, semblaient être absolument abandonnés. Évidemment, la population des campagnes, fuyant l'invasion, à laquelle elle ne pouvait résister, s'était portée au nord dans les provinces de l'Yeniseisk.

Michel Strogoff se dirigeait donc d'un pas rapide vers Kolyvan, lorsque des détonations lointaines arrivèrent jusqu'à lui.

Il s'arrêta et distingua nettement de sourds roulements qui ébranlaient les couches d'air, et, au-dessus, une crépitation plus sèche dont la nature ne pouvait le tromper.

« C'est le canon ! c'est la fusillade ! se dit-il. Le petit corps russe est-il donc aux prises avec l'armée tartare ? Ah ! fasse le Ciel que j'arrive avant eux à Kolyvan ! »

Michel Strogoff ne se trompait pas. Bientôt, les détonations s'accentuèrent peu à peu, et, en arrière, sur la gauche de Kolyvan, des vapeurs se condensèrent au-dessus de l'horizon, — non pas des nuages de fumée, mais de ces grosses volutes blanchâtres, très nettement profilées, que produisent les décharges d'artillerie.

Sur la gauche de l'Obi, les cavaliers usbecks s'étaient arrêtés pour attendre le résultat de la bataille.

De ce côté, Michel Strogoff n'avait plus rien à craindre. Aussi hâta-t-il sa marche vers la ville.

Cependant, les détonations redoublaient et se rapprochaient sensiblement. Ce n'était plus un roulement confus, mais une suite de coups de canon distincts. En même temps, la fumée, ramenée par le vent, s'élevait dans l'air, et il fut même évident que les combattants gagnaient rapidement au sud. Kolyvan allait être évidemment attaquée par sa partie septentrionale. Mais les Russes la défendaient-ils contre les troupes tartares, ou essayaient-ils de la reprendre sur les soldats de Féofar-Khan ? c'est ce qu'il était impossible de savoir. De là, grand embarras pour Michel Strogoff.

Il n'était plus qu'à une demi-verste de Kolyvan, lorsqu'un long jet de feu fusa entre les maisons de la ville, et le clocher d'une église s'écroula au milieu de torrents de poussière et de flammes.

La lutte était-elle alors dans Kolyvan ? Michel Strogoff dut le penser, et, dans ce cas, il était évident que Russes et Tartares se battaient dans les rues de la ville. Était-ce donc le moment d'y chercher refuge ? Michel Strogoff ne risquait-il pas d'y être pris, et réussirait-il à s'échapper de Kolyvan, comme il s'était échappé d'Omsk ?

Toutes ces éventualités se présentèrent à son esprit. Il hésita, il s'arrêta un instant. Ne valait-il pas mieux, même à pied, gagner au sud et à l'est quelque bourgade, telle que Diachinsk ou autre, et là se procurer à tout prix un cheval ?

C'était le seul parti à prendre, et aussitôt, abandonnant les rives de l'Obi, Michel Strogoff se porta franchement sur la droite de Kolyvan.

En ce moment, les détonations étaient extrêmement violentes. Bientôt des flammes jaillirent sur la gauche de la ville. L'incendie dévorait tout un quartier de Kolyvan.

Michel Strogoff courait à travers la steppe, cherchant à gagner le couvert de quelques arbres, disséminés çà et là, lorsqu'un détachement de cavalerie tartare apparut sur la droite.

Michel Strogoff ne pouvait évidemment plus continuer à fuir dans cette direction. Les cavaliers s'avançaient rapidement vers la ville, et il lui eût été difficile de leur échapper.

Soudain, à l'angle d'un épais bouquet d'arbres, il vit une maison isolée qu'il lui était possible d'atteindre avant d'avoir été aperçu.

Y courir, s'y cacher, y demander, y prendre au besoin de quoi refaire ses forces, car il était épuisé de fatigue et de faim, Michel Strogoff n'avait pas autre chose à faire.

Il se précipita donc vers cette maison, distante

d'une demi-verste au plus. En s'en approchant, il reconnut que cette maison était un poste télégraphique. Deux fils en partaient dans les directions ouest et est, et un troisième fil était tendu vers Kolyvan.

Que cette station fût abandonnée dans les circonstances actuelles, on devait le supposer, mais enfin, telle quelle, Michel Strogoff pourrait s'y réfugier et attendre la nuit, s'il le fallait, pour se jeter de nouveau à travers la steppe, que battaient les éclaireurs tartares.

Michel Strogoff s'élança aussitôt vers la porte de la maison et la repoussa violemment.

Une seule personne se trouvait dans la salle où se faisaient les transmissions télégraphiques.

C'était un employé, calme, flegmatique, indifférent à ce qui se passait au-dehors. Fidèle à son poste, il attendait derrière son guichet que le public vînt réclamer ses services.

Michel Strogoff courut à lui, et d'une voix brisée par la fatigue :

« Que savez-vous ? lui demanda-t-il.

— Rien, répondit l'employé en souriant.

— Ce sont les Russes et les Tartares qui sont aux prises ?

— On le dit.

— Mais quels sont les vainqueurs ?

— Je l'ignore. »

Tant de placidité au milieu de ces terribles conjonctures, tant d'indifférence même étaient à peine croyables.

« Et le fil n'est pas coupé ? demanda Michel Strogoff.

— Il est coupé entre Kolyvan et Krasnoiarsk, mais il fonctionne encore entre Kolyvan et la frontière russe.

— Pour le gouvernement ?

— Pour le gouvernement, lorsqu'il le juge convenable. Pour le public, lorsqu'il paie. C'est dix kopeks par mot. — Quand vous voudrez, monsieur ? »

Michel Strogoff allait répondre à cet étrange employé qu'il n'avait aucune dépêche à expédier, qu'il ne réclamait qu'un peu de pain et d'eau, lorsque la porte de la maison fut brusquement ouverte.

Michel Strogoff, croyant que le poste était envahi par les Tartares, s'apprêtait à sauter par la fenêtre, quand il reconnut que deux hommes seulement venaient d'entrer dans la salle, lesquels n'avaient rien moins que la mine de soldats tartares.

L'un d'eux tenait à la main une dépêche écrite au crayon, et, devançant l'autre, il se précipita au guichet de l'impassible employé.

Dans ces deux hommes, Michel Strogoff retrouva, avec un étonnement que chacun comprendra, deux personnages auxquels il ne pensait guère et qu'il ne croyait plus jamais revoir.

C'étaient les correspondants Harry Blount et Alcide Jolivet, non plus compagnons de voyage, mais rivaux, mais ennemis, maintenant qu'ils opéraient sur le champ de bataille.

Ils avaient quitté Ichim quelques heures seulement après le départ de Michel Strogoff, et, s'ils étaient arrivés avant lui à Kolyvan, en suivant la même route, s'ils l'avaient même dépassé, c'est que Michel Strogoff avait perdu trois jours sur les bords de l'Irtyche.

Et maintenant, après avoir assisté tous deux à l'engagement des Russes et des Tartares devant la ville, après avoir quitté Kolyvan au moment où la lutte se livrait dans ses rues, ils étaient accourus à la station télégraphique, afin de lancer à l'Europe leurs dépêches rivales et de s'enlever l'un à l'autre la primeur des événements.

Michel Strogoff s'était mis à l'écart, dans l'ombre, et, sans être vu, il pouvait tout voir et tout entendre. Il allait évidemment apprendre des nouvelles intéressantes pour lui et savoir s'il devait ou non entrer dans Kolyvan.

Harry Blount, plus pressé que son collègue, avait pris possession du guichet, et il tendait sa dépêche, pendant qu'Alcide Jolivet, contrairement à ses habitudes, piétinait d'impatience.

« C'est dix kopeks par mot », dit l'employé en prenant la dépêche.

Harry Blount déposa sur la tablette une pile de roubles, que son confrère regarda avec une certaine stupéfaction.

« Bien », dit l'employé.

Et, avec le plus grand sang-froid du monde, il commença à télégraphier la dépêche suivante :

« Daily Telegraph, Londres.

« De Kolyvan, gouvernement d'Omsk, Sibérie, 6 août.

« Engagement des troupes russes et tartares... »

Cette lecture étant faite à haute voix, Michel Strogoff entendait tout ce que le correspondant anglais adressait à son journal.

« Troupes russes repoussées avec grandes pertes. Tartares entrés dans Kolyvan ce jour même... »

Ces mots terminaient la dépêche.

« A mon tour maintenant », s'écria Alcide Jolivet, qui voulut passer la dépêche adressée à sa cousine du faubourg Montmartre.

Mais cela ne faisait pas l'affaire du correspondant anglais, qui ne comptait pas abandonner le guichet, afin d'être toujours à même de transmettre les nouvelles, au fur et à mesure qu'elles se produiraient. Aussi ne fit-il point place à son confrère.

« Mais vous avez fini !... s'écria Alcide Jolivet.

— Je n'ai pas fini », répondit simplement Harry Blount.

Et il continua à écrire une suite de mots qu'il passa ensuite à l'employé, et que celui-ci lut de sa voix tranquille :

« Au commencement, Dieu créa le ciel et la terre !... »

C'étaient les versets de la Bible qu'Harry Blount

télégraphiait, pour employer le temps et ne pas céder sa place à son rival. Il en coûterait peut-être quelques milliers de roubles à son journal, mais son journal serait le premier informé. La France attendrait !

On conçoit la fureur d'Alcide Jolivet, qui, en toute autre circonstance, eût trouvé que c'était de bonne guerre. Il voulut même obliger l'employé à recevoir sa dépêche, de préférence à celle de son confrère.

« C'est le droit de monsieur », répondit tranquillement l'employé, en montrant Harry Blount, et en lui souriant d'un air aimable.

Et il continua de transmettre fidèlement au *Daily Telegraph* le premier verset du livre saint.

Pendant qu'il opérait, Harry Blount alla tranquillement à la fenêtre, et, sa lorgnette aux yeux, il observa ce qui se passait aux environs de Kolyvan, afin de compléter ses informations.

Quelques instants après, il reprit sa place au guichet et ajouta à son télégramme :

« *Deux églises sont en en flammes. L'incendie paraît gagner sur la droite. La terre était informe et toute nue; les ténèbres couvraient la face de l'abîme...* »

Alcide Jolivet eut tout simplement une envie féroce d'étrangler l'honorable correspondant du *Daily Telegraph*.

Il interpella encore une fois l'employé, qui, toujours impassible, lui répondit simplement :

« C'est son droit, monsieur, c'est son droit... à dix kopeks par mot. »

Et il télégraphia la nouvelle suivante, que lui apporta Harry Blount :

« *Des fuyards russes s'échappent de la ville. Or, Dieu dit que la lumière soit faite, et la lumière fut faite!...* »

Alcide Jolivet enrageait littéralement.

Cependant, Harry Blount était retourné près de la fenêtre, mais, cette fois, distrait sans doute par l'intérêt du spectacle qu'il avait sous les yeux, il prolongea un peu trop longtemps son observation. Aussi, lorsque l'employé eut fini de télégraphier le troisième verset de la Bible, Alcide Jolivet prit-il sans faire de bruit sa place au guichet, et, ainsi qu'avait fait son confrère, après avoir déposé tout doucement une respectable pile de roubles sur la tablette, il remit sa dépêche, que l'employé lut à haute voix :

> « *Madeleine Jolivet,*
> « *10, Faubourg-Montmartre (Paris).*
> « *De Kolyvan, gouvernement d'Omsk, Sibérie,*
> *6 août.*
> « *Les fuyards s'échappent de la ville. Russes battus. Poursuite acharnée de la cavalerie tartare...* »

Et lorsque Harry Blount revint, il entendit Alcide Jolivet qui complétait son télégramme en chantonnant d'une voix moqueuse :

> Il est un petit homme,
> Tout habillé de gris,
> Dans Paris !...

Trouvant inconvenant de mêler, comme l'avait osé faire son confrère, le sacré au profane, Alcide Jolivet répondait par un joyeux refrain de Béranger aux versets de la Bible.

« Aoh ! fit Harry Blount.

— C'est comme cela », répondit Alcide Jolivet.

Cependant, la situation s'aggravait autour de Kolyvan. La bataille se rapprochait, et les détonations éclataient avec une violence extrême.

En ce moment, une commotion ébranla le poste télégraphique.

Un obus venait de trouer la muraille, et un nuage de poussière emplissait la salle des transmissions.

Alcide Jolivet finissait alors d'écrire ces vers :

> Joufflu comme une pomme,
> Qui, sans un sou comptant...

mais, s'arrêter, se précipiter sur l'obus, le prendre à

Le poste fut envahi par des soldats tartares.

deux mains avant qu'il eût éclaté, le jeter par la fenêtre et revenir au guichet, ce fut pour lui l'affaire d'un instant.

Cinq secondes plus tard, l'obus éclatait au-dehors.

Mais, continuant à libeller son télégramme avec le plus beau sang-froid du monde, Alcide Jolivet écrivit :

« *Obus de six a fait sauter la muraille du poste télégraphique. En attendons quelques autres du même calibre...* »

Pour Michel Strogoff, il n'était pas douteux que les Russes ne fussent repoussés de Kolyvan. Sa dernière ressource était donc de se jeter à travers la steppe méridionale.

Mais alors une fusillade terrible éclata près du poste télégraphique, et une grêle de balles fit sauter les vitres de la fenêtre.

Harry Blount, frappé à l'épaule, tomba à terre.

Alcide Jolivet allait, à ce moment même, transmettre ce supplément de dépêche :

« *Harry Blount, correspondant du* Daily Telegraph, *tombe à mon côté, frappé d'un éclat de mitraille...* »

quand l'impassible employé lui dit avec son calme inaltérable :

« Monsieur, le fil est brisé. »

Et, quittant son guichet, il prit tranquillement son chapeau, qu'il brossa du coude, et, toujours souriant, sortit par une petite porte que Michel Strogoff n'avait pas aperçue.

Le poste fut alors envahi par des soldats tartares, et ni Michel Strogoff, ni les journalistes ne purent opérer leur retraite.

Alcide Jolivet, sa dépêche inutile à la main, s'était précipité vers Harry Blount, étendu sur le sol, et, en brave cœur qu'il était, il l'avait chargé sur ses épaules, dans l'intention de fuir avec lui... Il était trop tard !

Tous deux étaient prisonniers, et, en même temps qu'eux, Michel Strogoff, surpris à l'improviste au moment où il allait s'élancer par la fenêtre, tombait entre les mains des Tartares !

DEUXIÈME PARTIE

Un camp tartare

A une journée de marche de Kolyvan, quelques verstes en avant du bourg de Diachinsk, s'étend une vaste plaine que dominent quelques grands arbres, principalement des pins et des cèdres.

Cette portion de la steppe est ordinairement occupée, pendant la saison chaude, par des Sibériens pasteurs, et elle suffit à la nourriture de leurs nombreux troupeaux. Mais, à cette époque, on y eût vainement cherché un seul de ces nomades habitants. Non pas que cette plaine fût déserte. Elle présentait, au contraire, une extraordinaire animation.

Là, en effet, se dressaient les tentes tartares, là campait Féofar-Khan, le farouche émir de Boukhara, et c'est là que le lendemain, 7 août, furent amenés les prisonniers faits à Kolyvan, après l'anéantissement du petit corps russe. De ces deux mille hommes, qui s'étaient engagés entre les deux colonnes ennemies, appuyées à la fois sur Omsk et sur Tomsk, il ne restait plus que quelques centaines de soldats. Les événements tournaient donc mal, et le gouvernement impérial semblait être compromis au-delà des frontières de l'Oural, — au moins momentanément, car les Russes ne pouvaient manquer de repousser tôt ou tard ces hordes d'envahisseurs. Mais enfin l'invasion avait atteint le centre de la Sibérie, et elle allait, à travers le pays soulevé, se propager soit sur les provinces de l'ouest, soit sur les provinces de l'est. Irkoutsk était maintenant coupée de toute communication avec l'Europe. Si les troupes de l'Amour et de la province d'Iakoutsk n'arrivaient pas à temps pour l'occuper, cette capitale de la Russie asiatique, réduite à des forces insuffisantes, tomberait aux mains des Tartares, et, avant qu'elle eût pu être reprise, le grand-duc, frère de l'empereur, aurait été livré à la vengeance d'Ivan Ogareff.

Que devenait Michel Strogoff? Fléchissait-il enfin sous le poids de tant d'épreuves? Se regardait-il comme vaincu par cette série de mauvaises chances, qui, depuis l'aventure d'Ichim, avait toujours été en empirant? Considérait-il la partie comme perdue, sa mission manquée, son mandat impossible à accomplir?

Michel Strogoff était un de ces hommes qui ne s'arrêtent que le jour où ils tombent morts. Or, il vivait, il n'avait pas même été blessé, la lettre impériale était toujours sur lui, son incognito avait été respecté. Sans doute, il comptait au nombre de ces prisonniers que les Tartares entraînaient comme un vil bétail; mais, en se rapprochant de Tomsk, il se rapprochait aussi d'Irkoutsk. Enfin, il devançait toujours Ivan Ogareff.

« J'arriverai! » se répétait-il.

Et, depuis l'affaire de Kolyvan, toute sa vie se concentra dans cette pensée unique : redevenir libre! Comment échapperait-il aux soldats de l'émir? Le moment venu, il verrait.

Le camp de Féofar présentait un spectacle superbe. De nombreuses tentes, faites de peaux, de feutre ou d'étoffes de soie, chatoyaient aux rayons du soleil. Les hautes houppes, qui empanachaient leur pointe conique, se balançaient au milieu de fanions, de guidons et d'étendards multicolores. De ces tentes, les plus riches appartenaient aux seides et aux khodjas, qui sont les premiers personnages du khanat. Un pavillon spécial, orné d'une queue de cheval, dont la hampe s'élançait d'une gerbe de bâtons rouges et blancs, artistement entrelacés, indiquait le haut rang de ces chefs tartares. Puis, à l'infini s'élevaient dans la plaine quelques milliers de ces tentes turcomanes que l'on appelle « karaoy » et qui avaient été transportées à dos de chameaux.

Le camp contenait au moins cent cinquante mille soldats, tant fantassins que cavaliers, rassemblés sous le nom d'alamanes. Parmi eux, et comme types principaux du Turkestan, on remarquait tout d'abord ces Tadjiks aux traits réguliers, à la peau blanche, à la taille élevée, aux yeux et aux cheveux noirs, qui formaient le gros de l'armée tartare, et dont les khanats de Khokhand et de Koundouze avaient fourni un contingent presque égal à celui de Boukhara. Puis, à ces Tadjiks se mêlaient d'autres échantillons de ces races diverses qui résident au Turkestan ou dont le pays originaire y confine. C'étaient des Usbecks, petits de taille, roux de barbe, semblables à ceux qui s'étaient jetés à la poursuite de Michel Strogoff. C'étaient des Kirghis, au visage plat comme celui des Kalmouks, revêtus de cottes de mailles, les uns portant la lance, l'arc et les flèches de fabrication asiatique, les autres maniant le sabre, le fusil à mèche et le « tschakane », petite hache à manche court qui ne fait que des blessures mortelles. C'étaient des Mongols, taille moyenne, cheveux noirs et réunis en une natte qui leur pendait sur le dos, figure ronde, teint basané, yeux enfoncés et vifs, barbe rare, habillés de robes de nankin bleu garnies de peluche noire, cerclés de ceinturons de cuir à boucles d'argent, chaussés de bottes à soutaches voyantes, et coiffés de bonnets de soie bordés de fourrure avec trois rubans qui voltigeaient en arrière. Enfin on y voyait aussi des Afghans, à peau bistrée, des Arabes, ayant le type primitif des belles races sémitiques, et des Turcomans, avec ces yeux bridés auxquels semble manquer la paupière, — tous enrôlés sous le drapeau de l'émir, drapeau des incendiaires et des dévastateurs.

Auprès de ces soldats libres, on comptait encore un certain nombre de soldats esclaves, principalement des Persans, que commandaient des officiers de même origine, et ce n'étaient certainement pas les moins estimés de l'armée de Féofar-Khan.

Que l'on ajoute à cette nomenclature des Juifs servant comme domestiques, la robe ceinte d'une corde, la tête coiffée, au lieu du turban, qu'il leur est interdit de porter, de petits bonnets de drap sombre ; que l'on mêle à ces groupes des centaines de « kalenders », sortes de religieux mendiants aux vêtements en lambeaux que recouvre une peau de léopard, et on aura une idée à peu près complète de ces énormes agglomérations de tribus diverses, comprises sous la dénomination générale d'armées tartares.

Cinquante mille de ces soldats étaient montés, et les chevaux n'étaient pas moins variés que les hommes. Parmi ces animaux, attachés par dix à deux cordes fixées parallèlement l'une à l'autre, la queue nouée, la croupe recouverte d'un réseau de soie noire, on distinguait les turcomans, fins de jambes, longs de corps, brillants de poil, nobles d'encolure ; les usbecks, qui sont des bêtes de fond ; les khokhandiens, qui portent avec leur cavalier deux tentes et toute une batterie de cuisine ; les kirghis, à robe claire, venus des bords du fleuve Emba, où on les prend avec l'« arcane », ce lasso des Tartares, et bien d'autres produits de races croisées, qui sont de qualité inférieure.

Les bêtes de somme se comptaient par milliers. C'étaient des chameaux de petite taille, mais bien faits, poil long, épaisse crinière leur retombant sur le cou, animaux dociles et plus faciles à atteler que le dromadaire ; des « nars » à une bosse, de pelage rouge feu, dont les poils se roulent en boucles ; puis des ânes, rudes au travail et dont la chair, très estimée, forme en partie la nourriture des Tartares.

Sur tout cet ensemble d'hommes et d'animaux, sur cette immense agglomération de tentes, les cèdres et

La tente de Féofar dominait les tentes voisines.

les pins, disposés par larges bouquets, jetaient une ombre fraîche, brisée çà et là par quelque trouée des rayons solaires. Rien de plus pittoresque que ce tableau, pour lequel le plus violent des coloristes eût épuisé toutes les couleurs de sa palette.

Lorsque les prisonniers faits à Kolyvan arrivèrent devant les tentes de Féofar et des grands dignitaires du khanat, les tambours battirent aux champs, les trompettes sonnèrent. A ces bruits déjà formidables se mêlèrent de stridentes mousquetades et la détonation plus grave des canons de quatre et de six qui formaient l'artillerie de l'émir.

L'installation de Féofar était purement militaire. Ce qu'on pourrait appeler sa maison civile, son harem et ceux de ses alliés, étaient à Tomsk, maintenant aux mains des Tartares.

Le camp levé, Tomsk allait devenir la résidence de l'émir, jusqu'au moment où il l'échangerait enfin contre la capitale de la Sibérie orientale.

La tente de Féofar dominait les tentes voisines. Drapée de larges pans d'une brillante étoffe de soie relevée par des cordelières à crépines d'or, surmontée de houppes épaisses que le vent agitait comme des éventails, elle occupait le centre d'une vaste clairière, fermée par un rideau de magnifiques bouleaux et de pins gigantesques. Devant cette tente, sur une table laquée et incrustée de pierres précieuses, s'ouvrait le livre sacré du Koran, dont les pages étaient de minces feuilles d'or, finement gravées. Au-dessus, battait le pavillon tartare, écartelé des armes de l'émir.

Autour de la clairière, s'élevaient en demi-cercle les tentes des grands fonctionnaires de Boukhara. Là résidaient le chef d'écurie, qui a le droit de suivre à cheval l'émir jusque dans la cour de son palais, le grand fauconnier, le « houschbégui », porteur du sceau royal, le « toptschi-baschi », grand maître de l'artillerie, le « khodja », chef du conseil, qui reçoit le baiser du prince et peut se présenter devant lui ceinture dénouée, le « scheikhoul-islam », chef des

ulémas, représentant des prêtres, le « cazi-askev »,
qui, en l'absence de l'émir, juge toutes contestations
soulevées entre militaires, et enfin le chef des astro-
logues, dont la grande affaire est de consulter les
étoiles, toutes les fois que le khan songe à se déplacer.

L'émir, au moment où les prisonniers furent amenés au camp, était dans sa tente. Il ne se montra pas.
Et ce fut heureux, sans doute. Un geste, un mot de lui
n'auraient pu être que le signal de quelque sanglante
exécution. Mais il se retrancha dans cet isolement,
qui constitue en partie la majesté des rois orientaux.
On admire qui ne se montre pas, et surtout on le
craint.

Quant aux prisonniers, ils allaient être parqués
dans quelque enclos, où, maltraités, à peine nourris,
exposés à toutes les intempéries du climat, ils atten-
draient le bon plaisir de Féofar.

De tous, le plus docile, sinon le plus patient, était
certainement Michel Strogoff. Il se laissait conduire,
car on le conduisait là où il voulait aller, et dans des
conditions de sécurité que, libre, il n'eût pu trouver
sur cette route de Kolyvan à Tomsk. S'échapper
avant d'être arrivé dans cette ville, c'était s'exposer à
retomber entre les mains des éclaireurs qui battaient
la steppe. La ligne la plus orientale, occupée alors par
les colonnes tartares, ne se trouvait pas située au-delà
du quatre-vingt-deuxième méridien qui traverse
Tomsk. Donc, ce méridien franchi, Michel Strogoff
devait compter qu'il serait en dehors des zones ennemies, qu'il pourrait traverser l'Yeniseï sans danger, et
gagner Krasnoiarsk, avant que Féofar-Khan eût
envahi la province.

« Une fois à Tomsk, se répétait-il pour réprimer
quelques mouvements d'impatience dont il n'était pas
toujours maître, en quelques minutes, je serai au-delà
des avant-postes, et douze heures gagnées sur Féofar,
douze heures sur Ogareff, cela me suffira pour les
devancer à Irkoutsk !

Ce que Michel Strogoff, en effet, redoutait par-dessus tout, c'était et ce devait être la présence d'Ivan Ogareff au camp tartare. Outre le danger d'être reconnu, il sentait, par une sorte d'instinct, que c'était ce traître sur lequel il lui importait surtout de prendre l'avance. Il comprenait aussi que la réunion des troupes d'Ivan Ogareff à celles de Féofar porterait au complet l'effectif de l'armée envahissante, et que, la jonction opérée, cette armée marcherait en masse sur la capitale de la Sibérie orientale. Aussi, toutes ses appréhensions venaient-elles de ce côté, et, à chaque instant, écoutait-il si quelque fanfare n'annonçait pas l'arrivée du lieutenant de l'émir.

A cette pensée se joignait le souvenir de sa mère, celui de Nadia, l'une retenue à Omsk, l'autre enlevée sur les barques de l'Irtyche et sans doute captive comme l'était Marfa Strogoff ! Il ne pouvait rien pour elles ! Les reverrait-il jamais ? A cette question qu'il n'osait résoudre, son cœur se serrait affreusement.

En même temps que Michel Strogoff et tant d'autres prisonniers, Harry Blount et Alcide Jolivet avaient été conduits au camp tartare. Leur ancien compagnon de voyage, pris avec eux au poste télégraphique, savait qu'ils étaient parqués comme lui dans cet enclos que surveillaient de nombreuses sentinelles, mais il n'avait point cherché à se rapprocher d'eux. Peu lui importait, en ce moment du moins, ce qu'ils pouvaient penser de lui depuis l'affaire du relais d'Ichim. D'ailleurs, il voulait être seul pour agir seul, le cas échéant. Il s'était donc tenu à l'écart.

Alcide Jolivet, depuis le moment où son confrère était tombé près de lui, ne lui avait pas ménagé ses soins. Pendant le trajet de Kolyvan au camp, c'est-à-dire pendant plusieurs heures de marche, Harry Blount, appuyé au bras de son rival, avait pu suivre le convoi des prisonniers. Sa qualité de sujet anglais, il voulut d'abord la faire valoir, mais elle ne le servit en aucune façon vis-à-vis de barbares qui ne répondaient qu'à coups de lance ou de sabre. Le correspondant du *Daily Telegraph* dut donc subir le sort commun,

« Vous êtes donc un peu médecin ? »

quitte à réclamer plus tard et à obtenir satisfaction d'un pareil traitement. Mais ce trajet n'en fut pas moins très pénible pour lui, car sa blessure le faisait souffrir, et, sans l'assistance d'Alcide Jolivet, peut-être n'eût-il pu atteindre le camp.

Alcide Jolivet, que sa philosophie pratique n'abandonnait jamais, avait physiquement et moralement réconforté son confrère par tous les moyens en son pouvoir. Son premier soin, lorsqu'il se vit définitivement enfermé dans l'enclos, fut de visiter la blessure d'Harry Blount. Il parvint à lui retirer très adroitement son habit et reconnut que son épaule avait été seulement frôlée par un éclat de mitraille.

« Ce n'est rien, dit-il. Une simple éraflure ! Après deux ou trois pansements, cher confrère, il n'y paraîtra plus !

— Mais ces pansements ?... demanda Harry Blount.

— Je vous les ferai moi-même !

— Vous êtes donc un peu médecin ?

— Tous les Français sont un peu médecins ! »

Et sur cette affirmation, Alcide Jolivet, déchirant son mouchoir, fit de la charpie de l'un des morceaux, des tampons de l'autre, prit de l'eau à un puits creusé au milieu de l'enclos, lava la blessure, qui, fort heureusement, n'était pas grave, et disposa avec beaucoup d'adresse les linges mouillés sur l'épaule d'Harry Blount.

« Je vous traite par l'eau, dit-il. Ce liquide est encore le sédatif le plus efficace que l'on connaisse pour le traitement des blessures, et il est le plus employé maintenant. Les médecins ont mis six mille ans à découvrir cela ! Oui ! six mille ans en chiffres ronds !

— Je vous remercie, monsieur Jolivet, répondit Harry Blount, en s'étendant sur une couche de feuilles mortes, que son compagnon lui arrangea à l'ombre d'un bouleau.

— Bah ! il n'y a pas de quoi ! Vous en feriez autant à ma place !

— Je n'en sais rien... répondit un peu naïvement Harry Blount.

— Farceur, va! Tous les Anglais sont généreux!

— Sans doute, mais les Français...?

— Eh bien, les Français sont bons, ils sont même bêtes, si vous voulez! Mais ce qui les rachète, c'est qu'ils sont Français! Ne parlons plus de cela, et même, si vous m'en croyez, ne parlons plus du tout. Le repos vous est absolument nécessaire. »

Mais Harry Blount n'avait aucune envie de se taire. Si le blessé devait, par prudence, songer au repos, le correspondant du *Daily Telegraph* n'était pas homme à s'écouter.

« Monsieur Jolivet, demanda-t-il, croyez-vous que nos dernières dépêches aient pu passer la frontière russe?

— Et pourquoi pas? répondit Alcide Jolivet. A l'heure qu'il est, je vous assure que ma bienheureuse cousine sait à quoi s'en tenir sur l'affaire de Kolyvan!

— A combien d'exemplaires tire-t-elle ses dépêches, votre cousine? demanda Harry Blount, qui, pour la première fois, posa cette question directe à son confrère.

— Bon! répondit en riant Alcide Jolivet. Ma cousine est une personne fort discrète, qui n'aime pas qu'on parle d'elle et qui serait désespérée si elle troublait le sommeil dont vous avez besoin.

— Je ne veux pas dormir, répondit l'Anglais. — Que doit penser votre cousine des affaires de la Russie?

— Qu'elles semblent en mauvais chemin pour le moment. Mais bah! le gouvernement moscovite est puissant, il ne peut vraiment s'inquiéter d'une invasion de barbares, et la Sibérie ne lui échappera pas.

— Trop d'ambition a perdu les plus grands empires! répondit Harry Blount, qui n'était pas exempt d'une certaine jalousie « anglaise » à l'endroit des prétentions russes dans l'Asie centrale.

— Oh! ne parlons pas politique! s'écria Alcide

Jolivet. C'est défendu par la Faculté! Rien de plus mauvais pour les blessures à l'épaule!... à moins que ce ne soit pour vous endormir!

— Parlons alors de ce qu'il nous reste à faire, répondit Harry Blount. Monsieur Jolivet, je n'ai pas du tout l'intention de rester indéfiniment prisonnier de ces Tartares.

— Ni moi, pardieu!

— Nous sauverons-nous à la première occasion?

— Oui, s'il n'y a pas d'autre moyen de recouvrer notre liberté.

— En connaissez-vous un autre? demanda Harry Blount, en regardant son compagnon.

— Certainement! Nous ne sommes pas des belligérants, nous sommes des neutres, et nous réclamerons!

— Près de cette brute de Féofar-Khan?

— Non, il ne comprendrait pas, répondit Alcide Jolivet, mais près de son lieutenant Ivan Ogareff.

— C'est un coquin!

— Sans doute, mais ce coquin est Russe. Il sait qu'il ne faut pas badiner avec le droit des gens, et il n'a aucun intérêt à nous retenir, au contraire. Seulement, demander quelque chose à ce monsieur-là, ça ne me va pas beaucoup!

— Mais ce monsieur-là n'est pas au camp, ou du moins je ne l'y ai pas vu, fit observer Harry Blount.

— Il y viendra. Cela ne peut manquer. Il faut qu'il rejoigne l'émir. La Sibérie est coupée en deux maintenant, et très certainement l'armée de Féofar n'attend plus que lui pour se porter sur Irkoutsk.

— Et une fois libres, que ferons-nous?

— Une fois libres, nous continuerons notre campagne, et nous suivrons les Tartares, jusqu'au moment où les événements nous permettront de passer dans le camp opposé. Il ne faut pas abandonner la partie, que diable! Nous ne faisons que commencer. Vous, confrère, vous avez déjà eu la chance d'être blessé au service du *Daily Telegraph*, tandis que moi, je n'ai encore rien reçu au service de ma cousine. Allons, allons ! — Bon, murmura Alcide Jolivet, le voilà qui s'endort ! Quelques heures de sommeil et quelques compresses d'eau fraîche, il n'en faut pas plus pour remettre un Anglais sur pied. Ces gens-là sont fabriqués en tôle ! »

Et pendant qu'Harry Blount reposait, Alcide Jolivet veilla près de lui, après avoir tiré son carnet, qu'il chargea de notes, très décidé, d'ailleurs, à les partager avec son confrère, pour la plus grande satisfaction des lecteurs du *Daily Telegraph*. Les événements les avaient réunis l'un à l'autre. Ils n'en étaient plus à se jalouser.

Ainsi donc, ce que redoutait au-dessus de tout Michel Strogoff était précisément l'objet des plus vifs désirs des deux journalistes. L'arrivée d'Ivan Ogareff pouvait évidemment servir ceux-ci, car, leur qualité de correspondants anglais et français une fois reconnue, rien de plus probable qu'ils fussent mis en liberté. Le lieutenant de l'émir saurait faire entendre raison à Féofar, qui n'eût pas manqué de traiter des journalistes comme de simples espions. L'intérêt d'Alcide Jolivet et d'Harry Blount était donc contraire à l'intérêt de Michel Strogoff. Celui-ci avait bien compris cette situation, et ce fut une nouvelle raison, ajoutée à plusieurs autres, qui le porta à éviter tout rapprochement avec ses anciens compagnons de voyage. Il s'arrangea donc de manière à ne pas être aperçu d'eux.

Quatre jours se passèrent, pendant lesquels l'état de choses ne fut aucunement modifié. Les prisonniers n'entendirent point parler de la levée du camp tartare. Ils étaient surveillés sévèrement. Il leur eût été impossible de traverser le cordon de fantassins et de cavaliers qui les gardaient nuit et jour. Quant à la nourriture qui leur était attribuée, elle leur suffisait à peine. Deux fois par vingt-quatre heures, on leur jetait un morceau d'intestins de chèvres, grillés sur les charbons, ou quelques portions de ce fromage appelé « kroute », fabriqué avec du lait aigre de brebis, et qui, trempé de lait de jument, forme le mets kirghis le plus communément nommé « koumyss ». Et c'était tout. Il faut ajouter aussi que le temps devint détestable. Il se produisit de grandes perturbations atmosphériques, qui amenèrent des bourrasques mêlées de pluie. Les malheureux, sans aucun abri, durent supporter ces intempéries malsaines, et aucun adoucissement ne fut apporté à leurs misères. Quelques blessés, des femmes, des enfants moururent, et les prisonniers eux-mêmes durent enterrer ces cadavres, auxquels leurs gardiens ne voulaient même pas donner la sépulture.

Pendant ces dures épreuves, Alcide Jolivet et Michel Strogoff se multiplièrent, chacun de son côté. Ils rendirent tous les services qu'ils pouvaient rendre. Moins éprouvés que tant d'autres, valides, vigoureux, ils devaient mieux résister, et par leurs conseils, par leurs soins, ils purent se rendre utiles à ceux qui souffraient et se désespéraient.

Cet état de choses allait-il durer ? Féofar-Khan, satisfait de ses premiers succès, voulait-il donc attendre quelque temps avant de marcher sur Irkoutsk ? On pouvait le craindre, mais il n'en fut rien. L'événement tant souhaité d'Alcide Jolivet et d'Harry Blount, tant redouté de Michel Strogoff, se produisit dans la matinée du 12 août.

Ce jour-là, les trompettes sonnèrent, les tambours battirent, la mousquetade éclata. Un énorme nuage de poussière se déroulait au-dessus de la route de Kolyvan.

Ivan Ogareff, suivi de plusieurs milliers d'hommes, faisait son entrée au camp tartare.

II

UNE ATTITUDE D'ALCIDE JOLIVET

C'était tout un corps d'armée qu'Ivan Ogareff amenait à l'émir. Ces cavaliers et ces fantassins faisaient
partie de la colonne qui s'était emparée d'Omsk. Ivan
Ogareff, n'ayant pu réduire la ville haute, dans
laquelle — on ne l'a point oublié — le gouverneur et
la garnison avaient cherché refuge, s'était décidé à
passer outre, ne voulant pas retarder les opérations
qui devaient amener la conquête de la Sibérie orientale. Il avait donc laissé une garnison suffisante à
Omsk. Puis, entraînant ses hordes, se renforçant en
route des vainqueurs de Kolyvan, il venait faire sa
jonction avec l'armée de Féofar.

Les soldats d'Ivan Ogareff s'arrêtèrent aux avant-
postes du camp. Ils ne reçurent point ordre de bivouaquer. Le projet de leur chef était, sans doute, de ne
pas s'arrêter, mais de se porter en avant et de gagner,
dans le plus bref délai, Tomsk, ville importante,
naturellement destinée à devenir le centre des opérations futures.

En même temps que ses soldats, Ivan Ogareff
amenait un convoi de prisonniers russes et sibériens,
capturés soit à Omsk, soit à Kolyvan. Ces malheureux ne furent pas conduits à l'enclos, déjà trop
petit pour ceux qu'il contenait, et ils durent rester aux
avant-postes, sans abri, presque sans nourriture.
Quel sort Féofar-Khan réservait-il à ces infortunés ?
Les internerait-il à Tomsk, ou quelque sanglante
exécution, familière aux chefs tartares, les décime-
rait-elle ? C'était le secret du capricieux émir.

Ce corps d'armée n'était pas venu d'Omsk et de
Kolyvan sans entraîner à sa suite la foule de mendiants, de maraudeurs, de marchands, de bohémiens
qui forment habituellement l'arrière-garde d'une
armée en marche. Tout ce monde vivait sur les pays

Sangarre était là.

traversés et laissait peu de chose à piller après lui.
Donc, nécessité de se porter en avant, ne fût-ce que
pour assurer le ravitaillement des colonnes expédi-
tionnaires. Toute la région comprise entre les cours
de l'Ichim et de l'Obi, radicalement dévastée,
n'offrait plus aucune ressource. C'était un désert que
les Tartares faisaient derrière eux, et les Russes ne
l'auraient pas franchi sans peine.

Au nombre de ces bohémiens, accourus des provinces de l'ouest, figurait la troupe tsigane qui avait
accompagné Michel Strogoff jusqu'à Perm. Sangarre
était là. Cette sauvage espionne, âme damnée d'Ivan
Ogareff, ne quittait pas son maître. On les a vus, tous
deux, préparant leurs machinations, en Russie même,
dans le gouvernement de Nijni-Novgorod. Après la
traversée de l'Oural, ils s'étaient séparés pour quelques jours seulement. Ivan Ogareff avait rapidement
gagné Ichim, tandis que Sangarre et sa troupe se
dirigeaient sur Omsk par le sud de la province.

On comprendra facilement quelle aide cette femme
apportait à Ivan Ogareff. Par ses bohémiennes, elle
pénétrait en tout lieu, entendant et rapportant tout.
Ivan Ogareff était tenu au courant de ce qui se faisait
jusque dans le cœur des provinces envahies. C'étaient
cent yeux, cent oreilles, toujours ouverts pour sa
cause. D'ailleurs, il payait largement cet espionnage,
dont il retirait grand profit.

Sangarre, autrefois compromise dans une très
grave affaire, avait été sauvée par l'officier russe. Elle
n'avait point oublié ce qu'elle lui devait et s'était
donnée à lui, corps et âme. Ivan Ogareff, entré dans
la voie de la trahison, avait compris quel parti il
pouvait tirer de cette femme. Quelque ordre qu'il lui
donnât, Sangarre l'exécutait. Un instinct inexplicable, plus impérieux encore que celui de la
reconnaissance, l'avait poussée à se faire l'esclave du
traître, auquel elle était attachée depuis les premiers
temps de son exil en Sibérie. Confidente et complice,
Sangarre, sans patrie, sans famille, s'était plu à

mettre sa vie vagabonde au service des envahisseurs
qu'Ivan Ogareff allait jeter sur la Sibérie. A la prodigieuse astuce naturelle à sa race, elle joignait une
énergie farouche, qui ne connaissait ni le pardon ni la
pitié. C'était une sauvage digne de partager le wig-
wam d'un Apache ou la hutte d'un Andamien.

Depuis son arrivée à Omsk, où elle l'avait rejoint
avec ses tsiganes, Sangarre n'avait plus quitté Ivan
Ogareff. La circonstance qui avait mis en présence
Michel et Marfa Strogoff lui était connue. Les
craintes d'Ivan Ogareff, relatives au passage d'un
courrier du czar, elle les savait et les partageait.
Marfa Strogoff prisonnière, elle eût été femme à la
torturer avec tout le raffinement d'une Peau-Rouge,
afin de lui arracher son secret. Mais l'heure n'était pas
venue à laquelle Ivan Ogareff voulait faire parler la
vieille Sibérienne. Sangarre devait attendre, et elle
attendait, sans perdre des yeux celle qu'elle espion-
nait à son insu, guettant ses moindres gestes, ses
moindres paroles, l'observant jour et nuit, cherchant
à entendre ce mot de « fils » s'échapper de sa bouche,
mais déjouée jusqu'alors par l'inaltérable impassibilité de Marfa Strogoff.

Cependant, au premier éclat des fanfares, le grand
maître de l'artillerie tartare et le chef des écuries de
l'émir, suivis d'une brillante escorte de cavaliers
usbecks, s'étaient portés au front du camp afin de
recevoir Ivan Ogareff.

Lorsqu'ils furent arrivés en sa présence, ils lui
rendirent les plus grands honneurs et l'invitèrent à les
accompagner à la tente de Féofar-Khan.

Ivan Ogareff, imperturbable comme toujours,
répondit froidement aux déférences des hauts fonctionnaires envoyés à sa rencontre. Il était très simplement vêtu, mais, par une sorte de bravade impudente, il portait encore un uniforme d'officier russe.

Au moment où il rendait la main à son cheval pour
franchir l'enceinte du camp, Sangarre, passant entre
les cavaliers de l'escorte, s'approcha de lui et
demeura immobile.

« Rien? demanda Ivan Ogareff.

— Rien.

— Sois patiente.

— L'heure approche-t-elle où tu forceras la vieille femme à parler?

— Elle approche, Sangarre.

— Quand la vieille femme parlera-t-elle?

— Lorsque nous serons à Tomsk.

— Et nous y serons?...

— Dans trois jours. »

Les grands yeux noirs de Sangarre jetèrent un éclat extraordinaire, et elle se retira d'un pas tranquille.

Ivan Ogareff pressa les flancs de son cheval, et, suivi de son état-major d'officiers tartares, il se dirigea vers la tente de l'émir.

Féofar-Khan attendait son lieutenant. Le conseil, composé du porteur du sceau royal, du khodja et de quelques hauts fonctionnaires, avait pris place sous la tente.

Ivan Ogareff descendit de cheval, entra, et se trouva devant l'émir.

Féofar-Khan était un homme de quarante ans, haut de stature, le visage assez pâle, les yeux méchants, la physionomie farouche. Une barbe noire, étagée par petits rouleaux, descendait sur sa poitrine. Avec son costume de guerre, cotte à mailles d'or et d'argent, baudrier étincelant de pierres précieuses, fourreau de sabre courbé comme un yatagan et serti de gemmes éblouissantes, bottes ergotées d'un éperon d'or, casque orné d'une aigrette de diamants jetant mille feux, Féofar offrait au regard l'aspect plutôt étrange qu'imposant d'un Sardanapale tartare, souverain indiscuté qui dispose à son gré de la vie et de la fortune de ses sujets, dont la puissance est sans limites, et auquel, par privilège spécial, on donne, à Boukhara, la qualification d'émir.

Au moment où Ivan Ogareff parut, les grands dignitaires demeurèrent assis sur leurs coussins festonnés d'or; mais Féofar se leva d'un riche divan qui

Ivan Ogareff entra et se trouva devant l'émir.

occupait le fond de la tente, dont le sol disparaissait sous l'épaisse moquette d'un tapis boukharien. L'émir s'approcha d'Ivan Ogareff et lui donna un baiser, à la signification duquel il n'y avait pas à se méprendre. Ce baiser faisait du lieutenant le chef du conseil et le plaçait temporairement au-dessus du khodja.

Puis, Féofar, s'adressant à Ivan Ogareff :

« Je n'ai point à t'interroger, dit-il, parle, Ivan. Tu ne trouveras ici que des oreilles bien disposées à t'entendre.

— Takhsir[1], répondit Ivan Ogareff, voici ce que j'ai à te faire connaître. »

Ivan Ogareff s'exprimait en tartare, et donnait à ses phrases la tournure emphatique qui distingue le langage des Orientaux.

« Takhsir, le temps n'est pas aux inutiles paroles. Ce que j'ai fait, à la tête de tes troupes, tu le sais. Les lignes de l'Ichim et de l'Irtyche sont maintenant en notre pouvoir, et les cavaliers turcomans peuvent baigner leurs chevaux dans leurs eaux devenues tartares. Les hordes kirghises se sont soulevées à la voix de Féofar-Khan, et la principale route sibérienne t'appartient depuis Ichim jusqu'à Tomsk. Tu peux donc pousser tes colonnes aussi bien vers l'orient où le soleil se lève, que vers l'occident où il se couche.

— Et si je marche avec le soleil ? demanda l'émir, qui écoutait sans que son visage trahît aucune de ses pensées.

— Marcher avec le soleil, répondit Ivan Ogareff, c'est te jeter vers l'Europe, c'est conquérir rapidement les provinces sibériennes de Tobolsk jusqu'aux montagnes de l'Oural.

— Et si je vais au-devant de ce flambeau du ciel ?

— C'est soumettre à la domination tartare, avec Irkoutsk, les plus riches contrées de l'Asie centrale.

— Mais, les armées du sultan de Pétersbourg ? dit

1. C'est l'équivalent du nom de « Sire », qui est donné aux sultans de Boukhara.

Féofar-Khan, en désignant par ce titre bizarre
l'empereur de Russie.

— Tu n'as rien à en craindre, ni au levant ni au
couchant, répondit Ivan Ogareff. L'invasion a été
soudaine, et, avant que l'armée russe ait pu les
secourir, Irkoutsk ou Tobolsk seront tombées en ton
pouvoir. Les troupes du czar ont été écrasées à
Kolyvan, comme elles le seront partout où les tiens
lutteront contre ces soldats insensés de l'Occident.

— Et quel avis t'inspire ton dévouement à la cause
tartare ? demanda l'émir, après quelques instants de
silence.

— Mon avis, répondit vivement Ivan Ogareff, c'est
de marcher au-devant du soleil ! C'est de donner
l'herbe des steppes orientales à dévorer aux chevaux
turcomans ! C'est de prendre Irkoutsk, la capitale des
provinces de l'est, et, avec elle, l'otage dont la possession vaut toute une contrée. Il faut que, à défaut du
czar, le grand-duc son frère tombe entre tes mains. »

C'était là le suprême résultat que poursuivait Ivan
Ogareff. On l'eût pris, à l'entendre, pour l'un de ces
cruels descendants de Stepan-Razine, le célèbre
pirate qui ravagea la Russie méridionale au
XVIIIe siècle. S'emparer du grand-duc, le frapper sans
pitié, c'était pleine satisfaction donnée à sa haine ! En
outre, la prise d'Irkoutsk faisait passer immédiatement sous la domination tartare toute la Sibérie
orientale.

« Il sera fait ainsi, Ivan, répondit Féofar.

— Quels sont tes ordres, Takhsir ?

— Aujourd'hui même, notre quartier général sera
transporté à Tomsk. »

Ivan Ogareff s'inclina, et, suivi du housch-bégui, il
se retira pour faire exécuter les ordres de l'émir.

Au moment où il allait monter à cheval, afin de
regagner les avant-postes, un certain tumulte se produisit à quelque distance, dans la partie du camp
affectée aux prisonniers. Des cris se firent entendre,
et deux ou trois coups de fusil éclatèrent. Était-ce une

tentative de révolte ou d'évasion qui allait être sommairement réprimée?

Ivan Ogareff et le housch-bégui firent quelques pas en avant, et, presque aussitôt, deux hommes, que des soldats ne pouvaient retenir, parurent devant eux.

Le housch-bégui, sans plus d'information, fit un geste qui était un ordre de mort, et la tête de ces deux prisonniers allait rouler à terre, lorsqu'Ivan Ogareff dit quelques mots qui arrêtèrent le sabre déjà levé sur eux.

Le Russe avait reconnu que ces prisonniers étaient étrangers, et il donna l'ordre qu'on les lui amenât.

C'étaient Harry Blount et Alcide Jolivet.

Dès l'arrivée d'Ivan Ogareff au camp, ils avaient demandé à être conduits en sa présence. Les soldats avaient refusé. De là, lutte, tentative de fuite, coups de fusil qui n'atteignirent heureusement point les deux journalistes, mais leur exécution ne se fût point fait attendre, n'eût été l'intervention du lieutenant de l'émir.

Celui-ci examina pendant quelques moments ces prisonniers, qui lui étaient absolument inconnus. Ils étaient présents, cependant, à cette scène du relais de poste d'Ichim, dans laquelle Michel Strogoff fut frappé par Ivan Ogareff; mais le brutal voyageur n'avait point fait attention aux personnes réunies alors dans la salle commune.

Harry Blount et Alcide Jolivet, au contraire, le reconnurent parfaitement, et celui-ci dit à mi-voix :

« Tiens! Il paraît que le colonel Ogareff et le grossier personnage d'Ichim ne font qu'un! »

Puis, il ajouta à l'oreille de son compagnon :

« Exposez notre affaire, Blount. Vous me rendrez service. Ce colonel russe au milieu d'un camp tartare me dégoûte, et bien que, grâce à lui, ma tête soit encore sur mes épaules, mes yeux se détourneraient avec mépris plutôt que de le regarder en face! »

Et cela dit, Alcide Jolivet affecta la plus complète et la plus hautaine indifférence.

Il prit les lettres et les lut avec attention.

Ivan Ogareff comprit-il ce que l'attitude du prisonnier avait d'insultant pour lui? En tout cas, il n'en laissa rien paraître.

« Qui êtes-vous, messieurs? demanda-t-il en russe d'un ton très froid, mais exempt de sa rudesse habituelle.

— Deux correspondants de journaux anglais et français, répondit laconiquement Harry Blount.

— Vous avez sans doute des papiers qui vous permettent d'établir votre identité?

— Voici des lettres qui nous accréditent en Russie près des chancelleries anglaise et française. »

Ivan Ogareff prit les lettres que lui tendait Harry Blount, et il les lut avec attention. Puis :

« Vous demandez, dit-il, l'autorisation de suivre nos opérations militaires en Sibérie?

— Nous demandons à être libres, voilà tout, répondit sèchement le correspondant anglais.

— Vous l'êtes, messieurs, répondit Ivan Ogareff, et je serai curieux de lire vos chroniques dans le *Daily Telegraph*.

— Monsieur, répliqua Harry Blount avec le flegme le plus imperturbable, c'est six pence le numéro, les frais de poste en sus. »

Et, là-dessus, Harry Blount se retourna vers son compagnon, qui parut approuver complètement sa réponse.

Ivan Ogareff ne sourcilla pas, et, enfourchant son cheval, il prit la tête de son escorte et disparut bientôt dans un nuage de poussière.

« Eh bien, monsieur Jolivet, que pensez-vous du colonel Ivan Ogareff, général en chef des troupes tartares? demanda Harry Blount.

— Je pense, mon cher confrère, répondit en souriant Alcide Jolivet, que cet housch-bégui a eu un bien beau geste, quand il a donné l'ordre de nous couper la tête! »

Quoi qu'il en soit et quel que fût le motif qui eût porté Ivan Ogareff à agir ainsi à l'égard des deux journalistes, ceux-ci étaient libres et ils pouvaient parcourir à leur gré le théâtre de la guerre. Aussi, leur intention était-elle de ne point abandonner la partie. L'espèce d'antipathie qu'ils ressentaient autrefois l'un pour l'autre avait fait place à une amitié sincère. Rapprochés par les circonstances, ils ne songeaient plus à se séparer. Les mesquines questions de rivalité étaient à jamais éteintes. Harry Blount ne pouvait plus oublier ce qu'il devait à son compagnon, lequel ne cherchait aucunement à s'en souvenir, et en somme, ce rapprochement, facilitant les opérations de reportage, devait tourner à l'avantage de leurs lecteurs.

« Et maintenant, demanda Harry Blount, qu'est-ce que nous allons faire de notre liberté?

— En abuser, parbleu! répondit Alcide Jolivet, et aller tranquillement à Tomsk voir ce qui s'y passe.

— Jusqu'au moment, très prochain, je l'espère, où nous pourrons rejoindre quelque corps russe?...

— Comme vous dites, mon cher Blount! Il ne faut pas trop se tartariser! Le beau rôle est encore à ceux dont les armes civilisent, et il est évident que les peuples de l'Asie centrale auraient tout à perdre et absolument rien à gagner à cette invasion, mais les Russes sauront bien la repousser. Ce n'est qu'une affaire de temps! »

Cependant, l'arrivée d'Ivan Ogareff, qui venait de rendre à la liberté Alcide Jolivet et Harry Blount, était au contraire un grave péril pour Michel Strogoff. Que le hasard vînt à mettre le courrier du czar en présence d'Ivan Ogareff, celui-ci ne pourrait manquer de le reconnaître pour le voyageur qu'il avait si brutalement traité au relais d'Ichim, et bien que Michel Strogoff n'eût pas répondu à l'insulte comme il l'eût fait en toute autre circonstance, l'attention aurait été attirée sur lui, — ce qui eût rendu difficile l'exécution de ses projets.

Là était le côté fâcheux de la présence d'Ivan Ogareff. Toutefois, une conséquence heureuse de son arrivée, ce fut l'ordre qui fut donné de lever le camp le jour même et de transporter à Tomsk le quartier général.

C'était l'accomplissement du plus vif désir de Michel Strogoff. Son intention, on le sait, était d'atteindre Tomsk, confondu avec les autres prisonniers, c'est-à-dire sans risquer de tomber entre les mains des éclaireurs qui fourmillaient aux approches de cette importante ville. Cependant, par suite de l'arrivée d'Ivan Ogareff, et dans la crainte d'être reconnu de lui, il dut se demander s'il ne conviendrait pas de renoncer à ce premier projet et de tenter de s'échapper pendant le voyage.

Michel Strogoff allait sans doute s'arrêter à ce dernier parti, lorsqu'il apprit que Féofar-Khan et Ivan Ogareff étaient déjà partis pour la ville à la tête de quelques milliers de cavaliers.

« J'attendrai donc, se dit-il, à moins qu'il ne se présente quelque occasion exceptionnelle de fuir. Les mauvaises chances sont nombreuses en deçà de Tomsk, tandis qu'au-delà les bonnes s'accroîtront, puisque j'aurai, en quelques heures, dépassé les postes tartares les plus avancés dans l'est. Encore trois jours de patience, et que Dieu me vienne en aide ! »

C'était, en effet, un voyage de trois jours que les prisonniers, sous la surveillance d'un nombreux détachement de Tartares, devaient faire à travers la steppe. En effet, cent cinquante verstes séparaient le camp de la ville. Voyage facile pour les soldats de l'émir, qui ne manquaient de rien, mais pénible pour des malheureux, affaiblis par les privations. Plus d'un cadavre devait jalonner cette portion de la route sibérienne !

Ce fut à deux heures de l'après-midi, ce 12 août, par une température fort élevée et sous un ciel sans nuages, que le toptschi-baschi donna l'ordre de départ.

Alcide Jolivet et Harry Blount, ayant acheté des

chevaux, avaient déjà pris la route de Tomsk, où la logique des événements allait réunir les principaux personnages de cette histoire.

Au nombre des prisonniers amenés par Ivan Ogareff au camp tartare, était une vieille femme que sa taciturnité même semblait mettre à part au milieu de toutes celles qui partageaient son sort. Pas une plainte ne sortait de ses lèvres. On eût dit une statue de la douleur. Cette femme, presque toujours immobile, plus étroitement gardée qu'aucune autre, était, sans qu'elle parût s'en douter ou s'en soucier, observée par la tsigane Sangarre. Malgré son âge, elle avait dû suivre à pied le convoi des prisonniers, sans qu'aucun adoucissement eût été apporté à ses misères.

Toutefois, quelque providentiel dessein avait placé à ses côtés un être courageux, charitable, fait pour la comprendre et l'assister. Parmi ses compagnes d'infortune, une jeune fille, remarquable par sa beauté et par une impassibilité qui ne le cédait en rien à celle de la Sibérienne, semblait s'être donné la tâche de veiller sur elle. Aucune parole n'avait été échangée entre les deux captives, mais la jeune fille se trouvait toujours à point nommé auprès de la vieille femme, quand son secours pouvait lui être utile. Celle-ci n'avait pas tout d'abord accepté sans méfiance les soins muets de cette inconnue. Peu à peu, cependant, l'évidente droiture du regard de cette jeune fille, sa réserve et la mystérieuse sympathie qu'une communauté de douleurs établit entre d'égales infortunes, avaient eu raison de la froideur hautaine de Marfa Strogoff. Nadia — car c'était elle — avait pu ainsi, sans la connaître, rendre à la mère les soins qu'elle-même avait reçus de son fils. Son instinctive bonté l'avait doublement bien inspirée. En se vouant à la servir, Nadia assurait à sa jeunesse et à sa beauté la protection de l'âge de la vieille prisonnière. Au milieu de cette foule d'infortunés, aigris par les souffrances, ce groupe silencieux de deux femmes, dont l'une semblait être l'aïeule, l'autre la petite-fille, imposait à tous une sorte de respect.

Nadia, après avoir été enlevée par les éclaireurs tartares sur les barques de l'Irtyche, avait été conduite à Omsk. Retenue prisonnière dans la ville, elle partagea le sort de tous ceux que la colonne d'Ivan Ogareff avait capturés jusqu'alors, et, par conséquent, celui de Marfa Strogoff.

Nadia, si elle eût été moins énergique, aurait succombé à ce double coup qui venait de la frapper. L'interruption de son voyage, la mort de Michel Strogoff l'avaient à la fois désespérée et révoltée. Éloignée à jamais peut-être de son père, après tant d'efforts déjà heureux qui l'en avaient rapprochée, et, pour comble de douleur, séparée de l'intrépide compagnon que Dieu même semblait avoir mis sur sa route pour la conduire au but, elle avait à la fois et du même coup tout perdu. L'image de Michel Strogoff, atteint sous ses yeux d'un coup de lance et disparaissant dans les eaux de l'Irtyche, ne quittait plus sa pensée. Un tel homme avait-il bien pu mourir ainsi ? Pour qui Dieu réservait-il ses miracles, si ce juste, qu'un noble dessein poussait à coup sûr, avait pu être si misérablement arrêté dans sa marche ? Quelquefois la colère l'emportait sur la douleur. La scène de l'affront si étrangement subi par son compagnon au relais d'Ichim lui revenait à la mémoire. Son sang bouillait à ce souvenir.

« Qui vengera ce mort qui ne peut plus se venger lui-même ? » se disait-elle.

Et dans son cœur, la jeune fille, s'adressant à Dieu même, s'écriait :

« Seigneur, faites que ce soit moi ! »

Si encore, avant de mourir, Michel Strogoff lui avait confié son secret, si, toute femme, tout enfant qu'elle était, elle eût pu mener à bonne fin la tâche interrompue de ce frère que Dieu n'aurait pas dû lui donner, puisqu'il devait sitôt le lui reprendre !...

Absorbée dans ces pensées, on comprend que

La jeune fille était là et l'aidait de son bras.

Nadia fût demeurée comme insensible aux misères mêmes de sa captivité.

C'était alors que le hasard l'avait, sans qu'elle pût en avoir le moindre soupçon, réunie à Marfa Strogoff. Comment aurait-elle pu imaginer que cette vieille femme, prisonnière comme elle, fût la mère de son compagnon, qui n'avait jamais été pour elle que le marchand Nicolas Korpanoff? Et, de son côté, comment Marfa aurait-elle pu deviner qu'un lien de reconnaissance rattachait cette jeune inconnue à son fils?

Ce qui frappa d'abord Nadia dans Marfa Strogoff, ce fut une sorte de conformité secrète dans la façon dont chacune, de son côté, subissait sa dure condition. Cette indifférence stoïque de la vieille femme aux douleurs matérielles de leur vie quotidienne, ce mépris des souffrances du corps, Marfa ne pouvait les puiser que dans une douleur morale égale à la sienne. Voilà ce que pensait Nadia, et elle ne se trompait pas. Ce fut donc une sympathie instinctive pour cette part de ses misères que Marfa Strogoff ne montrait pas, qui poussa tout d'abord Nadia vers elle. Cette façon de supporter son mal allait à l'âme fière de la jeune fille. Elle ne lui offrit pas ses services, elle les lui donna. Marfa n'eut ni à refuser ni à accepter. Dans les passages difficiles de la route, la jeune fille était là et l'aidait de son bras. Aux heures des distributions de vivres, la vieille femme n'eût pas bougé, mais Nadia partageait avec elle son insuffisante nourriture, et c'est ainsi que ce pénible voyage s'était opéré pour l'une en même temps que pour l'autre. Grâce à sa jeune compagne, Marfa Strogoff put suivre les soldats qui convoyaient la troupe des prisonniers sans être attachée à l'arçon d'une selle, comme tant d'autres malheureuses, ainsi traînées sur ce chemin de douleur.

« Que Dieu te récompense, ma fille, de ce que tu fais pour mes vieux ans! » lui dit une fois Marfa Strogoff, et cela avait été, pendant quelque temps, la seule parole prononcée entre les deux infortunées.

Durant ces quelques jours, qui leur parurent longs comme des siècles, la vieille femme et la jeune fille — il le semblait du moins — auraient dû être amenées à causer de leur situation réciproque. Mais Marfa Strogoff, par une circonspection facile à comprendre, n'avait parlé, et encore avec une grande brièveté, que d'elle-même. Elle n'avait fait aucune allusion ni à son fils ni à la funeste rencontre qui les avait mis face à face.

Nadia, elle aussi, fut longtemps, sinon muette, du moins sobre de toute parole inutile. Cependant, un jour, sentant qu'elle avait devant elle une âme simple et haute, son cœur avait débordé, et elle avait raconté, sans en rien cacher, tous les événements qui s'étaient accomplis depuis son départ de Wladimir jusqu'à la mort de Nicolas Korpanoff. Ce qu'elle dit de son jeune compagnon intéressa vivement la vieille Sibérienne.

« Nicolas Korpanoff! dit-elle. Parle-moi encore de ce Nicolas! Je ne sais qu'un homme, un seul parmi la jeunesse de ce temps, dont une telle conduite ne m'eût pas étonnée! Nicolas Korpanoff, était-ce bien son nom? En es-tu sûre, ma fille?

— Pourquoi m'aurait-il trompée sur ce point, répondit Nadia, lui qui ne m'a trompée sur aucun autre? »

Cependant, mue par une sorte de pressentiment, Marfa Strogoff faisait à Nadia questions sur questions.

« Tu m'as dit qu'il était intrépide, ma fille! Tu m'as prouvé qu'il l'avait été! dit-elle.

— Oui, intrépide! » répondit Nadia.

« C'est bien ainsi qu'eût été mon fils », se répétait Marfa Strogoff à part elle.

Puis elle reprenait :

« Tu m'as dit encore que rien ne l'arrêtait, que rien ne l'étonnait, qu'il était si doux dans sa force même, que tu avais une sœur aussi bien qu'un frère en lui, et qu'il a veillé sur toi comme une mère?

— Oui, oui ! dit Nadia. Frère, sœur, mère, il a été tout pour moi !

— Et aussi un lion pour te défendre ?

— Un lion, en vérité ! répondit Nadia. Oui, un lion, un héros ! »

« Mon fils, mon fils ! » pensait la vieille Sibérienne. « Mais tu dis, cependant, qu'il a supporté un terrible affront dans cette maison de poste d'Ichim ?

— Il l'a supporté ! répondit Nadia en baissant la tête.

— Il l'a supporté ? murmura Marfa Strogoff, frémissante.

— Mère ! mère ! s'écria Nadia, ne le condamnez pas. Il y avait là un secret, un secret dont Dieu seul, à l'heure qu'il est, est le juge !

— Et, dit Marfa, relevant la tête et regardant Nadia comme si elle eût voulu lire jusqu'au plus profond de son âme, dans cette heure d'humiliation, ce Nicolas Korpanoff, est-ce que tu l'as méprisé ?

— Je l'ai admiré sans le comprendre ! répondit la jeune fille. Je ne l'ai jamais senti plus digne de respect ! »

La vieille femme se tut un instant.

« Il était grand ? demanda-t-elle.

— Très grand.

— Et très beau, n'est-ce pas ? Allons, parle, ma fille.

— Il était très beau, répondit Nadia toute rougissante.

— C'était mon fils ! Je te dis que c'était mon fils ! s'écria la vieille femme en embrassant Nadia.

— Ton fils ! répondit Nadia tout interdite, ton fils !

— Allons ! dit Marfa, va jusqu'au bout, mon enfant ! Ton compagnon, ton ami, ton protecteur, il avait une mère ! Est-ce qu'il ne t'aurait jamais parlé de sa mère ?

— De sa mère ? dit Nadia. Il m'a parlé de sa mère comme je lui ai parlé de mon père, souvent, toujours ! Cette mère, il l'adorait !

— Nadia, Nadia! Tu viens de me raconter l'histoire même de mon fils », dit la vieille femme.

Et elle ajouta impétueusement :

« Ne devait-il donc pas la voir en passant à Omsk, cette mère que tu dis qu'il aimait ?

— Non, répondit Nadia, non, il ne le devait pas.

— Non ? s'écria Marfa. Tu as osé me dire non ?

— Je te l'ai dit, mais il me reste à t'apprendre que, pour des motifs qui devaient l'emporter sur tout, des motifs que je ne connais pas, j'ai cru comprendre que Nicolas Korpanoff devait traverser le pays dans le plus absolu secret. C'était pour lui une question de vie et de mort, et, mieux encore, une question de devoir et d'honneur.

— De devoir, en effet, de devoir impérieux, dit la vieille Sibérienne, de ceux auxquels on sacrifie tout, pour l'accomplissement desquels on refuse tout, même la joie de venir donner un baiser, le dernier peut-être, à sa vieille mère! Tout ce que tu ne sais pas, Nadia, tout ce que je ne savais pas moi-même, je le sais à l'heure qu'il est! Tu m'as tout fait comprendre! Mais la lumière que tu as jetée au plus profond des ténèbres de mon coeur, cette lumière, je ne puis la faire entrer dans le tien. Le secret de mon fils, Nadia, puisqu'il ne te l'a pas dit, il faut que je le lui garde! Pardonne-moi, Nadia! Le bien que tu m'as fait, je ne puis te le rendre!

— Mère, je ne vous demande rien », répondit Nadia.

Tout s'était expliqué ainsi pour la vieille Sibérienne, tout, jusqu'à l'inexplicable conduite de son fils à son égard, dans l'auberge d'Omsk, en présence des témoins de leur rencontre. Il n'y avait plus à douter que le compagnon de la jeune fille n'eût été Michel Strogoff, et qu'une mission secrète, quelque importante dépêche à porter à travers la contrée envahie, ne l'obligeât à cacher sa qualité de courrier du czar.

« Ah! mon brave enfant, pensa Marfa Strogoff.

Non ! je ne te trahirai pas, et les tortures ne m'arracheront jamais l'aveu que c'est bien toi que j'ai vu à Omsk ! »

Marfa Strogoff aurait pu, d'un mot, payer Nadia de tout son dévouement pour elle. Elle aurait pu lui apprendre que son compagnon, Nicolas Korpanoff, ou plutôt Michel Strogoff, n'avait pas péri dans les eaux de l'Irtyche, puisque c'était quelques jours après cet incident qu'elle l'avait rencontré, qu'elle lui avait parlé !...

Mais elle se contint, elle se tut, et se borna à dire :

« Espère, mon enfant ! Le malheur ne s'acharnera pas toujours sur toi ! Tu reverras ton père, j'en ai le pressentiment, et, peut-être, celui qui te donnait le nom de sœur n'est-il pas mort ! Dieu ne peut pas permettre que ton brave compagnon ait péri !... Espère, ma fille ! espère ! Fais comme moi ! Le deuil que je porte n'est pas encore celui de mon fils ! »

III

COUP POUR COUP

Telle était maintenant la situation de Marfa Strogoff et de Nadia l'une vis-à-vis de l'autre. La vieille Sibérienne avait tout compris, et si la jeune fille ignorait que son compagnon tant regretté vécût encore, elle savait, du moins, ce qu'il était à celle dont elle avait fait sa mère, et elle remerciait Dieu de lui avoir donné cette joie de pouvoir remplacer auprès de la prisonnière le fils qu'elle avait perdu.

Mais ce que ni l'une ni l'autre ne pouvaient savoir, c'est que Michel Strogoff, pris à Kolyvan, faisait partie du même convoi et qu'il était dirigé sur Tomsk avec elles.

Les prisonniers amenés par Ivan Ogareff avaient été réunis à ceux que l'émir gardait déjà au camp tartare. Ces malheureux, Russes ou Sibériens, militaires ou civils, étaient au nombre de quelques milliers, et ils formaient une colonne qui s'étendait sur une longueur de plusieurs verstes. Parmi eux, il en était qui, considérés comme plus dangereux, avaient été attachés par des menottes à une longue chaîne. Il y avait aussi des femmes, des enfants, liés ou suspendus aux pommeaux des selles, et impitoyablement traînés sur les routes! On les poussait tous comme un bétail humain. Les cavaliers qui les escortaient les obligeaient à garder un certain ordre, et il n'y avait de retardataires que ceux qui tombaient pour ne plus se relever.

De cette disposition, il était résulté ceci : c'est que Michel Strogoff, rangé dans les premiers rangs de ceux qui avaient quitté le camp tartare, c'est-à-dire parmi les prisonniers de Kolyvan, ne devait pas être mêlé aux prisonniers venus d'Omsk en dernier lieu. Il ne pouvait donc soupçonner dans ce convoi la présence de sa mère et de Nadia, pas plus que celles-ci ne pouvaient soupçonner la sienne.

Ce voyage, du camp à Tomsk, fait dans ces conditions, sous le fouet des soldats, fut mortel pour un grand nombre, terrible pour tous. On allait à travers la steppe, sur une route rendue plus poussiéreuse encore par le passage de l'émir et de son avant-garde. Ordre avait été donné de marcher vite. Les haltes, très courtes, étaient rares. Ces cent cinquante verstes à franchir sous un soleil ardent, si rapidement qu'elles fussent parcourues, devaient sembler interminables!

C'est une contrée stérile que celle qui s'étend sur la droite de l'Obi jusqu'à la base de ce contrefort, détaché des monts Sayansk, dont l'orientation est nord et sud. A peine quelques buissons maigres et brûlés rompent-ils çà et là la monotonie de l'immense plaine. Il n'y a pas de culture, parce qu'il n'y a pas d'eau, et c'est l'eau qui manqua le plus aux prison-

Il fallait suivre la grande route sibérienne.

niers, altérés par une marche pénible. Pour trouver
un affluent, il eût fallu se porter d'une cinquantaine
de verstes dans l'est, jusqu'au pied même du contrefort qui détermine le partage des eaux entre les
bassins de l'Obi et de l'Yeniseï. Là, coule le Tom,
petit affluent de l'Obi, qui passe à Tomsk avant de se
perdre dans une des grandes artères du nord. Là,
l'eau eût été abondante, la steppe moins aride, la
température moins ardente. Mais les plus étroites
prescriptions avaient été données aux chefs du convoi
de gagner Tomsk par le plus court, car l'émir pouvait
toujours craindre d'être pris de flanc et coupé par
quelque colonne russe qui fût descendue des provinces du nord. Or, la grande route sibérienne ne
côtoyait pas les rives du Tom, du moins dans sa partie
comprise entre Kolyvan et une petite bourgade nommée Zabédiero, et il fallait suivre la grande route
sibérienne.

Il est inutile de s'appesantir sur les souffrances de
tant de malheureux prisonniers. Plusieurs centaines
tombèrent sur la steppe, et leurs cadavres y devaient
rester jusqu'au moment où les loups, ramenés par
l'hiver, en dévoreraient les derniers ossements.

De même que Nadia était toujours là, prête à
secourir la vieille Sibérienne, de même Michel Strogoff, libre de ses mouvements, rendait à des compagnons d'infortune plus faibles que lui tous les services
que sa situation lui permettait. Il encourageait les
uns, il soutenait les autres, il se prodiguait, il allait et
venait, jusqu'à ce que la lance d'un cavalier l'obligeât
à reprendre sa place au rang qui lui était assigné.

Pourquoi ne cherchait-il pas à fuir? C'est que son
projet était bien arrêté, maintenant, de ne se lancer à
travers la steppe que lorsqu'elle serait sûre pour lui. Il
s'était entêté dans cette idée d'aller jusqu'à Tomsk
« aux frais de l'émir », et, en somme, il avait raison.
A voir les nombreux détachements qui battaient la
plaine sur les flancs du convoi, tantôt au sud, tantôt
au nord, il était évident qu'il n'eût pas fait deux

verstes sans avoir été repris. Les cavaliers tartares pullulaient, et, parfois, il semblait qu'ils sortissent de terre, comme ces insectes nuisibles qu'une pluie d'orage fait fourmiller à la surface du sol. En outre, la fuite dans ces conditions eût été extrêmement difficile, sinon impossible. Les soldats de l'escorte déployaient une extrême vigilance, car il y allait pour eux de la tête, si leur surveillance eût été mise en défaut.

Enfin, le 15 août, à la tombée du jour, le convoi atteignit la petite bourgade de Zabédiero, à une trentaine de verstes de Tomsk. En cet endroit, la route rejoignait le cours du Tom.

Le premier mouvement des prisonniers eût été de se précipiter dans les eaux de cette rivière ; mais leurs gardiens ne leur permirent pas de rompre les rangs avant que la halte fût organisée. Bien que le courant du Tom fût presque torrentiel à cette époque, il pouvait favoriser la fuite de quelque audacieux ou de quelque désespéré, et les plus sévères mesures de vigilance allaient être prises. Des barques, réquisitionnées à Zabédiero, furent embossées sur le Tom et formèrent un chapelet d'obstacles impossible à franchir. Quant à la ligne du campement, appuyée aux premières maisons de la bourgade, elle fut gardée par un cordon de sentinelles impossible à briser.

Michel Strogoff, qui aurait pu songer dès ce moment à se jeter dans la steppe, comprit, après avoir soigneusement observé la situation, que ses projets de fuite étaient presque inexécutables dans ces conditions, et, ne voulant rien compromettre, il attendit.

Cette nuit-là tout entière, les prisonniers devaient camper sur les bords du Tom. L'émir, en effet, avait remis au lendemain l'installation de ses troupes à Tomsk. Il avait été décidé qu'une fête militaire marquerait l'inauguration du quartier général tartare dans cette importante cité. Féofar-Khan en occupait déjà la forteresse, mais le gros de son armée bivouaquait sous les murs, attendant le moment d'y faire une entrée solennelle.

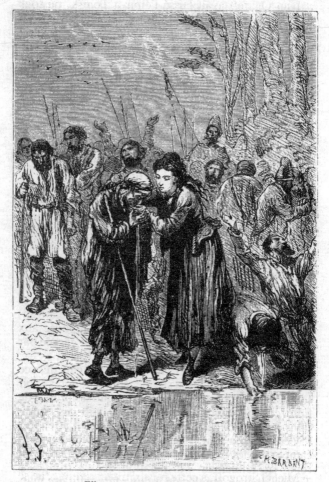

Elles venaient boire à leur tour.

Ivan Ogareff avait laissé l'émir à Tomsk, où tous deux étaient arrivés la veille, et il était revenu au campement de Zabédiero. C'est de ce point qu'il devait partir le lendemain avec l'arrière-garde de l'armée tartare. Une maison avait été disposée pour qu'il pût y passer la nuit. Au soleil levant, sous son commandement, cavaliers et fantassins se dirigeraient sur Tomsk, où l'émir voulait les recevoir avec la pompe habituelle aux souverains asiatiques.

Dès que la halte eut été organisée, les prisonniers, brisés par ces trois jours de voyage, en proie à une soif ardente, purent se désaltérer enfin et prendre un peu de repos.

Le soleil était déjà couché, mais l'horizon s'éclairait encore des lueurs crépusculaires, lorsque Nadia, soutenant Marfa Strogoff, arriva sur les bords du Tom. Toutes deux n'avaient pu, jusqu'alors, percer les rangs de ceux qui encombraient la berge, et elles venaient boire à leur tour.

La vieille Sibérienne se pencha sur ce courant frais, et Nadia, y plongeant sa main, la porta aux lèvres de Marfa. Puis elle se rafraîchit à son tour. Ce fut la vie que la vieille femme et la jeune fille retrouvèrent dans ces eaux bienfaisantes.

Soudain, Nadia, au moment de quitter la rive, se redressa. Un cri involontaire venait de lui échapper.

Michel Strogoff était là, à quelques pas d'elle !... C'était lui !... Les dernières lueurs du jour l'éclairaient encore !

Au cri de Nadia, Michel Strogoff avait tressailli... Mais il eut assez d'empire sur lui-même pour ne pas prononcer un mot qui pût le compromettre.

Et cependant, en même temps que Nadia, il avait reconnu sa mère !...

Michel Strogoff, à cette rencontre inattendue, ne se sentant plus maître de lui, porta la main à ses yeux et s'éloigna aussitôt.

Nadia s'était élancée instinctivement pour le rejoindre, mais la vieille Sibérienne lui murmura ces mots à l'oreille :

« Reste, ma fille !

— C'est lui ! répondit Nadia d'une voix coupée par l'émotion. Il vit, mère ! c'est lui !

— C'est mon fils, répondit Marfa Strogoff, c'est Michel Strogoff, et tu vois que je ne fais pas un pas vers lui ! Imite-moi, ma fille ! »

Michel Strogoff venait d'éprouver l'une des plus violentes émotions qu'il soit donné à un homme de ressentir. Sa mère et Nadia étaient là. Ces deux prisonnières, qui se confondaient presque dans son cœur, Dieu les avait poussées l'une vers l'autre en cette commune infortune ! Nadia savait-elle donc qui il était ? Non, car il avait vu le geste de Marfa Strogoff, la retenant au moment où elle allait s'élancer vers lui ! Marfa Strogoff avait donc tout compris et gardé son secret.

Pendant cette nuit, Michel Strogoff fut vingt fois sur le point de chercher à rejoindre sa mère, mais il comprit qu'il devait résister à cet immense désir de la serrer dans ses bras, de presser encore une fois la main de sa jeune compagne ! La moindre imprudence pouvait le perdre. Il avait juré, d'ailleurs, de ne pas voir sa mère… il ne la verrait pas, volontairement ! Une fois arrivé à Tomsk, puisqu'il ne pouvait fuir cette nuit même, il se jetterait à travers la steppe sans même avoir embrassé les deux êtres en qui se résumait toute sa vie et qu'il laissait exposés à tant de périls !

Michel Strogoff pouvait donc espérer que cette nouvelle rencontre au campement de Zabédiero n'aurait de conséquence fâcheuse, ni pour sa mère, ni pour lui. Mais il ne savait pas que certains détails de cette scène, si rapidement qu'elle se fût passée, venaient d'être surpris par Sangarre, l'espionne d'Ivan Ogareff.

La tsigane était là, à quelques pas, sur la berge, épiant comme toujours la vieille Sibérienne, et sans que celle-ci s'en doutât. Elle n'avait pu apercevoir Michel Strogoff, qui avait déjà disparu lorsqu'elle se retourna ; mais le geste de la mère, retenant Nadia, ne lui avait pas échappé, et un éclair des yeux de Marfa venait de tout lui apprendre.

Il était désormais hors de doute que le fils de Marfa Strogoff, le courrier du czar, se trouvait en ce moment, à Zabédiero, au nombre des prisonniers d'Ivan Ogareff !

Sangarre ne le connaissait pas, mais elle savait qu'il était là ! Elle ne chercha donc pas à le découvrir, ce qui eût été impossible dans l'ombre et au milieu de cette nombreuse foule.

Quant à espionner de nouveau Nadia et Marfa Strogoff, c'était également inutile. Il était évident que ces deux femmes se tiendraient sur leurs gardes, et il serait impossible de rien surprendre qui fût de nature à compromettre le courrier du czar.

La tsigane n'eut donc plus qu'une pensée : prévenir Ivan Ogareff. Elle quitta donc aussitôt le campement.

Un quart d'heure après, elle arrivait à Zabédiero et était introduite dans la maison qu'occupait le lieutenant de l'émir.

Ivan Ogareff reçut immédiatement la tsigane.

« Que me veux-tu, Sangarre ? lui demanda-t-il.

— Le fils de Marfa Strogoff est au campement, répondit Sangarre.

— Prisonnier ?

— Prisonnier !

— Ah ! s'écria Ivan Ogareff, je saurai...

— Tu ne sauras rien, Ivan, répondit la tsigane, car tu ne le connais même pas !

— Mais tu le connais, toi ! Tu l'as vu, Sangarre !

— Je ne l'ai pas vu, mais j'ai vu sa mère se trahir par un mouvement qui m'a tout appris.

— Ne te trompes-tu pas ?

— Je ne me trompe pas.

— Tu sais l'importance que j'attache à l'arrestation de ce courrier, dit Ivan Ogareff. Si la lettre qui lui a été remise à Moscou parvient à Irkoutsk, si elle est remise au grand-duc, le grand-duc sera sur ses gardes, et je ne pourrai arriver à lui ! Cette lettre, il me la faut donc à tout prix ! Or, tu viens me dire que le porteur de cette lettre est en mon pouvoir ! Je te le répète, Sangarre, ne te trompes-tu pas ? »

Ivan Ogareff avait parlé avec une grande animation. Son émotion témoignait de l'extrême importance qu'il attachait à la possession de cette lettre. Sangarre ne fut aucunement troublée de l'insistance avec laquelle Ivan Ogareff précisa de nouveau sa demande.

« Je ne me trompe pas, Ivan, répondit-elle.

— Mais, Sangarre, il y a au campement plusieurs milliers de prisonniers, et tu dis que tu ne connais pas Michel Strogoff !

— Non, répondit la tsigane, dont le regard s'imprégna d'une joie sauvage, je ne le connais pas, moi, mais sa mère le connaît ! Ivan, il faudra faire parler sa mère !

— Demain, elle parlera ! » s'écria Ivan Ogareff.

Puis, il tendit sa main à la tsigane, et celle-ci la baisa, sans que dans cet acte de respect, habituel aux races du Nord, il y eût rien de servile.

Sangarre rentra au campement. Elle retrouva la place occupée par Nadia et Marfa Strogoff, et passa la nuit à les observer toutes deux. La vieille femme et la jeune fille ne dormirent pas, bien que la fatigue les accablât. Trop d'inquiétudes devaient les tenir éveillées. Michel Strogoff était vivant, mais prisonnier comme elles ! Ivan Ogareff le savait-il, et, s'il ne le savait pas, ne viendrait-il pas à l'apprendre ? Nadia était toute à cette pensée que son compagnon vivait, lui qu'elle avait cru mort ! Mais Marfa Strogoff voyait plus loin dans l'avenir, et, si elle faisait bon marché d'elle-même, elle avait raison de tout craindre pour son fils.

Sangarre, qui s'était glissée dans l'ombre jusqu'auprès de ces deux femmes, resta à cette place pendant plusieurs heures, prêtant l'oreille... Elle ne put rien entendre. Par un sentiment instinctif de prudence, pas un mot ne fut échangé entre Nadia et Marfa Strogoff.

Le lendemain 16 août, vers dix heures du matin, d'éclatantes fanfares retentirent à la lisière du campement. Les soldats tartares se mirent immédiatement sous les armes.

Ivan Ogareff, après avoir quitté Zabédiero, arrivait au milieu d'un nombreux état-major d'officiers tartares. Son visage était plus sombre que d'habitude, et ses traits contractés indiquaient en lui une sourde colère, qui ne cherchait qu'une occasion d'éclater.

Michel Strogoff, perdu dans un groupe de prisonniers, vit passer cet homme. Il eut le pressentiment que quelque catastrophe allait se produire, car Ivan Ogareff savait maintenant que Marfa Strogoff était la mère de Michel Strogoff, capitaine au corps des courriers du czar.

Ivan Ogareff, arrivé au centre du campement, descendit de cheval, et les cavaliers de son escorte firent faire un large cercle autour de lui.

En ce moment, Sangarre s'approcha et dit :

« Je n'ai rien de nouveau à t'apprendre, Ivan ! »

Ivan Ogareff ne répondit qu'en donnant brièvement un ordre à l'un de ses officiers.

Aussitôt, les rangs des prisonniers furent brutalement parcourus par des soldats. Ces malheureux, stimulés à coups de fouet ou poussés du bois des lances, durent se relever en hâte et se ranger sur la circonférence du campement. Un quadruple cordon de fantassins et de cavaliers, disposé en arrière, rendait toute évasion impossible.

Le silence se fit aussitôt, et, sur un signe d'Ivan Ogareff, Sangarre se dirigea vers le groupe au milieu duquel se tenait Marfa Strogoff.

La vieille Sibérienne la vit venir. Elle comprit ce qui allait se passer. Un sourire dédaigneux apparut sur ses lèvres. Puis, se penchant vers Nadia, elle lui dit à voix basse :

« Tu ne me connais plus, ma fille ! Quoi qu'il

arrive, et si dure que puisse être cette épreuve, pas un mot, pas un geste! C'est de lui et non de moi qu'il s'agit! »

A ce moment, Sangarre, après l'avoir regardée un instant, mit sa main sur l'épaule de la vieille Sibérienne.

« Que me veux-tu? dit Marfa Strogoff.

— Viens! » répondit Sangarre.

Et, la poussant de la main, elle la conduisit, au milieu de l'espace réservé, devant Ivan Ogareff.

Michel Strogoff tenait ses paupières à demi fermées, pour n'être pas trahi par l'éclair de ses yeux.

Marfa Strogoff, arrivée en face d'Ivan Ogareff, redressa sa taille, croisa ses bras et attendit.

« Tu es bien Marfa Strogoff? lui demanda Ivan Ogareff.

— Oui, répondit la vieille Sibérienne avec calme.

— Reviens-tu sur ce que tu m'as répondu lorsque, il y a trois jours, je t'ai interrogée à Omsk?

— Non.

— Ainsi, tu ignores que ton fils, Michel Strogoff, courrier du czar, a passé à Omsk?

— Je l'ignore.

— Et l'homme que tu avais cru reconnaître pour ton fils au relais de poste, ce n'était pas lui, ce n'était pas ton fils?

— Ce n'était pas mon fils.

— Et depuis, tu ne l'as pas vu au milieu de ces prisonniers?

— Non.

— Et si on te le montrait, le reconnaîtrais-tu?

— Non. »

A cette réponse, qui dénotait une inébranlable résolution de ne rien avouer, un murmure se fit entendre dans la foule.

Ivan Ogareff ne put retenir un geste menaçant.

« Écoute, dit-il à Marfa Strogoff, ton fils est ici, et tu vas immédiatement le désigner.

— Non.

— Tous ces hommes, pris à Omsk et à Kolyvan, vont défiler sous tes yeux, et si tu ne désignes pas Michel Strogoff, tu recevras autant de coups de knout qu'il sera passé d'hommes devant toi ! »

Ivan Ogareff avait compris que, quelles que fussent ses menaces, quelles que fussent les tortures auxquelles on la soumettrait, l'indomptable Sibérienne ne parlerait pas. Pour découvrir le courrier du czar, il comptait donc, non sur elle, mais sur Michel Strogoff lui-même. Il ne croyait pas possible que, lorsque la mère et le fils seraient en présence l'un de l'autre, un mouvement irrésistible ne les trahît pas. Certainement, s'il n'avait voulu que saisir la lettre impériale, il aurait simplement donné l'ordre de fouiller tous ces prisonniers ; mais Michel Strogoff pouvait avoir détruit cette lettre, après en avoir pris connaissance, et s'il n'était pas reconnu, s'il parvenait à gagner Irkoutsk, les plans d'Ivan Ogareff seraient déjoués. Ce n'était donc pas seulement la lettre qu'il fallait au traître, c'était le porteur lui-même.

Nadia avait tout entendu, et elle savait maintenant ce qu'était Michel Strogoff et pourquoi il avait voulu traverser sans être reconnu les provinces envahies de la Sibérie !

Sur l'ordre d'Ivan Ogareff, les prisonniers défilèrent un à un devant Marfa Strogoff, qui resta immobile comme une statue et dont le regard n'exprima que la plus complète indifférence.

Son fils se trouvait dans les derniers rangs. Quand, à son tour, il passa devant sa mère, Nadia ferma les yeux pour ne pas voir !

Michel Strogoff était demeuré impassible en apparence, mais la paume de ses mains saigna sous ses ongles, qui s'y étaient incrustés.

Ivan Ogareff était vaincu par le fils et la mère !

Sangarre, placée près de lui, ne dit qu'un mot : « Le knout !

— Oui ! s'écria Ivan Ogareff, qui ne se possédait plus, le knout à cette vieille coquine, et jusqu'à ce qu'elle meure ! »

« Va ! » dit Ivan Ogareff.

Un soldat tartare, portant ce terrible instrument de supplice, s'approcha de Marfa Strogoff.

Le knout se compose d'un certain nombre de lanières de cuir, à l'extrémité desquelles sont attachés des fils de fer tordus. On estime qu'une condamnation à cent vingt coups de ce fouet équivaut à une condamnation à mort. Marfa Strogoff le savait, mais elle savait aussi qu'aucune torture ne la ferait parler, et elle avait fait le sacrifice de sa vie.

Marfa Strogoff, saisie par deux soldats, fut jetée à genoux sur le sol. Sa robe, déchirée, montra son dos à nu. Un sabre fut posé devant sa poitrine, à quelques pouces seulement. Au cas où elle eût fléchi sous la douleur, sa poitrine était percée de cette pointe aiguë.

Le Tartare se tint debout.

Il attendait.

« Va ! » dit Ivan Ogareff.

Le fouet siffla dans l'air...

Mais, avant qu'il eût frappé, une main puissante l'avait arraché à la main du Tartare.

Michel Strogoff était là ! Il avait bondi devant cette horrible scène ! Si, au relais d'Ichim, il s'était contenu lorsque le fouet d'Ivan Ogareff l'avait atteint, ici, devant sa mère qui allait être frappée, il n'avait pu se maîtriser.

Ivan Ogareff avait réussi.

« Michel Strogoff ! » s'écria-t-il.

Puis, s'avançant :

« Ah ! fit-il, l'homme d'Ichim ?

— Lui-même ! » dit Michel Strogoff.

Et, levant le knout, il en déchira la figure d'Ivan Ogareff.

« Coup pour coup ! dit-il.

— Bien rendu ! » s'écria la voix d'un spectateur, qui se perdit heureusement dans le tumulte.

Vingt soldats se jetèrent sur Michel Strogoff, et ils allaient le tuer...

Mais, Ivan Ogareff, auquel un cri de rage et de douleur avait échappé, les arrêta d'un geste.

Levant le knout, il en déchira la figure d'Ivan Ogareff.

« Cet homme est réservé à la justice de l'émir !
dit-il. Qu'on le fouille ! »

La lettre aux armes impériales fut trouvée sur la
poitrine de Michel Strogoff, qui n'avait pas eu le
temps de la détruire, et on la remit à Ivan Ogareff.

Le spectateur qui avait prononcé ces mots : « Bien
rendu ! » n'était autre qu'Alcide Jolivet. Son confrère
et lui, s'étant arrêtés au camp de Zabédiero, assistaient à cette scène.

« Pardieu ! dit-il à Harry Blount, ces gens du Nord
sont de rudes hommes ! Avouez que nous devons une
réparation à notre compagnon de route ! Korpanoff
ou Strogoff se valent ! Belle revanche de l'affaire
d'Ichim !

— Oui, revanche, en effet, répondit Harry Blount,
mais Strogoff est un homme mort. Dans son intérêt, il
aurait peut-être mieux fait de ne pas se souvenir
encore !

— Et de laisser périr sa mère sous le knout !

— Croyez-vous qu'il lui ait fait un meilleur sort par
son emportement, à elle et à sa sœur ?

— Je ne crois rien, je ne sais rien, répondit Alcide
Jolivet, si ce n'est que je n'aurais pas mieux fait à sa
place ! Quelle balafre ! Eh ! que diable ! Il faut bien
bouillir quelquefois ! Dieu nous aurait mis de l'eau
dans les veines et non du sang, s'il nous eût voulus
toujours et partout imperturbables !

— Joli incident pour une chronique ! dit Harry
Blount. Si Ivan Ogareff voulait seulement nous
communiquer cette lettre !... »

Cette lettre, Ivan Ogareff, après avoir étanché le
sang qui lui couvrait le visage, en avait brisé le
cachet. Il la lut et la relut longuement, comme s'il eût
voulu se bien pénétrer de tout ce qu'elle contenait.

Puis, après avoir donné ses ordres pour que Michel
Strogoff, étroitement garrotté, fût dirigé sur Tomsk
avec les autres prisonniers, il prit le commandement
des troupes campées à Zabédiero, et, au bruit assour-
dissant des tambours et des trompettes, il se dirigea
vers la ville, où l'attendait l'émir.

IV

L'ENTRÉE TRIOMPHALE

Tomsk, fondée en 1604, presque au cœur des provinces sibériennes, est l'une des plus importantes villes de la Russie asiatique. Tobolsk, située au-dessus du soixantième parallèle, Irkoutsk, bâtie au-delà du centième méridien, ont vu Tomsk s'accroître à leurs dépens.

Et cependant Tomsk, on l'a dit, n'est pas la capitale de cette importante province. C'est à Omsk que résident le gouverneur général de la province et le monde officiel. Mais Tomsk est la plus considérable ville de ce territoire qui confine aux monts Altaï, c'est-à-dire à la frontière chinoise du pays des Khalkas. Sur les pentes de ces montagnes roulent incessamment jusque dans la vallée du Tom le platine, l'or, l'argent, le cuivre, le plomb aurifère. Le pays étant riche, la ville l'est aussi, car elle est au centre d'exploitations fructueuses. Aussi, le luxe de ses maisons, de ses ameublements, de ses équipages, peut-il rivaliser avec celui des grandes capitales de l'Europe. C'est une cité de millionnaires, enrichis par le pic et la pioche, et, si elle n'a pas l'honneur de servir de résidence au représentant du czar, elle s'en console en comptant au premier rang de ses notables le chef des marchands de la ville, principal concessionnaire des mines du gouvernement impérial.

Autrefois, Tomsk passait pour être située à l'extrémité du monde. Voulait-on s'y rendre, c'était tout un voyage à faire. Maintenant, ce n'est plus qu'une simple promenade, lorsque la route n'est pas foulée par le pied des envahisseurs. Bientôt même sera construit le chemin de fer qui doit la relier à Perm en traversant la chaîne de l'Oural.

Tomsk est-elle une jolie ville ? Il faut convenir que les voyageurs ne sont pas d'accord à cet égard.

Mme de Bourboulon, qui y a demeuré quelques jours pendant son voyage de Shang-Haï à Moscou, en fait une localité peu pittoresque. A s'en rapporter à sa description, ce n'est qu'une ville insignifiante, avec de vieilles maisons de pierre et de brique, des rues fort étroites et bien différentes de celles qui percent ordinairement les grandes cités sibériennes, de sales quartiers où s'entassent plus particulièrement les Tartares, et dans laquelle pullulent de tranquilles ivrognes, « dont l'ivresse elle-même est apathique, comme chez les peuples du Nord ! »

Le voyageur Henri Russel-Killough, lui, est absolument affirmatif dans son admiration pur Tomsk. Cela tient-il à ce qu'il a vu en plein hiver, sous son manteau de neige, cette ville, que Mme de Bourboulon n'a visitée que pendant l'été ? Cela est possible et confirmerait cette opinion que certains pays froids ne peuvent être appréciés que dans la saison froide, comme certains pays chauds dans la saison chaude.

Quoi qu'il en soit, M. Russel-Killough dit positivement que Tomsk est non seulement la plus jolie ville de la Sibérie, mais encore une des plus jolies villes du monde, avec ses maisons à colonnades et à péristyles, ses trottoirs en bois, ses rues larges et régulières, et ses quinze magnifiques églises que reflètent les eaux du Tom, plus large qu'aucune rivière de France.

La vérité est entre les deux opinions. Tomsk, qui compte vingt-cinq mille habitants, est pittoresquement étagée sur une longue colline dont l'escarpement est assez raide.

Mais la plus jolie ville du monde en devient la plus laide, lorsque les envahisseurs l'occupent. Qui eût voulu l'admirer à cette époque ? Défendue par quelques bataillons de Cosaques à pied qui y résident en permanence, elle n'avait pu résister à l'attaque des colonnes de l'émir. Une certaine partie de sa population, qui est d'origine tartare, n'avait point fait mauvais accueil à ces hordes, tartares comme elle, et, pour le moment, Tomsk ne semblait guère être ni plus russe ni plus sibérienne que si elle eût été transportée au centre des khanats de Khokhand ou de Boukhara.

C'était à Tomsk que l'émir allait recevoir ses troupes victorieuses. Une fête avec chants, danses et fantasias, et suivie de quelque bruyante orgie, devait être donnée en leur honneur.

Le théâtre choisi pour cette cérémonie, réglée suivant le goût asiatique, était un vaste plateau situé sur une portion de la colline qui domine d'une centaine de pieds le cours du Tom. Tout cet horizon, avec sa longue perspective de maisons élégantes et d'églises aux coupoles ventrues, les nombreux méandres du fleuve, les arrière-plans de forêts noyés dans la brume chaude, tenait dans un admirable cadre de verdure, que lui faisaient quelques superbes groupes de pins et de cèdres gigantesques.

A la gauche du plateau, une sorte d'éblouissant décor représentant un palais d'une architecture bizarre — quelque spécimen sans doute de ces monuments boukhariens, semi-mauresques, semi-tartares — avait été provisoirement élevé sur de larges terrasses. Au-dessus de ce palais, à la pointe des minarets qui le hérissaient de toutes parts, entre les hautes branches des arbres dont le plateau était ombragé, des cigognes apprivoisées, venues de Boukhara avec l'armée tartare, tourbillonnaient par centaines.

Ces terrasses avaient été réservées à la cour de l'émir, aux khans ses alliés, aux grands dignitaires des khanats et aux harems de chacun de ces souverains du Turkestan.

De ces sultanes, qui ne sont pour la plupart que des esclaves achetées sur les marchés de la Transcaucasie et de la Perse, les unes avaient le visage découvert, les autres portaient un voile qui les dérobait au regard. Toutes étaient vêtues avec un luxe extrême. D'élégantes pelisses, dont les manches relevées en arrière se rattachaient à la façon du pouf européen, laissaient voir leurs bras nus, chargés de bracelets réunis par des chaînes de pierres précieuses, et leurs petites mains, dont les doigts étaient teints aux ongles du suc du « henneh ». Au moindre mouvement de ces pelisses, les unes en étoffes de soie, comparables pour la finesse à des toiles d'araignée, les autres faites d'un souple « aladja », qui est un tissu de coton à rayures étroites, il se produisait ce frou-frou si agréable aux oreilles des Orientaux. Sous ce premier vêtement chatoyaient des jupes de brocart, recouvrant le pantalon de soie qui se rattachait un peu au-dessus de fines bottes, gracieusement échancrées et brodées de perles. De celles de ces femmes qu'aucun voile ne cachait, on eût admiré les longues nattes s'échappant de turbans aux couleurs variées, les yeux admirables, les dents magnifiques, le teint éblouissant, relevé encore par la noirceur de leurs sourcils que reliait un léger trait tracé au collyre, et par l'estompe de leurs paupières, touchées d'un peu de plombagine.

Au pied des terrasses abritées sous les étendards et les oriflammes, veillaient les gardes particuliers de l'émir, double sabre recourbé au flanc, poignard à la ceinture, lance longue de dix pieds au poing. Quelques-uns de ces Tartares portaient des bâtons blancs, d'autres d'énormes hallebardes, ornées de houppes faites de fils d'argent et d'or.

Tout autour, jusqu'aux arrière-plans de ce vaste plateau, sur les talus escarpés dont le Tom baignait la base, se massait une foule cosmopolite, composée de tous les éléments indigènes de l'Asie centrale. Les Usbecks étaient là avec leurs grands bonnets de peau de brebis noire, leur barbe rouge, leurs yeux gris, leur « arkalouk », sorte de tunique taillée à la mode tartare. Là se pressaient des Turcomans, revêtus du costume national, large pantalon de couleur voyante avec veste et manteau tissus de poil de chameau, bonnets rouges coniques ou évasés, hautes bottes en cuir de Russie, le briquet et le couteau suspendus à la taille par une lanière ; là, près de leurs maîtres, se montraient ces femmes turcomanes, aux cheveux allongés par des ganses en poil de chèvre, la chemise

Cette femme, d'origine persane...

ouverte sous le « djouba », rayé de bleu, de pourpre, de vert, les jambes lacées de bandelettes coloriées qui se croisaient jusqu'à leur socque de cuir. Là aussi, — comme si toutes les populations de la frontière russo-chinoise se fussent levées à la voix de l'émir, — on voyait des Mandchoux, rasés au front et aux tempes, cheveux nattés, robes longues, ceinture serrant la taille sur une chemise de soie, bonnets ovales de satin cerise à bordure noire et frange rouge ; puis, avec eux, d'admirables types de ces femmes de la Mandchourie, coquettement coiffées de fleurs artificielles que maintenaient des épingles d'or et des papillons délicatement posés sur leurs cheveux noirs. Enfin des Mongols, des Boukhariens, des Persans, des Chinois du Turkestan complétaient cette foule conviée à la fête tartare.

Seuls, les Sibériens manquaient à cette réception des envahisseurs. Ceux qui n'avaient pu fuir étaient confinés dans leurs maisons, avec la crainte du pillage que Féofar-Khan allait peut-être ordonner, pour terminer dignement cette cérémonie triomphale.

Ce fut à quatre heures seulement que l'émir fit son entrée sur la place, au bruit des fanfares, des coups de tam-tam, des décharges d'artillerie et de mousqueterie.

Féofar montait son cheval favori, qui portait sur la tête une aigrette de diamant. L'émir avait conservé son costume de guerre. A ses côtés marchaient les khans de Khokhand et de Koundouze, les grands dignitaires des khanats, et il était accompagné d'un nombreux état-major.

A ce moment apparut sur la terrasse la première des femmes de Féofar, la reine, si cette qualification pouvait être donnée aux sultanes des États de Boukharie. Mais, reine ou esclave, cette femme, d'origine persane, était admirablement belle. Contrairement à la coutume mahométane et par un caprice de l'émir sans doute, elle avait le visage découvert. Sa chevelure, divisée en quatre nattes, caressait ses épaules

éblouissantes de blancheur, à peine couvertes d'un
voile de soie lamé d'or qui se rajustait en arrière à un
bonnet constellé de gemmes du plus haut prix. Sous
sa jupe de soie bleue, à larges rayures plus foncées,
tombait le « zir-djameh » en gaze de soie, et, au-
dessus de sa ceinture, se chiffonnait le « pirahn »,
chemise de même tissu, qui s'échancrait gracieusement en remontant vers son cou. Mais, depuis sa tête
jusqu'à ses pieds, chaussés de pantoufles persanes,
telle était la profusion de bijoux, tomans d'or enfilés
de fils d'argent, chapelets de turquoises, « firouzehs »
tirés des célèbres mines d'Elbourz, colliers de cornalines, d'agates, d'émeraudes, d'opales et de saphirs,
que son corsage et sa jupe semblaient être tissus de
pierres précieuses. Quant aux milliers de diamants
qui étincelaient à son cou, à ses bras, à ses mains, à sa
ceinture, à ses pieds, des millions de roubles n'en
eussent pas payé la valeur, et, à l'intensité des feux
qu'ils jetaient, on eût pu croire que, au centre de
chacun d'eux, quelque courant allumait un arc vol-
taïque fait d'un rayon de soleil.

L'émir et les khans mirent pied à terre, ainsi que les
dignitaires qui leur faisaient cortège. Tous prirent
place sous une tente magnifique, élevée au centre de
la première terrasse. Devant la tente, comme toujours, le Koran était déposé sur la table sacrée.

Le lieutenant de Féofar ne se fit pas attendre, et,
avant cinq heures, d'éclatantes fanfares annoncèrent
son arrivée.

Ivan Ogareff, — le Balafré, comme on le nommait
déjà, — portant, cette fois, l'uniforme d'officier tartare, arriva à cheval devant la tente de l'émir. Il était
accompagné d'une partie des soldats du camp de
Zabédiero, qui se rangèrent sur les côtés de la place,
au milieu de laquelle il ne resta plus que l'espace
réservé aux divertissements. On voyait un large stig-
mate qui coupait obliquement la figure du traître.

Ivan Ogareff présenta à l'émir ses principaux officiers, et Féofar-Khan, sans se départir de la froideur

qui faisait le fond de sa dignité, les accueillit de façon qu'ils fussent satisfaits de son accueil.

Ce fut ainsi du moins que l'interprétèrent Harry Blount et Alcide Jolivet, les deux inséparables, associés maintenant pour la chasse aux nouvelles. Après avoir quitté Zabédiero, ils avaient rapidement gagné Tomsk. Leur projet bien arrêté était de fausser compagnie aux Tartares, de rejoindre au plus tôt quelque corps russe, et, si cela était possible, de se jeter avec lui dans Irkoutsk. Ce qu'ils avaient vu de l'invasion, de ces incendies, de ces pillages, de ces meurtres, les avait profondément écœurés, et ils avaient hâte d'être dans les rangs de l'armée sibérienne.

Cependant, Alcide Jolivet avait fait comprendre à son confrère qu'il ne pouvait quitter Tomsk sans avoir pris quelque crayon de cette entrée triomphale des troupes tartares, — ne fût-ce que pour satisfaire la curiosité de sa cousine, — et Harry Blount s'était décidé à rester pendant quelques heures ; mais, le soir même, tous deux devaient reprendre la route d'Irkoutsk, et, bien montés, ils espéraient devancer les éclaireurs de l'émir.

Alcide Jolivet et Harry Blount s'étaient donc mêlés à la foule et regardaient, de manière à ne perdre aucun détail d'une fête qui devait leur fournir cent bonnes lignes de chronique. Ils admirèrent donc Féofar-Khan dans sa magnificence, ses femmes, ses officiers, ses gardes, et toute cette pompe orientale, dont les cérémonies d'Europe ne peuvent donner aucune idée. Mais ils se détournèrent avec mépris lorsque Ivan Ogareff se présenta devant l'émir, et ils attendirent, non sans quelque impatience, que la fête commençât.

« Voyez-vous, mon cher Blount, dit Alcide Jolivet, nous sommes venus trop tôt comme de bons bourgeois qui en veulent pour leur argent ! Tout cela, ce n'est qu'un lever de rideau, et il eût été de meilleur goût de n'arriver que pour le ballet.

— Quel ballet ? demanda Harry Blount.

— Le ballet obligatoire, parbleu ! Mais je crois que la toile va se lever. »

Alcide Jolivet parlait comme s'il eût été à l'Opéra, et, tirant sa lorgnette de son étui, il se prépara à observer en connaisseur « les premiers sujets de la troupe de Féofar ».

Mais une pénible cérémonie allait précéder les divertissements.

En effet, le triomphe du vainqueur ne pouvait être complet sans l'humiliation publique des vaincus. C'est pourquoi plusieurs centaines de prisonniers furent amenés sous le fouet des soldats. Ils étaient destinés à défiler devant Féofar-Khan et ses alliés, avant d'être entassés avec leurs compagnons dans les prisons de la ville.

Parmi ces prisonniers figurait au premier rang Michel Strogoff. Conformément aux ordres d'Ivan Ogareff, il était spécialement gardé par un peloton de soldats. Sa mère et Nadia étaient là aussi.

La vieille Sibérienne, toujours énergique quand il ne s'agissait que d'elle, avait le visage horriblement pâle. Elle s'attendait à quelque terrible scène. Ce n'était pas sans raison que son fils avait été conduit devant l'émir. Aussi tremblait-elle pour lui. Ivan Ogareff, frappé publiquement de ce knout levé sur elle, n'était pas homme à pardonner, et sa vengeance serait sans merci. Quelque épouvantable supplice, familier aux barbares de l'Asie centrale, menaçait certainement Michel Strogoff. Si Ivan Ogareff l'avait épargné au moment où ses soldats s'étaient jetés sur lui, c'est parce qu'il savait bien ce qu'il faisait en le réservant à la justice de l'émir.

D'ailleurs, ni la mère ni le fils n'avaient pu se parler depuis la funeste scène du camp de Zabédiero. On les avait impitoyablement séparés l'un de l'autre. Dure aggravation de leurs misères, car c'eût été un adoucissement pour eux que d'être réunis pendant ces quelques jours de captivité ! Marfa Strogoff aurait voulu demander pardon à son fils de tout le mal qu'elle lui avait involontairement causé, car elle s'accusait de n'avoir pu maîtriser ses sentiments maternels! Si elle avait su se contenir à Omsk, dans cette maison de poste, lorsqu'elle se trouva face à face avec lui, Michel Strogoff passait sans avoir été reconnu, et que de malheurs eussent été évités!

Et, de son côté, Michel Strogoff pensait que si sa mère était là, si Ivan Ogareff l'avait mise en sa présence, c'était pour qu'elle souffrît de son propre supplice, peut-être aussi parce que quelque épouvantable mort lui était réservée à elle comme à lui!

Quant à Nadia, elle se demandait ce qu'elle pourrait faire pour les sauver l'un et l'autre, comment venir en aide au fils et à la mère. Elle ne savait qu'imaginer, mais elle sentait vaguement qu'elle devait avant tout éviter d'attirer l'attention sur elle, qu'il fallait se dissimuler, se faire petite! Peut-être alors pourrait-elle ronger les mailles qui emprisonnaient le lion. En tout cas, si quelque occasion d'agir lui était donnée, elle agirait, dût-elle se sacrifier pour le fils de Marfa Strogoff.

Cependant, la plupart des prisonniers venaient de passer devant l'émir, et, en passant, chacun d'eux avait dû se prosterner, le front dans la poussière, en signe de servilité. C'était l'esclavage qui commençait par l'humiliation! Lorsque ces infortunés étaient trop lents à se courber, la rude main des gardes les jetait violemment à terre.

Alcide Jolivet et son compagnon ne pouvaient assister à un pareil spectacle sans éprouver une véritable indignation.

« C'est lâche! Partons! dit Alcide Jolivet.

— Non! répondit Harry Blount. Il faut tout voir!

— Tout voir!... Ah! s'écria soudain Alcide Jolivet, en saisissant le bras de son compagnon.

— Qu'avez-vous? lui demanda celui-ci.

— Regardez, Blount! C'est elle!

— Elle?

— La sœur de notre compagnon de voyage! Seule et prisonnière! Il faut la sauver...

— Contenez-vous, répondit froidement Harry Blount. Notre intervention en faveur de cette jeune fille pourrait lui être plus nuisible qu'utile. »

Alcide Jolivet, prêt à s'élancer, s'arrêta, et Nadia, qui ne les avait pas aperçus, étant à demi voilée par ses cheveux, passa à son tour devant l'émir sans attirer son attention.

Cependant, après Nadia, Marfa Strogoff était arrivée, et, comme elle ne se jeta pas assez promptement dans la poussière, les gardes la poussèrent brutalement.

Marfa Strogoff tomba.

Son fils eut un mouvement terrible que les soldats qui le gardaient purent à peine maîtriser.

Mais la vieille Marfa se releva, et on allait l'entraîner, lorsque Ivan Ogareff intervint, disant :

« Que cette femme reste! »

Quant à Nadia, elle fut rejetée dans la foule des prisonniers. Le regard d'Ivan Ogareff ne s'était pas arrêté sur elle.

Michel Strogoff fut alors amené devant l'émir, et là, il resta debout, sans baisser les yeux.

« Le front à terre! lui cria Ivan Ogareff.

— Non! » répondit Michel Strogoff.

Deux gardes voulurent le contraindre à se courber, mais ce furent eux qui furent couchés sur le sol par la main du robuste jeune homme.

Ivan Ogareff s'avança vers Michel Strogoff.

« Tu vas mourir, dit-il.

— Je mourrai, répondit fièrement Michel Strogoff, mais ta face de traître, Ivan, n'en portera pas moins et à jamais la marque infamante du knout! »

Ivan Ogareff, à cette réponse, pâlit affreusement.

« Quel est ce prisonnier? demanda l'émir de cette voix qui était d'autant plus menaçante qu'elle était calme.

— Un espion russe », répondit Ivan Ogareff.

« Tu vas mourir ! » dit Ivan Ogareff.

En faisant de Michel Strogoff un espion, il savait que la sentence prononcée contre lui serait terrible.

Michel Strogoff avait marché sur Ivan Ogareff.

Les soldats l'arrêtèrent.

L'émir fit alors un geste devant lequel se courba toute la foule. Puis, il désigna de la main le Koran, qui lui fut apporté. Il ouvrit le livre sacré et posa son doigt sur une des pages.

C'était le hasard, ou plutôt, dans la pensée de ces Orientaux, Dieu même qui allait décider du sort de Michel Strogoff. Les peuples de l'Asie centrale donnent le nom de « fal » à cette pratique. Après avoir interprété le sens du verset touché par le doigt du juge, ils appliquent la sentence, quelle qu'elle soit.

L'émir avait laissé son doigt appuyé sur la page du Koran. Le chef des ulémas, s'approchant alors, lut à haute voix un verset qui se terminait par ces mots :

« Et il ne verra plus les choses de la terre. »

« Espion russe, dit Féofar-Khan, tu es venu pour voir ce qui se passe au camp tartare ! Regarde donc de tous tes yeux, regarde ! »

V

« REGARDE DE TOUS TES YEUX, REGARDE ! »

•◆ Michel Strogoff, les mains liées, fut maintenu en face du trône de l'émir, au pied de la terrasse.

Sa mère, vaincue enfin par tant de tortures physiques et morales, s'était affaissée, n'osant plus regarder, n'osant plus écouter.

« Regarde de tous tes yeux ! regarde ! » avait dit Féofar-Khan, en tendant sa main menaçante vers Michel Strogoff.

Sans doute, Ivan Ogareff, au courant des mœurs

•◆ Voir *Au fil du texte*, p. IX.

tartares, avait compris la portée de cette parole, car ses lèvres s'étaient un instant desserrées dans un cruel sourire. Puis, il avait été se placer auprès de Féofar-Khan.

Un appel de trompettes se fit aussitôt entendre. C'était le signal des divertissements.

« Voilà le ballet, dit Alcide Jolivet à Harry Blount, mais, contrairement à tous les usages, ces barbares le donnent avant le drame ! »

Michel Strogoff avait ordre de regarder. Il regarda.

Une nuée de danseuses fit alors irruption sur la place. Divers instruments tartares, la « doutare », mandoline au long manche en bois de mûrier, à deux cordes de soie tordue et accordées par quarte, le « kobize », sorte de violoncelle ouvert à sa partie antérieure, garni de crins de cheval mis en vibration au moyen d'un archet, la « tschibyzga », longue flûte de roseau, des trompettes, des tambourins, des tam-tams, unis à la voix gutturale des chanteurs, formèrent une harmonie étrange. Il convient d'y ajouter aussi les accords d'un orchestre aérien, composé d'une douzaine de cerfs-volants, qui, tendus de cordes à leur partie centrale, résonnaient sous la brise comme des harpes éoliennes.

Aussitôt les danses commencèrent.

Ces ballerines étaient toutes d'origine persane. Elles n'étaient point esclaves et exerçaient leur profession en liberté. Autrefois, elles figuraient officiellement dans les cérémonies à la cour de Téhéran ; mais depuis l'avènement au trône de la famille régnante, bannies ou à peu près du royaume, elles avaient dû chercher fortune ailleurs. Elles portaient le costume national, et des bijoux les ornaient à profusion. De petits triangles d'or et de longues pendeloques se balançaient à leurs oreilles, des cercles d'argent niellés s'enroulaient à leur cou, des bracelets formés d'un double rang de gemmes enserraient leurs bras et leurs jambes, des pendants, richement entremêlés de perles, de turquoises et de cornalines, frémissaient à l'extrémité de leurs longues nattes. La ceinture qui les pressait à la taille était fixée par une brillante agrafe, ressemblant à la plaque des grand-croix européennes.

Ces ballerines exécutèrent très gracieusement des danses variées, tantôt isolées, tantôt par groupes. Elles avaient le visage découvert, mais, de temps en temps, elles ramenaient un voile léger sur leur figure, et on eût dit qu'un nuage de gaze passait sur tous ces yeux éclatants, comme une vapeur sur un ciel constellé. Quelques-unes de ces Persanes portaient en écharpe un baudrier de cuir brodé de perles, auquel pendait un sachet de forme triangulaire, la pointe en bas, et qu'elles ouvrirent à un certain moment. De ces sachets, tissus d'un filigrane d'or, elles tirèrent de longues et étroites bandes de soie écarlate, sur lesquelles étaient brodés les versets du Koran. Ces bandes, qu'elles tendirent entre elles, formèrent une ceinture sous laquelle d'autres danseuses se glissèrent sans interrompre leurs pas, et, en passant devant chaque verset, suivant le précepte qu'il contenait, ou elles se prosternaient jusqu'à terre, ou elles s'envolaient par un bond léger, comme pour aller prendre place parmi les houris du ciel de Mahomet.

Mais, ce qui était remarquable, ce dont fut frappé Alcide Jolivet, c'est que ces Persanes se montrèrent plutôt indolentes que fougueuses. La furia leur manquait, et, par le genre de leurs danses comme par l'exécution, elles rappelaient plutôt les bayadères calmes et décentes de l'Inde que les almées passionnées de l'Égypte.

Lorsque ce premier divertissement fut achevé, une voix grave se fit entendre qui disait :

« Regarde de tous tes yeux, regarde! »

L'homme qui répétait les paroles de l'émir, Tartare de haute taille, était l'exécuteur des hautes œuvres de Féofar-Khan. Il avait pris place derrière Michel Strogoff et tenait à la main un sabre à large lame courbe,

« Regarde de tous tes yeux, regarde ! »

une de ces lames damassées qui ont été trempées par les célèbres armuriers de Karschi ou d'Hissar.

Près de lui, des gardes avaient apporté un trépied sur lequel reposait un réchaud où brûlaient, sans donner aucune fumée, quelques charbons ardents. La buée légère qui les couronnait n'était due qu'à l'incinération d'une substance résineuse et aromatique, mélange d'oliban et de benjoin, que l'on projetait à leur surface.

Cependant, aux Persanes avait immédiatement succédé un autre groupe de ballerines, de race très différente, que Michel Strogoff reconnut aussitôt.

Et il faut croire que les deux journalistes les reconnaissaient aussi, car Harry Blount dit à son confrère :

« Ce sont les tsiganes de Nijni-Novgorod !

— Elles-mêmes ! s'écria Alcide Jolivet. J'imagine que leurs yeux doivent rapporter à ces espionnes plus d'argent que leurs jambes ! »

En en faisant des agents au service de l'émir, Alcide Jolivet, on le sait, ne se trompait pas.

Au premier rang des tsiganes figurait Sangarre, superbe dans son costume étrange et pittoresque, qui rehaussait encore sa beauté.

Sangarre ne dansa pas, mais elle se posa comme une mime au milieu de ses ballerines, dont les pas fantaisistes tenaient de tous ces pays que leur race parcourt en Europe, de la Bohême, de l'Égypte, de l'Italie, de l'Espagne. Elles s'animaient au bruit des cymbales qui cliquetaient à leurs bras, et aux ronflements des « daïrés », sorte de tambours de basque, dont leurs doigts éraillaient la peau stridente.

Sangarre, tenant un de ces daïrés qui frémissait entre ses mains, excitait cette troupe de véritables corybantes.

Alors s'avança un tsigane, âgé de quinze ans au plus. Il tenait à la main une doutare, dont il faisait vibrer les deux cordes par un simple glissement de ses ongles. Il chanta. Pendant le couplet de cette chanson

d'un rythme très bizarre, une danseuse vint se placer
près de lui et demeura immobile, l'écoutant ; mais
chaque fois que le refrain revenait aux lèvres du jeune
chanteur, elle reprenait sa danse interrompue,
secouant près de lui son daïré et l'étourdissant du
cliquetis de ses crotales.

Puis, après le dernier refrain, les ballerines enla-
cèrent le tsigane dans les mille replis de leurs danses.

En ce moment, une pluie d'or tomba des mains de
l'émir et de ses alliés, des mains de leurs officiers de
tous grades, et, au bruit des piécettes qui frappaient
les cymbales des danseuses, se mêlaient encore les
derniers murmures des doutares et des tambourins.

« Prodigues comme des pillards ! » dit Alcide Jolivet à l'oreille de son compagnon.

Et c'était bien l'argent volé, en effet, qui tombait à
flots, car, avec les tomans et les sequins tartares,
pleuvaient aussi les ducats et les roubles moscovites.

Puis le silence se fit un instant, et la voix de
l'exécuteur, posant sa main sur l'épaule de Michel
Strogoff, redit ces paroles, que leur répétition rendait
de plus en plus sinistres :

« Regarde de tous tes yeux, regarde ! »

Mais, cette fois, Alcide Jolivet observa que l'exécuteur ne tenait plus son sabre nu à la main.

Cependant, le soleil s'abaissait déjà au-dessous de
l'horizon. Une demi-obscurité commençait à envahir
les arrière-plans de la campagne. La masse des cèdres
et des pins se faisait de plus en plus noire, et les eaux
du Tom, obscurcies au lointain, se confondaient dans
les premières brumes. L'ombre ne pouvait tarder à se
glisser jusqu'au plateau qui dominait la ville.

Mais, en cet instant, plusieurs centaines d'esclaves,
portant des torches enflammées, envahirent la place.
Entraînées par Sangarre, tsiganes et Persanes réappa-
rurent devant le trône de l'émir et firent valoir, par le
contraste, leurs danses de genres si divers. Les instruments de l'orchestre tartare se déchaînèrent dans une
harmonie plus sauvage, accompagnée des cris guttu-

raux des chanteurs. Les cerfs-volants, qui avaient été ramenés à terre, reprirent leur vol, enlevant toute une constellation de lanternes multicolores, et, sous la brise plus fraîche, leurs harpes vibrèrent avec plus d'intensité au milieu de cette illumination aérienne.

Puis, un escadron de Tartares, dans leur uniforme de guerre, vint se mêler aux danses, dont la furia allait croissant, et alors commença une fantasia pédestre, qui produisit le plus étrange effet.

Ces soldats, armés de sabres nus et de longs pistolets, tout en exécutant une sorte de voltige, firent retentir l'air de détonations éclatantes, de mousquetades continues qui se détachaient sur le roulement des tambourins, le ronflement des daïrés, le grincement des doutares. Leurs armes, chargées d'une poudre colorée, à la mode chinoise, par quelque ingrédient métallique, lançaient de longs jets rouges, verts, bleus, et on eût dit alors que tous ces groupes s'agitaient au milieu d'un feu d'artifice. Par certains côtés, ce divertissement rappelait la cybistique des anciens, sorte de danse militaire dont les coryphées manœuvraient au milieu de pointes d'épée et de poignards, et il est possible que la tradition en ait été léguée aux peuples de l'Asie centrale ; mais cette cybistique tartare était rendue plus bizarre encore par ces feux de couleurs qui serpentaient au-dessus des ballerines, dont tout le paillon se piquait de points ignés. C'était comme un kaléidoscope d'étincelles, dont les combinaisons se variaient à l'infini à chaque mouvement des danseuses.

Si blasé que dût être un journaliste parisien sur ces effets que la mise en scène moderne a portés loin, Alcide Jolivet ne put retenir un léger mouvement de tête qui, entre le boulevard Montmartre et la Madeleine, eût voulu dire : « Pas mal ! pas mal ! »

Puis, soudain, comme à un signal, tous les feux de la fantasia s'éteignirent, les danses cessèrent, les ballerines disparurent. La cérémonie était terminée, et les torches seulement éclairaient ce plateau, quelques instants auparavant si plein de lumières.

Sur un signe de l'émir, Michel Strogoff fut amené au milieu de la place.

« Blount, dit Alcide Jolivet à son compagnon, est-ce que vous tenez à voir la fin de tout cela?

— Pas le moins du monde, répondit Harry Blount.

— Vos lecteurs du *Daily Telegraph* ne sont pas friands, je l'espère, des détails d'une exécution à la mode tartare?

— Pas plus que votre cousine.

— Pauvre garçon! ajouta Alcide Jolivet, en regardant Michel Strogoff. Le vaillant soldat eût mérité de tomber sur le champ de bataille!

— Pouvons-nous faire quelque chose pour le sauver? dit Harry Blount.

— Nous ne pouvons rien. »

Les deux journalistes se rappelaient la conduite généreuse de Michel Strogoff envers eux, ils savaient maintenant par quelles épreuves, esclave de son devoir, il avait dû passer, et, au milieu de ces Tartares, auxquels toute pitié est inconnue, ils ne pouvaient rien pour lui!

Peu désireux d'assister au supplice réservé à cet infortuné, ils rentrèrent donc dans la ville.

Une heure plus tard, ils couraient sur la route d'Irkoutsk, et c'était parmi les Russes qu'ils allaient tenter de suivre ce qu'Alcide Jolivet appelait par anticipation « la campagne de la revanche ».

Cependant, Michel Strogoff était debout, ayant le regard hautain pour l'émir, méprisant pour Ivan Ogareff. Il s'attendait à mourir, et, cependant, on eût vainement cherché en lui un symptôme de faiblesse.

Les spectateurs, restés aux abords de la place, ainsi que l'état-major de Féofar-Khan, pour lesquels ce supplice n'était qu'un attrait de plus, attendaient que l'exécution fût accomplie. Puis, sa curiosité assouvie, toute cette horde sauvage irait se plonger dans l'ivresse.

L'émir fit un geste. Michel Strogoff, poussé par les gardes, s'approcha de la terrasse, et alors, dans cette langue tartare qu'il comprenait, Féofar lui dit :

« Tu es venu pour voir, espion des Russes. Tu as vu pour la dernière fois. Dans un instant, tes yeux seront à jamais fermés à la lumière ! »

Ce n'était pas de mort, mais de cécité, qu'allait être frappé Michel Strogoff. Perte de la vue, plus terrible peut-être que la perte de la vie ! Le malheureux était condamné à être aveuglé.

Cependant, en entendant la peine prononcée par l'émir, Michel Strogoff ne faiblit pas. Il demeura impassible, les yeux grands ouverts, comme s'il eût voulu concentrer toute sa vie dans un dernier regard. Supplier ces hommes féroces, c'était inutile, et, d'ailleurs, indigne de lui. Il n'y songea même pas. Toute sa pensée se condensa sur sa mission irrévocablement manquée, sur sa mère, sur Nadia, qu'il ne reverrait plus ! Mais il ne laissa rien paraître de l'émotion qu'il ressentait.

Puis, le sentiment d'une vengeance à accomplir quand même envahit tout son être. Il se retourna vers Ivan Ogareff.

« Ivan, dit-il d'une voix menaçante, Ivan le traître, la dernière menace de mes yeux sera pour toi ! »

Ivan Ogareff haussa les épaules.

Mais Michel Strogoff se trompait. Ce n'était pas en regardant Ivan Ogareff que ses yeux allaient pour jamais s'éteindre.

Marfa Strogoff venait de se dresser devant lui.

« Ma mère ! s'écria-t-il. Oui ! oui ! à toi mon suprême regard, et non à ce misérable ! Reste là, devant moi ! Que je voie encore ta figure bien-aimée ! Que mes yeux se ferment en te regardant !... »

La vieille Sibérienne, sans prononcer une parole, s'avançait...

« Chassez cette femme ! » dit Ivan Ogareff.

Deux soldats repoussèrent Marfa Strogoff. Elle recula, mais resta debout, à quelques pas de son fils.

L'exécuteur parut. Cette fois, il tenait son sabre nu à la main, et ce sabre chauffé à blanc, il venait de le retirer du réchaud où brûlaient les charbons parfumés.

Michel Strogoff était aveugle.

Michel Strogoff allait être aveuglé suivant la coutume tartare, avec une lame ardente, passée devant
ses yeux!

Michel Strogoff ne chercha pas à résister. Plus rien
n'existait à ses yeux que sa mère, qu'il dévorait alors
du regard! Toute sa vie était dans cette dernière
vision!

Marfa Strogoff, l'œil démesurément ouvert, les
bras tendus vers lui, le regardait!...

La lame incandescente passa devant les yeux de
Michel Strogoff.

Un cri de désespoir retentit. La vieille Marfa tomba
inanimée sur le sol!

Michel Strogoff était aveugle.

Ses ordres exécutés, l'émir se retira avec toute sa
maison. Il ne resta bientôt plus sur cette place qu'Ivan
Ogareff et les porteurs de torches.

Le misérable voulait-il donc insulter encore sa
victime, et, après l'exécuteur, lui porter le dernier
coup?

Ivan Ogareff s'approcha lentement de Michel Strogoff, qui le sentit venir et se redressa.

Ivan Ogareff tira de sa poche la lettre impériale, il
l'ouvrit, et, par une suprême ironie, il la plaça devant
les yeux éteints du courrier du czar, disant :

« Lis, maintenant, Michel Strogoff, lis, et va redire
à Irkoutsk ce que tu auras lu! Le vrai courrier du czar,
c'est Ivan Ogareff! »

Cela dit, le traître serra la lettre sur sa poitrine.
Puis, sans se retourner, il quitta la place, et les
porteurs de torches le suivirent.

Michel Strogoff resta seul, à quelques pas de sa
mère, inanimée, peut-être morte.

On entendait au loin les cris, les chants, tous les
bruits de l'orgie. Tomsk, illuminée, brillait comme
une ville en fête.

Michel Strogoff prêta l'oreille. La place était silencieuse et déserte.

Il se traîna, en tâtonnant, vers l'endroit où sa mère

était tombée. Il la trouva de la main, il se courba sur elle, il approcha sa figure de la sienne, il écouta les battements de son cœur. Puis, on eût dit qu'il lui parlait tout bas.

La vieille Marfa vivait-elle encore, et entendit-elle ce que lui dit son fils ?

En tout cas, elle ne fit pas un mouvement.

Michel Strogoff baisa son front et ses cheveux blancs. Puis, il se releva, et, tâtant du pied, cherchant à tendre ses mains pour se guider, il marcha peu à peu vers l'extrémité de la place.

Soudain, Nadia parut.

Elle alla droit à son compagnon. Un poignard qu'elle tenait servit à couper les cordes qui attachaient les bras de Michel Strogoff.

Celui-ci, aveugle, ne savait qui le déliait, car Nadia n'avait pas prononcé une parole.

Mais cela fait :

« Frère ! dit-elle.

— Nadia ! murmura Michel Strogoff, Nadia !

— Viens ! frère, répondit Nadia. Mes yeux seront tes yeux désormais, et c'est moi qui te conduirai à Irkoutsk ! »

VI

UN AMI DE GRANDE ROUTE

Une demi-heure après, Michel Strogoff et Nadia avaient quitté Tomsk.

Un certain nombre de prisonniers, cette nuit-là, purent aussi échapper aux Tartares, car officiers ou soldats, tous plus ou moins abrutis, s'étaient inconsciemment relâchés de la surveillance sévère qu'ils avaient maintenue jusqu'alors, soit au camp de

Zabédiero, soit pendant la marche des convois. Nadia, après avoir été emmenée tout d'abord avec les autres prisonniers, avait donc pu fuir et revenir au plateau, au moment où Michel Strogoff était conduit devant l'émir.

Là, mêlée à la foule, elle avait tout vu. Pas un cri ne lui échappa lorsque la lame, chauffée à blanc, passa devant les yeux de son compagnon. Elle eut la force de rester immobile et muette. Une providentielle inspiration lui dit de se réserver, libre encore, pour guider le fils de Marfa Strogoff au but qu'il avait juré d'atteindre. Son cœur, un moment, cessa de battre, lorsque la vieille Sibérienne tomba inanimée, mais une pensée lui rendit toute son énergie.

« Je serai le chien de l'aveugle ! » se dit-elle.

Après le départ d'Ivan Ogareff, Nadia s'était dissimulée dans l'ombre. Elle avait attendu que la foule eût quitté le plateau. Michel Strogoff, abandonné comme un misérable être dont on ne doit plus rien craindre, était seul. Elle le vit se traîner jusqu'à sa mère, se courber sur elle, la baiser au front, puis se relever, tâtonner pour fuir...

Quelques instants plus tard, elle et lui, la main dans la main, avaient descendu le talus escarpé, et, après avoir suivi les berges du Tom jusqu'à l'extrémité de la ville, ils franchissaient heureusement une brèche de l'enceinte.

La route d'Irkoutsk était la seule qui s'enfonçât dans l'est. Il n'y avait pas à se tromper. Nadia entraîna rapidement Michel Strogoff. Il était possible que dès le lendemain, après quelques heures d'orgie, les éclaireurs de l'émir, se jetant de nouveau sur la steppe, coupassent toute communication. Il importait donc de les devancer, d'atteindre avant eux Krasnoiarsk, que cinq cents verstes (533 kilomètres) séparaient de Tomsk, enfin de ne quitter que le plus tard possible la grande route. Se lancer hors du chemin tracé, c'était l'incertain, l'inconnu, c'était la mort à bref délai.

« Tu es là, Nadia ? » demanda-t-il.

Comment Nadia put-elle supporter les fatigues de cette nuit du 16 au 17 août ? Comment trouva-t-elle la force physique nécessaire à fournir une si longue étape ? Comment ses pieds, saignants d'une marche forcée, purent-ils la porter jusque-là ? c'est presque incompréhensible. Mais il n'en est pas moins vrai que le lendemain matin, douze heures après leur départ de Tomsk, Michel Strogoff et elle atteignaient le bourg de Sémilowskoë, après une course de cinquante verstes.

Michel Strogoff n'avait pas prononcé une seule parole. Ce n'était pas Nadia qui tenait sa main, ce fut lui qui tint celle de sa compagne pendant toute cette nuit ; mais, grâce à cette main qui le guidait rien que par ses frémissements, il avait marché avec son allure ordinaire.

Sémilowskoë était presque entièrement abandonnée. Les habitants, redoutant les Tartares, avaient fui dans la province d'Yeniseisk. A peine deux ou trois maisons étaient-elles encore occupées. Tout ce que la ville contenait d'utile ou de précieux avait été enlevé sur des charrettes.

Cependant, Nadia était dans la nécessité de faire là une halte de quelques heures. Il leur fallait à tous deux nourriture et repos.

La jeune fille conduisit donc son compagnon à l'extrémité de la bourgade. Une maison vide, la porte ouverte, était là. Ils y entrèrent. Un mauvais banc de bois se trouvait au milieu de la chambre, près de ce haut poêle commun à toutes les demeures sibériennes. Ils s'y assirent.

Nadia regarda alors bien en face son compagnon aveugle, et comme elle ne l'avait jamais regardé jusqu'alors. Il y avait plus que de la reconnaissance, plus que de la pitié dans son regard. Si Michel Strogoff avait pu la voir, il aurait lu dans ce beau regard désolé l'expression d'un dévouement et d'une tendresse infinis.

Les paupières de l'aveugle, rougies par la lame

incandescente, recouvraient à demi ses yeux, absolument secs. La sclérotique en était légèrement plissée et comme racornie, la pupille singulièrement agrandie ; l'iris semblait d'un bleu plus foncé qu'il n'était auparavant ; les cils et les sourcils étaient en partie brûlés ; mais, en apparence du moins, le regard si pénétrant du jeune homme ne semblait avoir subi aucun changement. S'il n'y voyait plus, si sa cécité était complète, c'est que la sensibilité de la rétine et du nerf optique avait été radicalement détruite par l'ardente chaleur de l'acier.

En ce moment, Michel Strogoff étendit les mains.

« Tu es là, Nadia ? demanda-t-il.

— Oui, répondit la jeune fille, je suis près de toi, et je ne te quitterai plus, Michel. »

A son nom, prononcé par Nadia pour la première fois, Michel Strogoff tressaillit. Il comprit que sa compagne savait tout, ce qu'il était, quels liens l'unissaient à la vieille Marfa.

« Nadia, reprit-il, il va falloir nous séparer !

— Nous séparer ? Pourquoi cela, Michel ?

— Je ne veux pas être un obstacle à ton voyage ! Ton père t'attend à Irkoutsk ! Il faut que tu rejoignes ton père !

— Mon père me maudirait, Michel, si je t'abandonnais, après ce que tu as fait pour moi !

— Nadia ! Nadia ! répondit Michel Strogoff, en pressant la main que la jeune fille avait posée sur la sienne, tu ne dois penser qu'à ton père !

— Michel, reprit Nadia, tu as plus besoin de moi que mon père ! Dois-tu donc renoncer à aller à Irkoutsk ?

— Jamais ! s'écria Michel Strogoff d'un ton qui montrait qu'il n'avait rien perdu de son énergie.

— Cependant, tu n'as plus cette lettre !...

— Cette lettre qu'Ivan Ogareff m'a volée !... Eh bien ! je saurai m'en passer, Nadia ! Ils m'ont traité comme un espion ! J'agirai comme un espion ! J'irai dire à Irkoutsk tout ce que j'ai vu, tout ce que j'ai entendu, et, j'en jure par le Dieu vivant! le traître me retrouvera un jour face à face! Mais il faut que j'arrive avant lui à Irkoutsk.

— Et tu parles de nous séparer, Michel?

— Nadia, les misérables m'ont tout pris!

— Il me reste quelques roubles, et mes yeux! Je puis y voir pour toi, Michel, et te conduire là où tu ne peux plus aller seul!

— Et comment irons-nous?

— A pied.

— Et comment vivrons-nous?

— En mendiant.

— Partons, Nadia!

— Viens, Michel. »

Les deux jeunes gens ne se donnaient plus le nom de frère et de sœur. Dans leur misère commune, ils se sentaient plus étroitement unis encore l'un à l'autre. Tous deux quittèrent la maison, après avoir pris une heure de repos. Nadia, courant les rues de la bourgade, s'était procuré quelques morceaux de « tchornekhleb », sorte de pain fait avec de l'orge, et un peu de cet hydromel connu sous le nom de « méod » en Russie. Cela ne lui avait rien coûté, car elle avait commencé son métier de mendiante. Ce pain et cet hydromel avaient, tant bien que mal, apaisé la faim et la soif de Michel Strogoff. Nadia lui avait réservé la plus grande portion de cette insuffisante nourriture. Il mangeait les morceaux de pain que sa compagne lui présentait l'un après l'autre. Il buvait à la gourde qu'elle portait à ses lèvres.

« Manges-tu, Nadia? lui demanda-t-il à plusieurs reprises.

— Oui, Michel », répondit toujours la jeune fille, qui se contentait des restes de son compagnon.

Michel et Nadia quittèrent Sémilowskoë et reprirent cette pénible route d'Irkoutsk. La jeune fille résistait énergiquement à la fatigue. Si Michel Strogoff l'eût vue, peut-être n'aurait-il pas eu le courage d'aller plus loin. Mais Nadia ne se plaignait pas, et

Michel Strogoff, n'entendant pas un soupir, marchait avec une hâte qu'il n'était pas maître de réprimer. Et pourquoi ? Pouvait-il donc espérer de devancer encore les Tartares ? Il était à pied, sans argent, il était aveugle, et si Nadia, son seul guide, venait à lui manquer, il n'aurait plus qu'à se coucher sur un des côtés de la route et à y mourir misérablement ! Mais enfin, si, à force d'énergie, il arrivait à Krasnoiarsk, tout n'était peut-être pas perdu, puisque le gouverneur, auquel il se ferait connaître, n'hésiterait pas à lui donner les moyens d'atteindre Irkoutsk.

Michel Strogoff allait donc, parlant peu, absorbé dans ses pensées. Il tenait la main de Nadia. Tous deux étaient en communication incessante. Il leur semblait qu'ils n'avaient plus besoin de la parole pour échanger leurs pensées. De temps en temps, Michel Strogoff disait :

« Parle-moi, Nadia.

— A quoi bon, Michel ? Nous pensons ensemble ! » répondait la jeune fille, et elle faisait en sorte que sa voix ne décelât aucune fatigue.

Mais quelquefois, comme si son cœur eût cessé de battre un instant, ses jambes fléchissaient, son pas se ralentissait, son bras se tendait, elle restait en arrière. Michel Strogoff s'arrêtait alors, il fixait ses yeux sur la pauvre fille, comme s'il eût essayé de l'apercevoir à travers cette ombre qu'il portait en lui. Sa poitrine se gonflait ; puis, soutenant plus vivement sa compagne, il reprenait sa marche en avant.

Cependant, au milieu de toutes ces misères sans trêve, ce jour-là, une circonstance heureuse allait se produire, qui devait leur épargner bien des fatigues à tous les deux.

Ils avaient quitté Sémilowskoë depuis deux heures environ, lorsque Michel Strogoff s'arrêta.

« La route est déserte ? demanda-t-il.

— Absolument déserte, répondit Nadia.

— Est-ce que tu n'entends pas quelque bruit en arrière ?

« C'est une charrette. Un jeune homme la conduit. »

« — En effet.

— Si ce sont les Tartares, il faut nous cacher. Regarde bien.

— Attends, Michel ! » répondit Nadia en remontant le chemin, qui se coudait à quelques pas sur la droite.

Michel Strogoff resta un instant seul, tendant l'oreille.

Nadia revint presque aussitôt et dit :

« C'est une charrette. Un jeune homme la conduit.

— Il est seul ?

— Seul. »

Michel Strogoff hésita un instant. Devait-il se cacher ? Devait-il, au contraire, tenter la chance de trouver place dans ce véhicule, sinon pour lui, du moins pour elle ? Lui, il se contenterait de s'appuyer d'une main à la charrette, il la pousserait au besoin, car ses jambes n'étaient pas près de lui manquer, mais il sentait bien que Nadia, traînée à pied depuis le passage de l'Obi, c'est-à-dire depuis plus de huit jours, était à bout de forces.

Il attendit.

La charrette arriva bientôt au tournant de la route. C'était un véhicule fort délabré, pouvant à la rigueur contenir trois personnes, ce qu'on appelle dans le pays une kibitka.

Ordinairement, la kibitka est attelée de trois chevaux, mais celle-ci n'était traînée que par un seul cheval à long poil, à longue queue, et auquel son sang mongol assurait vigueur et courage.

Un jeune homme la conduisait, ayant un chien près de lui.

Nadia reconnut que ce jeune homme était Russe. Il avait une figure douce et flegmatique qui inspirait la confiance. D'ailleurs, il ne paraissait pas pressé le moins du monde. Il marchait d'un pas tranquille, pour ne pas surmener son cheval, et, à le voir, on n'eût jamais cru qu'il suivait une route que les Tartares pouvaient couper d'un moment à l'autre.

Nadia, tenant Michel Strogoff par la main, s'était rangée de côté.

La kibitka s'arrêta, et le conducteur regarda la jeune fille en souriant.

« Et où donc allez-vous comme cela ? » lui demanda-t-il en faisant de bons yeux tout ronds.

Au son de cette voix, Michel Strogoff se dit qu'il l'avait entendue quelque part. Et, sans doute, elle suffit à lui faire reconnaître le conducteur de la kibitka, car son front se rasséréna aussitôt.

« Eh bien, où donc allez-vous ? répéta le jeune homme, en s'adressant plus directement à Michel Strogoff.

— Nous allons à Irkoutsk, répondit celui-ci.

— Oh ! petit père, tu ne sais donc pas qu'il y a encore bien des verstes et des verstes jusqu'à Irkoutsk ?

— Je le sais.

— Et tu vas à pied ?

— A pied.

— Toi, bien ! mais la demoiselle ?...

— C'est ma sœur, dit Michel Strogoff, qui jugea prudent de redonner ce nom à Nadia.

— Oui, ta sœur, petit père ! Mais, crois-moi, elle ne pourra jamais atteindre Irkoutsk !

— Ami, répondit Michel Strogoff en s'approchant, les Tartares nous ont dépouillés, et je n'ai pas un kopek à t'offrir ; mais si tu veux prendre ma sœur près de toi, je suivrai ta voiture à pied, je courrai s'il le faut, je ne te retarderai pas d'une heure...

— Frère, s'écria Nadia... je ne veux pas... je ne veux pas ! — Monsieur, mon frère est aveugle !

— Aveugle ! répondit le jeune homme d'une voix émue.

— Les Tartares lui ont brûlé les yeux ! répondit Nadia, en tendant ses mains comme pour implorer la pitié.

— Brûlé les yeux ? Oh ! pauvre petit père ! Moi, je vais à Krasnoiarsk. Eh bien, pourquoi ne monte-

rais-tu pas avec ta sœur dans la kibitka? En nous
serrant un peu, nous y tiendrons tous les trois. D'ailleurs, mon chien ne refusera pas d'aller à pied.
Seulement, je ne vais pas vite, pour ménager mon
cheval.

— Ami, comment te nommes-tu? demanda
Michel Strogoff.

— Je me nomme Nicolas Pigassof.

— C'est un nom que je n'oublierai plus, répondit
Michel Strogoff.

— Eh bien, monte, petit père aveugle. Ta sœur
sera près de toi, au fond de la charrette, moi devant
pour conduire. Il y a de la bonne écorce de bouleau et
de la paille d'orge dans le fond. C'est comme un nid.
— Allons, Serko, fais-nous place! »

Le chien descendit sans se faire prier. C'était un
animal de race sibérienne, à poil gris, de moyenne
taille, avec une bonne grosse tête caressante, et qui
semblait être très attaché à son maître.

Michel Strogoff et Nadia, en un instant, furent
installés dans la kibitka. Michel Strogoff avait tendu
ses mains comme pour chercher celles de Nicolas
Pigassof.

« Ce sont mes mains que tu veux serrer! dit Nicolas. Les voilà, petit père! Serre-les tant que cela te
fera plaisir! »

La kibitka se remit en marche. Le cheval, que
Nicolas ne frappait jamais, allait l'amble. Si Michel
Strogoff ne devait pas gagner en rapidité, du moins de
nouvelles fatigues seraient-elles épargnées à Nadia.

Et tel était l'épuisement de la jeune fille, que,
bercée par le mouvement monotone de la kibitka,
elle tomba bientôt dans un sommeil qui ressemblait à
une complète prostration. Michel Strogoff et Nicolas
la couchèrent sur le feuillage de bouleau du mieux
qu'il leur fut possible. Le compatissant jeune homme
était tout ému, et si pas une larme ne s'échappa des
yeux de Michel Strogoff, en vérité, c'est parce que le
fer incandescent avait brûlé la dernière!

« Elle est gentille », dit Nicolas.

« Elle est gentille, dit Nicolas.

— Oui, répondit Michel Strogoff.

— Ça veut être fort, petit père, c'est courageux, mais au fond, c'est faible, ces mignonnes-là ! — Est-ce que vous venez de loin ?

— De très loin.

— Pauvres jeunes gens ! — Cela a dû te faire bien mal, quand ils t'ont brûlé les yeux !

— Bien mal, répondit Michel Strogoff, en se tournant comme s'il eût pu voir Nicolas.

— Tu n'as pas pleuré ?

— Si.

— Moi aussi, j'aurais pleuré. Penser qu'on ne reverra plus ceux qu'on aime ! Mais enfin, ils vous voient. C'est peut-être une consolation !

— Oui, peut-être ! — Dis-moi, ami, demanda Michel Strogoff, est-ce que tu ne m'as jamais vu quelque part ?

— Toi, petit père ? Non, jamais.

— C'est que le son de ta voix ne m'est pas inconnu.

— Voyez-vous ! répondit Nicolas en souriant. Il connaît le son de ma voix ! Peut-être me demandes-tu cela pour savoir d'où je viens. Oh ! je vais te le dire. Je viens de Kolyvan.

— De Kolyvan ? dit Michel Strogoff. Mais alors c'est là que je t'ai rencontré. Tu étais au poste télégraphique ?

— Cela se peut, répondit Nicolas. J'y demeurais. J'étais l'employé chargé des transmissions.

— Et tu es resté à ton poste jusqu'au dernier moment ?

— Eh ! c'est surtout à ce moment-là qu'il faut y être !

— C'était le jour où un Anglais et un Français se disputaient, roubles en main, la place à ton guichet, et où l'Anglais a télégraphié les premiers versets de la Bible ?

— Ça, petit père, c'est possible, mais je ne me le rappelle pas !

— Comment ! tu ne te le rappelles pas ?

— Je ne lis jamais les dépêches que je transmets. Mon devoir étant de les oublier, le plus court est de les ignorer. »

Cette réponse peignait Nicolas Pigassof.

Cependant, la kibitka allait son petit train, que Michel Strogoff aurait voulu rendre plus rapide. Mais Nicolas et son cheval étaient accoutumés à une allure dont ils n'auraient pu se départir ni l'un ni l'autre. Le cheval marchait pendant trois heures et se reposait pendant une, — cela jour et nuit. Durant les haltes, le cheval paissait, les voyageurs de la kibitka mangeaient en compagnie du fidèle Serko. La kibitka était approvisionnée pour vingt personnes au moins, et Nicolas avait mis généreusement ses réserves à la disposition de ses deux hôtes, qu'il croyait frère et sœur.

Après une journée de repos, Nadia eut recouvré une partie de ses forces. Nicolas veillait à ce qu'elle fût aussi bien que possible. Le voyage se faisait dans des conditions supportables, lentement sans doute, mais régulièrement. Il arrivait bien parfois que, pendant la nuit, Nicolas, tout en conduisant, s'endormait et ronflait avec une conviction qui témoignait du calme de sa conscience. Peut-être alors, en regardant bien, eût-on vu la main de Michel Strogoff chercher les guides du cheval et lui faire prendre une allure plus rapide, au grand étonnement de Serko, qui ne disait rien cependant. Puis, ce trot revenait immédiatement à l'amble, dès que Nicolas se réveillait, mais la kibitka n'en avait pas moins gagné quelques verstes sur sa vitesse réglementaire.

C'est ainsi que l'on traversa la rivière d'Ichimsk, les bourgades d'Ichimskoë, Berikylskoë, Küskoë, la rivière de Mariinsk, la bourgade du même nom, Bogostowlskoë et enfin la Tchoula, petit cours d'eau qui sépare la Sibérie occidentale de la Sibérie orientale. La route se développait tantôt à travers d'immenses landes, qui laissaient un champ vaste aux

regards, tantôt sous d'épaisses et interminables forêts
de sapins, dont on croyait ne jamais sortir.

Tout était désert. Les bourgades étaient presque
entièrement abandonnées. Les paysans avaient fui
au-delà de l'Yeniseï, estimant que ce large fleuve
arrêterait peut-être les Tartares.

Le 22 août, la kibitka atteignit le bourg d'Atchinsk,
à trois cent quatre-vingts verstes de Tomsk. Cent
vingt verstes la séparaient encore de Krasnoïarsk.
Aucun incident n'avait marqué ce voyage. Depuis six
jours qu'ils étaient ensemble, Nicolas, Michel Strogoff et Nadia étaient restés les mêmes, l'un confit
dans son calme inaltérable, les deux autres inquiets,
et songeant au moment où leur compagnon viendrait
à se séparer d'eux.

Michel Strogoff, on peut le dire, voyait le pays
parcouru par les yeux de Nicolas et de la jeune fille. A
tour de rôle, tous deux lui peignaient les sites en vue
desquels passait la kibitka. Il savait s'il était en forêt
ou en plaine, si quelque hutte se montrait sur la
steppe, si quelque Sibérien apparaissait à l'horizon.
Nicolas ne tarissait pas. Il aimait à causer, et, quelle
que fût sa façon d'envisager les choses, on aimait à
l'entendre.

Un jour, Michel Strogoff lui demanda quel temps il
faisait.

« Assez beau, petit père, répondit-il, mais ce sont
les derniers jours de l'été. L'automne est court en
Sibérie, et, bientôt, nous subirons les premiers froids
de l'hiver. Peut-être les Tartares songeront-ils à se
cantonner pendant la mauvaise saison ? »

Michel Strogoff secoua la tête d'un air de doute.

« Tu ne le crois pas, petit père, répondit Nicolas.
Tu penses qu'ils se porteront sur Irkoutsk ?

— Je le crains, répondit Michel Strogoff.

— Oui... tu as raison. Ils ont avec eux un mauvais
homme qui ne les laissera pas refroidir en route. —
Tu as entendu parler d'Ivan Ogareff ?

— Oui.

— Sais-tu que ce n'est pas bien de trahir son pays !

— Non… ce n'est pas bien… répondit Michel Strogoff, qui voulut rester impassible.

— Petit père, reprit Nicolas, je trouve que tu ne t'indignes pas assez lorsqu'on parle devant toi d'Ivan Ogareff ! Tout cœur russe doit bondir, quand on prononce ce nom !

— Crois-moi, ami, je le hais plus que tu ne pourras jamais le haïr, dit Michel Strogoff.

— Ce n'est pas possible, répondit Nicolas, non, ce n'est pas possible ! Quand je songe à Ivan Ogareff, au mal qu'il fait à notre sainte Russie, la colère me prend, et si je le tenais…

— Si tu le tenais, ami ?…

— Je crois que je le tuerais.

— Et moi, j'en suis sûr », répondit tranquillement Michel Strogoff.

VII

LE PASSAGE DE L'YENISEÏ

Le 25 août, à la tombée du jour, la kibitka arrivait en vue de Krasnoiarsk. Le voyage depuis Tomsk avait duré huit jours. S'il ne s'était pas accompli plus rapidement, quoi qu'eût pu faire Michel Strogoff, cela tenait surtout à ce que Nicolas avait peu dormi. De là, impossibilité d'activer l'allure de son cheval, qui, en d'autres mains, n'eût mis que soixante heures à faire ce parcours.

Très heureusement, il n'était pas encore question des Tartares. Aucun éclaireur n'avait paru sur la route que venait de suivre la kibitka. Cela devait sembler assez inexplicable, et il fallait évidemment qu'une grave circonstance eût empêché les troupes de l'émir de se porter sans retard sur Irkoutsk.

Cette circonstance s'était produite, en effet. Un nouveau corps russe, rassemblé en toute hâte dans le gouvernement d'Yeniseisk, avait marché sur Tomsk afin d'essayer de reprendre la ville. Mais, trop faible contre les troupes de l'émir, maintenant concentrées, il avait dû opérer sa retraite. Féofar-Khan, en comprenant ses propres soldats et ceux des khanats de Khokhand et de Koundouze, comptait alors sous ses ordres deux cent cinquante mille hommes, auxquels le gouvernement russe ne pouvait pas encore opposer de forces suffisantes. L'invasion ne semblait donc pas devoir être enrayée de sitôt, et toute la masse tartare allait pouvoir marcher sur Irkoutsk.

La bataille de Tomsk était du 22 août, — ce que Michel Strogoff ignorait, — mais ce qui expliquait pourquoi l'avant-garde de l'émir n'avait pas encore paru à Krasnoiarsk à la date du 25.

Toutefois, si Michel Strogoff ne pouvait connaître les derniers événements qui s'étaient accomplis depuis son départ, du moins savait-il ceci : c'est qu'il devançait les Tartares de plusieurs jours, c'est qu'il ne devait pas désespérer d'atteindre avant eux la ville d'Irkoutsk, distante encore de huit cent cinquante verstes (900 kilomètres).

D'ailleurs, à Krasnoiarsk, dont la population est de douze mille âmes environ, il comptait bien que les moyens de transport ne pourraient lui manquer. Puisque Nicolas Pigassof devait s'arrêter dans cette ville, il serait nécessaire de le remplacer par un guide, et de changer la kibitka pour un autre véhicule plus rapide. Michel Strogoff, après s'être adressé au gouverneur de la ville et avoir établi son identité et sa qualité de courrier du czar, — ce qui lui serait aisé, — ne doutait pas qu'il ne fût mis à même d'atteindre Irkoutsk dans le plus court délai. Il n'aurait plus alors qu'à remercier ce brave Nicolas Pigassof et à partir immédiatement avec Nadia, car il ne voulait pas la quitter avant de l'avoir remise entre les mains de son père.

Cependant, si Nicolas avait résolu de s'arrêter à Krasnoiarsk, c'était, comme il le dit, « à la condition d'y trouver un emploi ».

En effet, cet employé modèle, après avoir tenu jusqu'à la dernière minute au poste de Kolyvan, cherchait à se mettre de nouveau à la disposition de l'administration.

« Pourquoi toucherais-je des appointements que je n'aurais pas gagné ? » répétait-il.

Aussi, au cas où ses services ne pourraient pas être utilisés à Krasnoiarsk, qui devait toujours se trouver en communication télégraphique avec Irkoutsk, il se proposait d'aller soit au poste d'Oudinsk, soit même jusqu'à la capitale de la Sibérie. Donc, dans ce cas, il continuerait à voyager avec le frère et la sœur, et en qui trouveraient-ils un guide plus sûr, un ami plus dévoué ?

La kibitka n'était plus qu'à une demi-verste de Krasnoiarsk. On voyait à droite et à gauche les nombreuses croix de bois qui se dressent sur le chemin aux approches de la ville. Il était sept heures du soir. Sur le ciel clair se dessinaient la silhouette des églises et le profil des maisons construites sur la haute falaise de l'Yeniseï. Les eaux du fleuve miroitaient sous les dernières lueurs éparses dans l'atmosphère.

La kibitka s'était arrêtée.

« Où sommes-nous, sœur ? demanda Michel Strogoff.

— A une demi-verste au plus des premières maisons, répondit Nadia.

— Est-ce donc une ville endormie ? reprit Michel Strogoff. Nul bruit n'arrive à mon oreille.

— Et je ne vois pas une lumière briller dans l'ombre, pas une fumée monter dans l'air, ajouta Nadia.

— La singulière ville ! dit Nicolas. On n'y fait pas de bruit et on s'y couche de bonne heure ! »

Michel Strogoff eut l'esprit traversé d'un pressentiment de mauvais augure. Il n'avait point dit à Nadia

Il était sept heures du soir.

tout ce qu'il avait concentré d'espérances sur Krasnoiarsk, où il comptait trouver les moyens d'achever
sûrement son voyage. Il craignait tant que son espoir
ne fût encore une fois déçu ! Mais Nadia avait deviné
sa pensée, bien qu'elle ne comprît plus pourquoi son
compagnon avait hâte d'arriver à Irkoutsk, maintenant que la lettre impériale lui manquait. Un jour
même, elle l'avait pressenti à cet égard.

« J'ai juré d'aller à Irkoutsk », s'était-il contenté de
lui répondre.

Mais, pour accomplir sa mission, encore fallait-il
qu'il trouvât à Krasnoiarsk quelque rapide mode de
locomotion.

« Eh bien, ami, dit-il à Nicolas, pourquoi n'avan-
çons-nous pas ?

— C'est que je crains de réveiller les habitants de
la ville avec le bruit de ma charrette ! »

Et, d'un léger coup de fouet, Nicolas stimula son
cheval. Serko poussa quelques aboiements, et la
kibitka descendit au petit trot la route qui s'engageait
dans Krasnoiarsk. Dix minutes après, elle entrait
dans la grande rue.

Krasnoiarsk était déserte ! Il n'y avait plus un
Athénien dans cette « Athènes du Nord », ainsi que
l'appelle Mme de Bourboulon. Pas un de ses équipages, si brillamment attelés, n'en parcourait les rues
propres et larges. Pas un passant ne suivait les trottoirs établis à la base de ses magnifiques maisons de
bois, d'un aspect monumental ! Pas une élégante
Sibérienne, habillée aux dernières modes de France,
ne se promenait au milieu de cet admirable parc,
taillé dans une forêt de bouleaux, qui se prolonge
jusqu'aux berges de l'Yeniseï ! La grosse cloche de la
cathédrale était muette, les carillons des églises se
taisaient, et il est rare, cependant, qu'une ville russe
ne soit pas emplie du son de ses cloches ! Mais, ici,
c'était l'abandon complet. Il n'y avait plus un être
vivant dans cette ville, naguère si vivante !

Le dernier télégramme parti du cabinet du czar,

avant la rupture du fil, avait donné ordre au gouverneur, à la garnison, aux habitants, quels qu'ils fussent, d'abandonner Krasnoiarsk, d'emporter tout objet ayant quelque valeur ou qui aurait pu être de quelque utilité aux Tartares, et de se réfugier à Irkoutsk. Même injonction à tous les habitants des bourgades de la province. C'était le désert que le gouvernement moscovite voulait faire devant les envahisseurs. Ces ordres à la Rostopschine, on ne songea pas à les discuter, même un instant. Ils furent exécutés, et c'est pourquoi il ne restait plus un seul être vivant à Krasnoiarsk.

Michel Strogoff, Nadia et Nicolas parcoururent silencieusement les rues de la ville. Ils éprouvaient une involontaire impression de stupeur. Eux seuls produisaient le seul bruit qui se fît alors dans cette cité morte. Michel Strogoff ne laissa rien paraître de ce qu'il ressentait alors, mais il dut éprouver comme un mouvement de rage contre la mauvaise chance qui le poursuivait, car ses espérances étaient encore une fois trompées.

« Bon Dieu! s'écria Nicolas, jamais je ne gagnerai mes appointements dans ce désert!

— Ami, dit Nadia, il faut reprendre avec nous la route d'Irkoutsk.

— Il le faut, en vérité! répondit Nicolas. Le fil doit encore fonctionner entre Oudinsk et Irkoutsk, et là... Partons-nous, petit père?

— Attendons à demain, répondit Michel Strogoff.

— Tu as raison, répondit Nicolas. Nous avons l'Yeniseï à traverser, et il est nécessaire d'y voir!...

— Y voir! » murmura Nadia, en songeant à son compagnon aveugle.

Nicolas l'avait entendue, et, se retournant vers Michel Strogoff :

« Pardon, petit père, dit-il. Hélas! la nuit et le jour, il est vrai que c'est tout un pour toi!

— Ne te reproche rien, ami, répondit Michel Strogoff, qui passa sa main sur ses yeux. Avec toi pour guide, je puis agir encore. Prends donc quelques heures de repos. Que Nadia se repose aussi. Demain, il fera jour ! »

Michel Strogoff, Nadia et Nicolas n'eurent pas à chercher longtemps pour trouver un lieu de repos. La première maison dont ils poussèrent la porte était vide, aussi bien que toutes les autres. Il ne s'y trouvait que quelques bottes de feuillage. Faute de mieux, le cheval dut se contenter de cette maigre nourriture. Quant aux provisions de la kibitka, elles n'étaient pas épuisées, et chacun en prit sa part. Puis, après s'être agenouillés devant une modeste image de la Panaghia, suspendue à la muraille, et que la dernière flamme d'une lampe éclairait encore, Nicolas et la jeune fille s'endormirent, tandis que veillait Michel Strogoff, sur qui le sommeil ne pouvait avoir prise.

Le lendemain, 26 août, avant l'aube, la kibitka, réattelée, traversait le parc de bouleaux pour atteindre la berge de l'Yeniseï.

Michel Strogoff était vivement préoccupé. Comment ferait-il pour traverser le fleuve, si, ce qui était probable, toute barque ou bac avaient été détruits afin de retarder la marche des Tartares ? Il connaissait l'Yeniseï, l'ayant déjà franchi plusieurs fois. Il savait que sa largeur est considérable, que les rapides sont violents dans le double lit qu'il s'est creusé entre les îles. En des circonstances ordinaires, au moyen de ces bacs spécialement établis pour le transport des voyageurs, des voitures et des chevaux, le passage de l'Yeniseï exige un laps de trois heures, et ce n'est qu'au prix d'extrêmes difficultés que ces bacs atteignent sa rive droite. Or, en l'absence de toute embarcation, comment la kibitka irait-elle d'une rive à l'autre ?

« Je passerai quand même ! » répéta Michel Strogoff.

Le jour commençait à se lever, lorsque la kibitka arriva sur la rive gauche, là même où aboutissait une des grandes allées du parc. En cet endroit, les berges dominaient d'une centaine de pieds le cours de l'Yeniseï. On pouvait donc l'observer sur une vaste étendue.

« Voyez-vous un bac ? demanda Michel Strogoff, en portant avidement ses yeux d'un côté et de l'autre, par une habitude machinale, sans doute, et comme s'il eût pu voir lui-même.

— Il fait à peine jour, frère, répondit Nadia. La brume est encore épaisse sur le fleuve, et on ne peut en distinguer les eaux.

— Mais je les entends mugir ? » répondit Michel Strogoff.

En effet, des couches inférieures de ce brouillard sortait un sourd tumulte de courants et de contre-courants qui s'entrechoquaient. Les eaux, très hautes à cette époque de l'année, devaient couler avec une torrentueuse violence. Tous trois écoutaient, attendant que le rideau de brumes se levât. Le soleil montait rapidement au-dessus de l'horizon, et ses premiers rayons n'allaient pas tarder à pomper ces vapeurs.

« Eh bien ? demanda Michel Strogoff.

— Les brumes commencent à rouler, frère, répondit Nadia, et le jour les pénètre déjà.

— Tu ne vois pas encore le niveau du fleuve, sœur ?

— Pas encore.

— Un peu de patience, petit père, dit Nicolas. Tout cela va se fondre ! Tiens ! voilà le vent qui souffle ! Il commence à dissiper ce brouillard. Les hautes collines de la rive droite montrent déjà leurs rangées d'arbres ! Tout s'en va ! Tout s'envole ! Les bons rayons du soleil ont condensé cet amas de brumes ! Ah ! que c'est beau, mon pauvre aveugle, et quel malheur pour toi de ne pas pouvoir contempler un tel spectacle !

— Vois-tu un bateau ? demanda Michel Strogoff.

— Je n'en vois aucun, répondit Nicolas.

— Regarde bien, ami, sur cette rive et sur la rive

opposée, aussi loin que puisse aller ta vue ! Un bateau, une barque, un canot d'écorce ! »

Nicolas et Nadia, se retenant aux derniers bouleaux de la falaise, s'étaient penchés au-dessus du fleuve. Le champ offert à leurs regards était immense alors. L'Yeniseï, en cet endroit, ne mesure pas moins d'une verste et demie, et forme deux bras, d'importance inégale, que les eaux suivaient avec rapidité. Entre ces bras reposent plusieurs îles, plantées d'aunes, de saules et de peupliers, qui semblaient être autant de navires verdoyants, ancrés dans le fleuve. Au-delà s'étageaient les hautes collines de la rive orientale, couronnées de forêts dont les cimes s'empourpraient alors de lumière. En amont et en aval, l'Yeniseï s'enfuyait à perte de vue. Tout cet admirable panorama s'arrondissait pour le regard sur un périmètre de cinquante verstes.

Mais, pas une embarcation, ni sur la rive gauche, ni sur la rive droite, ni à la berge des îles. Toutes avaient été emmenées ou détruites par ordre. Très certainement, si les Tartares ne faisaient pas venir du sud le matériel nécessaire à l'établissement d'un pont de bateaux, leur marche vers Irkoutsk serait arrêtée pendant un certain temps devant cette barrière de l'Yeniseï.

« Je me souviens, dit alors Michel Strogoff. Il y a plus haut, aux dernières maisons de Krasnoiarsk, un petit port d'embarquement. C'est là que les bacs accostent. Ami, remontons le cours du fleuve, et vois si quelque barque n'a pas été oubliée sur la rive. »

Nicolas s'élança dans la direction indiquée. Nadia avait pris Michel Strogoff par la main et le guidait d'un pas rapide. Une barque, un simple canot assez grand pour porter la kibitka, ou, à son défaut, ceux qu'elle avait amenés jusqu'ici, et Michel Strogoff n'hésiterait pas à tenter le passage !

Vingt minutes après, tous trois avaient atteint le petit port d'embarquement, dont les dernières maisons s'abaissaient au niveau du fleuve. C'était une sorte de village placé au bas de Krasnoiarsk.

Mais il n'y avait pas une embarcation sur la grève, pas un canot à l'estacade qui servait d'embarcadère, rien même dont on pût construire un radeau suffisant pour trois personnes.

Michel Strogoff avait interrogé Nicolas, et celui-ci avait fait cette décourageante réponse que la traversée du fleuve lui semblait être absolument impraticable.

« Nous passerons », répondit Michel Strogoff.

Et les recherches continuèrent. On fouilla les quelques maisons assises sur la berge et abandonnées comme toutes celles de Krasnoiarsk. Il n'y avait qu'à en pousser les portes. C'étaient des cabanes de pauvres gens, entièrement vides. Nicolas visitait l'une, Nadia parcourait l'autre. Michel Strogoff, lui-même, entrait çà et là et cherchait à reconnaître de la main quelque objet qui pût lui être utile.

Nicolas et la jeune fille, chacun de son côté, avaient vainement fureté dans ces cabanes, et ils se disposaient à abandonner leurs recherches, lorsqu'ils s'entendirent appeler.

Tous deux regagnèrent la berge et aperçurent Michel Strogoff sur le seuil d'une porte.

« Venez ! » leur cria-t-il.

Nicolas et Nadia allèrent aussitôt vers lui, et, à sa suite, ils entrèrent dans la cabane.

« Qu'est-ce que cela ? demanda Michel Strogoff, en touchant de la main divers objets entassés au fond d'un cellier.

— Ce sont des outres, répondit Nicolas, et il y en a, ma foi, une demi-douzaine !

— Elles sont pleines ?…

— Oui, pleines de koumyss, et voilà qui vient à propos pour renouveler notre provision ! »

Le « koumyss » est une boisson fabriquée avec du lait de jument ou de chamelle, boisson fortifiante, enivrante même, et Nicolas ne pouvait que se féliciter de la trouvaille.

« Mets-en une à part, lui dit Michel Strogoff, mais vide toutes les autres.

— A l'instant, petit père.

— Voilà qui nous aidera à traverser l'Yeniseï.

— Et le radeau ?

— Ce sera la kibitka elle-même, qui est assez légère pour flotter. D'ailleurs, nous la soutiendrons, ainsi que le cheval, avec ces outres.

— Bien imaginé, petit père, s'écria Nicolas, et, Dieu aidant, nous arriverons à bon port... peut-être pas en droite ligne, car le courant est rapide !

— Qu'importe ! répondit Michel Strogoff. Passons d'abord, et nous saurons bien retrouver la route d'Irkoutsk au-delà du fleuve.

— A l'ouvrage », dit Nicolas, qui commença à vider les outres et à les transporter jusqu'à la kibitka.

Une outre, pleine de koumyss, fut réservée, et les autres, refermées avec soin après avoir été préalablement remplies d'air, furent employées comme appareils flottants. Deux de ces outres, attachées au flanc du cheval, étaient destinées à le soutenir à la surface du fleuve. Deux autres, placées aux brancards de la kibitka, entre les roues, eurent pour but d'assurer la ligne de flottaison de sa caisse, qui se transformerait ainsi en radeau.

Cet ouvrage fut bientôt achevé.

« Tu n'auras pas peur, Nadia ? demanda Michel Strogoff.

— Non, frère, répondit la jeune fille.

— Et toi, ami ?

— Moi ! s'écria Nicolas. Je réalise enfin un de mes rêves : naviguer en charrette ! »

En cet endroit, la berge, assez déclive, était favorable au lancement de la kibitka. Le cheval la traîna jusqu'à la lisière des eaux, et bientôt l'appareil et son moteur flottèrent à la surface du fleuve. Quant à Serko, il s'était bravement mis à la nage.

Les trois passagers, debout sur la caisse, s'étaient déchaussés par précaution, mais, grâce aux outres, ils n'eurent pas même d'eau jusqu'aux chevilles.

Michel Strogoff tenait les guides du cheval, et,

Bientôt l'appareil et son moteur flottèrent.

Empoignant d'un bras vigoureux la bride...

selon les indications que lui donnait Nicolas, il dirigeait obliquement l'animal, mais en le ménageant,
car il ne voulait pas l'épuiser à lutter contre le courant. Tant que la kibitka suivit le fil des eaux, cela alla
bien, et, au bout de quelques minutes, elle avait
dépassé les quais de Krasnoiarsk. Elle dérivait vers le
nord, et il était déjà évident qu'elle n'accosterait
l'autre rive que bien en aval de la ville. Mais peu
importait.

La traversée de l'Yeniseï se serait donc faite sans
grandes difficultés, même sur cet appareil imparfait,
si le courant eût été établi d'une manière régulière.
Mais, très malheureusement, plusieurs tourbillons se
creusaient à la surface des eaux tumultueuses, et
bientôt la kibitka, malgré toute la vigueur
qu'employa Michel Strogoff à la faire dévier, fut
irrésistiblement entraînée dans un de ces entonnoirs.

Là, le danger devint très grand. La kibitka n'obli-
quait plus vers la rive orientale, elle ne dérivait plus,
elle tournait avec une extrême rapidité, s'inclinant
vers le centre du remous, comme un écuyer sur la
piste d'un cirque. Sa vitesse était extrême. Le cheval
pouvait à peine maintenir sa tête hors de l'eau et
risquait d'être asphyxié dans le tourbillon. Serko
avait dû prendre un point d'appui sur la kibitka.

Michel Strogoff comprit ce qui se passait. Il se
sentit entraîné suivant une ligne circulaire qui se
rétrécissait peu à peu et dont il ne pouvait plus sortir.
Il ne dit pas une parole. Ses yeux auraient voulu voir
le péril, pour mieux l'éviter... Ils ne le pouvaient
plus !

Nadia se taisait aussi. Ses mains, cramponnées aux
ridelles de la charrette, la soutenaient contre les
mouvements désordonnés de l'appareil, qui s'incli-
nait de plus en plus vers le centre de dépression.

Quant à Nicolas, ne comprenait-il pas la gravité de
la situation ? Était-ce chez lui flegme ou mépris du
danger, courage ou indifférence ? La vie était-elle
sans valeur à ses yeux, et, suivant l'expression des

Orientaux, « une hôtellerie de cinq jours », que, bon gré mal gré, il faut quitter le sixième ? En tout cas, sa souriante figure ne se démentit pas un instant.

La kibitka restait donc engagée dans ce tourbillon, et le cheval était à bout d'efforts. Tout à coup, Michel Strogoff, se défaisant de ceux de ses vêtements qui pouvaient le gêner, se jeta à l'eau ; puis, empoignant d'un bras vigoureux la bride du cheval effaré, il lui donna une telle impulsion qu'il parvint à le rejeter hors du rayon d'attraction, et reprise aussitôt par le rapide courant, la kibitka dériva avec une nouvelle vitesse.

« Hurrah ! » s'écria Nicolas.

Deux heures seulement après avoir quitté le port d'embarquement, la kibitka avait traversé le grand bras du fleuve et venait accoster la berge d'une île, à plus de six verstes au-dessous de son point de départ.

Là, le cheval remonta la charrette sur la rive, et une heure de repos fut donnée au courageux animal. Puis, l'île ayant été traversée dans toute sa largeur sous le couvert de ses magnifiques bouleaux, la kibitka se trouva au bord du petit bras de l'Yeniseï.

Cette traversée se fit plus facilement. Aucun tourbillon ne rompait le cours du fleuve dans ce second lit, mais le courant y était tellement rapide, que la kibitka n'accosta la rive droite qu'à cinq verstes en aval. C'était, en tout, onze verstes dont elle avait dérivé.

Ces grands cours d'eau du territoire sibérien, sur lesquels aucun pont n'est jeté encore, sont de sérieux obstacles à la facilité des communications. Tous avaient été plus ou moins funestes à Michel Strogoff. Sur l'Irtyche, le bac qui le portait avec Nadia avait été attaqué par les Tartares. Sur l'Obi, après que son cheval eut été frappé d'une balle, il n'avait échappé que par miracle aux cavaliers qui le poursuivaient. En somme, c'était encore ce passage de l'Yeniseï qui s'était opéré le moins malheureusement.

« Cela n'aurait pas été si amusant, s'écria Nicolas en se frottant les mains, lorsqu'il débarqua sur la rive droite du fleuve, si cela n'avait pas été si difficile !

— Ce qui n'a été que difficile pour nous, ami, répondit Michel Strogoff, sera peut-être impossible aux Tartares ! »

VIII

UN LIÈVRE QUI TRAVERSE LA ROUTE

Michel Strogoff pouvait enfin croire que la route était libre jusqu'à Irkoutsk. Il avait devancé les Tartares, retenus à Tomsk, et lorsque les soldats de l'émir arriveraient à Krasnoiarsk, ils ne trouveraient plus qu'une ville abandonnée. Là, aucun moyen de communication immédiat entre les deux rives de l'Yeniseï. Donc, retard de quelques jours, jusqu'au moment où un pont de bateaux, difficile à établir, leur livrerait passage.

Pour la première fois depuis la funeste rencontre d'Ivan Ogareff à Omsk, le courrier du czar se sentit moins inquiet et put espérer qu'aucun nouvel obstacle ne surgirait entre le but et lui.

La kibitka, après être redescendue obliquement vers le sud-est pendant une quinzaine de verstes, retrouva et reprit la longue voie tracée à travers la steppe.

La route était bonne, et même cette portion du chemin, qui s'étend entre Krasnoiarsk et Irkoutsk, est considérée comme la meilleure de tout le parcours. Moins de cahots pour les voyageurs, de vastes ombrages qui les protègent contre les ardeurs du soleil, quelquefois des forêts de pins ou de cèdres qui couvrent un espace de cent verstes. Ce n'est plus l'immense steppe dont la ligne circulaire se confond à l'horizon avec celle du ciel. Mais ce riche pays était vide alors. Partout des bourgades abandonnées. Plus de ces paysans sibériens, parmi lesquels domine le type slave. C'était le désert, et, comme on le sait, le désert par ordre.

Le temps était beau, mais déjà l'air, rafraîchi pendant les nuits, ne se réchauffait que plus difficilement aux rayons du soleil. En effet, on arrivait aux premiers jours de septembre, et dans cette région, élevée en latitude, l'arc diurne se raccourcit visiblement au-dessus de l'horizon. L'automne y est de peu de durée, bien que cette portion du territoire sibérien ne soit pas située au-dessus du cinquante-cinquième parallèle, qui est celui d'Édimbourg et de Copenhague. Quelquefois même, l'hiver succède presque inopinément à l'été. C'est qu'ils doivent être précoces, ces hivers de la Russie asiatique, pendant lesquels la colonne thermométrique s'abaisse jusqu'au point de congélation du mercure [1], et où l'on considère comme une température supportable des moyennes de vingt degrés centigrades au-dessous de zéro.

Le temps favorisait donc les voyageurs. Il n'était ni orageux ni pluvieux. La chaleur était modérée, les nuits fraîches. La santé de Nadia, celle de Michel Strogoff se maintenaient, et, depuis qu'ils avaient quitté Tomsk, ils s'étaient peu à peu remis de leurs fatigues passées.

Quant à Nicolas Pigassof, il ne s'était jamais mieux porté. C'était une promenade pour lui que ce voyage, une excursion agréable, à laquelle il employait ses vacances de fonctionnaire sans fonction.

« Décidément, disait-il, cela vaut mieux que de rester douze heures par jour, perché sur une chaise, à manœuvrer un manipulateur ! »

Cependant, Michel Strogoff avait pu obtenir de Nicolas qu'il imprimât à son cheval une allure plus rapide. Pour arriver à ce résultat, il lui avait confié que Nadia et lui allaient rejoindre leur père, exilé à Irkoutsk, et qu'ils avaient grande hâte d'être rendus.

---

1. Environ 42 degrés au-dessous de zéro.

Certes, il ne fallait pas surmener ce cheval, puisque
très probablement on ne trouverait pas à l'échanger
pour un autre; mais, en lui ménageant des haltes
assez fréquentes, — par exemple à chaque quinzaine
de verstes, — on pouvait franchir aisément soixante
verstes par vingt-quatre heures. D'ailleurs, ce cheval
était vigoureux et, par sa race même, très apte à
supporter les longues fatigues. Les gras pâturages ne
lui manquaient pas le long de la route, l'herbe y était
abondante et forte. Donc, possibilité de lui demander
un surcroît de travail.

Nicolas s'était rendu à ces raisons. Il avait été très
ému de la situation de ces deux jeunes gens qui
allaient partager l'exil de leur père. Rien ne lui
paraissait plus touchant. Aussi, avec quel sourire il
disait à Nadia :

« Bonté divine! quelle joie éprouvera M. Korpanoff, lorsque ses yeux vous apercevront, quand ses
bras s'ouvriront pour vous recevoir! Si je vais jusqu'à
Irkoutsk, — et cela me paraît bien probable maintenant, — me permettrez-vous d'être présent à cette
entrevue! Oui, n'est-ce pas? »

Puis, se frappant le front :

« Mais, j'y pense, quelle douleur aussi, quand il
s'apercevra que son pauvre grand fils est aveugle!
Ah! tout est bien mêlé en ce monde! »

Enfin, de tout cela, il était résulté que la kibitka
marchait plus vite, et suivant les calculs de Michel
Strogoff, elle faisait maintenant dix à douze verstes à
l'heure.

Il s'ensuit donc que, le 28 août, les voyageurs
dépassaient le bourg de Balaisk, à quatre-vingts
verstes de Krasnoiarsk, et le 29, celui de Ribinsk, à
quarante verstes de Balaisk.

Le lendemain, trente-cinq verstes au-delà, elle arrivait à Kamsk, bourgade plus considérable, arrosée
par la rivière du même nom, petit affluent de l'Yeniseï, qui descend des monts Sayansk. Ce n'est qu'une
ville peu importante, dont les maisons de bois sont

pittoresquement groupées autour d'une place ; mais elle est dominée par le haut clocher de sa cathédrale, dont la croix dorée resplendissait au soleil.

Maisons vides, église déserte. Plus un relais, plus une auberge habitée. Pas un cheval aux écuries. Pas un animal domestique dans la steppe. Les ordres du gouvernement moscovite avaient été exécutés avec une rigueur absolue. Ce qui n'avait pu être emporté avait été détruit.

Au sortir de Kamsk, Michel Strogoff apprit à Nadia et à Nicolas qu'ils ne trouveraient plus qu'une petite ville de quelque importance, Nijni-Oudinsk, avant Irkoutsk. Nicolas répondit qu'il le savait d'autant mieux qu'une station télégraphique existait dans cette bourgade. Donc, si Nijni-Oudinsk était abandonnée comme Kamsk, il serait bien obligé d'aller chercher quelque occupation jusqu'à la capitale de la Sibérie orientale.

La kibitka put traverser à gué, et sans trop de mal, la petite rivière qui coupe la route au-delà de Kamsk. D'ailleurs, entre l'Yeniseï et l'un de ses grands tributaires, l'Angara, qui arrose Irkoutsk, il n'y avait plus à redouter l'obstacle de quelque considérable cours d'eau, si ce n'est peut-être le Dinka. Le voyage ne pourrait donc être retardé de ce chef.

De Kamsk à la bourgade prochaine, l'étape fut très longue, environ cent trente verstes. Il va sans dire que les haltes réglementaires furent observées, « sans quoi, disait Nicolas, on se serait attiré quelque juste réclamation de la part du cheval ». Il avait été convenu avec cette courageuse bête qu'elle se reposerait après quinze verstes, et, quand on contracte, même avec des animaux, l'équité veut qu'on se tienne dans les termes du contrat.

Après avoir franchi la petite rivière de Biriousa, la kibitka atteignit Biriousinsk dans la matinée du 4 septembre.

Là, très heureusement, Nicolas, qui voyait s'épuiser ses provisions, trouva dans un four abandonné une douzaine de « pogatchas », sorte de gâteaux préparés avec de la graisse de mouton, et une forte provision de riz cuit à l'eau. Ce surcroît alla rejoindre à propos la réserve de koumyss, dont la kibitka était suffisamment approvisionnée depuis Krasnoiarsk.

Après une halte convenable, la route fut reprise dans l'après-dînée du 5 septembre. La distance jusqu'à Irkoutsk n'était plus que de cinq cents verstes. Rien en arrière ne signalait l'avant-garde tartare. Michel Strogoff était donc fondé à penser que son voyage ne serait plus entravé, et que dans huit jours, dans dix au plus, il serait en présence du grand-duc.

En sortant de Biriousinsk, un lièvre vint à traverser le chemin, à trente pas en avant de la kibitka.

« Ah ! fit Nicolas.

— Qu'as-tu, ami ? demanda vivement Michel Strogoff, comme un aveugle que le moindre bruit tient en éveil.

— Tu n'as pas vu ?… » dit Nicolas, dont la souriante figure s'était subitement assombrie.

Puis il ajouta :

« Ah ! non ! tu n'as pu voir, et c'est heureux pour toi, petit père !

— Mais je n'ai rien vu, dit Nadia.

— Tant mieux ! tant mieux ! Mais moi… j'ai vu !…

— Qu'était-ce donc ? demanda Michel Strogoff.

— Un lièvre qui vient de croiser notre route ! » répondit Nicolas.

En Russie, lorsqu'un lièvre croise la route d'un voyageur, la croyance populaire veut que ce soit le signe d'un malheur prochain.

Nicolas, superstitieux comme le sont la plupart des Russes, avait arrêté la kibitka.

Michel Strogoff comprit l'hésitation de son compagnon, bien qu'il ne partageât aucunement sa crédulité à l'endroit des lièvres qui passent, et il voulut le rassurer.

« Il n'y a rien à craindre, ami, lui dit-il.

— Rien pour toi, ni pour elle, je le sais, petit père, répondit Nicolas, mais pour moi ! »

Un lièvre vint à traverser le chemin.

Et reprenant :

« C'est la destinée », dit-il.

Et il remit son cheval au trot.

Cependant, en dépit du fâcheux pronostic, la journée s'écoula sans aucun accident.

Le lendemain, 6 septembre, à midi, la kibitka fit halte au bourg d'Alsalevsk, aussi désert que l'était toute la contrée environnante.

Là, sur le seuil d'une maison, Nadia trouva deux de ces couteaux à lame solide, qui servent aux chasseurs sibériens. Elle en remit un à Michel Strogoff, qui le cacha sous ses vêtements, et elle garda l'autre pour elle. La kibitka n'était plus qu'à soixante-quinze verstes de Nijni-Oudinsk.

Nicolas, pendant ces deux journées, n'avait pu reprendre sa bonne humeur habituelle. Le mauvais présage l'avait affecté plus qu'on ne le pourrait croire, et lui, qui jusqu'alors n'était jamais resté une heure sans parler, tombait parfois dans de longs mutismes dont Nadia avait peine à le tirer. Ces symptômes étaient véritablement ceux d'un esprit frappé, et cela s'explique, quand il s'agit de ces hommes appartenant aux races du Nord, dont les superstitieux ancêtres ont été les fondateurs de la mythologie hyperboréenne.

A partir d'Ekaterinbourg, la route d'Irkoutsk suit presque parallèlement le cinquante-cinquième degré de latitude, mais, en sortant de Biriousinsk, elle oblique franchement vers le sud-est, de manière à couper de biais le centième méridien. Elle prend le plus court pour atteindre la capitale de la Sibérie orientale, en franchissant les dernières rampes des monts Sayansk. Ces montagnes ne sont elles-mêmes qu'une dérivation de la grande chaîne des Altaï, qui est visible à une distance de deux cents verstes.

La kibitka courait donc sur cette route. Oui, courait ! On sentait bien que Nicolas ne songeait plus à ménager son cheval, et que lui aussi avait maintenant hâte d'arriver. Malgré toute sa résignation un peu fataliste, il ne se croirait plus en sûreté que dans les murs d'Irkoutsk. Bien des Russes eussent pensé comme lui, et plus d'un, tournant les guides de son cheval, fût revenu en arrière, après le passage du lièvre sur sa route !

Cependant, quelques observations qu'il fît, et dont Nadia contrôla la justesse en les transmettant à Michel Strogoff, donnèrent à croire que la série des épreuves n'était peut-être pas close pour eux.

En effet, si le territoire avait été depuis Krasnoiarsk respecté dans ses productions naturelles, ses forêts portaient maintenant trace du feu et du fer, les prairies qui s'étendaient latéralement à la route étaient dévastées, et il était évident que quelque troupe importante avait passé par là.

Trente verstes avant Nijni-Oudinsk, les indices d'une dévastation récente ne purent plus être méconnus, et il était impossible de les attribuer à d'autres qu'aux Tartares.

En effet, ce n'étaient plus seulement des champs foulés du pied des chevaux, des forêts entamées à la hache. Les quelques maisons éparses au long de la route n'étaient pas seulement vides : les unes avaient été en partie démolies, les autres à demi incendiées. Des empreintes de balles se voyaient sur leurs murs.

On conçoit quelles furent les inquiétudes de Michel Strogoff. Il ne pouvait plus douter qu'un corps de Tartares n'eût récemment franchi cette partie de la route, et, cependant, il était impossible que ce fussent les soldats de l'émir, car ils n'auraient pu le devancer sans qu'il s'en fût aperçu. Mais alors quels étaient donc ces nouveaux envahisseurs, et par quel chemin détourné de la steppe avaient-ils pu rejoindre la grande route d'Irkoutsk ? A quels nouveaux ennemis le courrier du czar allait-il se heurter encore ?

Ces appréhensions, Michel Strogoff ne les communiqua ni à Nicolas, ni à Nadia, ne voulant pas les inquiéter. D'ailleurs, il était résolu à continuer sa route, tant qu'un infranchissable obstacle ne l'arrête-

Ce cadavre était celui d'un moujik.

rait pas. Plus tard, il verrait ce qu'il conviendrait de faire.

Pendant la journée suivante, le passage récent d'une importante troupe de cavaliers et de fantassins s'accusa de plus en plus. Des fumées furent aperçues au-dessus de l'horizon. La kibitka marcha avec précaution. Quelques maisons des bourgades abandonnées brûlaient encore, et, certainement, l'incendie n'y avait pas été allumé depuis plus de vingt-quatre heures.

Enfin, dans la journée du 8 septembre, la kibitka s'arrêta. Le cheval refusait d'avancer. Serko aboyait lamentablement.

« Qu'y a-t-il ? demanda Michel Strogoff.

— Un cadavre ! » répondit Nicolas, qui se jeta hors de la kibitka.

Ce cadavre était celui d'un moujik, horriblement mutilé et déjà froid.

Nicolas se signa. Puis, aidé de Michel Strogoff, il transporta ce cadavre sur le talus de la route. Il aurait voulu lui donner une sépulture décente, l'enterrer profondément, afin que les carnassiers de la steppe ne pussent s'acharner sur ses misérables restes, mais Michel Strogoff ne lui en laissa pas le temps.

« Partons, ami, partons ! s'écria-t-il. Nous ne pouvons nous retarder, même d'une heure ! »

Et la kibitka reprit sa marche.

D'ailleurs, si Nicolas eût voulu rendre les derniers devoirs à tous les morts qu'il allait maintenant rencontrer sur la grande route sibérienne, il n'aurait pu y suffire ! Aux approches de Nijni-Oudinsk, ce fut par vingtaines que l'on trouva de ces corps, étendus sur le sol.

Il fallait pourtant continuer à suivre ce chemin jusqu'au moment où il serait manifestement impossible de le faire, sans tomber entre les mains des envahisseurs. L'itinéraire ne fut donc pas modifié, et pourtant, dévastations et ruines s'accumulaient à chaque bourgade. Tous ces villages, dont les noms indiquent qu'ils ont été fondés par des exilés polonais, avaient été livrés aux horreurs du pillage et de l'incendie. Le sang des victimes n'était pas même encore complètement figé. Quant à savoir dans quelles conditions ces funestes événements venaient d'être accomplis, on ne le pouvait. Il ne restait plus un être vivant pour le dire.

Ce jour-là, vers quatre heures du soir, Nicolas signala à l'horizon les hauts clochers des églises de Nijni-Oudinsk. Ils étaient couronnés de grosses volutes de vapeurs qui ne devaient pas être des nuages.

Nicolas et Nadia regardaient et communiquaient à Michel Strogoff le résultat de leurs observations. Il fallait prendre un parti. Si la ville était abandonnée, on pouvait la traverser sans risque, mais si, par un mouvement inexplicable, les Tartares l'occupaient, on devait à tout prix la tourner.

« Avançons prudemment, dit Michel Strogoff, mais avançons! »

Une verste fut encore parcourue.

« Ce ne sont pas des nuages, ce sont des fumées! s'écria Nadia. Frère, on incendie la ville! »

Ce n'était que trop visible, en effet. Des lueurs fuligineuses apparaissaient au milieu des vapeurs. Ces tourbillons devenaient de plus en plus épais et montaient dans le ciel. Aucun fuyard, d'ailleurs. Il était probable que les incendiaires avaient trouvé la ville abandonnée et qu'ils la brûlaient. Mais étaient-ce des Tartares qui agissaient ainsi? Étaient-ce des Russes qui obéissaient aux ordres du grand-duc? Le gouvernement du czar avait-il voulu que depuis Krasnoiarsk, depuis l'Yeniseï, pas une ville, pas une bourgade ne pût offrir un refuge aux soldats de l'émir? En ce qui concernait Michel Strogoff, devait-il s'arrêter, devait-il continuer sa route?

Il était indécis. Toutefois, après avoir pesé le pour et le contre, il pensa que, quelles que fussent les fatigues d'un voyage à travers la steppe, sans chemin frayé, il ne devait pas risquer de tomber une seconde fois entre les mains des Tartares. Il allait donc proposer à Nicolas de quitter la route et, s'il le fallait absolument, de ne la reprendre qu'après avoir tourné Nijni-Oudinsk, lorsqu'un coup de feu retentit sur la droite. Une balle siffla, et le cheval de la kibitka, frappé à la tête, tomba mort.

Au même instant, une douzaine de cavaliers se jetaient sur la route, et la kibitka était entourée. Michel Strogoff, Nadia et Nicolas, sans même avoir eu le temps de se reconnaître, étaient prisonniers et entraînés rapidement vers Nijni-Oudinsk.

Michel Strogoff, dans cette soudaine attaque, n'avait rien perdu de son sang-froid. N'ayant pu voir ses ennemis, il n'avait pu songer à se défendre. Eût-il eu l'usage de ses yeux, il ne l'aurait pas tenté. C'eût été courir au-devant d'un massacre. Mais, s'il ne voyait pas, il pouvait écouter ce qu'ils disaient et le comprendre.

En effet, à leur langage, il reconnut que ces soldats étaient des Tartares, et, à leurs paroles, qu'ils précédaient l'armée des envahisseurs.

Voici, d'ailleurs, ce que Michel Strogoff apprit, autant par les propos qui furent tenus en ce moment devant lui que par les lambeaux de conversation qu'il surprit plus tard.

Ces soldats n'étaient pas directement sous les ordres de l'émir, retenu encore en arrière de l'Yeniseï. Ils faisaient partie d'une troisième colonne, plus spécialement composée de Tartares des khanats de Khokland et de Koundouze, avec laquelle l'armée de Féofar devait opérer prochainement sa jonction aux environs d'Irkoutsk.

C'était sur les conseils d'Ivan Ogareff, et afin d'assurer le succès de l'invasion dans les provinces de l'est, que cette colonne, après avoir franchi la frontière du gouvernement de Sémipalatinsk et passé au sud du lac Balkhach, avait longé la base des monts Altaï. Pillant et ravageant sous la conduite d'un officier du khan de Koundouze, elle avait gagné le haut cours de l'Yeniseï. Là, dans la prévision de ce qui s'était fait à Krasnoiarsk par ordre du czar, et pour faciliter le passage du fleuve aux troupes de l'émir, cet officier avait lancé au courant une flottille de barques qui, soit comme embarcations, soit comme matériel de pont, permettraient à Féofar de reprendre sur la rive droite la route d'Irkoutsk. Puis, cette troisième colonne, après avoir contourné le pied des montagnes, avait descendu la vallée de l'Yeniseï et rejoint cette route à la hauteur d'Alsalevsk. De là, depuis cette petite ville, l'effroyable accumulation de ruines, qui fait le fond des guerres tartares. Nijni-Oudinsk venait de subir le sort commun, et les Tartares, au nombre de cinquante mille, l'avaient déjà quittée pour aller occuper les premières positions devant Irkoutsk. Avant peu, ils devraient avoir été ralliés par les troupes de l'émir.

Telle était la situation à cette date, — situation des plus graves pour cette partie de la Sibérie orientale, complètement isolée, et pour les défenseurs, relativement peu nombreux, de sa capitale.

Voilà donc ce dont Michel Strogoff fut informé : arrivée devant Irkoutsk d'une troisième colonne de Tartares, et jonction prochaine de l'émir et d'Ivan Ogareff avec le gros de leurs troupes. Conséquemment, l'investissement d'Irkoutsk, et, par suite, sa reddition n'étaient plus qu'une affaire de temps, peut-être d'un temps très court.

On comprend de quelles pensées dut être assiégé Michel Strogoff ! Qui s'étonnerait si, dans cette situation, il eût enfin perdu tout courage, tout espoir ? Il n'en fut rien, cependant, et ses lèvres ne murmurèrent pas d'autres paroles que celles-ci :

« J'arriverai ! »

Une demi-heure après l'attaque des cavaliers tartares, Michel Strogoff, Nicolas et Nadia entraient à Nijni-Oudinsk. Le fidèle chien les avait suivis, mais de loin. Ils ne devaient pas séjourner dans la ville, qui

était en flammes et que les derniers maraudeurs
allaient quitter.

Les prisonniers furent donc jetés sur des chevaux et
entraînés rapidement, Nicolas, résigné comme toujours, Nadia, nullement ébranlée dans sa foi en
Michel Strogoff, Michel Strogoff, indifférent en apparence, mais prêt à saisir toute occasion de s'échapper.

Les Tartares n'avaient pas été sans s'apercevoir
que l'un de leurs prisonniers était aveugle, et leur
barbarie naturelle les porta à se faire un jeu de cet
infortuné. On marchait vite. Le cheval de Michel
Strogoff, n'ayant d'autre guide que lui et allant au
hasard, faisait souvent des écarts qui portaient le
désordre dans le détachement. De là, des injures, des
brutalités qui brisaient le cœur de la jeune fille et
indignaient Nicolas. Mais que pouvaient-ils faire ? Ils
ne parlaient pas la langue de ces Tartares, et leur
intervention fut impitoyablement repoussée.

Bientôt même, ces soldats, par un raffinement de
barbarie, eurent l'idée d'échanger ce cheval que montait Michel Strogoff pour un autre qui était aveugle.
Ce qui motiva ce changement, ce fut la réflexion d'un
des cavaliers, auquel Michel Strogoff avait entendu
dire :

« Mais il y voit peut-être, ce Russe-là ! »

Ceci se passait à soixante verstes de Nijni-Oudinsk,
entre les bourgades de Tatan et de Chibarlinskoë. On
avait donc placé Michel Strogoff sur ce cheval, en lui
mettant ironiquement les rênes à la main. Puis, à
coups de fouet, à coups de pierres, en l'excitant par
des cris, on le lança au galop.

L'animal, ne pouvant être maintenu en droite ligne
par son cavalier, aveugle comme lui, tantôt se heurtait à quelque arbre, tantôt se jetait hors de la route.
De là, des chocs, des chutes même qui pouvaient être
extrêmement funestes.

Michel Strogoff ne protesta pas. Il ne fit pas
entendre une plainte. Son cheval tombait-il, il attendait qu'on vînt le relever. On le relevait, en effet, et le
cruel jeu continuait.

Le cheval se précipita avec son cavalier...

Nicolas, devant ces mauvais traitements, ne pouvait se contenir. Il voulait courir au secours de son compagnon. On l'arrêtait, on le brutalisait.

Enfin, ce jeu se fût longtemps prolongé, sans doute, et à la grande joie des Tartares, si un accident plus grave n'y eût mis fin.

A un certain moment, dans la journée du 10 septembre, le cheval aveugle s'emporta et courut droit à une fondrière, profonde de trente à quarante pieds, qui bordait la route.

Nicolas voulut s'élancer! On le retint. Le cheval, n'étant pas guidé, se précipita avec son cavalier dans cette fondrière.

Nadia et Nicolas poussèrent un cri d'épouvante!... Ils durent croire que leur malheureux compagnon avait été broyé dans cette chute!

Lorsqu'on alla le relever, Michel Strogoff, ayant pu se jeter hors de selle, n'avait aucune blessure, mais le malheureux cheval était rompu de deux jambes et hors de service.

On le laissa mourir là, sans même lui donner le coup de grâce, et Michel Strogoff, attaché à la selle d'un Tartare, dut suivre à pied le détachement.

Pas une plainte encore, pas une protestation! Il marcha d'un pas rapide, à peine tiré par cette corde qui le liait. C'était toujours « l'homme de fer » dont le général Kissoff avait parlé au czar!

Le lendemain, 11 septembre, le détachement franchissait la bourgade de Chibarlinskoë.

Alors un incident se produisit, qui devait avoir des conséquences très graves.

La nuit était venue. Les cavaliers tartares, ayant fait halte, s'étaient plus ou moins enivrés. Ils allaient repartir.

Nadia, qui jusqu'alors, et comme par miracle, avait été respectée de ces soldats, fut insultée par l'un d'eux.

Michel Strogoff n'avait pu voir ni l'insulte, ni l'insulteur, mais Nicolas avait vu pour lui.

Alors, tranquillement, sans avoir réfléchi, sans peut-être avoir la conscience de son action, Nicolas alla droit au soldat, et, avant que celui-ci eût pu faire un mouvement pour l'arrêter, saisissant un pistolet aux fontes de sa selle, il le lui déchargea en pleine poitrine.

L'officier qui commandait le détachement accourut aussitôt au bruit de la détonation.

Les cavaliers allaient écharper le malheureux Nicolas, mais, à un signe de l'officier, on le garrotta, on le mit en travers sur un cheval, et le détachement repartit au galop.

La corde qui attachait Michel Strogoff, rongée par lui, se brisa dans l'élan inattendu du cheval, et son cavalier, à demi ivre, emporté dans une course rapide, ne s'en aperçut même pas.

Michel Strogoff et Nadia se trouvèrent seuls sur la route.

IX

DANS LA STEPPE

Michel Strogoff et Nadia étaient donc libres encore une fois, ainsi qu'ils l'avaient été pendant le trajet de Perm aux rives de l'Irtyche. Mais combien les conditions du voyage étaient changées ! Alors, un confortable tarentass, des attelages fréquemment renouvelés, des relais de poste bien entretenus, leur assuraient la rapidité du voyage. Maintenant, ils étaient à pied, dans l'impossibilité de se procurer aucun moyen de locomotion, sans ressource, ne sachant même comment subvenir aux moindres besoins de la vie, et il leur restait encore quatre cents verstes à faire ! Et, de plus, Michel Strogoff ne voyait plus que par les yeux de Nadia.

Quant à cet ami que leur avait donné le hasard, ils venaient de le perdre dans les plus funestes circonstances.

Michel Strogoff s'était jeté sur le talus de la route. Nadia, debout, attendait un mot de lui pour se remettre en marche.

Il était dix heures du soir. Depuis trois heures et demie, le soleil avait disparu derrière l'horizon. Il n'y avait pas une maison, pas une hutte en vue. Les derniers Tartares se perdaient dans le lointain. Michel Strogoff et Nadia étaient bien seuls.

« Que vont-ils faire de notre ami ? s'écria la jeune fille. Pauvre Nicolas ! Notre rencontre lui aura été fatale ! »

Michel Strogoff ne répondit pas.

« Michel, reprit Nadia, ne sais-tu pas qu'il t'a défendu lorsque tu étais le jouet des Tartares, qu'il a risqué sa vie pour moi ? »

Michel Strogoff se taisait toujours. Immobile, la tête appuyée sur ses mains, à quoi pensait-il ? Bien qu'il ne lui répondît pas, entendait-il même Nadia lui parler ?

Oui ! il l'entendait, car, lorsque la jeune fille ajouta :

« Où te conduirai-je, Michel ?

— A Irkoutsk ! répondit-il.

— Par la grande route ?

— Oui, Nadia. »

Michel Strogoff était resté l'homme qui s'était juré d'arriver quand même à son but. Suivre la grande route, c'était y aller par le plus court chemin. Si l'avant-garde des troupes de Féofar-Khan apparaissait, il serait temps alors de se jeter par la traverse.

Nadia reprit la main de Michel Strogoff, et ils partirent.

Le lendemain matin, 12 septembre, vingt verstes plus loin, au bourg de Toulounovskoë, tous deux faisaient une courte halte. Le bourg était incendié et désert. Pendant toute la nuit, Nadia avait cherché si le cadavre de Nicolas n'avait pas été abandonné sur la route, mais ce fut en vain qu'elle fouilla les ruines et qu'elle regarda parmi les morts. Jusqu'alors, Nicolas semblait avoir été épargné. Mais ne le réservait-on pas pour quelque cruel supplice, lorsqu'il serait arrivé au camp d'Irkoutsk ?

Nadia, épuisée par la faim, dont son compagnon souffrait cruellement aussi, fut assez heureuse pour trouver dans une maison du bourg une certaine quantité de viande sèche et de « soukharis », morceaux de pain qui, desséchés par évaporation, peuvent conserver indéfiniment leurs qualités nutritives. Michel Strogoff et la jeune fille se chargèrent de tout ce qu'ils purent emporter. Leur nourriture était ainsi assurée pour plusieurs jours, et, quant à l'eau, elle ne devait pas leur manquer dans une contrée que sillonnent mille petits affluents de l'Angara.

Ils se remirent en route. Michel Strogoff allait d'un pas assuré et ne le ralentissait que pour sa compagne. Nadia, ne voulant pas rester en arrière, se forçait à marcher. Heureusement, son compagnon ne pouvait voir à quel état misérable la fatigue l'avait réduite.

Cependant, Michel Strogoff le sentait.

« Tu es à bout de forces, pauvre enfant, lui disait-il quelquefois.

— Non, répondait-elle.

— Quand tu ne pourras plus marcher, je te porterai, Nadia.

— Oui, Michel. »

Pendant cette journée, il fallut passer le petit cours d'eau de l'Oka, mais il était guéable, et ce passage n'offrit aucune difficulté.

Le ciel était couvert, la température supportable. On pouvait craindre, toutefois, que le temps ne tournât à la pluie, ce qui eût été un surcroît de misère. Il y eut même quelques averses, mais elles ne durèrent pas.

Ils allaient toujours ainsi, la main dans la main, parlant peu, Nadia regardant en avant et en arrière.

Nadia, domptant sa répugnance, regardait.

Deux fois par jour, ils faisaient halte. Ils se reposaient six heures par nuit. Dans quelques cabanes, Nadia trouva encore un peu de cette viande de mouton, si commune en ce pays qu'elle ne vaut pas plus de deux kopeks et demi la livre.

Mais, contrairement à ce qu'avait peut-être espéré Michel Strogoff, il n'y avait plus une seule bête de somme dans la contrée. Cheval, chameau, tout avait été massacré ou pris. C'était donc à pied qu'il lui fallait continuer à travers cette interminable steppe.

Les traces de la troisième colonne tartare, qui se dirigeait sur Irkoutsk, n'y manquaient pas. Ici quelque cheval mort, là un chariot abandonné. Les corps de malheureux Sibériens jalonnaient aussi la route, principalement à l'entrée des villages. Nadia, domptant sa répugnance, regardait tous ces cadavres !...

En somme, le danger n'était pas en avant, il était en arrière. L'avant-garde de la principale armée de l'émir, que dirigeait Ivan Ogareff, pouvait apparaître d'un instant à l'autre. Les barques, expédiées de l'Yeniseï inférieur, avaient dû arriver à Krasnoiarsk et servir aussitôt au passage du fleuve. Le chemin était libre alors pour les envahisseurs. Aucun corps russe ne pouvait le barrer entre Krasnoiarsk et le lac Baïkal. Michel Strogoff s'attendait donc à l'arrivée des éclaireurs tartares.

Aussi, à chaque halte, Nadia montait sur quelque hauteur et regardait attentivement du côté de l'ouest, mais nul tourbillon de poussière ne signalait encore l'apparition d'une troupe à cheval.

Puis, la marche était reprise, et lorsque Michel Strogoff sentait que c'était lui qui traînait la pauvre Nadia, il allait d'un pas moins rapide. Ils causaient peu, et seulement de Nicolas. La jeune fille rappelait tout ce qu'avait été pour eux ce compagnon de quelques jours.

En lui répondant, Michel Strogoff cherchait à donner à Nadia quelque espoir, dont on n'eût pas trouvé trace en lui-même, car il savait bien que l'infortuné n'échapperait pas à la mort.

Un jour, Michel Strogoff dit à la jeune fille :

« Tu ne me parles jamais de ma mère, Nadia? »

Sa mère! Nadia ne l'eût pas voulu. Pourquoi renouveler ses douleurs? La vieille Sibérienne n'était-elle pas morte? Son fils n'avait-il pas donné le dernier baiser à ce cadavre étendu sur le plateau de Tomsk?

« Parle-moi d'elle, Nadia, dit cependant Michel Strogoff. Parle! Tu me feras plaisir! »

Et, alors, Nadia fit ce qu'elle n'avait pas fait jusque-là. Elle raconta tout ce qui s'était passé entre Marfa et elle depuis leur rencontre à Omsk, où toutes deux s'étaient vues pour la première fois. Elle dit comment un inexplicable instinct l'avait poussée vers la vieille prisonnière sans la connaître, quels soins elle lui avait donnés, quels encouragements elle en avait reçus. A cette époque, Michel Strogoff n'était encore pour elle que Nicolas Korpanoff.

« Ce que j'aurais dû toujours être! » répondit Michel Strogoff, dont le front s'assombrit.

Puis, plus tard, il ajouta :

« J'ai manqué à mon serment, Nadia. J'avais juré de ne pas voir ma mère!

— Mais tu n'as pas cherché à la voir, Michel! répondit Nadia. Le hasard seul t'a mis en sa présence!

— J'avais juré, quoi qu'il arrivât, de ne point me trahir!

— Michel, Michel! A la vue du fouet levé sur Marfa Strogoff, pouvais-tu résister? Non! Il n'y a pas de serment qui puisse empêcher un fils de secourir sa mère!

— J'ai manqué à mon serment, Nadia, répondit Michel Strogoff. Que Dieu et le Père me le pardonnent!

— Michel, dit alors la jeune fille, j'ai une question à te faire. Ne me réponds pas, si tu ne crois pas devoir me répondre. De toi, rien ne me blessera.

— Parle, Nadia.

— Pourquoi, maintenant que la lettre du czar t'a été enlevée, es-tu si pressé d'arriver à Irkoutsk? »

Michel Strogoff serra plus fortement la main de sa compagne, mais il ne répondit pas.

« Connaissais-tu donc le contenu de cette lettre avant de quitter Moscou? reprit Nadia.

— Non, je ne le connaissais pas.

— Dois-je penser, Michel, que le seul désir de me remettre entre les mains de mon père t'entraîne vers Irkoutsk?

— Non, Nadia, répondit gravement Michel Strogoff. Je te tromperais, si je te laissais croire qu'il en est ainsi. Je vais là où mon devoir m'ordonne d'aller! Quant à te conduire à Irkoutsk, n'est-ce pas toi, Nadia, qui m'y conduit maintenant? N'est-ce pas par tes yeux que je vois, n'est-ce pas ta main qui me guide? Ne m'as-tu pas rendu au centuple les services que j'ai pu d'abord te rendre? Je ne sais si le sort cessera de nous accabler, mais le jour où tu me remercieras de t'avoir remise entre les mains de ton père, je te remercierai, moi, de m'avoir conduit à Irkoutsk!

— Pauvre Michel! répondit Nadia tout émue. Ne parle pas ainsi! Ce n'est pas la réponse que je te demande. Michel, pourquoi, maintenant, as-tu tant de hâte d'atteindre Irkoutsk?

— Parce qu'il faut que j'y sois avant Ivan Ogareff! s'écria Michel Strogoff.

— Même encore?

— Même encore, et j'y serai! »

Et, en prononçant ces derniers mots, Michel Strogoff ne parlait pas seulement par haine du traître. Mais Nadia comprit que son compagnon ne lui disait pas tout, et qu'il ne pouvait pas tout lui dire.

Le 15 septembre, trois jours plus tard, tous deux atteignaient la bourgade de Kouitounskoë, à soixante-dix verstes de Toulounovskoë. La jeune fille ne marchait plus sans d'extrêmes souffrances. Ses pieds endoloris pouvaient à peine la soutenir. Mais elle résistait, elle luttait contre la fatigue, et sa seule pensée était celle-ci :

« Puisqu'il ne peut pas me voir, j'irai jusqu'à ce que je tombe ! »

D'ailleurs, nul obstacle sur cette partie de la route, nul danger non plus, dans cette période du voyage, depuis le départ des Tartares. Beaucoup de fatigue seulement.

Pendant trois jours, ce fut ainsi. Il était visible que la troisième colonne d'envahisseurs gagnait rapidement dans l'est. Cela se reconnaissait aux ruines qu'ils laissaient après eux, aux cendres qui ne fumaient plus, aux cadavres déjà décomposés qui gisaient sur le sol.

Dans l'ouest, rien non plus. L'avant-garde de l'émir ne paraissait pas. Michel Strogoff en arrivait à faire les suppositions les plus invraisemblables pour expliquer ce retard. Les Russes, en forces suffisantes, menaçaient-ils directement Tomsk ou Krasnoiarsk ? La troisième colonne, isolée des deux autres, risquait-elle donc d'être coupée ? S'il en était ainsi, il serait facile au grand-duc de défendre Irkoutsk, et, du temps gagné contre une invasion, c'est un acheminement à la repousser.

Michel Strogoff se laissait aller parfois à ces espérances, mais bientôt il comprenait tout ce qu'elles avaient de chimérique, et il ne comptait plus que sur lui-même, comme si le salut du grand-duc eût été dans ses seules mains !

Soixante verstes séparent Kouitounskoë de Kimilteiskoë, petite bourgade située à peu de distance du Dinka, tributaire de l'Angara. Michel Strogoff ne songeait pas sans appréhension à l'obstacle que cet affluent d'une certaine importance plaçait sur sa route. De bacs ou de barques, il ne pouvait être question d'en trouver, et il se souvenait, pour l'avoir déjà traversé en des temps plus heureux, qu'il était difficilement guéable. Mais, ce cours d'eau une fois franchi, aucun fleuve, aucune rivière n'interrompait plus la route qui rejoignait Irkoutsk à deux cent trente verstes de là.

Il ne fallut pas moins de trois jours pour atteindre Kimilteiskoë. Nadia se traînait. Quelle que fût son énergie morale, la force physique allait lui manquer. Michel Strogoff ne le savait que trop !

S'il n'eût pas été aveugle, Nadia lui aurait dit sans doute :

« Va, Michel, laisse-moi dans quelque hutte ! Gagne Irkoutsk ! Accomplis ta mission ! Vois mon père ! Dis-lui où je suis ! Dis-lui que je l'attends, et tous deux, vous saurez bien me retrouver ! Pars ! Je n'ai pas peur ! Je me cacherai des Tartares ! Je me conserverai pour lui, pour toi ! Va, Michel ! Je ne peux plus aller !... »

Plusieurs fois, Nadia fut forcée de s'arrêter. Michel Strogoff la prenait alors dans ses bras, et n'ayant pas à penser à la fatigue de la jeune fille du moment où il la portait, il marchait plus rapidement et de son pas infatigable.

Le 18 septembre, à dix heures du soir, tous deux atteignirent enfin Kimilteiskoë. Du haut d'une colline, Nadia aperçut une ligne un peu moins sombre à l'horizon. C'était le Dinka. Quelques éclairs se réfléchissaient dans ses eaux, éclairs sans tonnerre qui illuminaient l'espace.

Nadia conduisit son compagnon, à travers la bourgade ruinée. La cendre des incendies était froide. Il y avait au moins cinq ou six jours que les derniers Tartares étaient passés.

Arrivée aux dernières maisons de la bourgade, Nadia se laissa tomber sur un banc de pierre.

« Nous faisons halte ? lui demanda Michel Strogoff.

— La nuit est venue, Michel, répondit Nadia. Ne veux-tu pas te reposer quelques heures ?

— J'aurais voulu passer le Dinka, répondit Michel Strogoff, j'aurais voulu le mettre entre nous et l'avant-garde de l'émir. Mais tu ne peux plus même te traîner, ma pauvre Nadia !

— Viens, Michel », répondit Nadia, qui saisit la main de son compagnon et l'entraîna.

C'était à deux ou trois verstes de là que le Dinka coupait la route d'Irkoutsk. Ce dernier effort que lui demandait son compagnon, la jeune fille voulut le tenter. Tous deux marchèrent donc à la lueur des éclairs. Ils traversaient alors un désert sans limites, au milieu duquel se perdait la petite rivière. Pas un arbre, pas un monticule ne faisait saillie sur cette vaste plaine, qui recommençait la steppe sibérienne. Pas un souffle ne traversait l'atmosphère, dont le calme eût laissé le moindre son se propager à une distance infinie.

Soudain, Michel Strogoff et Nadia s'arrêtèrent, comme si leurs pieds eussent été saisis dans quelque crevasse du sol.

Un aboiement avait traversé la steppe.

« Entends-tu ? » dit Nadia.

Puis, un cri lamentable lui succéda, un cri désespéré, comme le dernier appel d'un être humain qui va mourir.

« Nicolas ! Nicolas ! » s'écria la jeune fille, poussée par quelque sinistre pressentiment.

Michel Strogoff, qui écoutait, secoua la tête.

« Viens, Michel, viens », dit Nadia.

Et elle, qui tout à l'heure se traînait à peine, recouvra soudain ses forces sous l'empire d'une violente surexcitation.

« Nous avons quitté la route ? dit Michel Strogoff, sentant qu'il foulait, non plus un sol poudreux, mais une herbe rase.

— Oui... il le faut !... répondit Nadia. C'est de là, sur la droite, que le cri est venu ! »

Quelques minutes après, tous deux n'étaient plus qu'à une demi-verste de la rivière.

Un second aboiement se fit entendre, mais quoique plus faible, il était certainement plus rapproché.

Nadia s'arrêta.

« Oui ! dit Michel. C'est Serko qui aboie !... Il a suivi son maître !

— Nicolas ! » cria la jeune fille.

Son appel resta sans réponse.

Quelques oiseaux de proie seulement s'enlevèrent et disparurent dans les hauteurs du ciel.

Michel Strogoff prêtait l'oreille. Nadia regardait cette plaine, imprégnée d'effluves lumineux, qui miroitait comme une glace, mais elle ne vit rien.

Et, cependant, une voix s'éleva encore, qui, cette fois, murmura d'un ton plaintif : « Michel !... »

Puis, un chien, tout sanglant, bondit jusqu'à Nadia. C'était Serko.

Nicolas ne pouvait être loin ! Lui seul avait pu murmurer ce nom de Michel ! Où était-il ? Nadia n'avait même plus la force de l'appeler.

Michel Strogoff, rampant sur le sol, cherchait de la main.

Soudain, Serko poussa un nouvel aboiement et s'élança vers un gigantesque oiseau qui rasait la terre.

C'était un vautour. Lorsque Serko se précipita vers lui, il s'enleva, mais, revenant à la charge, il frappa le chien ! Celui-ci bondit encore vers le vautour !... Un coup du formidable bec s'abattit sur sa tête, et, cette fois, Serko retomba sans vie sur le sol.

En même temps, un cri d'horreur échappait à Nadia !

« Là... là ! » dit-elle.

Une tête sortait du sol ! Elle l'eût heurtée du pied, sans l'intense clarté que le ciel jetait sur la steppe.

Nadia tomba, à genoux, près de cette tête.

Nicolas, enterré jusqu'au cou, suivant l'atroce coutume tartare, avait été abandonné dans la steppe, pour y mourir de faim et de soif, et peut-être sous la dent des loups ou le bec des oiseaux de proie. Supplice horrible pour cette victime que le sol emprisonne, que presse cette terre qu'elle ne peut rejeter, ayant les bras attachés et collés au corps, comme ceux d'un cadavre dans son cercueil ! Le supplicié, vivant dans ce moule d'argile qu'il est impuissant à briser, n'a plus qu'à implorer la mort, trop lente à venir !

C'était là que les Tartares avaient enterré leur

Une tête sortait du sol.

prisonnier depuis trois jours !... Depuis trois jours, Nicolas attendait un secours qui devait arriver trop tard !

Les vautours avaient aperçu cette tête au ras du sol, et, depuis quelques heures, le chien défendait son maître contre ces féroces oiseaux !

Michel Strogoff creusa la terre avec son couteau pour en exhumer ce vivant !

Les yeux de Nicolas, fermés jusqu'alors, se rouvrirent.

Il reconnut Michel et Nadia. Puis :

« Adieu, amis, murmura-t-il. Je suis content de vous avoir revus ! Priez pour moi !... »

Et ces paroles furent les dernières.

Michel Strogoff continua de creuser ce sol, qui, fortement foulé, avait la dureté du roc, et il parvint enfin à en retirer le corps de l'infortuné. Il écouta si son cœur battait encore !... Il ne battait plus.

Il voulut alors l'ensevelir, afin qu'il ne restât pas exposé sur la steppe, et ce trou, dans lequel Nicolas avait été enfoui vivant, il l'élargit, il l'agrandit, de manière à pouvoir l'y coucher mort ! Le fidèle Serko devait être placé près de son maître !

En ce moment, un grand tumulte se produisit sur la route, distante au plus d'une demi-verste.

Michel Strogoff écouta.

Au bruit, il reconnut qu'un détachement d'hommes à cheval s'avançait vers le Dinka.

« Nadia ! Nadia ! » dit-il à voix basse.

A sa voix, Nadia, demeurée en prière, se redressa.

« Vois ! vois ! lui dit-il.

— Les Tartares ! » murmura-t-elle.

C'était, en effet, l'avant-garde de l'émir, qui défilait rapidement sur la route d'Irkoutsk.

« Ils ne m'empêcheront pas de l'enterrer ! » dit Michel Strogoff.

Et il continua sa besogne.

Bientôt, le corps de Nicolas, les mains jointes sur la poitrine, fut couché dans cette tombe. Michel Stro-

Bientôt le corps de Nicolas fut couché dans cette tombe.

goff et Nadia, agenouillés, prièrent une dernière fois pour le pauvre être, inoffensif et bon, qui avait payé de sa vie son dévouement envers eux.

« Et maintenant, dit Michel Strogoff, en rejetant la terre, les loups de la steppe ne le dévoreront pas ! »

Puis, sa main menaçante s'étendit vers la troupe de cavaliers qui passait.

« En route, Nadia ! » dit-il..

Michel Strogoff ne pouvait plus suivre le chemin, maintenant occupé par les Tartares. Il lui fallait se jeter à travers la steppe et tourner Irkoutsk. Il n'avait donc pas à se préoccuper de franchir le Dinka.

Nadia ne pouvait plus se traîner, mais elle pouvait voir pour lui. Il la prit dans ses bras et s'enfonça dans le sud-ouest de la province.

Plus de deux cents verstes lui restaient à parcourir. Comment les fit-il ? Comment ne succomba-t-il pas à tant de fatigues ? Comment put-il se nourrir en route ? Par quelle surhumaine énergie arriva-t-il à passer les premières rampes des monts Sayansk ? Ni Nadia ni lui n'auraient pu le dire !

Et cependant, douze jours après, le 2 octobre, à six heures du soir, une immense nappe d'eau se déroulait aux pieds de Michel Strogoff.

C'était le lac Baïkal.

X

BAÏKAL ET ANGARA

Le lac Baïkal est situé à dix-sept cents pieds au-dessus du niveau de la mer. Sa longueur est environ de neuf cents verstes, sa largeur de cent. Sa profondeur n'est pas connue. Mme de Bourboulon rapporte, au dire des mariniers, qu'il veut être appelé

« madame la mer ». Si on l'appelle « monsieur le lac », il entre aussitôt en fureur. Cependant, suivant la légende, jamais un Russe ne s'y est noyé.

Cet immense bassin d'eau douce, alimenté par plus de trois cents rivières, est encadré dans un magnifique circuit de montagnes volcaniques. Il n'a d'autre déversoir que l'Angara, qui, après avoir passé à Irkoutsk, va se jeter dans l'Yeniseï, un peu en amont de la ville d'Yeniseïsk. Quant aux monts qui lui font ceinture, ils forment une branche des Toungouzes et dérivent du vaste système orographique des Altaï.

Déjà, à cette époque, les froids s'étaient fait sentir. Ainsi qu'il arrive sur ce territoire, soumis à des conditions climatériques particulières, l'automne paraissait devoir s'absorber dans un précoce hiver. On était aux premiers jours d'octobre. Le soleil quittait maintenant l'horizon à cinq heures du soir, et les longues nuits laissaient tomber la température au zéro des thermomètres. Les premières neiges, qui devaient persister jusqu'à l'été, blanchissaient déjà les cimes voisines du Baïkal. Pendant l'hiver sibérien, cette mer intérieure, glacée sur une épaisseur de plusieurs pieds, est sillonnée par les traîneaux des courriers et des caravanes.

Que ce soit parce qu'on manque aux bienséances en l'appelant « monsieur le lac » ou pour toute autre raison plus météorologique, le Baïkal est sujet à des tempêtes violentes. Ses lames, courtes comme celles de toutes les Méditerranées, sont très redoutées des radeaux, des prames, des steam-boats, qui le sillonnent pendant l'été.

C'était à la pointe sud-ouest du lac que Michel Strogoff venait d'arriver, portant Nadia, dont toute la vie, pour ainsi dire, se concentrait dans les yeux. Que pouvaient-ils attendre tous deux dans cette partie sauvage de la province, si ce n'est d'y mourir d'épuisement et de dénuement ? Et, cependant, que restait-il à faire de ce long parcours de six mille verstes pour que le courrier du czar eût atteint son but ? Rien que soixante verstes sur le littoral du lac jusqu'à l'embouchure de l'Angara, et quatre-vingts verstes de l'embouchure de l'Angara jusqu'à Irkoutsk : en tout, cent quarante verstes, soit trois jours de voyage pour un homme valide, vigoureux, même à pied.

Michel Strogoff pouvait-il être encore cet homme-là ?

Le Ciel, sans doute, ne voulut pas le soumettre à cette épreuve. La fatalité qui s'acharnait sur lui sembla vouloir l'épargner un instant. Cette extrémité du Baïkal, cette portion de la steppe qu'il croyait déserte, qui l'est en tout temps, ne l'était pas alors.

Une cinquantaine d'individus se trouvaient réunis à l'angle que forme la pointe sud-ouest du lac.

Nadia aperçut tout d'abord ce groupe, lorsque Michel Strogoff, la portant entre ses bras, déboucha du défilé des montagnes.

La jeune fille dut craindre un instant que ce ne fût un détachement tartare, envoyé pour battre les rives du Baïkal, auquel cas la fuite leur eût été interdite à tous deux.

Mais Nadia fut promptement rassurée à cet égard.

« Des Russes ! » s'écria-t-elle.

Et, après ce dernier effort, ses paupières se fermèrent et sa tête retomba sur la poitrine de Michel Strogoff.

Mais ils avaient été aperçus, et quelques-uns de ces Russes, courant à eux, amenèrent l'aveugle et la jeune fille au bord d'une petite grève à laquelle était amarré un radeau.

Le radeau allait partir.

Ces Russes étaient des fugitifs, de conditions diverses, que le même intérêt avait réunis en ce point du Baïkal. Repoussés par les éclaireurs tartares, ils cherchaient à se réfugier dans Irkoutsk, et ne pouvant y arriver par terre, depuis que les envahisseurs avaient pris position sur les deux rives de l'Angara, ils espéraient l'atteindre en descendant le cours du fleuve qui traverse la ville.

Un vieux marinier du Baïkal avait pris le commandement.

Leur projet fit bondir le cœur de Michel Strogoff. Une dernière chance entrait dans son jeu. Mais il eut la force de dissimuler, voulant garder plus sévèrement que jamais son incognito.

Le plan des fugitifs était très simple. Un courant du Baïkal longe la rive supérieure du lac jusqu'à l'embouchure de l'Angara. C'est ce courant qu'ils comptaient utiliser pour atteindre tout d'abord le déversoir du Baïkal. De ce point à Irkoutsk, les eaux rapides du fleuve les entraîneraient avec une vitesse de dix à douze verstes à l'heure. En un jour et demi, ils devaient donc être en vue de la ville.

Toute embarcation manquait en cet endroit. Il avait fallu y suppléer. Un radeau, ou plutôt un train de bois, semblable à ceux qui dérivent ordinairement sur les rivières sibériennes, avait été construit. Une forêt de sapins, qui s'élevait sur la rive, avait fourni l'appareil flottant. Les troncs, reliés entre eux par des branches d'osier, formaient une plate-forme sur laquelle cent personnes eussent aisément trouvé place.

C'est sur ce radeau que Michel Strogoff et Nadia furent transportés. La jeune fille était revenue à elle. On lui donna quelque nourriture, ainsi qu'à son compagnon. Puis, couchée sur un lit de feuillage, elle tomba aussitôt dans un profond sommeil.

A ceux qui l'interrogèrent, Michel Strogoff ne dit rien des faits qui s'étaient passés à Tomsk. Il se donna pour un habitant de Krasnoiarsk qui n'avait pu gagner Irkoutsk avant que les troupes de l'émir fussent arrivées sur la rive gauche du Dinka, et il ajouta que, très probablement, le gros des forces tartares avait pris position devant la capitale de la Sibérie.

Il n'y avait donc pas un instant à perdre. D'ailleurs, le froid devenait de plus en plus vif. La température, pendant la nuit, tombait au-dessous de zéro. Quelques glaçons s'étaient déjà formés à la surface du Baïkal. Si le radeau pouvait facilement manœuvrer

sur le lac, il n'en serait pas de même entre les rives de
l'Angara, au cas où les glaçons viendraient à
encombrer son cours.

Donc, pour toutes ces raisons, il fallait que les
fugitifs partissent sans retard.

A huit heures du soir, les amarres furent larguées,
et sous l'action du courant, le radeau suivit le littoral.
De grandes perches, maniées par quelques robustes
moujiks, suffisaient à rectifier sa direction.

Un vieux marinier du Baïkal avait pris le commandement du radeau. C'était un homme de soixante-
cinq ans, tout hâlé par les brises du lac. Une barbe
blanche, très épaisse, descendait sur sa poitrine. Un
bonnet de fourrure coiffait sa tête, d'aspect grave et
austère. Sa large et longue houppelande, serrée à la
ceinture, lui tombait jusqu'aux talons. Ce vieillard
taciturne, assis à l'arrière, commandait du geste et ne
prononçait pas dix paroles en dix heures. D'ailleurs,
toute la manœuvre se réduisait à maintenir le radeau
dans le courant, qui filait le long du littoral, sans
gagner au large.

On a dit que des Russes de conditions diverses
avaient pris place sur le radeau. En effet, aux moujiks
indigènes, hommes, femmes, vieillards et enfants,
s'étaient joints deux ou trois pèlerins, surpris par
l'invasion pendant leur voyage, quelques moines et
un pope. Les pèlerins portaient le bâton de voyage, la
gourde suspendue à la ceinture, et ils psalmodiaient
d'une voix plaintive. L'un venait de l'Ukraine, l'autre
de la mer Jaune, un troisième des provinces de
Finlande. Ce dernier, fort âgé déjà, portait à la
ceinture un petit tronc cadenassé, comme s'il eût été
appendu au pilier d'une église. De ce qu'il récoltait
pendant sa longue et fatigante tournée, rien n'était
pour son compte, et il ne possédait même pas la clef
de ce cadenas, qui ne s'ouvrait qu'à son retour.

Les moines venaient du nord de l'empire. Ils
avaient depuis trois mois quitté cette ville d'Arkhangel, à laquelle certains voyageurs ont justement

trouvé la physionomie d'une cité de l'Orient. Ils avaient visité les îles Saintes, près de la côte de Carélie, le couvent de Solovetsk, le couvent de Troïtsa, ceux de Saint-Antoine et de Sainte-Théodosie à Kiev, cette ancienne favorite des Jagellons, le monastère de Siméonof à Moscou, celui de Kazan ainsi que son église des Vieux-Croyants, et ils se rendaient à Irkoutsk, portant la robe, le capuchon et les vêtements de serge.

Quant au pope, c'était un simple prêtre de village, un de ces six cent mille pasteurs populaires que compte l'empire russe. Il était vêtu aussi misérablement que les moujiks, n'étant pas plus qu'eux, en vérité, n'ayant ni rang ni pouvoir dans l'Église, labourant comme un paysan sa pièce de terre, baptisant, mariant, enterrant. Ses enfants et sa femme, il avait pu les soustraire aux brutalités des Tartares, en les reléguant dans les provinces du Nord. Lui était resté dans sa paroisse jusqu'au dernier moment. Puis, il avait dû fuir, et la route d'Irkoutsk étant fermée, il lui avait fallu gagner le lac Baïkal.

Ces divers religieux, groupés à l'avant du radeau, priaient à intervalles réguliers, élevant la voix au milieu de cette silencieuse nuit, et, à la fin de chaque verset de leur prière, le « Slava Bogu », Gloire à Dieu, s'échappait de leurs lèvres.

Aucun incident ne marqua cette navigation. Nadia était restée plongée dans un assoupissement profond. Michel Strogoff avait veillé près d'elle. Le sommeil n'avait prise sur lui qu'à de longs intervalles seulement, et encore sa pensée veillait-elle toujours.

Au jour naissant, le radeau, retardé par une brise assez violente qui contrariait l'action du courant, était encore à quarante verstes de l'embouchure de l'Angara. Très vraisemblablement, il ne pourrait pas l'atteindre avant trois ou quatre heures du soir. Ce n'était pas un inconvénient, au contraire, car les fugitifs descendraient alors le fleuve pendant la nuit, et l'ombre devait favoriser leur arrivée à Irkoutsk.

La seule crainte que manifesta plusieurs fois le vieux marinier fut relative à la formation des glaces à la surface des eaux. La nuit avait été extrêmement froide. On voyait des glaçons assez nombreux filer vers l'ouest sous l'impulsion du vent. Ceux-là n'étaient pas à redouter, puisqu'ils ne pouvaient dériver dans l'Angara, dont ils avaient maintenant dépassé l'embouchure. Mais on devait penser que ceux qui venaient des portions orientales du lac pouvaient être attirés par le courant et s'engager entre les deux rives du fleuve. De là, des difficultés, des retards possibles, peut-être même un insurmontable obstacle qui arrêterait le radeau.

Michel Strogoff avait donc un immense intérêt à savoir quel était l'état du lac, et si les glaçons apparaissaient en grand nombre. Nadia étant réveillée, il l'interrogeait souvent, et elle lui rendait compte de tout ce qui se passait à la surface des eaux.

Pendant que les glaçons dérivaient ainsi, des phénomènes curieux se produisaient à la surface du Baïkal. C'étaient de magnifiques jaillissements de sources d'eau bouillante, sorties de quelques-uns de ces puits artésiens, que la nature a forés dans le lit même du lac. Ces jets s'élevaient à une grande hauteur et s'épanchaient en vapeurs, irisées par les rayons solaires, que le froid condensait presque aussitôt. Ce curieux spectacle eût certainement émerveillé le regard d'un touriste, qui eût voyagé en pleine paix et pour son agrément sur cette mer sibérienne.

A quatre heures du soir, l'embouchure de l'Angara fut signalée par le vieux marinier entre les hautes roches granitiques du littoral. On apercevait sur la rive droite le petit port de Livenitchnaia, son église, ses quelques maisons bâties sur la berge.

Mais, circonstance très grave, les premiers glaçons, venus de l'est, dérivaient déjà entre les rives de l'Angara, et, par conséquent, ils descendaient vers Irkoutsk. Cependant, leur nombre ne pouvait pas être encore assez grand pour obstruer le fleuve, ni le froid assez considérable pour les agréger.

Le radeau arriva au petit port et il s'y arrêta. Là, le vieux marinier avait décidé de relâcher pendant une heure, afin de faire quelques réparations indispensables. Les troncs, disjoints, menaçaient de se séparer, et il importait de les relier entre eux plus solidement pour résister au courant de l'Angara, qui est très rapide.

Pendant la belle saison, le port de Livenitchnaia est une station d'embarquement ou de débarquement pour les voyageurs du lac Baïkal, soit qu'ils se rendent à Kiakhta, dernière ville de la frontière russo-chinoise, soit qu'ils en reviennent. Il est donc très fréquenté par les steam-boats et tous les petits caboteurs du lac.

Mais, en ce moment, Livenitchnaia était abandonnée. Ses habitants n'avaient pu rester exposés aux déprédations des Tartares, qui couraient maintenant les deux rives de l'Angara. Ils avaient envoyé à Irkoutsk la flottille de bateaux et de barques, qui hiverne ordinairement dans leur port, et, munis de tout ce qu'ils pouvaient emporter, ils s'étaient réfugiés à temps dans la capitale de la Sibérie orientale.

Le vieux marinier ne s'attendait donc pas à recueillir de nouveaux fugitifs au port de Livenitchnaia, et cependant, au moment où le radeau accostait, deux passagers, sortant d'une maison déserte, accoururent à toutes jambes sur la berge.

Nadia, assise à l'arrière, regardait d'un œil distrait.

Un cri faillit lui échapper. Elle saisit la main de Michel Strogoff, qui, à ce mouvement, releva la tête.

« Qu'as-tu, Nadia ? demanda-t-il.

— Nos deux compagnons de route, Michel.

— Ce Français et cet Anglais que nous avons rencontrés dans les défilés de l'Oural ?

— Oui. »

Michel Strogoff tressaillit, car le sévère incognito dont il ne voulait pas se départir risquait d'être dévoilé.

En effet, ce n'était plus Nicolas Korpanoff

qu'Alcide Jolivet et Harry Blount allaient voir en lui maintenant, mais bien le vrai Michel Strogoff, courrier du czar. Les deux journalistes l'avaient déjà rencontré deux fois depuis leur séparation qui s'était faite au relais d'Ichim, la première au camp de Zabédiero, quand il coupa d'un coup de knout la face d'Ivan Ogareff, la seconde à Tomsk, lorsqu'il fut condamné par l'émir. Ils savaient donc à quoi s'en tenir à son égard et sur sa véritable qualité.

Michel Strogoff prit rapidement son parti.

« Nadia, dit-il, dès que ce Français et cet Anglais seront embarqués, prie-les de venir près de moi ! »

C'étaient, en effet, Harry Blount et Alcide Jolivet, que, non le hasard, mais la force des événements avait conduits au port de Livenitchnaia, comme elle y avait amené Michel Strogoff.

On le sait, après avoir assisté à l'entrée des Tartares à Tomsk, ils étaient partis avant la sauvage exécution qui termina la fête. Ils ne doutaient donc pas que leur ancien compagnon de voyage n'eût été mis à mort, et ils ignoraient qu'il eût été seulement aveuglé par ordre de l'émir.

Donc, s'étant procuré des chevaux, ils avaient abandonné Tomsk le soir même, avec l'intention bien arrêtée de dater désormais leurs chroniques des campements russes de la Sibérie orientale.

Alcide Jolivet et Harry Blount se dirigèrent à marche forcée vers Irkoutsk. Ils espéraient bien y devancer Féofar-Khan, et ils l'eussent certainement fait, sans l'apparition inopinée de cette troisième colonne, venue des contrées du sud par la vallée de l'Yeniseï. Ainsi que Michel Strogoff, ils furent coupés avant même d'avoir pu atteindre le Dinka. De là, nécessité pour eux de redescendre jusqu'au lac Baïkal.

Lorsqu'ils arrivèrent à Livenitchnaia, ils trouvèrent le port déjà désert. D'un autre côté, il leur était impossible d'entrer dans Irkoutsk, qu'investissaient les armées tartares. Ils étaient donc là depuis trois jours, et très embarrassés, lorsque le radeau arriva.

Le dessein des fugitifs leur fut alors communiqué. Il y avait certainement des chances pour qu'ils pussent passer inaperçus pendant la nuit et pénétrer dans Irkoutsk. Ils résolurent donc de tenter l'affaire.

Alcide Jolivet se mit aussitôt en rapport avec le vieux marinier, et il lui demanda passage pour son compagnon et lui, offrant de payer le prix qu'il exigerait, quel qu'il fût.

« Ici, on ne paie pas, lui répondit gravement le vieux marinier, on risque sa vie, voilà tout. »

Les deux journalistes s'embarquèrent, et Nadia les vit prendre place à l'avant du radeau.

Harry Blount était toujours le froid Anglais, qui lui avait à peine adressé la parole pendant toute la traversée des monts Ourals.

Alcide Jolivet semblait être un peu plus grave que d'ordinaire, et l'on conviendra que sa gravité se justifiait par celle des circonstances.

Alcide Jolivet était donc installé à l'avant du radeau, lorsqu'il sentit une main s'appuyer sur son bras. Il se retourna et reconnut Nadia, la sœur de celui qui était, non plus Nicolas Korpanoff, mais Michel Strogoff, courrier du czar.

Un cri de surprise allait lui échapper, lorsqu'il vit la jeune fille porter un doigt à ses lèvres.

« Venez », lui dit Nadia.

Et, d'un air indifférent, Alcide Jolivet, faisant signe à Harry Blount de l'accompagner, la suivit.

Mais, si la surprise des journalistes avait été grande à rencontrer Nadia sur ce radeau, elle fut sans bornes, quand ils aperçurent Michel Strogoff, qu'ils ne pouvaient croire vivant.

A leur approche, Michel Strogoff n'avait pas bougé.

Alcide Jolivet s'était retourné vers la jeune fille.

« Il ne vous voit pas, messieurs, dit Nadia. Les Tartares lui ont brûlé les yeux ! Mon pauvre frère est aveugle ! »

Un vif sentiment de pitié se peignit sur la figure d'Alcide Jolivet et de son compagnon.

« Venez », lui dit Nadia.

Un instant après, tous deux, assis près de Michel Strogoff, lui serraient la main et attendaient qu'il leur parlât.

« Messieurs, dit Michel Strogoff à voix basse, vous ne devez pas savoir qui je suis, ni ce que je suis venu faire en Sibérie. Je vous demande de respecter mon secret. Me le promettez-vous ?

— Sur l'honneur, répondit Alcide Jolivet.

— Sur ma foi de gentleman, ajouta Harry Blount.

— Bien, messieurs.

— Pouvons-nous vous être utile ? demanda Harry Blount. Voulez-vous que nous vous aidions à accomplir votre tâche ?

— Je préfère agir seul, répondit Michel Strogoff.

— Mais ces gueux-là vous ont brûlé la vue, dit Alcide Jolivet.

— J'ai Nadia, et ses yeux me suffisent ! »

Une demi-heure plus tard, le radeau, après avoir quitté le petit port de Livenitchnaia, s'engageait dans le fleuve. Il était cinq heures du soir. La nuit allait venir. Elle devait être très obscure et très froide aussi, car la température était déjà au-dessous de zéro.

Alcide Jolivet et Harry Blount, s'ils avaient promis le secret à Michel Strogoff, ne le quittèrent cependant pas. Ils causèrent à voix basse, et l'aveugle, complétant ce qu'il savait déjà par ce qu'ils lui apprirent, put se faire une idée exacte de l'état des choses.

Il était certain que les Tartares investissaient actuellement Irkoutsk, et que les trois colonnes avaient opéré leur jonction. On ne pouvait donc douter que l'émir et Ivan Ogareff ne fussent devant la capitale.

Mais pourquoi cette hâte d'y arriver que montrait le courrier du czar, maintenant que la lettre impériale ne pouvait plus être remise par lui au grand-duc, et qu'il n'en connaissait pas le contenu ? Alcide Jolivet et Harry Blount ne le comprirent pas plus que ne l'avait compris Nadia.

D'ailleurs, il ne fut question du passé qu'au

moment où Alcide Jolivet crut devoir dire à Michel Strogoff :

« Nous vous devons presque des excuses pour ne vous avoir pas serré la main avant notre séparation au relais d'Ichim.

— Non, vous aviez droit de me croire un lâche !

— En tout cas, ajouta Alcide Jolivet, vous avez magnifiquement knouté la figure de ce misérable, et il en portera longtemps la marque !

— Non, pas longtemps ! » répondit simplement Michel Strogoff.

Une demi-heure après le départ de Livenitchnaia, Alcide Jolivet et son compagnon étaient au courant des cruelles épreuves par lesquelles avaient successivement passé Michel Strogoff et sa compagne. Ils ne pouvaient qu'admirer sans réserve une énergie que le dévouement de la jeune fille avait seul pu égaler. Et de Michel Strogoff ils pensèrent exactement ce qu'en avait dit le czar à Moscou : « En vérité, c'est un homme ! »

Au milieu des glaçons qu'entraînait le courant de l'Angara, le radeau filait avec rapidité. Un panorama mouvant se déployait latéralement sur les deux rives du fleuve, et, par une illusion d'optique, il semblait que ce fût l'appareil flottant qui restât immobile devant cette succession de points de vue pittoresques. Ici, c'étaient de hautes falaises granitiques, étrangement profilées ; là, des gorges sauvages d'où s'échappait quelque torrentueuse rivière ; quelquefois, une large coupée avec un village fumant encore, puis, d'épaisses forêts de pins qui projetaient d'éclatantes flammes. Mais si les Tartares avaient laissé partout des traces de leur passage, on ne les voyait pas encore, car ils s'étaient plus particulièrement massés aux approches d'Irkoutsk.

Pendant ce temps, les pèlerins continuaient à haute voix leurs prières, et le vieux marinier, repoussant les glaçons qui le serraient de trop près, maintenait imperturbablement le radeau au milieu du rapide courant de l'Angara.

Le vieux marinier, à l'avant près de ses hommes...

XI

ENTRE DEUX RIVES

A huit heures du soir, ainsi que l'état du ciel l'avait fait pressentir, une obscurité profonde enveloppa toute la contrée. La lune, étant nouvelle, ne devait pas se lever sur l'horizon. Du milieu du fleuve, les rives restaient invisibles. Les falaises se confondaient à une faible hauteur avec ces nuages lourds qui se déplaçaient à peine. Par intervalles, quelques souffles venaient de l'est et semblaient expirer sur cette étroite vallée de l'Angara.

L'obscurité ne pouvait que favoriser dans une grande mesure les projets des fugitifs. En effet, bien que les avant-postes tartares dussent être échelonnés sur les deux rives, le radeau avait de sérieuses chances de passer inaperçu. Il n'était pas vraisemblable, non plus, que les assiégeants eussent barré le fleuve en amont d'Irkoutsk, puisqu'ils savaient que les Russes ne pouvaient attendre aucun secours par le sud de la province. Avant peu, d'ailleurs, la nature aurait elle-même établi ce barrage, en cimentant par le froid les glaçons accumulés entre les deux rives.

A bord du radeau régnait maintenant un absolu silence. Depuis qu'il descendait le cours du fleuve, la voix des pèlerins ne se faisait plus entendre. Ils priaient encore, mais leur prière n'était qu'un murmure qui ne pouvait arriver jusqu'à la rive. Les fugitifs, étendus sur la plate-forme, rompaient à peine par la saillie de leurs corps la ligne horizontale des eaux. Le vieux marinier, couché à l'avant près de ses hommes, s'occupait seulement d'écarter les glaçons, manœuvre qui se faisait sans bruit.

C'était aussi une circonstance favorable, cette dérive des glaçons, si elle ne devait pas opposer plus tard un insurmontable obstacle au passage du radeau. En effet, cet appareil, isolé sur les eaux libres du fleuve, aurait couru le risque d'être aperçu, même à travers l'ombre épaisse, tandis qu'il se confondait alors avec ces masses mouvantes de toutes grandeurs et de toutes formes, et le fracas, produit par le heurt des blocs qui s'entrechoquaient, couvrait aussi tout autre bruit suspect.

Un froid très aigu se propageait à travers l'atmosphère. Les fugitifs en souffrirent cruellement, n'ayant d'autre abri que quelques branches de bouleau. Ils se pressaient les uns contre les autres, afin de mieux supporter l'abaissement de température, qui, pendant cette nuit, devait atteindre dix degrés au-dessous de zéro. Le peu de vent qui arrivait, après avoir effleuré les montagnes de l'est, tapissées de neige, piquait vivement.

Michel Strogoff et Nadia, couchés à l'arrière, supportaient sans se plaindre ce surcroît de souffrance. Alcide Jolivet et Harry Blount, placés près d'eux, résistaient de leur mieux à ces premiers assauts de l'hiver sibérien. Ni les uns ni les autres ne causaient maintenant, même à voix basse. La situation, d'ailleurs, les absorbait tout entiers. A chaque instant, un incident pouvait se produire, un danger, une catastrophe même, dont ils ne se seraient pas tirés indemnes.

Pour un homme qui comptait atteindre bientôt son but, Michel Strogoff semblait être singulièrement calme. D'ailleurs, dans les plus graves conjonctures, son énergie ne l'avait jamais abandonné. Il entrevoyait déjà le moment où il lui serait enfin permis de penser à sa mère, à Nadia, à lui-même ! Il ne craignait plus qu'une dernière et mauvaise chance : c'était que le radeau ne fût absolument arrêté par un barrage de glaçons avant d'avoir atteint Irkoutsk. Il ne songeait qu'à cela, bien décidé d'ailleurs, s'il le fallait, à tenter quelque suprême coup d'audace.

Nadia, remise par ces quelques heures de repos, avait retrouvé cette énergie physique, que la misère avait pu briser quelquefois, sans avoir jamais ébranlé

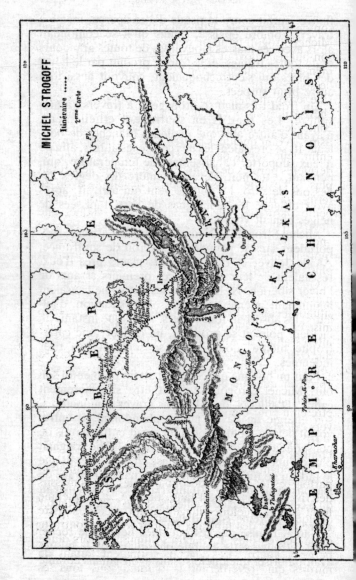

son énergie morale. Elle songeait aussi qu'au cas où Michel Strogoff ferait un nouvel effort pour atteindre son but, elle devrait être là pour le guider. Mais, en même temps qu'elle s'approchait d'Irkoutsk, l'image de son père se dessinait plus nettement à son esprit. Elle le voyait dans la ville investie, loin de ceux qu'il chérissait, mais — car elle n'en doutait pas — luttant contre les envahisseurs avec tout l'élan de son patriotisme. Avant quelques heures, si le Ciel les favorisait enfin, elle serait dans ses bras, lui rapportant les dernières paroles de sa mère, et rien ne les séparerait plus. Si l'exil de Wassili Fédor ne devait pas avoir de terme, sa fille resterait exilée avec lui. Puis, par une pente naturelle, elle revenait à celui auquel elle devrait d'avoir revu son père, à ce généreux compagnon, à ce « frère », qui, les Tartares repoussés, reprendrait le chemin de Moscou, qu'elle ne reverrait plus peut-être !...

Quant à Alcide Jolivet et à Harry Blount, ils n'avaient qu'une seule et même pensée : c'est que la situation était extrêmement dramatique, et que, bien mise en scène, elle fournirait une chronique des plus intéressantes. L'Anglais songeait donc aux lecteurs du *Daily Telegraph*, et le Français à ceux de sa cousine Madeleine. Au fond, ils n'étaient pas sans éprouver quelque émotion tous les deux.

« Eh ! tant mieux ! pensait Alcide Jolivet. Il faut être ému pour émouvoir ! Je crois même qu'il y a un vers célèbre à ce sujet, mais, du diable ! si je sais... »

Et avec ses yeux si exercés, il cherchait à percer l'ombre épaisse qui enveloppait le fleuve.

Cependant, de grands éclats de lumière rompaient parfois ces ténèbres et découpaient les divers massifs des rives sous un aspect fantastique. C'était quelque forêt en feu, quelque village brûlant encore, sinistre reproduction des tableaux du jour avec le contraste de la nuit en plus. L'Angara s'illuminait alors d'une berge à l'autre. Les glaçons formaient autant de miroirs qui, réverbérant la flamme sous tous les angles et sous toutes les couleurs, se déplaçaient suivant les caprices du courant. Le radeau, confondu au milieu de ces corps flottants, passait sans être aperçu.

Le danger n'était donc pas encore là.

Mais un péril d'une autre nature menaçait les fugitifs. Celui-là, ils ne pouvaient le prévoir, et, surtout, ils ne pouvaient pas y parer. Ce fut à Alcide Jolivet que le hasard le signala, et voici dans quelle circonstance.

Alcide Jolivet, couché du côté droit du radeau, avait laissé sa main pendre au fil de l'eau. Soudain, il fut surpris de l'impression que lui causa le contact du courant à sa surface. Il semblait être de consistance visqueuse, comme s'il eût été formé d'une huile minérale.

Alcide Jolivet, contrôlant alors le toucher par l'odorat, ne put s'y tromper. C'était bien une couche de naphte liquide, qui surnageait à la partie supérieure du courant de l'Angara et coulait avec lui!

Le radeau flottait-il donc réellement sur cette substance qui est si éminemment combustible? D'où venait ce naphte? Était-ce un phénomène naturel qui l'avait projeté à la surface de l'Angara, ou devait-il servir comme un engin destructeur, mis en œuvre par les Tartares? Ceux-ci voulaient-ils porter l'incendie jusque dans Irkoutsk par des moyens que les droits de la guerre ne justifient jamais entre nations civilisées?

Telles furent les deux questions que se posa Alcide Jolivet, mais de cet incident il crut devoir n'instruire qu'Harry Blount, et tous deux furent d'accord pour ne point alarmer leurs compagnons en leur révélant ce nouveau danger.

On sait que le sol de l'Asie centrale est comme une éponge imprégnée de carbures d'hydrogène liquides. Au port de Bakou, sur la frontière persane, à la presqu'île d'Abchéron, sur la Caspienne, dans l'Asie Mineure, en Chine, dans le Youg-Hyan, dans le Birman, les sources d'huiles minérales sourdent par milliers à la surface des terrains. C'est le « pays de l'huile », semblable à celui qui porte maintenant ce nom dans le Nord-Amérique.

Durant certaines fêtes religieuses, principalement au port de Bakou, les indigènes, adorateurs du feu, lancent à la surface de la mer le naphte liquide, qui surnage, grâce à sa densité inférieure à celle de l'eau. Puis, la nuit venue, lorsqu'une couche d'huile minérale s'est ainsi répandue sur la Caspienne, ils l'enflamment et se donnent l'incomparable spectacle d'un océan de feu qui ondule et déferle sous la brise.

Mais ce qui n'est qu'une réjouissance à Bakou eût été un désastre sur les eaux de l'Angara. Que le feu fût mis par malveillance ou imprudence, en un clin d'œil l'inflammation se fût propagée jusqu'au-delà d'Irkoutsk.

En tout cas, sur le radeau, aucune imprudence n'était à craindre ; mais tout était à redouter de ces incendies allumés sur les deux rives de l'Angara, car il suffisait d'un brandon ou d'une étincelle, tombant dans le fleuve, pour allumer ce courant de naphte.

Ce que furent les appréhensions d'Alcide Jolivet et d'Harry Blount, on le comprend mieux qu'on ne peut le peindre. N'aurait-il pas été préférable, en présence de ce nouveau péril, d'accoster l'une des rives, d'y débarquer, d'attendre ? Ils se le demandèrent.

« En tout cas, dit Alcide Jolivet, quel que soit le danger, je sais quelqu'un qui ne débarquerait pas ! »

Et il faisait allusion à Michel Strogoff.

Cependant, le radeau dérivait rapidement au milieu des glaçons, dont les rangs se pressaient de plus en plus.

Jusqu'alors, aucun détachement tartare n'avait été signalé sur les berges de l'Angara, ce qui indiquait que le radeau n'était pas encore arrivé à la hauteur de leurs avant-postes. Cependant, vers dix heures du soir, Harry Blount crut voir de nombreux corps noirs qui se mouvaient à la surface des glaçons. Ces ombres, sautant de l'un à l'autre, se rapprochaient rapidement.

« Des Tartares ! » pensa-t-il.

Et se glissant près du vieux marinier qui se tenait à l'avant, il lui montra ce mouvement suspect.

Le vieux marinier regarda attentivement.

« Ce ne sont que des loups, dit-il. J'aime mieux ça que des Tartares. Mais il faut se défendre, et sans bruit ! »

En effet, les fugitifs eurent à lutter contre ces féroces carnassiers, que la faim et le froid jetaient à travers la province. Les loups avaient senti le radeau, et bientôt ils l'attaquèrent. De là, nécessité pour les fugitifs d'engager la lutte, mais sans se servir d'armes à feu, car ils ne pouvaient être éloignés des postes tartares. Les femmes et les enfants se groupèrent au centre du radeau, et les hommes, les uns armés de perches, les autres de leur couteau, la plupart de bâtons, se mirent en mesure de repousser les assaillants. Ils ne faisaient pas entendre un cri, mais les hurlements des loups déchiraient l'air.

Michel Strogoff n'avait pas voulu rester inactif. Il s'était étendu sur le côté du radeau attaqué par la bande des carnassiers. Il avait tiré son couteau, et, chaque fois qu'un loup passait à sa portée, sa main savait le lui enfoncer dans la gorge. Harry Blount et Alcide Jolivet ne chômèrent pas non plus, et ils firent une rude besogne. Leurs compagnons les secondaient courageusement. Tout ce massacre s'accomplissait en silence, bien que plusieurs des fugitifs n'eussent pu éviter de graves morsures.

Cependant, la lutte ne semblait pas devoir se terminer de sitôt. La bande de loups se renouvelait sans cesse, et il fallait que la rive droite de l'Angara en fût infestée.

« Ça ne finira donc jamais ! » disait Alcide Jolivet, en manœuvrant son poignard, rouge de sang.

Et, de fait, une demi-heure après le commencement de l'attaque, les loups couraient encore par centaines à travers les glaçons.

Les fugitifs, épuisés, faiblissaient visiblement alors.

Le combat tournait à leur désavantage. En ce moment, un groupe de dix loups de haute taille, rendus féroces par la colère et la faim, les yeux brillant dans l'ombre comme des braises, envahirent la plate-forme du radeau. Alcide Jolivet et son compagnon se jetèrent au milieu de ces redoutables animaux, et Michel Strogoff rampait vers eux, lorsqu'un changement de front se produisit soudain.

En quelques secondes, les loups eurent abandonné non seulement le radeau, mais aussi les glaçons épars sur le fleuve. Tous ces corps noirs se dispersèrent, et il fut bientôt constant qu'ils avaient en toute hâte regagné la rive droite du fleuve.

C'est qu'il fallait à ces loups les ténèbres pour agir, et qu'alors une intense clarté éclairait tout le cours de l'Angara.

C'était la lueur d'un immense incendie. La bourgade de Poshkavsk brûlait tout entière. Cette fois, les Tartares étaient là, accomplissant leur œuvre. Depuis ce point, ils occupaient les deux rives jusqu'au-delà d'Irkoutsk. Les fugitifs arrivaient donc à la zone dangereuse de leur traversée, et ils se trouvaient encore à trente verstes de la capitale.

Il était onze heures et demie du soir. Le radeau continuait à glisser dans l'ombre au milieu des glaçons, avec lesquels il se confondait absolument ; mais de grandes plaques de lumière s'allongeaient parfois jusqu'à lui. Aussi, les fugitifs, étendus sur la plate-forme, ne se permettaient-ils pas un mouvement qui pût les trahir.

La conflagration de la bourgade s'opérait avec une violence extraordinaire. Ces maisons, construites en sapin, flambaient comme des résines. Elles étaient là cent cinquante qui brûlaient à la fois. Aux crépitements de l'incendie se mêlaient les hurlements des Tartares. Le vieux marinier, en prenant un point d'appui sur les glaçons voisins du radeau, était parvenu à le repousser vers la rive droite, et une distance de trois à quatre cents pieds le séparait alors des berges flamboyantes de Poshkavsk.

Néanmoins, les fugitifs, éclairés par instants, auraient été certainement aperçus, si les incendiaires n'eussent été trop occupés à la destruction de la bourgade. Mais on comprendra quelles devaient être alors les appréhensions d'Alcide Jolivet et d'Harry Blount, en songeant à ce liquide combustible sur lequel le radeau flottait.

En effet, des gerbes d'étincelles s'échappaient des maisons qui formaient autant de fournaises ardentes. Au milieu des volutes de fumée, ces étincelles montaient dans l'air à une hauteur de cinq ou six cents pieds. Sur la rive droite, exposée de face à cette conflagration, les arbres et les falaises apparaissaient comme enflammés. Or, il suffisait d'une étincelle, tombant à la surface de l'Angara, pour que l'incendie se propageât au fil des eaux et portât le désastre d'une rive à l'autre. C'était, à bref délai, la destruction du radeau et de tous ceux qu'il entraînait.

Mais, heureusement, les faibles brises de la nuit ne soufflaient pas de ce côté. Elles continuaient à venir de l'est et rabattaient les flammes vers la gauche. Il était donc possible que les fugitifs échappassent à ce nouveau danger.

Et, en effet, la bourgade en flammes fut enfin dépassée. Peu à peu, l'éclat de l'incendie s'affaiblit, ses crépitements diminuèrent, et les dernières lueurs disparurent au-delà des hautes falaises, qui se dressaient à un coude brusque de l'Angara.

Il était environ minuit. L'ombre, redevenue épaisse, protégeait de nouveau le radeau. Les Tartares étaient toujours là, qui allaient et venaient sur les deux rives. On ne les voyait pas, mais on les entendait. Les feux des postes avancés brillaient extraordinairement.

Cependant, il devenait nécessaire de manœuvrer avec plus de précision au milieu des glaçons qui se resserraient.

Le vieux marinier se releva, et les moujiks reprirent leurs gaffes. Tous avaient fort à faire, et la conduite du radeau devenait de plus en plus difficile, car le lit du fleuve s'obstruait visiblement.

Michel Strogoff s'était glissé jusqu'à l'avant.

Alcide Jolivet l'avait suivi.

Tous deux écoutaient ce que disaient le vieux marinier et ses hommes.

« Veille sur la droite !

— Voilà les glaçons qui se prennent à gauche !

— Défends ! défends avec ta gaffe !

— Avant une heure, nous serons arrêtés !...

— Si Dieu le veut ! répondit le vieux marinier. Contre sa volonté, il n'y a rien à faire.

— Vous les entendez, dit Alcide Jolivet.

— Oui, répondit Michel Strogoff, mais Dieu est avec nous ! »

Cependant, la situation s'aggravait de plus en plus. Si la dérive du radeau venait à être suspendue, non seulement les fugitifs n'arriveraient pas à Irkoutsk, mais ils seraient obligés d'abandonner leur appareil flottant, qui, écrasé par les glaçons, ne tarderait pas à manquer sous eux. Les cordes d'osier se briseraient alors, les troncs de sapins, séparés violemment, s'engageraient sous la croûte durcie, et les malheureux n'auraient plus d'autre refuge que les glaçons eux-mêmes. Or, le jour venu, ils seraient aperçus des Tartares et massacrés sans pitié !

Michel Strogoff revint à l'arrière, là où Nadia l'attendait. Il s'approcha de la jeune fille, il lui prit la main et lui posa cette invariable question : « Nadia, es-tu prête ? » à laquelle elle répondit comme toujours :

« Je suis prête ! »

Pendant quelques verstes encore, le radeau continua de dériver au milieu des glaces flottantes. Si l'Angara se resserrait, il se formerait un barrage, et, conséquemment, il y aurait impossibilité de suivre le courant. Déjà la dérive se faisait beaucoup plus lentement. A chaque instant, c'étaient des chocs ou des détours. Ici, un abordage à éviter, là, une passe à prendre. Enfin, retards très inquiétants.

En effet, il n'y avait plus que quelques heures de nuit. Si les fugitifs n'atteignaient pas Irkoutsk avant cinq heures du matin, ils devaient perdre tout espoir d'y entrer jamais.

Or, à une heure et demie, malgré tous les efforts qui furent tentés, le radeau vint buter contre un épais barrage et s'arrêta définitivement. Les glaçons, qui dérivaient en amont, se jetèrent sur lui, le pressèrent contre l'obstacle et l'immobilisèrent, comme s'il eût été échoué sur un récif.

En cet endroit, l'Angara se resserrait, et son lit était réduit à la moitié de sa largeur normale. De là, accumulation des glaces, qui s'étaient peu à peu soudées les unes aux autres sous la double influence de la pression, qui était considérable, et du froid, dont l'intensité redoublait. Cinq cents pas en aval, le lit du fleuve s'élargissait de nouveau, et les glaçons, se détachant peu à peu du bord inférieur de ce champ, continuaient à dériver vers Irkoutsk. Donc il est probable que, sans ce resserrement des rives, le barrage ne se fût pas formé, et que le radeau aurait pu continuer à descendre le courant. Mais le malheur était irréparable, et les fugitifs devaient renoncer à tout espoir d'atteindre leur but.

S'ils avaient eu à leur disposition les outils qu'emploient ordinairement les baleiniers pour s'ouvrir des canaux à travers les ice-fields, s'ils avaient pu couper ce champ jusqu'à l'endroit où s'élargissait la rivière, peut-être le temps ne leur eût-il pas manqué? Mais pas une scie, pas un pic, rien qui permît d'entamer cette croûte, que l'extrême froid rendait dure comme du granit.

Quel parti prendre?

En ce moment, des coups de fusil éclatèrent sur la rive droite de l'Angara. Une pluie de balles fut dirigée sur le radeau. Les malheureux avaient-ils donc été aperçus? Évidemment, car d'autres détonations retentirent sur la rive gauche. Les fugitifs, pris entre deux feux, devinrent le point de mire des tireurs

Ce soir-là, du haut des glacis un billet tomba...

tartares. Quelques-uns furent blessés par ces balles, bien que, au milieu de cette obscurité, elles n'arrivassent qu'au hasard.

« Viens, Nadia », murmura Michel Strogoff à l'oreille de la jeune fille.

Sans faire une seule observation, « prête à tout », Nadia prit la main de Michel Strogoff.

« Il s'agit de traverser le barrage, lui dit-il tout bas. Guide-moi, mais que personne ne nous voie quitter le radeau ! »

Nadia obéit. Michel Strogoff et elle se glissèrent rapidement à la surface du champ, au milieu de cette profonde obscurité que déchiraient çà et là les coups de feu.

Nadia rampait en avant de Michel Strogoff. Les balles tombaient autour d'eux comme une grêle violente et crépitaient sur les glaces. La surface du champ, raboteuse et sillonnée d'arêtes vives, leur mit les mains en sang, mais ils avançaient toujours.

Dix minutes plus tard, le bord inférieur du barrage était atteint. Là, les eaux de l'Angara redevenaient libres. Quelques glaçons, détachés peu à peu du champ, reprenaient le courant et descendaient vers la ville.

Nadia comprit ce que voulait tenter Michel Strogoff. Elle vit un de ces glaçons qui ne tenait plus que par une étroite langue.

« Viens », dit Nadia.

Et tous deux se couchèrent sur ce morceau de glace, qu'un léger balancement dégagea du barrage.

Le glaçon commença à dériver. Le lit du fleuve s'élargissant, la route était libre.

Michel Strogoff et Nadia écoutaient les coups de feu, les cris de détresse, les hurlements de Tartares qui se faisaient entendre en amont... Puis, peu à peu, ces bruits de profonde angoisse et de joie féroce s'éteignirent dans l'éloignement.

« Pauvres compagnons ! » murmura Nadia.

Pendant une demi-heure, le courant entraîna rapi-

dement le glaçon qui portait Michel Strogoff et
Nadia. A tout moment, ils pouvaient craindre qu'il ne
s'effondrât sous eux. Pris dans le fil des eaux, il suivait
le milieu du fleuve, et il ne serait nécessaire de lui
imprimer une direction oblique que lorsqu'il s'agirait
d'accoster les quais d'Irkoutsk.

Michel Strogoff, les dents serrées, l'oreille au guet,
ne prononçait pas une seule parole. Jamais il n'avait
été si près du but. Il sentait qu'il allait l'atteindre !...

Vers deux heures du matin, une double rangée de
lumières étoila le sombre horizon dans lequel se
confondaient les deux rives de l'Angara.

A droite, c'étaient les lueurs jetées par Irkoutsk. A
gauche, les feux du camp tartare.

Michel Strogoff n'était plus qu'à une demi-verste
de la ville.

« Enfin ! » murmura-t-il.

Mais, soudain, Nadia poussa un cri.

A ce cri, Michel Strogoff se redressa sur le glaçon,
qui vacillait. Sa main se tendit vers le haut de
l'Angara. Sa figure, tout éclairée de reflets bleuâtres,
devint effrayante à voir, et alors, comme si ses yeux se
fussent rouverts à la lumière :

« Ah ! s'écria-t-il, Dieu lui-même est donc contre
nous ! »

XII

IRKOUTSK

Irkoutsk, capitale de la Sibérie orientale, est une
ville peuplée, en temps ordinaire, de trente mille
habitants. Une berge assez élevée, qui se dresse sur la
rive droite de l'Angara, sert d'assise à ses églises, que
domine une haute cathédrale, et à ses maisons, disposées dans un pittoresque désordre.

Vue d'une certaine distance, du haut de la montagne qui se dresse à une vingtaine de verstes sur la grande route sibérienne, avec ses coupoles, ses clochetons, ses flèches élancées comme des minarets, ses dômes ventrus comme des potiches japonaises, elle prend un aspect quelque peu oriental. Mais cette physionomie disparaît aux yeux du voyageur, dès qu'il y a fait son entrée. La ville, moitié byzantine, moitié chinoise, redevient européenne par ses rues macadamisées, bordées de trottoirs, traversées de canaux, plantées de bouleaux gigantesques, par ses maisons de briques et de bois, dont quelques-unes ont plusieurs étages, par les équipages nombreux qui la sillonnent, non seulement tarentass et télègues, mais coupés et calèches, enfin par toute une catégorie d'habitants très avancés dans les progrès de la civilisation et auxquels les modes les plus nouvelles de Paris ne sont point étrangères.

A cette époque, Irkoutsk, refuge de Sibériens de la province, était encombrée. Les ressources en toutes choses y abondaient. Irkoutsk, c'est l'entrepôt de ces innombrables marchandises qui s'échangent entre la Chine, l'Asie centrale et l'Europe. On n'avait donc pas craint d'y attirer les paysans de la vallée d'Angara, des Mongols-Khalkas, des Toungouzes, des Bourets, et de laisser s'étendre le désert entre les envahisseurs et la ville.

Irkoutsk est la résidence du gouverneur général de la Sibérie orientale. Au-dessous de lui fonctionnent un gouverneur civil, aux mains duquel se concentre l'administration de la province, un maître de police, fort occupé dans une ville où les exilés abondent, et enfin un maire, chef des marchands, personnage considérable par son immense fortune et par l'influence qu'il exerce sur ses administrés.

La garnison d'Irkoutsk se composait alors d'un régiment de Cosaques à pied, qui comptait environ deux mille hommes, et d'un corps de gendarmes sédentaires, portant le casque et l'uniforme bleu galonné d'argent.

En outre, on le sait, et par suite de circonstances particulières, le frère du czar était enfermé dans la ville depuis le début de l'invasion.

Cette situation veut être précisée.

C'était un voyage d'une importance politique qui avait conduit le grand-duc dans ces lointaines provinces de l'Asie orientale.

Le grand-duc, après avoir parcouru les principales cités sibériennes, voyageant en militaire plutôt qu'en prince, sans aucun apparat, accompagné de ses officiers, escorté d'un détachement de Cosaques, s'était transporté jusqu'aux contrées transbaïkaliennes. Nikolaevsk, la dernière ville russe qui soit située au littoral de la mer d'Okhotsk, avait été honorée de sa visite.

Arrivé aux confins de l'immense empire moscovite, le grand-duc revenait vers Irkoutsk, où il comptait reprendre la route de l'Europe, quand lui arrivèrent les nouvelles de cette invasion aussi menaçante que subite. Il se hâta de rentrer dans la capitale, mais, lorsqu'il y arriva, les communications avec la Russie allaient être interrompues. Il reçut encore quelques télégrammes de Pétersbourg et de Moscou, il put même y répondre. Puis, le fil fut coupé dans les circonstances que l'on connaît.

Irkoutsk était isolée du reste du monde.

Le grand-duc n'avait plus qu'à organiser la résistance, et c'est ce qu'il fit avec cette fermeté et ce sang-froid dont il a donné, en d'autres circonstances, d'incontestables preuves.

Les nouvelles de la prise d'Ichim, d'Omsk, de Tomsk parvinrent successivement à Irkoutsk. Il fallait donc à tout prix sauver de l'occupation cette capitale de la Sibérie. On ne devait pas compter sur des secours prochains. Le peu de troupes disséminées dans les provinces de l'Amour et dans le gouvernement d'Iakoutsk ne pouvaient arriver en assez grand nombre pour arrêter les colonnes tartares. Or, puisque Irkoutsk était dans l'impossibilité d'échapper à l'investissement, ce qui importait avant tout, c'était de mettre la ville en état de soutenir un siège de quelque durée.

Ces travaux furent commencés le jour où Tomsk tombait entre les mains des Tartares. En même temps que cette dernière nouvelle, le grand-duc apprenait que l'émir de Boukhara et les khans alliés dirigeaient en personne le mouvement, mais ce qu'il ignorait, c'était que le lieutenant de ces chefs barbares fût Ivan Ogareff, un officier russe qu'il avait lui-même cassé de ses grades et qu'il ne connaissait pas.

Tout d'abord, ainsi qu'on l'a vu, les habitants de la province d'Irkoutsk furent mis en demeure d'abandonner villes et bourgades. Ceux qui ne se réfugièrent pas dans la capitale durent se reporter en arrière, au-delà du lac Baïkal, là où très probablement l'invasion n'étendrait pas ses ravages. Les récoltes en blé et en fourrages furent réquisitionnées pour la ville, et ce dernier rempart de la puissance moscovite dans l'extrême Orient fut mis à même de résister pendant quelque temps.

Irkoutsk, fondée en 1611, est située au confluent de l'Irkout et de l'Angara, sur la rive droite de ce fleuve. Deux ponts en bois, bâtis sur pilotis, disposés de manière à s'ouvrir dans toute la largeur du chenal pour les besoins de la navigation, réunissent la ville à ses faubourgs qui s'étendent sur la rive gauche. De ce côté, la défense était facile. Les faubourgs furent abandonnés, les ponts détruits. Le passage de l'Angara, fort large en cet endroit, n'eût pas été possible sous le feu des assiégés.

Mais le fleuve pouvait être franchi en amont et en aval de la ville, et, par conséquent, Irkoutsk risquait d'être attaquée par sa partie est, qu'aucun mur d'enceinte ne protégeait.

C'est donc à des travaux de fortification que les bras furent occupés tout d'abord. On travailla jour et nuit. Le grand-duc trouva une population zélée à la besogne, que, plus tard, il devait retrouver coura-

On travailla jour et nuit.

geuse à la défense. Soldats, marchands, exilés, paysans, tous se dévouèrent au salut commun. Huit jours avant que les Tartares parussent sur l'Angara, des murailles en terre avaient été élevées. Un fossé, inondé par les eaux de l'Angara, était creusé entre l'escarpe et la contre-escarpe. La ville ne pouvait plus être enlevée par un coup de main. Il fallait l'investir et l'assiéger.

La troisième colonne tartare — celle qui venait de remonter la vallée de l'Yeniseï — parut le 24 septembre en vue d'Irkoutsk. Elle occupa immédiatement les faubourgs abandonnés, dont les maisons mêmes avaient été détruites, afin de ne point gêner l'action de l'artillerie du grand-duc, malheureusement insuffisante.

Les Tartares s'organisèrent donc en attendant l'arrivée des deux autres colonnes, commandées par l'émir et ses alliés.

La jonction de ces divers corps s'opéra le 25 septembre, au camp de l'Angara, et toute l'armée, sauf les garnisons laissées dans les principales villes conquises, fut concentrée sous la main de Féofar-Khan.

Le passage de l'Angara ayant été regardé par Ivan Ogareff comme impraticable devant Irkoutsk, une forte partie des troupes traversa le fleuve, à quelques verstes en aval, sur des ponts de bateaux qui furent établis à cet effet. Le grand-duc ne tenta pas de s'opposer à ce passage. Il n'eût pu que le gêner, non l'empêcher, n'ayant point d'artillerie de campagne à sa disposition, et c'est avec raison qu'il resta renfermé dans Irkoutsk.

Les Tartares occupèrent donc la rive droite du fleuve ; puis, ils remontèrent vers la ville, ils brûlèrent en passant la maison d'été du gouverneur général, située dans les bois qui dominent de haut le cours de l'Angara, et ils vinrent définitivement prendre position pour le siège, après avoir entièrement investi Irkoutsk.

Ivan Ogareff, ingénieur habile, était très certainement en état de diriger les opérations d'un siège régulier ; mais les moyens matériels lui manquaient pour opérer rapidement. Aussi, avait-il espéré surprendre Irkoutsk, le but de tous ses efforts.

On voit que les choses avaient tourné autrement qu'il ne comptait. D'une part, marche de l'armée tartare retardée par la bataille de Tomsk ; de l'autre, rapidité imprimée par le grand-duc aux travaux de défense : ces deux raisons avaient suffi à faire échouer ses projets. Il se trouva donc dans la nécessité de faire un siège en règle.

Cependant, sous son inspiration, l'émir essaya deux fois d'enlever la ville au prix d'un grand sacrifice d'hommes. Il jeta ses soldats sur les fortifications en terre qui présentaient quelques points faibles ; mais ces deux assauts furent repoussés avec le plus grand courage. Le grand-duc et ses officiers ne se ménagèrent pas en cette occasion. Ils donnèrent de leur personne ; ils entraînèrent la population civile aux remparts. Bourgeois et moujiks firent remarquablement leur devoir. Au second assaut, les Tartares étaient parvenus à forcer une des portes de l'enceinte. Un combat eut lieu en tête de cette grande rue de Bolchaïa, longue de deux verstes, qui vient aboutir aux rives de l'Angara. Mais les Cosaques, les gendarmes, les citoyens, leur opposèrent une vive résistance, et les Tartares durent rentrer dans leurs positions.

Ivan Ogareff pensa alors à demander à la trahison ce que la force ne pouvait lui donner. On sait que son projet était de pénétrer dans la ville, d'arriver jusqu'au grand-duc, de capter sa confiance, et, le moment venu, de livrer une des portes aux assiégeants ; puis, cela fait, d'assouvir sa vengeance sur le frère du czar.

La tsigane Sangarre, qui l'avait accompagné au camp de l'Angara, le poussa à mettre ce projet à exécution.

En effet, il convenait d'agir sans retard. Les troupes russes du gouvernement d'Iakoutsk marchaient sur Irkoutsk. Elles s'étaient concentrées sur le cours supérieur de la Lena, dont elles remontaient la vallée. Avant six jours, elles devaient être arrivées. Il fallait donc qu'avant six jours Irkoutsk fût livrée par trahison.

Ivan Ogareff n'hésita plus.

Un soir, le 2 octobre, un conseil de guerre fut tenu dans le grand salon du palais du gouverneur général. C'est là que résidait le grand-duc.

Ce palais, élevé à l'extrémité de la rue de Bolchaïa, dominait le cours du fleuve sur un long parcours. A travers les fenêtres de sa principale façade, on apercevait le camp tartare, et une artillerie assiégeante de plus grande portée que celle des Tartares l'eût rendu inhabitable.

Le grand-duc, le général Voranzoff et le gouverneur de la ville, le chef des marchands, auxquels s'étaient réunis un certain nombre d'officiers supérieurs, venaient d'arrêter diverses résolutions.

« Messieurs, dit le grand-duc, vous connaissez exactement notre situation. J'ai le ferme espoir que nous pourrons tenir jusqu'à l'arrivée des troupes d'Iakoutsk. Nous saurons bien alors chasser ces hordes barbares, et il ne dépendra pas de moi qu'ils ne paient chèrement cet envahissement du territoire moscovite.

— Votre Altesse sait qu'elle peut compter sur toute la population d'Irkoutsk, répondit le général Voranzoff.

— Oui, général, répondit le grand-duc, et je rends hommage à son patriotisme. Grâce à Dieu, elle n'a pas encore été soumise aux horreurs de l'épidémie ou de la famine, et j'ai lieu de croire qu'elle y échappera, mais aux remparts, je n'ai pu qu'admirer son courage. Vous entendez mes paroles, monsieur le chef des marchands, et je vous prierai de les rapporter telles.

— Je remercie Votre Altesse au nom de la ville,

répondit le chef des marchands. Oserai-je lui demander quel délai extrême elle assigne à l'arrivée de l'armée de secours ?

— Six jours au plus, monsieur, répondit le grand-duc. Un émissaire adroit et courageux a pu pénétrer ce matin dans la ville, et il m'a appris que cinquante mille Russes s'avançaient à marche forcée sous les ordres du général Kisselef. Ils étaient, il y a deux jours, sur les rives de la Lena, à Kirensk, et, maintenant, ni le froid ni les neiges ne les empêcheront d'arriver. Cinquante mille hommes de bonnes troupes, prenant en flanc les Tartares, auront bientôt fait de nous dégager.

— J'ajouterai, dit le chef des marchands, que le jour où Votre Altesse ordonnera une sortie, nous serons prêts à exécuter ses ordres.

— Bien, monsieur, répondit le grand-duc. Attendons que nos têtes de colonnes aient paru sur les hauteurs, et nous écraserons les envahisseurs. »

Puis, se retournant vers le général Voranzoff :

« Nous visiterons demain, dit-il, les travaux de la rive droite. L'Angara charrie des glaçons, il ne tardera pas à se prendre, et, dans ce cas, les Tartares pourraient peut-être le passer.

— Que Votre Altesse me permette de lui faire une observation, dit le chef des marchands.

— Faites, monsieur.

— J'ai vu la température tomber plus d'une fois à trente et quarante degrés au-dessous de zéro, et l'Angara a toujours charrié sans se congeler entièrement. Cela tient sans doute à la rapidité de son cours. Si donc les Tartares n'ont d'autre moyen de franchir le fleuve, je puis garantir à Votre Altesse qu'ils n'entreront pas ainsi dans Irkoutsk. »

Le gouverneur général confirma l'assertion du chef des marchands.

« C'est une circonstance heureuse, répondit le grand-duc. Néanmoins, nous nous tiendrons prêts à tout événement. »

Se retournant alors vers le maître de police :

« Vous n'avez rien à me dire, monsieur? lui demanda-t-il.

— J'ai à faire connaître à Votre Altesse, répondit le maître de police, une supplique qui lui est adressée par mon intermédiaire.

— Adressée par...?

— Par les exilés de Sibérie, qui, Votre Altesse le sait, sont au nombre de cinq cents dans la ville. »

Les exilés politiques, répartis dans toute la province, avaient été en effet concentrés à Irkoutsk depuis le début de l'invasion. Ils avaient obéi à l'ordre de rallier la ville et d'abandonner les bourgades où ils exerçaient des professions diverses, ceux-ci médecins, ceux-là professeurs, soit au Gymnase, soit à l'École japonaise, soit à l'École de navigation. Dès le début, le grand-duc, se fiant, comme le czar, à leur patriotisme, les avait armés, et il avait trouvé en eux de braves défenseurs.

« Que demandent les exilés? dit le grand-duc.

— Ils demandent à Votre Altesse, répondit le maître de police, l'autorisation de former un corps spécial et d'être placés en tête à la première sortie.

— Oui, répondit le grand-duc avec une émotion qu'il ne chercha point à cacher, ces exilés sont des Russes, et c'est bien leur droit de se battre pour leur pays !

— Je crois pouvoir affirmer à Votre Altesse, dit le gouverneur général, qu'elle n'aura pas de meilleurs soldats.

— Mais il leur faut un chef, répondit le grand-duc. Quel sera-t-il?

— Ils voudraient faire agréer à Votre Altesse, dit le maître de police, l'un d'eux qui s'est distingué en plusieurs occasions.

— C'est un Russe?

— Oui, un Russe des provinces baltiques.

— Il se nomme...?

— Wassili Fédor. »

Wassili Fédor.

Cet exilé était le père de Nadia.

Wassili Fédor, on le sait, exerçait à Irkoutsk la profession de médecin. C'était un homme instruit et charitable, et aussi un homme du plus grand courage et du plus sincère patriotisme. Tout le temps qu'il ne consacrait pas aux malades, il l'employait à organiser la résistance. C'est lui qui avait réuni ses compagnons d'exil dans une action commune. Les exilés, jusqu'alors mêlés aux rangs de la population, s'étaient comportés de manière à fixer l'attention du grand-duc. Dans plusieurs sorties, ils avaient payé de leur sang leur dette à la Sainte Russie, — sainte, en vérité, et adorée de ses enfants! Wassili Fédor, s'était conduit héroïquement. Son nom avait été cité à plusieurs reprises, mais il n'avait jamais demandé ni grâces ni faveurs, et lorsque les exilés d'Irkoutsk eurent la pensée de former un corps spécial, il ignorait même qu'ils eussent l'intention de le choisir pour leur chef.

Lorsque le maître de police eut prononcé ce nom devant le grand-duc, celui-ci répondit qu'il ne lui était pas inconnu.

« En effet, répondit le général Voranzoff, Wassili Fédor est un homme de valeur et de courage. Son influence sur ses compagnons a toujours été très grande.

— Depuis quand est-il à Irkoutsk? demanda le grand-duc.

— Depuis deux ans.

— Et sa conduite…?

— Sa conduite, répondit le maître de police, est celle d'un homme soumis aux lois spéciales qui le régissent.

— Général, répondit le grand-duc, général, veuillez me le présenter immédiatement. »

Les ordres du grand-duc furent exécutés, et une demi-heure ne s'était pas écoulée, que Wassili Fédor était introduit en sa présence.

C'était un homme ayant quarante ans au plus,

grand, la physionomie sévère et triste. On sentait que toute sa vie se résumait dans ce mot : la lutte, et qu'il avait lutté et souffert. Ses traits rappelaient remarquablement ceux de sa fille Nadia Fédor.

Plus que tout autre, l'invasion tartare l'avait frappé dans sa plus chère affection et ruiné la suprême espérance de ce père, exilé à huit mille verstes de sa ville natale. Une lettre lui avait appris la mort de sa femme, et, en même temps, le départ de sa fille, qui avait obtenu du gouvernement l'autorisation de le rejoindre à Irkoutsk.

Nadia avait dû quitter Riga le 10 juillet. L'invasion était du 15 juillet. Si, à cette époque, Nadia avait passé la frontière, qu'était-elle devenue au milieu des envahisseurs ? On conçoit que ce malheureux père fût dévoré d'inquiétude, puisque, depuis cette époque, il était sans aucune nouvelle de sa fille.

Wassili Fédor, en présence du grand-duc, s'inclina et attendit d'être interrogé.

« Wassili Fédor, lui dit le grand-duc, tes compagnons d'exil ont demandé à former un corps d'élite. Ils n'ignorent pas que, dans ces corps, il faut savoir se faire tuer jusqu'au dernier ?

— Ils ne l'ignorent pas, répondit Wassili Fédor.

— Ils te veulent pour chef.

— Moi, Altesse ?

— Consens-tu à te mettre à leur tête ?

— Oui, si le bien de la Russie l'exige.

— Commandant Fédor, dit le grand-duc, tu n'es plus exilé.

— Merci, Altesse, mais puis-je commander à ceux qui le sont encore ?

— Ils ne le sont plus ! »

C'était la grâce de tous ses compagnons d'exil, maintenant ses compagnons d'armes, que lui accordait le frère du czar !

Wassili Fédor serra avec émotion la main que lui tendit le grand-duc, et il sortit.

Celui-ci, se retournant alors vers ses officiers :

« Le czar ne refusera pas d'accepter la lettre de grâce que je tire sur lui ! dit-il en souriant. Il nous faut des héros pour défendre la capitale de la Sibérie, et je viens d'en faire. »

C'était, en effet, un acte de bonne justice et de bonne politique que cette grâce si généreusement accordée aux exilés d'Irkoutsk.

La nuit était arrivée alors. A travers les fenêtres du palais brillaient les feux du camp tartare, qui étincelaient au-delà de l'Angara. Le fleuve charriait de nombreux glaçons, dont quelques-uns s'arrêtaient aux premiers pilotis des anciens ponts de bois. Ceux que le courant maintenait dans le chenal dérivaient avec une extrême rapidité. Il était évident, ainsi que l'avait fait observer le chef des marchands, que l'Angara ne pouvait que très difficilement se congeler sur toute sa surface. Donc, le danger d'être assailli de ce côté n'était pas pour préoccuper les défenseurs d'Irkoutsk.

Dix heures du soir venaient de sonner. Le grand-duc allait congédier ses officiers et se retirer dans ses appartements, quand un certain tumulte se produisit en dehors du palais.

Presque aussitôt, la porte du salon s'ouvrit, un aide de camp parut, et, s'avançant vers le grand-duc :

« Altesse, dit-il, un courrier du czar ! »

XIII

UN COURRIER DU CZAR

Un mouvement simultané porta tous les membres du conseil vers la porte entrouverte. Un courrier du czar, arrivé à Irkoutsk ! Si ces officiers eussent un instant réfléchi à l'improbabilité de ce fait, ils l'auraient certainement tenu pour impossible.

Un homme entra. Il avait l'air épuisé de fatigue.

Le grand-duc avait vivement marché vers son aide de camp.

« Ce courrier ! » dit-il.

Un homme entra. Il avait l'air épuisé de fatigue. Il portait un costume de paysan sibérien, usé, déchiré même, et sur lequel on voyait quelques trous de balle. Un bonnet moscovite lui couvrait la tête. Une balafre, mal cicatrisée, lui coupait la figure. Cet homme avait évidemment suivi une longue et pénible route. Ses chaussures, en mauvais état, prouvaient même qu'il avait dû faire à pied une partie de son voyage.

« Son Altesse le grand-duc ? » s'écria-t-il en entrant.

Le grand-duc alla à lui :

« Tu es courrier du czar ? demanda-t-il.

— Oui, Altesse.

— Tu viens… ?

— De Moscou.

— Tu as quitté Moscou… ?

— Le 15 juillet.

— Tu te nommes… ?

— Michel Strogoff. »

C'était Ivan Ogareff. Il avait pris le nom et la qualité de celui qu'il croyait réduit à l'impuissance. Ni le grand-duc, ni personne ne le connaissait à Irkoutsk, et il n'avait pas même eu besoin de déguiser ses traits. Comme il était en mesure de prouver sa prétendue identité, nul ne pourrait douter de lui. Il venait donc, soutenu par une volonté de fer, précipiter par la trahison et par l'assassinat le dénouement du drame de l'invasion.

Après la réponse d'Ivan Ogareff, le grand-duc fit un signe, et tous ses officiers se retirèrent.

Le faux Michel Strogoff et lui restèrent seuls dans le salon.

Le grand-duc regarda Ivan Ogareff pendant quelques instants, et avec une extrême attention. Puis :

« Tu étais, le 15 juillet, à Moscou ? lui demanda-t-il.

— Oui, Altesse, et, dans la nuit du 14 au 15, j'ai vu Sa Majesté le czar au Palais-Neuf.

— Tu as une lettre du czar ?

— La voici. »

Et Ivan Ogareff remit au grand-duc la lettre impériale, réduite à des dimensions presque microscopiques.

« Cette lettre t'a été donnée dans cet état ? demanda le grand-duc.

— Non, Altesse, mais j'ai dû en déchirer l'enveloppe, afin de mieux la dérober aux soldats de l'émir.

— As-tu donc été prisonnier des Tartares ?

— Oui, Altesse, pendant quelques jours, répondit Ivan Ogareff. De là vient que, parti le 15 juillet de Moscou, comme l'indique la date de cette lettre, je ne suis arrivé à Irkoutsk que le 2 octobre, après soixante-dix-neuf jours de voyage. »

Le grand-duc prit la lettre. Il la déplia et reconnut la signature du czar, précédée de la formule sacramentelle, écrite de sa main. Donc, nul doute possible sur l'authenticité de cette lettre, ni même sur l'identité du courrier. Si sa physionomie farouche avait d'abord inspiré une méfiance dont le grand-duc ne laissa rien voir, cette méfiance disparut tout à fait.

Le grand-duc resta quelques instants sans parler. Il lisait lentement la lettre, afin de bien en pénétrer le sens.

Reprenant ensuite la parole :

« Michel Strogoff, tu connais le contenu de cette lettre ? demanda-t-il.

— Oui, Altesse. Je pouvais être forcé de la détruire pour qu'elle ne tombât pas entre les mains des Tartares, et, le cas échéant, je voulais en rapporter exactement le texte à Votre Altesse.

— Tu sais que cette lettre nous enjoint de mourir à Irkoutsk plutôt que de rendre la ville ?

— Je le sais.

— Tu sais aussi qu'elle indique les mouvements des troupes qui ont été combinés pour arrêter l'invasion ?

— Oui, Altesse, mais ces mouvements n'ont pas réussi.

— Que veux-tu dire ?

— Je veux dire qu'Ichim, Omsk, Tomsk, pour ne parler que des villes importantes des deux Sibéries, ont été successivement occupées par les soldats de Féofar-Khan.

— Mais y a-t-il eu combat ? Nos Cosaques se sont-ils rencontrés avec les Tartares ?

— Plusieurs fois, Altesse.

— Et ils ont été repoussés ?

— Ils n'étaient pas en forces suffisantes.

— Où ont eu lieu les rencontres dont tu parles ?

— A Kolyvan, à Tomsk... »

Jusqu'ici, Ivan Ogareff n'avait dit que la vérité ; mais, dans le but d'ébranler les défenseurs d'Irkoutsk en exagérant les avantages obtenus par les troupes de l'émir, il ajouta :

« Et une troisième fois en avant de Krasnoiarsk.

— Et ce dernier engagement ?... demanda le grand-duc, dont les lèvres serrées laissaient à peine passer les paroles.

— Ce fut plus qu'un engagement, Altesse, répondit Ivan Ogareff, ce fut une bataille.

— Une bataille ?

— Vingt mille Russes, venus des provinces de la frontière et du gouvernement de Tobolsk, se sont heurtés contre cent cinquante mille Tartares, et, malgré leur courage, ils ont été anéantis.

— Tu mens ! s'écria le grand-duc, qui essaya, mais vainement, de maîtriser sa colère.

— Je dis la vérité, Altesse, répondit froidement Ivan Ogareff. J'étais présent à cette bataille de Krasnoiarsk, et c'est là que j'ai été fait prisonnier ! »

Le grand-duc se calma, et, d'un signe, il fit comprendre à Ivan Ogareff qu'il ne doutait pas de sa véracité.

« Quel jour a eu lieu cette bataille de Krasnoiarsk ? demanda-t-il.

— Le 2 septembre.

— Et maintenant toutes les troupes tartares sont concentrées autour d'Irkoutsk ?

— Toutes.

— Et tu les évalues… ?

— A quatre cent mille hommes. »

Nouvelle exagération d'Ivan Ogareff dans l'évaluation des armées tartares, et tendant toujours au même but.

« Et je ne dois attendre aucun secours des provinces de l'ouest ? demanda le grand-duc.

— Aucun, Altesse, du moins avant la fin de l'hiver.

— Eh bien, entends ceci, Michel Strogoff. Aucun secours ne dût-il jamais m'arriver ni de l'ouest ni de l'est, et ces barbares fussent-ils six cent mille, je ne rendrai pas Irkoutsk ! »

L'œil méchant d'Ivan Ogareff se plissa légèrement. Le traître semblait dire que le frère du czar comptait sans la trahison.

Le grand-duc, d'un tempérament nerveux, avait grand-peine à conserver son calme en apprenant ces désastreuses nouvelles. Il allait et venait dans le salon, sous les yeux d'Ivan Ogareff, qui le couvaient comme une proie réservée à sa vengeance. Il s'arrêtait aux fenêtres, il regardait les feux du camp tartare, il cherchait à percevoir les bruits, dont la plupart provenaient du choc des glaçons entraînés par le courant de l'Angara.

Un quart d'heure se passa sans qu'il fît aucune autre question. Puis, reprenant la lettre, il en relut un passage et dit :

« Tu sais, Michel Strogoff, qu'il est question dans cette lettre d'un traître dont j'aurai à me méfier.

— Oui, Altesse.

— Il doit essayer d'entrer dans Irkoutsk sous un déguisement, de capter ma confiance, puis, l'heure venue, de livrer la ville aux Tartares.

— Je sais tout cela, Altesse, et je sais aussi qu'Ivan

Ogareff a juré de se venger personnellement du frère du czar.

— Pourquoi?

— On dit que cet officier a été condamné par le grand-duc à une dégradation humiliante.

— Oui… je me souviens… Mais il la méritait, ce misérable, qui devait plus tard servir contre son pays et y conduire une invasion de barbares!

— Sa Majesté le czar, répondit Ivan Ogareff, tenait surtout à ce que vous fussiez prévenu des criminels projets d'Ivan Ogareff contre votre personne.

— Oui… la lettre m'en informe…

— Et Sa Majesté me l'a dit elle-même en m'avertissant que, pendant mon voyage à travers la Sibérie, j'eusse surtout à me méfier de ce traître.

— Tu l'as rencontré?

— Oui, Altesse, après la bataille de Krasnoiarsk. S'il avait pu soupçonner que je fusse porteur d'une lettre adressée à Votre Altesse et dans laquelle ses projets étaient dévoilés, il ne m'eût pas fait grâce.

— Oui, tu étais perdu! répondit le grand-duc. Et comment as-tu pu t'échapper?

— En me jetant dans l'Irtyche.

— Et tu es entré à Irkoutsk?…

— A la faveur d'une sortie qui a été faite ce soir même pour repousser un détachement tartare. Je me suis mêlé aux défenseurs de la ville, j'ai pu me faire reconnaître, et l'on m'a aussitôt conduit devant Votre Altesse.

— Bien, Michel Strogoff, répondit le grand-duc. Tu as montré du courage et du zèle pendant cette difficile mission. Je ne t'oublierai pas. — As-tu quelque faveur à me demander?

— Aucune, si ce n'est celle de me battre à côté de Votre Altesse, répondit Ivan Ogareff.

— Soit, Michel Strogoff. Je t'attache dès aujourd'hui à ma personne, et tu seras logé dans ce palais.

— Et si, conformément à l'intention qu'on lui prête, Ivan Ogareff se présente à Votre Altesse sous un faux nom ?...

— Nous le démasquerons, grâce à toi, qui le connais, et je le ferai mourir sous le knout. Va. »

Ivan Ogareff salua militairement le grand-duc, n'oubliant pas qu'il était capitaine au corps des courriers du czar, et il se retira.

Ivan Ogareff venait donc de jouer avec succès son indigne rôle. La confiance du grand-duc lui était accordée pleine et entière. Il pourrait en abuser où et quand il lui conviendrait. Il habiterait ce palais même. Il serait dans le secret des opérations de la défense. Il tenait donc la situation dans sa main. Personne dans Irkoutsk ne le connaissait, personne ne pouvait lui arracher son masque. Il résolut donc de se mettre à l'œuvre sans retard.

En effet, le temps pressait. Il fallait que la ville fût rendue avant l'arrivée des Russes du nord et de l'est, et c'était une question de quelques jours. Les Tartares une fois maîtres d'Irkoutsk, il ne serait pas facile de la leur reprendre. En tout cas, s'ils devaient l'abandonner plus tard, ils ne le feraient pas sans l'avoir ruinée de fond en comble, sans que la tête du grand-duc eût roulé aux pieds de Féofar-Khan.

Ivan Ogareff, ayant toute facilité de voir, d'observer, d'agir, s'occupa dès le lendemain de visiter les remparts. Partout il fut accueilli avec de cordiales félicitations par les officiers, les soldats, les citoyens. Ce courrier du czar était pour eux comme un lien qui venait de les rattacher à l'empire. Ivan Ogareff raconta donc, avec un aplomb qui ne se démentit jamais, les fausses péripéties de son voyage. Puis, adroitement, sans trop y insister d'abord, il parla de la gravité de la situation, exagérant, et les succès des Tartares, ainsi qu'il l'avait fait en s'adressant au grand-duc, et les forces dont ces barbares disposaient. A l'entendre, les secours attendus seraient insuffisants, si même ils arrivaient, et il était à craindre

Partout il fut accueilli avec de cordiales félicitations.

qu'une bataille livrée sous les murs d'Irkoutsk ne fût aussi funeste que les batailles de Kolyvan, de Tomsk et de Krasnoiarsk.

Ces fâcheuses insinuations, Ivan Ogareff ne les prodiguait pas. Il mettait une certaine circonspection à les faire pénétrer peu à peu dans l'esprit des défenseurs d'Irkoutsk. Il semblait ne répondre que lorsqu'il était trop pressé de questions, et comme à regret. En tout cas, il ajoutait toujours qu'il fallait se défendre jusqu'au dernier homme et faire plutôt sauter la ville que la rendre !

Le mal n'en eût pas été moins fait, s'il avait pu se faire. Mais la garnison et la population d'Irkoutsk étaient trop patriotes pour se laisser ébranler. De ces soldats, de ces citoyens enfermés dans une ville isolée au bout du monde asiatique, pas un n'eût songé à parler de capitulation. Le mépris du Russe pour ces barbares était sans bornes.

En tout cas, personne non plus ne soupçonna le rôle odieux que jouait Ivan Ogareff, personne ne pouvait deviner que le prétendu courrier du czar ne fût qu'un traître.

Une circonstance toute naturelle fit que, dès son arrivée à Irkoutsk, des rapports fréquents s'établirent entre Ivan Ogareff et l'un des plus braves défenseurs de la ville, Wassili Fédor.

On sait de quelles inquiétudes ce malheureux père était dévoré. Si sa fille, Nadia Fédor, avait quitté la Russie à la date assignée par la dernière lettre qu'il avait reçue de Riga, qu'était-elle devenue ? Essayait-elle maintenant encore de traverser les provinces envahies, ou bien était-elle depuis longtemps déjà prisonnière ? Wassili Fédor ne trouvait quelque apaisement à sa douleur que lorsqu'il avait quelque occasion de se battre contre les Tartares, — occasions trop rares à son gré.

Or, quand Wassili Fédor apprit cette arrivée si inattendue d'un courrier du czar, il eut comme un pressentiment que ce courrier pourrait lui donner des

nouvelles de sa fille. Ce n'était qu'un espoir chimérique, probablement, mais il s'y rattacha. Ce courrier
n'avait-il pas été prisonnier, comme Nadia l'était
peut-être alors ?

Wassili Fédor alla trouver Ivan Ogareff, qui saisit
cette occasion d'entrer en relations quotidiennes avec
le commandant. Ce renégat pensait-il donc à exploi-
ter cette circonstance ? Jugeait-il tous les hommes
d'après lui ? Croyait-il qu'un Russe, même un exilé
politique, pût être assez misérable pour trahir son
pays ?

Quoi qu'il en fût, Ivan Ogareff répondit avec un
empressement habilement feint aux avances que lui
fit le père de Nadia. Celui-ci, le lendemain même de
l'arrivée du prétendu courrier, se rendit au palais du
gouverneur général. Là, il fit connaître à Ivan Ogareff les circonstances dans lesquelles sa fille avait dû
quitter la Russie européenne et lui dit quelles étaient
maintenant ses inquiétudes à son égard.

Ivan Ogareff ne connaissait pas Nadia, bien qu'il
l'eût rencontrée au relais d'Ichim le jour où elle s'y
trouvait avec Michel Strogoff. Mais alors, il n'avait
pas plus fait attention à elle qu'aux deux journalistes
qui étaient en même temps dans la maison de poste. Il
ne put donc donner aucune nouvelle de sa fille à
Wassili Fédor.

« Mais à quelle époque, demanda Ivan Ogareff,
votre fille a-t-elle dû sortir du territoire russe ?

— A peu près en même temps que vous, répondit
Wassili Fédor.

— J'ai quitté Moscou le 15 juillet.

— Nadia a dû, elle aussi, quitter Moscou à cette
époque. Sa lettre me le disait formellement.

— Elle était à Moscou le 15 juillet ? demanda Ivan
Ogareff.

— Oui, certainement, à cette date.

— Eh bien !... » répondit Ivan Ogareff.

Puis se reprenant :

« Mais non, je me trompe... J'allais confondre les

dates... ajouta-t-il. Il est malheureusement trop probable que votre fille a dû franchir la frontière, et vous ne pouvez avoir qu'un seul espoir, c'est qu'elle se soit arrêtée en apprenant les nouvelles de l'invasion tartare ! »

Wassili Fédor baissa la tête ! Il connaissait Nadia, et il savait bien que rien n'avait pu l'empêcher de partir.

Ivan Ogareff venait de commettre là, gratuitement, un acte de cruauté véritable. D'un mot il pouvait rassurer Wassili Fédor. Bien que Nadia eût passé la frontière sibérienne dans les circonstances que l'on sait, Wassili Fédor, en rapprochant la date à laquelle sa fille se trouvait à Nijni-Novgorod et la date de l'arrêté qui interdisait d'en sortir, en eût sans doute conclu ceci : c'est que Nadia n'avait pas pu être exposée aux dangers de l'invasion, et qu'elle était encore, malgré elle, sur le territoire européen de l'empire.

Ivan Ogareff, obéissant à sa nature, en homme que ne savaient plus émouvoir les souffrances des autres, pouvait dire ce mot... Il ne le dit pas.

Wassili Fédor se retira le cœur brisé. Après cet entretien, son dernier espoir venait de s'anéantir.

Pendant les deux jours qui suivirent, 3 et 4 octobre, le grand-duc demanda plusieurs fois le prétendu Michel Strogoff et lui fit répéter tout ce qu'il avait entendu dans le cabinet impérial du Palais-Neuf. Ivan Ogareff, préparé à toutes ces questions, répondit sans jamais hésiter. Il ne cacha pas, à dessein, que le gouvernement du czar avait été absolument surpris par l'invasion, que le soulèvement avait été préparé dans le plus grand secret, que les Tartares étaient déjà maîtres de la ligne de l'Obi, quand les nouvelles arrivèrent à Moscou, et, enfin, que rien n'était prêt dans les provinces russes pour jeter en Sibérie les troupes nécessaires à repousser les envahisseurs.

Puis, Ivan Ogareff, entièrement libre de ses mouvements, commença à étudier Irkoutsk, l'état de ses fortifications, leurs points faibles, afin de profiter

Nadia rampait en avant de Michel Strogoff.

ultérieurement de ses observations, au cas où quelque circonstance l'empêcherait de consommer son acte de trahison. Il s'attacha plus particulièrement à examiner la porte de Bolchaïa, qu'il voulait livrer.

Deux fois, le soir, il vint sur les glacis de cette porte. Il s'y promenait, sans crainte de se découvrir aux coups des assiégeants, dont les premiers postes étaient à moins d'une verste des remparts. Il savait bien qu'il n'était pas exposé, et même qu'il était reconnu. Il avait entrevu une ombre qui se glissait jusqu'au pied des terrassements.

Sangarre, risquant sa vie, venait essayer de se mettre en communication avec Ivan Ogareff.

D'ailleurs, les assiégés, depuis deux jours, jouissaient d'une tranquillité à laquelle les Tartares ne les avaient point habitués depuis le début de l'investissement.

C'était par ordre d'Ivan Ogareff. Le lieutenant de Féofar-Khan avait voulu que toutes tentatives pour emporter la ville de vive force fussent suspendues. Aussi, depuis son arrivée à Irkoutsk, l'artillerie se taisait-elle absolument. Peut-être — du moins il l'espérait — la surveillance des assiégés se relâcherait-elle ? En tout cas, aux avant-postes, plusieurs milliers de Tartares se tenaient prêts à s'élancer vers la porte dégarnie de ses défenseurs, lorsqu'Ivan Ogareff leur aurait fait connaître l'heure d'agir.

Cela ne pouvait tarder, cependant. Il fallait en finir avant que les corps russes arrivassent en vue d'Irkoutsk. Le parti d'Ivan Ogareff fut pris, et, ce soir-là, du haut des glacis, un billet tomba entre les mains de Sangarre.

C'était le lendemain, dans la nuit du 5 au 6 octobre, à deux heures du matin, qu'Ivan Ogareff avait résolu de livrer Irkoutsk.

XIV

LA NUIT DU 5 AU 6 OCTOBRE

Le plan d'Ivan Ogareff avait été combiné avec le plus grand soin, et, sauf des chances improbables, il devait réussir. Il importait que la porte de Bolchaïa fût libre au moment où il la livrerait. Aussi, à ce moment, était-il indispensable que l'attention des assiégés fût attirée sur un autre point de la ville. De là, une diversion convenue avec l'émir.

Cette diversion devait s'opérer du côté du faubourg d'Irkoutsk, en amont et en aval du fleuve, sur sa rive droite. L'attaque sur ces deux points serait très sérieusement conduite, et, en même temps, une tentative de passage de l'Angara serait feinte sur la rive gauche. La porte de Bolchaïa serait donc probablement abandonnée, d'autant plus que, de ce côté, les avant-postes tartares, reportés en arrière, sembleraient avoir été levés.

On était au 5 octobre. Avant vingt-quatre heures, la capitale de la Sibérie orientale devait être entre les mains de l'émir, et le grand-duc au pouvoir d'Ivan Ogareff.

Pendant cette journée, un mouvement inaccoutumé se produisit au camp de l'Angara. Des fenêtres du palais et des maisons de la rive droite, on voyait distinctement des préparatifs importants se faire sur la berge opposée. De nombreux détachements tartares convergeaient vers le camp et venaient d'heure en heure renforcer les troupes de l'émir. C'était la diversion convenue qui se préparait, et d'une manière très ostensible.

D'ailleurs, Ivan Ogareff ne cacha point au grand-duc qu'il y avait quelque attaque à craindre de ce côté. Il savait, disait-il, qu'un assaut devait être donné, en amont et en aval de la ville, et il conseilla au grand-duc de renforcer ces deux points plus directement menacés.

Les préparatifs observés venant à l'appui des recommandations faites par Ivan Ogareff, il était urgent d'en tenir compte. Aussi, après un conseil de guerre qui se réunit au palais, des ordres furent donnés de concentrer la défense sur la rive droite de l'Angara et aux deux extrémités de la ville, où les terrassements venaient s'appuyer sur le fleuve.

C'était précisément ce que voulait Ivan Ogareff. Il ne comptait évidemment pas que la porte de Bolchaïa resterait sans défenseurs, mais ceux-ci n'y seraient plus qu'en petit nombre. D'ailleurs, Ivan Ogareff allait donner à la diversion une importance telle que le grand-duc serait obligé d'y opposer toutes ses forces disponibles.

En effet, un incident d'une gravité exceptionnelle, imaginé par Ivan Ogareff, devait aider puissamment à l'accomplissement de ses projets. Lors même qu'Irkoutsk n'eût pas été attaquée sur des points éloignés de la porte de Bolchaïa et par la rive droite du fleuve, cet incident aurait suffi à attirer le concours de tous les défenseurs là où Ivan Ogareff voulait précisément les amener. Il devait provoquer en même temps une catastrophe épouvantable.

Toutes les chances étaient donc pour que la porte, libre à l'heure indiquée, fût livrée aux milliers de Tartares qui attendaient sous l'épais couvert des forêts de l'est.

Pendant cette journée, la garnison et la population d'Irkoutsk furent constamment sur le qui-vive. Toutes les mesures que commandait une attaque imminente des points jusqu'alors respectés avaient été prises. Le grand-duc et le général Voranzoff visitèrent les postes, renforcés par leurs ordres. Le corps d'élite de Wassili Fédor occupait le nord de la ville, mais avec injonction de se porter où le danger serait le plus pressant. La rive droite de l'Angara avait été garnie du peu d'artillerie dont on avait pu disposer. Avec ces mesures, prises à temps, grâce aux recommandations faites si à propos par Ivan Ogareff, il y avait lieu d'espérer que l'attaque préparée ne réussirait pas. Dans ce cas, les Tartares, momentanément découragés, remettraient sans doute à quelques jours une nouvelle tentative contre la ville. Or, les troupes attendues par le grand-duc pouvaient arriver d'une heure à l'autre. Le salut ou la perte d'Irkoutsk ne tenait donc qu'à un fil.

Ce jour-là, le soleil, qui s'était levé à six heures vingt minutes, se couchait à cinq heures quarante, après avoir tracé pendant onze heures son arc diurne au-dessus de l'horizon. Le crépuscule devait lutter contre la nuit pendant deux heures encore. Puis, l'espace s'emplirait d'épaisses ténèbres, car de gros nuages s'immobilisaient dans l'air, et la lune, en conjonction, ne devait pas paraître.

Cette profonde obscurité allait favoriser plus complètement les projets d'Ivan Ogareff.

Depuis quelques jours déjà, un froid extrêmement vif préludait aux rigueurs de l'hiver sibérien, et, ce soir-là, il était plus sensible. Les soldats, postés sur la rive droite de l'Angara, forcés de dissimuler leur présence, n'avaient point allumé de feux. Ils souffraient donc cruellement de ce redoutable abaissement de la température. A quelques pieds au-dessous d'eux, passaient les glaçons qui suivaient le courant du fleuve. Pendant toute cette journée, on les avait vus, en rangs pressés, dériver rapidement entre les deux rives. Cette circonstance, observée par le grand-duc et ses officiers, avait été considérée comme heureuse. Il était évident, en effet, que si le lit de l'Angara était obstrué, le passage deviendrait tout à fait impraticable. Les Tartares ne pourraient manœuvrer ni radeaux ni barques. Quant à admettre qu'ils pussent franchir le fleuve sur ces glaçons, au cas où le froid les aurait agrégés, ce n'était pas possible. Le champ, nouvellement cimenté, n'eût pas offert de consistance suffisante au passage d'une colonne d'assaut.

Mais cette circonstance, par cela même qu'elle

paraissait être favorable aux défenseurs d'Irkoutsk, Ivan Ogareff aurait dû regretter qu'elle se fût produite. Il n'en fut rien, cependant! C'est que le traître savait bien que les Tartares ne chercheraient pas à passer l'Angara, et que, de ce côté du moins, leur tentative ne serait qu'une feinte.

Toutefois, vers dix heures du soir, l'état du fleuve se modifia sensiblement, à l'extrême surprise des assiégés et maintenant à leur désavantage. Le passage, impraticable jusqu'alors, devint possible tout à coup. Le lit de l'Angara se refit libre. Les glaçons, qui avaient dérivé en grand nombre depuis quelques jours, disparurent en aval, et c'est à peine si cinq ou six occupèrent alors l'espace compris entre les deux rives. Ils ne présentaient même plus la structure de ceux qui se forment dans les conditions ordinaires et sous l'influence d'un froid régulier. Ce n'étaient que de simples morceaux, arrachés à quelque icefield, dont les brisures, nettement coupées, ne se relevaient pas en bourrelets rugueux.

Les officiers russes, qui constatèrent cette modification dans l'état du fleuve, la firent connaître au grand-duc. Elle s'expliquait, d'ailleurs, par ce motif que, dans quelque portion rétrécie de l'Angara, les glaçons avaient dû s'accumuler de manière à former un barrage.

On sait qu'il en était ainsi.

Le passage de l'Angara était donc ouvert aux assiégeants. De là, nécessité pour les Russes de veiller avec plus d'attention que jamais.

Aucun incident ne se produisit jusqu'à minuit. Du côté de l'est, au-delà de la porte Bolchaïa, calme complet. Pas un feu dans ce massif des forêts qui se confondaient à l'horizon avec les basses nuées du ciel.

Au camp de l'Angara, agitation assez grande, attestée par le fréquent déplacement des lumières.

A une verste en amont et en aval du point où l'escarpe venait s'appuyer aux berges de la rivière, il se faisait un sourd murmure, qui prouvait que les

Il attendait donc, dans les ténèbres...

Tartares étaient sur pied, attendant un signal quelconque.

Une heure s'écoula encore. Rien de nouveau.

Deux heures du matin allaient sonner au clocher de
la cathédrale d'Irkoutsk, et pas un mouvement
n'avait encore trahi chez les assiégeants d'intentions
hostiles.

Le grand-duc et ses officiers se demandaient s'ils
n'avaient pas été induits en erreur, s'il entrait réellement dans le plan des Tartares d'essayer de surprendre la ville. Les nuits précédentes n'avaient pas
été aussi calmes, à beaucoup près. La fusillade éclatait dans la direction des avant-postes, les obus sillon-
naient l'air, et, cette fois, rien.

Le grand-duc, le général Voranzoff, leurs aides de
camp, attendaient donc, prêts à donner leurs ordres
suivant les circonstances.

On sait qu'Ivan Ogareff occupait une chambre du
palais. C'était une assez vaste salle, située au rez-de-
chaussée et dont les fenêtres s'ouvraient sur une
terrasse latérale. Il suffisait de faire quelques pas sur
cette terrasse pour dominer le cours de l'Angara.

Une profonde obscurité régnait dans cette salle.

Ivan Ogareff, debout près d'une fenêtre, attendait
que l'heure d'agir fût arrivée. Évidemment, le signal
ne pouvait venir que de lui. Une fois ce signal donné,
lorsque la plupart des défenseurs d'Irkoutsk auraient
été appelés aux points attaqués ouvertement, son
projet était de quitter le palais et d'aller accomplir son
œuvre.

Il attendait donc, dans les ténèbres, comme un
fauve prêt à s'élancer sur une proie.

Cependant, quelques minutes avant deux heures,
le grand-duc demanda que Michel Strogoff —
c'était le seul nom qu'il pût donner à Ivan Ogareff —
lui fût amené. Un aide de camp vint jusqu'à sa
chambre, dont la porte était fermée. Il l'appela...

Ivan Ogareff, immobile près de la fenêtre et invisible dans l'ombre, se garda bien de répondre.

On rapporta donc au grand-duc que le courrier du czar n'était pas en ce moment au palais.

Deux heures sonnèrent. C'était le moment de provoquer la diversion convenue avec les Tartares, disposés pour l'assaut.

Ivan Ogareff ouvrit la fenêtre de sa chambre, et il alla se poster à l'angle nord de la terrasse latérale.

Au-dessous de lui, dans l'ombre, passaient les eaux de l'Angara, qui mugissaient en se brisant aux arêtes des piliers.

Ivan Ogareff tira une amorce de sa poche, il l'enflamma, et il alluma un peu d'étoupe, imprégnée de pulvérin, qu'il lança dans le fleuve...

C'était par ordre d'Ivan Ogareff que des torrents d'huile minérale avaient été lancés à la surface de l'Angara !

Des sources de naphte étaient exploitées au-dessus d'Irkoutsk, sur la rive droite, entre la bourgade de Poshkavsk et la ville. Ivan Ogareff avait résolu d'employer ce moyen terrible de porter l'incendie dans Irkoutsk. Il s'empara donc des immenses réservoirs qui renfermaient le liquide combustible. Il suffisait de démolir un pan de mur pour en provoquer l'écoulement à grands flots.

C'est ce qui avait été fait dans cette nuit, quelques heures auparavant, et c'est pourquoi le radeau qui portait le vrai courrier du czar, Nadia et les fugitifs, flottait sur un courant d'huile minérale. A travers les brèches de ces réservoirs, contenant des millions de mètres cubes, le naphte s'était précipité comme un torrent, et, suivant les pentes naturelles du sol, il s'était répandu à la surface du fleuve, où sa densité le fit surnager.

Voilà comment Ivan Ogareff entendait la guerre ! Allié des Tartares, il agissait comme un Tartare, et contre ses propres compatriotes !

L'étoupe avait été lancée sur les eaux de l'Angara. En un instant, comme si le courant eût été fait d'alcool, tout le fleuve s'enflamma, en amont et en aval, avec une rapidité électrique. Des volutes de flammes bleuâtres couraient entre les deux rives. De grosses vapeurs fuligineuses se tordaient au-dessus. Les quelques glaçons qui s'en allaient en dérive, saisis par le liquide igné, fondaient comme de la cire à la surface d'une fournaise, et l'eau vaporisée s'échappait dans l'air en sifflets assourdissants.

A ce moment même, la fusillade éclata au nord et au sud de la ville. Les batteries du camp de l'Angara tirèrent à toute volée. Plusieurs milliers de Tartares se précipitèrent à l'assaut des terrassements. Les maisons des berges, construites en bois, prirent feu de toutes parts. Une immense clarté dissipa les ombres de la nuit.

« Enfin! » dit Ivan Ogareff.

Et il pouvait s'applaudir à bon droit! La diversion qu'il avait imaginée était terrible. Les défenseurs d'Irkoutsk se voyaient entre l'attaque des Tartares et les désastres de l'incendie. Les cloches sonnèrent, et tout ce qui était valide dans la population se porta aux points attaqués et aux maisons dévorées par le feu, qui menaçait de se communiquer à la ville entière.

La porte de Bolchaïa était presque libre. C'est à peine si l'on y avait laissé quelques défenseurs. Et même, sous l'inspiration du traître, et pour que l'événement accompli pût s'expliquer en dehors de lui et par des haines politiques, ces rares défenseurs avaient-ils été choisis dans le petit corps des exilés.

Ivan Ogareff rentra dans sa chambre, alors brillamment éclairée par les flammes de l'Angara, qui dépassaient la balustrade des terrasses. Puis, il se disposa à sortir.

Mais, à peine avait-il ouvert la porte, qu'une femme se précipitait dans cette chambre, les vêtements trempés, les cheveux en désordre.

« Sangarre! » s'écria Ivan Ogareff, dans le premier moment de surprise, et n'imaginant pas que ce pût être une autre femme que la tsigane.

Ce n'était pas Sangarre, c'était Nadia.

Au moment où, réfugiée sur le glaçon, la jeune fille avait jeté un cri en voyant l'incendie se propager avec le courant de l'Angara, Michel Strogoff l'avait saisie dans ses bras, et il avait plongé avec elle pour chercher dans les profondeurs mêmes du fleuve un abri contre les flammes. On sait que le glaçon qui les portait ne se trouvait plus alors qu'à une trentaine de brasses du premier quai, en amont d'Irkoutsk.

Après avoir nagé sous les eaux, Michel Strogoff était parvenu à prendre pied sur le quai avec Nadia.

Michel Strogoff touchait enfin au but! Il était à Irkoutsk!

« Au palais du gouverneur! » dit-il à Nadia.

Moins de dix minutes après, tous deux arrivaient à l'entrée de ce palais, dont les longues flammes de l'Angara léchaient les assises de pierre, mais que l'incendie ne pouvait atteindre.

Au-delà, les maisons de la berge flambaient toutes.

Michel Strogoff et Nadia entrèrent sans difficulté dans ce palais, ouvert à tous. Au milieu de la confusion générale, nul ne les remarqua, bien que leurs vêtements fussent trempés.

Une foule d'officiers venant chercher des ordres, et de soldats courant les exécuter, encombrait la grande salle du rez-de-chaussée. Là, Michel Strogoff et la jeune fille, dans un brusque remous de la multitude affolée, se trouvèrent séparés l'un de l'autre.

Nadia courait, éperdue, à travers les salles basses, appelant son compagnon, demandant à être conduite devant le grand-duc.

Une porte, donnant sur une chambre inondée de lumière, s'ouvrit devant elle. Elle entra, et elle se trouva inopinément en face de celui qu'elle avait vu à Ichim, qu'elle avait vu à Tomsk, en face de celui dont, un instant plus tard, la main scélérate allait livrer la ville!

« Ivan Ogareff! » s'écria-t-elle.

En entendant prononcer son nom, le misérable frémit. Son vrai nom connu, tous ses plans échouaient. Il n'avait qu'une chose à faire : tuer l'être, quel qu'il fût, qui venait de le prononcer.

Ivan Ogareff se jeta sur Nadia ; mais la jeune fille, un couteau à la main, s'adossa au mur, décidée à se défendre.

« Ivan Ogareff ! cria encore Nadia, sachant bien que ce nom détesté ferait venir à son secours.

— Ah ! tu te tairas ! dit le traître.

— Ivan Ogareff ! » cria une troisième fois l'intrépide jeune fille, et d'une voix dont la haine avait décuplé la force.

Ivre de fureur, Ivan Ogareff tira un poignard de sa ceinture, s'élança sur Nadia et l'accula dans un angle de la salle.

C'en était fait d'elle, lorsque le misérable, soulevé soudain par une force irrésistible, alla rouler à terre.

« Michel ! » s'écria Nadia.

C'était Michel Strogoff.

Michel Strogoff avait entendu l'appel de Nadia. Guidé par sa voix, il était arrivé jusqu'à la chambre d'Ivan Ogareff et il était entré par la porte demeurée ouverte.

« Ne crains rien, Nadia, dit-il, en se plaçant entre elle et Ivan Ogareff.

— Ah ! s'écria la jeune fille, prends garde, frère !... Le traître est armé !... Il voit clair, lui !... »

Ivan Ogareff s'était relevé, et, croyant avoir bon marché de l'aveugle, il se précipita sur Michel Strogoff.

Mais, d'une main, l'aveugle saisit le bras du clairvoyant, et de l'autre, détournant son arme, il le rejeta une seconde fois à terre.

Ivan Ogareff, pâle de fureur et de honte, se souvint qu'il portait une épée. Il la tira du fourreau et revint à la charge.

Il avait reconnu, lui aussi, Michel Strogoff. Un aveugle ! Il n'avait, en somme, affaire qu'à un aveugle ! La partie était belle pour lui !

Nadia, épouvantée du danger qui menaçait son

Soulevé soudain par une force irrésistible, il roula à terre...

compagnon dans une lutte si inégale, se jeta sur la porte en appelant au secours !

« Ferme cette porte, Nadia ! dit Michel Strogoff. N'appelle personne et laisse-moi faire ! Le courrier du czar n'a rien à craindre aujourd'hui de ce misérable ! Qu'il vienne à moi, s'il l'ose ! Je l'attends. »

Cependant, Ivan Ogareff, ramassé sur lui-même comme un tigre, ne proférait pas un mot. Le bruit de son pas, de sa respiration même, il eût voulu le soustraire à l'oreille de l'aveugle. Il voulait le frapper avant même qu'il fût averti de son approche, le frapper à coup sûr. Le traître ne songeait pas à se battre, mais à assassiner celui dont il avait volé le nom.

Nadia, épouvantée et confiante à la fois, contemplait avec une sorte d'admiration cette scène terrible. Il semblait que le calme de Michel Strogoff l'eût gagnée subitement. Michel Strogoff n'avait que son couteau sibérien pour toute arme, il ne voyait pas son adversaire, armé d'une épée, c'est vrai. Mais par quelle grâce du Ciel semblait-il le dominer, et de si haut ? Comment, sans presque bouger, faisait-il face toujours à la pointe même de son épée ?

Ivan Ogareff épiait avec une anxiété visible son étrange adversaire. Ce calme surhumain agissait sur lui. En vain, faisant appel à sa raison, se disait-il que, dans l'inégalité d'un tel combat, tout l'avantage était en sa faveur ! Cette immobilité de l'aveugle le glaçait. Il avait cherché des yeux la place où il devait frapper sa victime... Il l'avait trouvée !... Qui donc le retenait d'en finir ?

Enfin, il fit un bond et porta en pleine poitrine un coup de son épée à Michel Strogoff.

Un mouvement imperceptible du couteau de l'aveugle détourna le coup. Michel Strogoff n'avait pas été touché, et, froidement, il sembla attendre, sans même la défier, une seconde attaque.

Une sueur glacée coulait du front d'Ivan Ogareff. Il recula d'un pas, puis fonça de nouveau. Mais, pas

« Qui a tué cet homme ? » demanda le grand-duc.

plus que le premier, ce second coup ne porta. Une simple parade du large couteau avait suffi à faire dévier l'inutile épée du traître.

Celui-ci, fou de rage et de terreur en face de cette vivante statue, arrêta ses regards épouvantés sur les yeux tout grands ouverts de l'aveugle. Ces yeux qui semblaient lire jusqu'au fond de son âme et qui ne voyaient pas, qui ne pouvaient pas voir, ces yeux opéraient sur lui une sorte d'effroyable fascination.

Tout à coup, Ivan Ogareff jeta un cri. Une lumière inattendue s'était faite dans son cerveau.

« Il voit, s'écria-t-il, il voit!... »

Et, comme un fauve essayant de rentrer dans son antre, pas à pas, terrifié, il recula jusqu'au fond de la salle.

Alors, la statue s'anima, l'aveugle marcha droit à Ivan Ogareff, et se plaçant en face de lui :

« Oui, je vois! dit-il. Je vois le coup de knout dont je t'ai marqué, traître et lâche! Je vois la place où je vais te frapper! Défends ta vie! C'est un duel que je daigne t'offrir! Mon couteau me suffira contre ton épée! »

« Il voit! se disait Nadia. Dieu secourable, est-ce possible! »

Ivan Ogareff se sentit perdu. Mais, par un sursaut de sa volonté, reprenant courage, il se précipita l'épée en avant sur son impassible adversaire. Les deux lames se croisèrent, mais au choc du couteau de Michel Strogoff, manié par cette main de chasseur sibérien, l'épée vola en éclats, et le misérable, atteint au cœur, tomba sans vie sur le sol.

A ce moment, la porte de la chambre, repoussée du dehors, s'ouvrit. Le grand-duc, accompagné de quelques officiers, se montra sur le seuil.

Le grand-duc s'avança. Il reconnut à terre le cadavre de celui qu'il croyait être le courrier du czar.

Et alors, d'une voix menaçante :

« Qui a tué cet homme? demanda-t-il.

— Moi », répondit Michel Strogoff.

Un des officiers lui posa son revolver sur la tempe, prêt à faire feu.

« Ton nom ? demanda le grand-duc, avant de donner l'ordre de lui fracasser la tête.

— Altesse, répondit Michel Strogoff, demandez-moi plutôt le nom de l'homme étendu à vos pieds !

— Cet homme, je le reconnais ! C'est un serviteur de mon frère ! C'est le courrier du czar !

— Cet homme, Altesse, n'est pas un courrier du czar ! C'est Ivan Ogareff !

— Ivan Ogareff ? s'écria le grand-duc.

— Oui, Ivan le traître !

— Mais toi, qui es-tu donc ?

— Michel Strogoff ! »

XV

CONCLUSION

Michel Strogoff n'était pas, n'avait jamais été aveugle. Un phénomène purement humain, à la fois moral et physique, avait neutralisé l'action de la lame incandescente que l'exécuteur de Féofar avait fait passer devant ses yeux.

On se rappelle qu'au moment du supplice, Marfa Strogoff était là, tendant les mains vers son fils. Michel Strogoff la regardait comme un fils peut regarder sa mère, quand c'est pour la dernière fois. Remontant à flots de son cœur à ses yeux, des larmes, que sa fierté essayait en vain de retenir, s'étaient amassées sous ses paupières et, en se volatilisant sur la cornée, lui avaient sauvé la vue. La couche de vapeur formée par ses larmes, s'interposant entre le sabre ardent et ses prunelles, avait suffi à annihiler l'action de la chaleur. C'est un effet identique à celui qui se produit, lorsqu'un ouvrier fondeur, après avoir trempé sa main dans l'eau, lui fait impunément traverser un jet de fonte en fusion.

Michel Strogoff avait immédiatement compris le danger qu'il aurait couru à faire connaître son secret à qui que ce fût. Il avait senti le parti qu'il pourrait, au contraire, tirer de cette situation pour l'accomplissement de ses projets. C'est parce qu'on le croirait aveugle, qu'on le laisserait libre. Il fallait donc qu'il fût aveugle, qu'il le fût pour tous, même pour Nadia, qu'il le fût partout en un mot, et que pas un geste, à aucun moment, ne pût faire douter de la sincérité de son rôle. Sa résolution était prise. Sa vie même, il devait la risquer pour donner à tous la preuve de sa cécité, et on sait comment il la risqua.

Seule, sa mère connaissait la vérité, et c'était sur la place même de Tomsk qu'il la lui avait dite à l'oreille, quand, penché dans l'ombre sur elle, il la couvrait de ses baisers.

On comprend, dès lors, que lorsque Ivan Ogareff avait, par une cruelle ironie, placé la lettre impériale devant ses yeux qu'il croyait éteints, Michel Strogoff avait pu lire, avait lu cette lettre qui dévoilait les odieux desseins du traître. De là, cette énergie qu'il déploya pendant la seconde partie de son voyage. De là, cette indestructible volonté d'atteindre Irkoutsk et d'en arriver à remplir de vive voix sa mission. Il savait que la ville devait être livrée! Il savait que la vie du grand-duc était menacée! Le salut du frère du czar et de la Sibérie était donc encore dans ses mains.

En quelques mots, toute cette histoire fut racontée au grand-duc, et Michel Strogoff dit aussi, et avec quelle émotion! la part que Nadia avait prise à ces événements.

« Quelle est cette jeune fille? demanda le grand-duc.

— La fille de l'exilé Wassili Fédor, répondit Michel Strogoff.

— La fille du commandant Fédor, dit le grand-duc, a cessé d'être la fille d'un exilé. Il n'y a plus d'exilés à Irkoutsk ! »

Nadia, moins forte dans la joie qu'elle ne l'avait été dans la douleur, tomba aux genoux du grand-duc, qui la releva d'une main, pendant qu'il tendait l'autre à Michel Strogoff.

Une heure après, Nadia était dans les bras de son père.

Michel Strogoff, Nadia, Wassili Fédor étaient réunis. Ce fut, de part et d'autre, le plein épanouissement du bonheur.

Les Tartares avaient été repoussés dans leur double attaque contre la ville. Wassili Fédor, avec sa petite troupe, avait écrasé les premiers assaillants qui s'étaient présentés à la porte de Bolchaïa, comptant qu'elle leur serait ouverte, et dont, par un instinctif pressentiment, il s'était obstiné à rester le défenseur.

En même temps que les Tartares étaient refoulés, les assiégés se rendaient maîtres de l'incendie. Le naphte liquide ayant rapidement brûlé à la surface de l'Angara, les flammes, concentrées sur les maisons de la rive, avaient respecté les autres quartiers de la ville.

Avant le jour, les troupes de Féofar-Khan étaient rentrées dans leurs campements, laissant bon nombre de morts sur le revers des remparts.

Au nombre des morts était la tsigane Sangarre, qui avait essayé vainement de rejoindre Ivan Ogareff.

Pendant deux jours, les assiégeants ne tentèrent aucun nouvel assaut. Ils étaient découragés par la mort d'Ivan Ogareff. Cet homme était l'âme de l'invasion, et lui seul, par ses trames depuis long-temps ourdies, avait eu assez d'influence sur les khans et sur leurs hordes pour les entraîner à la conquête de la Russie asiatique.

Cependant, les défenseurs d'Irkoutsk se tinrent sur leurs gardes, et l'investissement durait toujours.

Mais le 7 octobre, dès les premières lueurs du jour, le canon retentit sur les hauteurs qui environnent Irkoutsk.

C'était l'armée de secours qui arrivait sous les ordres du général Kisselef et signalait ainsi sa présence au grand-duc.

Les Tartares n'attendirent pas plus longtemps. Ils ne voulaient pas courir la chance d'une bataille livrée sous les murs de la ville, et le camp de l'Angara fut immédiatement levé.

Irkoutsk était enfin délivrée.

Avec les premiers soldats russes, deux amis de Michel Strogoff étaient entrés, eux aussi, dans la ville. C'étaient les inséparables Blount et Jolivet. En gagnant la rive droite de l'Angara par le barrage de glace, ils avaient pu s'échapper, ainsi que les autres fugitifs, avant que les flammes de l'Angara eussent atteint le radeau. Ce qui avait été noté par Alcide Jolivet sur son carnet, et de cette façon :

« Failli finir comme un citron dans un bol de punch ! »

Leur joie fut grande à retrouver sains et saufs Nadia et Michel Strogoff, surtout lorsqu'ils apprirent que leur vaillant compagnon n'était pas aveugle. Ce qui amena Harry Blount à libeller ainsi cette observation :

« Fer rouge peut être insuffisant pour détruire la sensibilité du nerf optique. A modifier ! »

Puis, les deux correspondants, bien installés à Irkoutsk, s'occupèrent à mettre en ordre leurs impressions de voyage. De là, l'envoi à Londres et à Paris de deux intéressantes chroniques relatives à l'invasion tartare, et qui, chose rare, ne se contredisaient guère que sur les points les moins importants.

La campagne, du reste, fut mauvaise pour l'émir et ses alliés. Cette invasion, inutile comme toutes celles qui s'attaquent au colosse russe, leur fut très funeste. Ils se trouvèrent bientôt coupés par les troupes du czar, qui reprirent successivement toutes les villes conquises. En outre, l'hiver fut terrible, et de ces hordes, décimées par le froid, il ne rentra qu'une faible partie dans les steppes de la Tartarie.

La route d'Irkoutsk aux monts Ourals était donc libre. Le grand-duc avait hâte de retourner à Moscou, mais il retarda son voyage pour assister à une touchante cérémonie, qui eut lieu quelques jours après l'entrée des troupes russes.

Michel Strogoff avait été trouver Nadia, et, devant son père, il lui avait dit :

« Nadia, ma sœur encore, lorsque tu as quitté Riga pour venir à Irkoutsk, avais-tu laissé derrière toi un autre regret que celui de ta mère ?

— Non, répondit Nadia, aucun et d'aucune sorte.

— Ainsi, rien de ton cœur n'est resté là-bas ?

— Rien, frère.

— Alors, Nadia, dit Michel Strogoff, je ne crois pas que Dieu, en nous mettant en présence, en nous faisant traverser ensemble de si rudes épreuves, ait voulu nous réunir autrement que pour jamais.

— Ah ! » fit Nadia, en tombant dans les bras de Michel Strogoff.

Et se tournant vers Wassili Fédor :

« Mon père ! dit-elle toute rougissante.

— Nadia, lui répondit Wassili Fédor, ma joie sera de vous appeler tous les deux mes enfants ! »

La cérémonie du mariage se fit à la cathédrale d'Irkoutsk. Elle fut très simple dans ses détails, très belle par le concours de toute la population militaire et civile, qui voulut témoigner de sa profonde reconnaissance pour les deux jeunes gens, dont l'odyssée était déjà devenue légendaire.

Alcide Jolivet et Harry Blount assistaient naturellement à ce mariage, dont ils voulaient rendre compte à leurs lecteurs.

« Et cela ne vous donne pas envie de les imiter ? demanda Alcide Jolivet à son confrère.

— Peuh ! fit Harry Blount. Si, comme vous, j'avais une cousine !...

— Ma cousine n'est plus à marier ! répondit en riant Alcide Jolivet.

— Tant mieux, ajouta Harry Blount, car on parle

« Ma joie sera de vous appeler tous les deux mes enfants ! »

de difficultés qui vont surgir entre Londres et Péking.

— Est-ce que vous n'avez pas envie d'aller voir ce qui se passe par là?

— Eh parbleu, mon cher Blount, s'écria Alcide Jolivet, j'allais vous le proposer! »

Et voilà comment les deux inséparables partirent pour la Chine!

Quelques jours après la cérémonie, Michel et Nadia Strogoff, accompagnés de Wassili Fédor, reprirent la route d'Europe. Ce chemin de douleurs à l'aller fut un chemin de bonheur au retour. Ils voyagèrent avec une extrême vitesse, dans un de ces traîneaux qui glissent comme un express sur les steppes glacées de la Sibérie.

Cependant, arrivés aux rives du Dinka, en avant de Birskoë, ils s'arrêtèrent un jour.

Michel Strogoff retrouva la place où il avait enterré le pauvre Nicolas. Une croix y fut plantée, et Nadia pria une dernière fois sur la tombe de l'humble et héroïque ami que ni l'un ni l'autre ne devaient jamais oublier.

A Omsk, la vieille Marfa les attendait dans la petite maison des Strogoff. Elle pressa dans ses bras avec passion celle qu'elle avait déjà cent fois dans son cœur nommée sa fille. La courageuse Sibérienne eut, ce jour-là, le droit de reconnaître son fils et de se dire fière de lui.

Après quelques jours passés à Omsk, Michel et Nadia Strogoff rentrèrent en Europe, et, Wassili Fédor s'étant fixé à Saint-Pétersbourg, ni son fils ni sa fille n'eurent d'autre occasion de le quitter que pour aller voir leur vieille mère.

Le jeune courrier avait été reçu par le czar, qui l'attacha spécialement à sa personne et lui remit la croix de Saint-Georges.

Michel Strogoff arriva, par la suite, à une haute situation dans l'empire. Mais ce n'est pas l'histoire de ses succès, c'est l'histoire de ses épreuves qui méritait d'être racontée.

LES CLÉS DE L'ŒUVRE

I - AU FIL DU TEXTE

II - DOSSIER HISTORIQUE ET LITTÉRAIRE

Pour approfondir votre lecture, LIRE vous propose une sélection commentée :
• de morceaux « classiques » devenus incontournables, signalés par ●◆ (droit au but).
• d'extraits représentatifs de l'œuvre, signalés par ⊶ (en flânant).

AU FIL DU TEXTE

Par Claude Aziza,
maître de conférences à la Sorbonne Nouvelle.

I - DÉCOUVRIR

La phrase clé

« Tu es venu pour voir, espion des Russes. Tu as vu pour la dernière fois. Dans un instant, tes yeux seront à jamais fermés à la lumière ! » (p. 312).

• LA DATE

1876. En France, Mac-Mahon fait régner l'« ordre moral » sur la jeune IIIᵉ République. Tandis que des troubles éclatent dans les Balkans, la Grande-Bretagne tente de mettre un frein à l'expansion russe en Afghanistan. Au terme d'une promenade militaire, le khanat de Kokand est annexé par les Russes : les troupes d'Alexandre II ont eu raison des Tartares. En fait, affaiblis sous l'hégémonie russe, les trois émirats d'Asie centrale sont bien incapables de mener une révolte telle que celle de Féofar Khan décrite par Verne dans un roman dont l'action se situe d'une façon assez floue « autour des années 1860 ».

La Russie est à l'honneur en littérature avec Tourgueniev (*Terre vierge*) et, dans une certaine mesure, Gobineau (*Les Nouvelles asiatiques*). Mais les trois œuvres marquantes de l'année sont, en France, *Jack* d'Alphonse Daudet et *L'Après-midi d'un faune* de Mallarmé, alors que Zola donne *Son Excellence Eugène Rougon* (Pocket Classiques, n° 6141).

Au moment où, dans le domaine des sciences, Pasteur est sur le point de trouver les microbes (1877), Graham Bell invente le téléphone. Dans le domaine des grands travaux, signalons le début d'une longue histoire qui verra sa fin ces dernières années : des travaux commencent pour construire un tunnel sous la Manche. Plus intéressant pour notre roman : la construction du premier chemin de fer chinois.

• LE TITRE

Jules Verne avait d'abord imaginé comme titre : « Le Courrier du czar », mais, après consultation, par éditeur interposé, du prince Orloff, ambassadeur de Russie à Paris, ce titre devint : *Michel Strogoff*, qui insiste davantage sur le héros lui-même que sur sa mission. Mais le sous-titre, *Moscou-Irkoutsk*, nous rappelle que l'aventure héroïque se fera sur une de ces lignes droites si chères au romancier, dans une orientation ouest-est.

• COMPOSITION

Point de vue de l'auteur

La Russie est menacée par une invasion tartare, toutes les communications sont coupées entre la capitale et la Sibérie où se trouve le frère du tsar. Michel Strogoff est chargé de lui porter un message. Voyageant incognito, il rencontre successivement Nadia Fédor qui veut retrouver son père, exilé en Sibérie, et deux journalistes, l'Anglais Harry Blount et le Français Alcide Jolivet. La mission de Michel Strogoff est contrecarrée par le traître Ivan Ogareff qui a rejoint les Tartares. Fait prisonnier, Strogoff est condamné à avoir les yeux aveuglés par la brûlure d'une lame ardente. Les larmes qu'il a versées en regardant sa mère lui ont permis d'échapper à la cécité mais il se fait passer pour aveugle et, grâce à Nadia, peut réussir sa mission.

C'est le romancier qui donne lui-même la clé de la structure du roman à la dernière phrase : « Ce n'est pas l'histoire de ses succès [de Michel Strogoff], c'est l'histoire de ses épreuves qui méritait d'être racontée » (p. 450).

Structure de l'œuvre

Le roman se présente comme une course d'obstacles. On distinguera donc :
– L'obstacle naturel : la nature russe en été (le roman commence le 15 juillet), puis en automne (il se finit le 7 octobre), n'est guère favorable à un Sibérien comme Strogoff dont la saison propice est l'hiver.
– Les Tartares, ennemis cruels et redoutables, qui se dressent devant le messager du tsar.
– Le traître Ogareff, autrement plus redoutable, qui s'acharne contre Strogoff.
– Un obstacle psychologique : l'attachement de Strogoff envers sa vieille mère d'abord, puis envers sa compagne Nadia. Du chapitre XIV de la Ire partie au chapitre V de la IIe partie, l'incertitude de leur sort, alors qu'il doit continuer à avancer,

constitue un frein contre lequel il doit constamment lutter. Véritable enrichissement psychologique qui donne plus de profondeur au personnage de Strogoff qu'à celui de Phileas Fogg dans *Le Tour du monde en quatre-vingts jours* (Pocket Classiques, n° 6027).

Les quatre types d'opposition vont donc se succéder puis se combiner durant toute la première partie jusqu'à la capture du héros. Cette progression culmine dans le supplice qui ouvre la voie à la deuxième partie. Débute alors la longue marche qui conduira à l'accomplissement de la mission. Bien entendu, on pourrait voir dans cette course une suite d'étapes initiatiques : quête, descente au Enfers, mort symbolique, remontée vers le jour et vers la lumière. La cécité étant alors un passage obligé vers une nouvelle, et plus vraie, clairvoyance.

II - LIRE

Pour approfondir votre lecture, LIRE vous propose une sélection commentée :
- *de morceaux « classiques » devenus incontournables, signalés par •◆ (droit au but).*
- *d'extraits représentatifs de l'œuvre, signalés par ᙣ (en flânant).*

•◆ 1 - *Le courrier du tsar* I, III en entier	pp. 35-44

Présentation de Michel Strogoff. On notera le caractère exceptionnel du héros que le lecteur découvre avant même qu'il ne soit présenté au souverain (voir sur ce point la préface, pp. III sq.).

On s'amusera à comparer ce texte avec le chapitre XIV, II, pp. 443-444 : Michel y rencontre le grand-duc.

•◆ 2 - *La rencontre* I, VI en entier	pp. 79-88

C'est dans ce chapitre que Michel va rencontrer Nadia. Rencontre qui va faire naître dans son esprit l'idée d'un subterfuge : la faire passer pour sa sœur. Cette ruse, dictée d'abord par la simple bonté d'âme pour la jeune fille, qui se trouve dans l'impossibilité de poursuivre sa route, est, en fait, un moyen pour Michel de ne pas attirer l'attention sur lui.

On comparera le chapitre avec la conclusion, page 402.

ᙣ 3 - *Premier combat* I, X en entier	pp. 124-137

C'est donc l'élément naturel (ici un orage) qui rapproche Michel et Nadia. On lira ce chapitre en parallèle avec le dernier (II, XIV).

Humiliation de Michel qui ne peut se battre mais qui prendra sa revanche dans une scène parallèle (II, XIV), où il se transformera en vengeur impitoyable face au traître.

Ces deux chapitres, dont on fera une étude parallèle, constituent, surtout le second, un des sommets du roman. On insistera notamment sur les rapports mère-fils et sur le supplice de Michel.

• LES THÈMES CLÉS

1. Fiction ou histoire ? Toute la problématique du roman historique est posée dans *Michel Strogoff*. On a, d'un côté, l'invention pure et simple d'une révolte qui n'a jamais existé, de l'autre une description minutieuse fondée sur des sources historiques et géographiques que le romancier prend bien soin de nous révéler (voir le dossier historique et littéraire).

2. Le réalisme de Jules Verne. Le romancier est partagé entre son souci de réalisme (voir le chapitre II et le dossier historique et littéraire) et son désir de ne pas choquer les autorités russes par des descriptions trop crues. Dans le même domaine, Alexandre Dumas, de retour d'un voyage qu'il accomplit en Russie, en 1858-1859, raconte, dans *Le Maître d'armes*, une conspiration contre les autorités russes et déplaît ainsi au tsar.

3. Le génie politique du romancier. Jules Verne a bien compris que les problèmes de la Russie résident – et le futur lui donnera raison – dans la fragilité du pouvoir central qui ne peut maintenir sans violence la domination imposée à d'immenses territoires.

   D'où une autre source de difficulté : l'impossibilité de fixer une identité russe.

4. L'imaginaire du roman. Entre l'Asie et l'Occident la Russie provoque dans l'inconscient collectif une avalanche de sen-

timents contradictoires : dureté de la nature (souvenir de la retraite de Russie de 1812), difficultés à saisir les méandres de « l'âme slave », piété profonde, voire mystique mais aussi déferlement des passions, de la violence, sinon de la barbarie. C'est l'autre face de la Russie, l'asiatique, qui provoque craintes et fantasmes (voir le dossier historique et littéraire, pp. 485-488 et 511-512).

À la fin du siècle, la guerre russo-japonaise et l'alliance franco-russe reporteront sur les seuls peuples asiatiques, chinois et japonais cette crainte fantasmatique, à la limite du racisme (voir les textes cités plus loin).

III - POURSUIVRE

● **LECTURES CROISÉES**

1. Une suite de *Michel Strogoff* ?

En 1892, Jules Verne écrit un petit roman, *Claudius Bombarnac*, qui se présente presque comme une suite de *Michel Strogoff*. Ayant pris place à bord du nouveau train qui relie la Géorgie à Pékin, le journaliste Claudius Bombarnac fait le récit d'un voyage animé et pittoresque avec attaque de bandits, passagers clandestins, personnages mystérieux, incidents de parcours. On en trouvera ci-dessous quelques extraits significatifs.

I

Claudius Bombarnac reporter XXe Siècle
Tiflis (Transcaucasie)

Telle est la suscription de la dépêche que je trouvai le 13 mai, en arrivant à Tiflis.

Voici le texte de cette dépêche :

« *Toute affaire cessante à la date du 15 courant Claudius Bombarnac se trouvera au port Ouzoun-Ada littoral est de Caspienne. Là prendra train direct Grand-Transasiatique entre frontière Europe et capitale Céleste-Empire. Devra transmettre impressions sous forme chroniques interviewer personnages marquants rencontrés sur parcours signaler moindres incidents par lettres ou télégrammes suivant nécessités de bon reportage.*

XXe Siècle *compte sur zèle intelligence activité adresse de son correspondant auquel il ouvre crédit illimité.* »

Or, c'était le matin même que je venais d'arriver à Tiflis, ayant l'intention d'y passer trois semaines, puis de visiter les provinces de la Géorgie pour le profit de mon journal, et, je l'espérais, pour celui de ses lecteurs.

Voilà les inattendus, les aléas de l'existence d'un reporter ambulant !

À cette époque, les railways russes étaient reliés à la ligne géorgienne de Poti-Tiflis-Bakou. Après un long et intéressant trajet à travers les provinces de la Russie méridionale, j'avais franchi le Caucase et je comptais bien me reposer dans la capitale de la Transcaucasie… Et voici que cette impérieuse administration du *XXᵉ Siècle* ne m'accordait qu'une demi-journée de halte dans cette ville ! À peine débarqué, j'allais être obligé de repartir sans avoir eu le temps de déboucler ma valise ! Que voulez-vous ? Il faut bien satisfaire aux exigences du reportage, aux nécessités si modernes de l'interview !

J'étais studieusement préparé, pourtant, largement approvisionné de documents géographiques et ethnologiques, relatifs à la région transcaucasienne. Donnez-vous donc la peine d'apprendre que le bonnet de fourrure en forme de turban, dont se coiffent les montagnards et les Cosaques, s'appelle « papakha », que la redingote froncée à la taille, où s'accrochent les cartouchières latérales, est nommée « tcherkeska » par les uns et « bechmet » par les autres ! Soyez donc en mesure d'affirmer que le Géorgien et l'Arménien se coiffent de la toque en pain de sucre, que les marchands revêtent la « touloupa », sorte de pelisse en peau de mouton, que le Kurde ou le Parsi portent encore la « bourka », manteau en tissu pelucheux, rendu imperméable par son apprêt !

Et la coiffure des belles Géorgiennes, le « tassakravi », composé d'un léger ruban, d'un voile lainé, d'une mousseline, qui encadre de si jolis visages, et leurs robes aux couleurs éclatantes, aux manches largement ouvertes, leurs vêtements de dessous noués à la taille, leur surtout d'hiver en velours garni de fourrure et d'orfèvrerie aux brandebourgs, leur mantille d'été en cotonnade blanche, le « tchadré », qu'elles serrent étroitement du coude, – toutes ces modes, enfin, si soigneusement notées sur mon carnet de reporter, qu'en dirai-je maintenant ?

Ayez donc appris que les orchestres nationaux se composent de « zournas », qui sont des flûtes aigres, de « salamouris », qui sont des clarinettes criardes, de mandolines à cordes de cuivre pincées avec une plume, de « tchianouris », violons dont on joue verticalement, de « dimplipitos », espèces de cymbales, qui crépitent comme la grêle sur les carreaux de vitre !

Ayez donc appris que le « schaska » est un sabre suspendu à une bandoulière agrémentée de clous et de broderies d'argent, que le « kindjall » ou « kandjiar » est un poignard passé à la ceinture, que l'armement des soldats du Caucase se complète d'un long fusil à canon de Damas, relevé de capucines en métal ciselé !

Ayez donc appris que le « tarantass » est une sorte de berline, reposant sur cinq pièces de bois assez élastiques, entre des roues largement espacées et de moyenne hauteur, que cette voiture est conduite par un « yemtchik », juché sur le siège de devant, tenant en guides trois chevaux, auquel se joint un second postillon, le « falêtre », lorsqu'il est nécessaire de prendre un quatrième cheval chez le « smatritel », qui est le maître de poste des routes caucasiennes !

Ayez donc appris que la verste vaut un kilomètre soixante-sept mètres, que les diverses populations nomades des gouvernements de la Transcaucasie se décomposent ainsi par familles : Kalmouks, descendants des Éleuthes, quinze mille ; Kirghizes, d'origine musulmane, huit mille ; Tartares de Koundrof, onze cents ; Tartares de Sartof, cent douze ; Nogaïs, huit mille cinq cents ; Turkomans, près de quatre mille !

Ainsi, après avoir si minutieusement « potassé » ma Géorgie, voici qu'un ukase m'oblige à l'abandonner ! Et je n'aurai pas même le temps de visiter le mont Ararat, à l'endroit où s'est arrêtée, au quarantième jour du déluge, l'arche de Noé, ce chaland primitif de l'illustre patriarche ! Et il faudra renoncer à publier mes impressions d'un voyage en Transcaucasie, perdre mille lignes de copie, à tout le moins, et pour lesquelles j'avais à ma disposition les trente-deux mille mots de notre langue, actuellement reconnus par l'Académie française !…

C'est dur, mais il n'y a pas à discuter.

Et tout d'abord, à quelle heure part le train de Tiflis pour la Caspienne ?

La gare de Tiflis est le point de jonction de trois lignes de chemins de fer : la ligne de l'ouest, qui se termine à Poti, sur la mer Noire, port où débarquent les passagers qui arrivent d'Europe ; la ligne de l'est, qui s'arrête à Bakou, où s'embarquent les passagers qui doivent traverser la Caspienne ; la ligne enfin que les Russes venaient de jeter sur une longueur de cent-soixante-quatre kilomètres, entre la Ciscaucasie et la Transcaucasie, de Vladikavkaz à Tiflis, en traversant le col d'Arkhot, à quatre mille cinq cents pieds d'altitude, et qui rattache la capitale géorgienne aux railways de la Russie méridionale.

[…]

[Bientôt, c'est l'arrivée en terre asiatique.]

V

Autrefois les voyageurs débarquaient à Mikhaïlov, petit port qui formait la tête de ligne du Transcaspien ; mais les navires d'un tonnage moyen y trouvaient à peine assez d'eau pour atterrir. C'est alors que le général Annenkof, le créateur du nouveau chemin de fer, l'ingénieur éminent dont le nom reviendra plus d'une fois sous ma plume, fut conduit à fonder Ouzoun-Ada, – ce qui abrège notablement la durée de la traversée de la Caspienne. L'inauguration de cette station, construite en trois mois, eut lieu le 8 mai 1886.

Par bonheur, j'avais lu les comptes rendus de M. l'ingénieur Boulangier, relatifs à l'œuvre prodigieuse du général Annenkof. Aussi ne serai-je pas trop dépaysé pendant le parcours du railway entre Ouzoun-Ada et Samarkande. D'ailleurs, je compte sur le major Noltitz, qui est au courant de ces travaux. J'ai le pressentiment que nous deviendrons bons amis, et, en dépit du proverbe qui dit : « Quand bien même ton ami serait de miel, ne le lèche pas ! » je me promets de lécher mon compagnon de voyage pour le profit de mes lecteurs.

On parle souvent de la rapidité extraordinaire avec laquelle les Américains ont jeté leur voie ferrée à travers les plaines du Far West. Mais, qu'on le sache, les Russes ne leur cèdent en rien de ce chef, si même ils ne les ont dépassés en célérité comme en hardiesse industrielle.

Personne n'ignore ce que fut cette aventureuse campagne du général Skobeleff contre les peuplades turkomènes, – campagne dont la création du chemin de fer transcaspien assura le succès définitif. Depuis lors, l'état politique de l'Asie centrale a été profondément modifié, et le Turkestan n'est plus qu'une province de la Russie asiatique, dont les frontières confinent à celles du Céleste Empire. Déjà même le Turkestan chinois subit très visiblement l'influence moscovite, que les vertigineuses hauteurs du plateau de Pamir n'ont pu arrêter dans sa marche civilisatrice.

Je vais donc me lancer à travers ces pays que Tamerlan et Genghiz Khan ravagèrent autrefois, ces contrées fabuleuses, dont les Russes, dès 1886, possédaient six cent quinze mille kilomètres carrés et treize cent mille habitants. La partie méridionale de cette région forme aujourd'hui la Transcaspienne, qui est divisée en six districts, Fort-Alexandrovski, Krasnovodsk, Askhabad, Karibent, Merv, Pendeh, commandés par des colonels ou des lieutenants-colonels moscovites.

On l'imagine aisément, il faut à peine une heure pour visiter Ouzoun-Ada, dont le nom signifie « Longue-Île ». C'est presque une ville, mais une ville moderne, tracée à l'équerre, tirée au cordeau, sur un large tapis de sable jaune. Aucun monument, aucun souvenir ; des appontements en planches, des maisons en bois, auxquels le confort commence à ajouter quelques habitations en pierre. On peut prévoir ce que sera dans cinquante ans cette première station du Transcaspien : une grande cité, après avoir été une grande gare.

[...]

Le train est déjà formé en gare. Il se compose de wagons de première et de seconde classe, d'un wagon-restaurant et de deux fourgons de bagages. Ces wagons sont peints en couleur claire, – excellente précaution contre la chaleur et contre le froid. Or, dans les provinces de l'Asie centrale, la température oscille entre cinquante degrés centigrades au-dessus de zéro et vingt au-dessous, – soit un écart de soixante-dix degrés, et il n'est que prudent d'en atténuer les effets.

Ces wagons, d'un usage très commode, sont réunis l'un à l'autre par des passerelles, suivant le système américain. Au lieu d'être chambré dans un compartiment, le voyageur peut circuler sur toute la longueur du train. Un couloir est ménagé entre les sièges capitonnés, et il aboutit aux plates-formes de l'avant et de l'arrière de chaque wagon, sur lesquelles sont jetées les passerelles. Cette facilité de communication, dont profitent les agents de la Compagnie, assure la sécurité du train.

Le nôtre comprend une locomotive, avec boggie porté sur quatre petites roues, ce qui lui permet de suivre des courbes plus resserrées, un tender avec réservoir d'eau et de combustible, un fourgon de tête, trois wagons de première à vingt-quatre places chacun, un wagon-restaurant avec office et cuisine, quatre wagons de seconde et un fourgon de queue, – en tout, douze voitures, en comptant la locomotive et son tender. Les wagons de première classe sont pourvus de cabinets de toilette, ménagés à l'arrière, et leurs sièges, par un mécanisme très simple, peuvent se transformer en lits de repos, – ce qui est indispensable pour de longs trajets. Les voyageurs de seconde classe, j'en conviens, ne sont pas si humainement traités, et, en outre, ils doivent emporter leur nourriture, à moins qu'ils ne préfèrent se ravitailler aux stations. Il en est peu, d'ailleurs, qui fassent le trajet complet entre la Caspienne et les provinces orientales de la Chine, c'est-à-dire six mille kilomètres environ. La plupart sont à destination des principales villes et bourgades du Turkestan russe, que le railway transcaspien dessert depuis quelques années jusqu'à la frontière du Céleste Empire, sur un parcours de deux mille deux cents kilomètres.

L'ouverture de cette ligne du Grand-Transasiatique ne remonte qu'à six semaines, et la Compagnie n'a encore mis en circulation que deux trains hebdomadaires. Tout a bien marché jusqu'à ce jour. J'ajouterai, il est vrai, ce détail significatif, c'est que les employés sont pourvus d'un certain nombre de revolvers, dont ils peuvent au besoin armer les voyageurs. Sage précaution surtout en ce qui concerne la traversée des déserts de la Chine, où, si certaines agressions venaient à se produire, il faut être en état de les repousser.

J'imagine, d'ailleurs, que la Compagnie a dû prendre toutes les mesures en son pouvoir pour garantir la régularité des trains. Mais ce sont des Célestes qui administrent la section chinoise, et qui sait ce qu'il y a dans le passé de ces administrateurs ? N'est-il pas à craindre qu'ils se soient plus préoccupés d'assurer leurs dividendes que la sécurité des voyageurs ?

En attendant le départ, je vais et viens sur le quai, examinant le train, regardant à travers les fenêtres des wagons qui n'ont point de portières latérales, puisque les plates-formes y donnent accès. Tout cela est neuf ; le cuivre et l'acier de la locomotive reluisent, les voitures sont éclatantes, leurs ressorts ne fléchissent pas sous la fatigue, leurs roues reposent d'aplomb sur les rails. Voilà donc le matériel roulant qui va traverser un continent tout entier. Aucune voie ferrée n'égale ce railway – même en Amérique : la ligne du Canada a cinq mille kilomètres ; la ligne Centrale-et-Union, cinq mille deux cent soixante ; la ligne de Santa Fe, quatre mille huit cent soixante-quinze ; la ligne Atlantique-Pacifique, cinq mille six cent trente ; la ligne du Nord-Pacifique, six mille deux cent cinquante. Un seul chemin de fer possédera un plus long développement, une fois achevé : ce sera le Grand-Transsibérien qui, de l'Oural à Vladivostok, comptera six mille cinq cents kilomètres.

Entre Tiflis et Pékin, notre voyage ne doit durer que treize jours, et onze seulement depuis Ouzoun-Ada. Le train ne s'arrêtera aux stations secondaires de la ligne que le temps de refaire son eau et son combustible. Toutefois, dans les principales villes, Merv, Boukhara, Samarkande, Tachkend, Kachgar, Kokhan, Sou-Tchéou, Lan-Tchéou, Taï-Youan, il séjournera plusieurs heures, – ce qui me permettra de voir ces cités à vol de reporter.

Il va de soi que le même mécanicien et les mêmes chauffeurs ne pourraient faire un service de onze jours. On les remplace donc, comme il convient, de six heures en six heures. Seulement, aux Russes qui vont fonctionner jusqu'à la frontière tur-kestane, succéderont des Chinois sur les locomotives du Céleste Empire.

[…]

[Suit un bref exposé sur la conquête du Turkistan.]

Dès 1854, les Russes avaient déjà imposé un traité d'alliance au khan de Khiva. Quelques années après, acharnés à poursuivre leur marche vers l'est, les campagnes de 1860 à 1864 leur valu-rent les khanats de Kokhan et de Boukhara. Deux ans plus tard, celui de Samarkande passait sous leur domination, après les batailles d'Irdjar et de Zera-Bulch.

Il restait à conquérir la partie méridionale du Turkestan, et principalement l'oasis d'Akhal-Tekké, qui confine à la Perse. Les généraux Sourakine et Lazareff l'essayèrent dans les expé-ditions de 1878 et 1879. Leur plan échoua, et ce fut au célèbre Skobeleff, le héros de Plewna, que le Czar confia la tâche de réduire ces vaillants tribus turkomènes.

Skobeleff débarqua au port de Mikhaïlov, – le port d'Ouzoun-Ada n'étant pas encore créé, – et c'est en vue de faciliter sa marche à travers le désert que son second, le général Annenkof, construisit le chemin de fer stratégique, qui atteignit en dix mois la station de Kizil-Arvat.

Voici comment les Russes procédèrent à l'établissement de cette voie avec une rapidité supérieure, ainsi que je l'ai dit, à celle des Américains dans le Far West. L'œuvre devait avoir une utilité industrielle et militaire tout à la fois.

Au préalable, le général Annenkof forma un train de pose, comprenant trente-quatre wagons, quatre à deux étages pour les officiers, vingt à deux étages pour les ouvriers et les soldats, un wagon-salle à manger, quatre wagons-cuisines, un wagon-ambulance, un wagon-télégraphe, un wagon-forges, un wagonvivres, un wagon-réserve. Ce furent ses ateliers roulants, et aussi sa caserne, où quinze cents ouvriers militaires et employés trouvèrent à se loger et à se nourrir. Ce train s'avançait au fur et à mesure du placement des rails. Les ouvriers étaient divisés en deux brigades ; elles travaillaient chacune six heures par jour, avec le concours des gens du pays, qui vivaient sous la tente, et dont le nombre monta à quinze mille. Un fil télégraphique reliait les travaux avec Mikhaïlov, d'où partaient sur un petit chemin de fer Decauville, les trains qui apportaient les rails et les traverses.

En ces conditions et grâce à l'horizontalité du sol, le résultat d'une journée se chiffrait par un avancement de huit kilomètres, alors qu'il n'avait été que de quatre dans les plaines des États-Unis. Quant à la main-d'œuvre, elle ne coûtait pas cher : quarante-cinq francs par mois aux ouvriers des oasis, cinquante centimes par jour à ceux qui venaient de la Boukharie.

C'est ainsi que les soldats de Skobeleff furent transportés à Kizil-Arvat, puis, cent cinquante kilomètres au-delà, jusqu'à Ghéok-Tepé. Cette ville ne se rendit qu'après la destruction de ses remparts et le massacre de douze mille de ses défenseurs ; mais l'oasis d'Akhal-Tekké était au pouvoir des Russes. Quant aux habitants de l'oasis de l'Atek, ils ne tardèrent pas à se soumettre, et d'autant plus volontiers qu'ils avaient imploré l'appui du Czar dans leur lutte avec Kouli Khan, le chef des Merviens. Ceux-ci, au nombre de deux cent cinquante mille, suivirent leur exemple, et la première locomotive stoppa dans la gare de Merv en juillet 1886.

[Arrivée à Boukhara, capitale du khanat de Boukharie.]

XI

Les khanats de Boukharie et de Samarkande formaient autrefois la Sogdiane, une satrapie persane, habitée par les Tadjiks, puis par les Ouzbeks qui envahirent le pays à la fin du XVe siècle. Mais il y a lieu de s'inquiéter d'un autre envahissement infiniment plus moderne ; c'est celui des sables depuis que les saksaouls, destinés à fixer la dune, ont presque entièrement péri.

Boukhara, c'était la capitale du khanat, la Rome de l'Islam, la Noble Cité, la Cité des Temples, le centre révéré de la religion mahométane. C'était la ville aux sept portes, qu'une vaste enceinte entourait au temps de sa splendeur, et dont le commerce avec la Chine a toujours été considérable. Elle possède actuellement quatre-vingt mille habitants.

Voilà ce que m'apprend le major Noltitz, en m'engageant à visiter cette métropole, où il a plusieurs fois séjourné. Il ne pourra m'accompagner, ayant quelques visites à faire. Nous devons repartir dès onze heures du matin. Cinq heures de halte seulement, et encore la ville est-elle assez éloignée de la station. Si l'une n'était pas reliée à l'autre par un chemin de fer Decauville – ce nom français a bonne tournure en pleine Sogdiane – le temps nous manquerait pour avoir même un léger aperçu de Boukhara.

[…]

En parcourant les rues poussiéreuses de la cité, je suis entré au hasard dans les édifices quelconques rencontrés sur ma route. Ici, c'est un bazar où l'on vend ces tissus de coton, à couleurs alternées, nommés « aladjas », des mouchoirs d'une légèreté arachnéenne, des cuirs travaillés à merveille, des soies dont le frou-frou s'appelle « tchakhtchukh », en langue boukhariote, – nom que Meilhac et Halévy ont sagement fait de ne pas donner à leur célèbre héroïne. Là, c'est un comptoir, où l'on peut se procurer seize espèces de thé, dont onze sont de la catégorie des thés verts, les seuls qui soient en usage à l'intérieur de la Chine et de l'Asie centrale, – entre autres le plus estimé, le « louka », dont il ne faut qu'une feuille pour parfumer toute une théière.

Plus loin, je déambule le long du quai des réservoirs de Divanbeghi, bordant un des côtés d'une place carrée, plantée d'ormes. Non loin s'élève l'Arche, qui est le palais fortifié de l'émir, dont une horloge moderne décore la porte. Arminius Vambéry a trouvé ce palais d'un aspect sinistre, et je suis de son avis, bien que les canons de bronze qui en défendent l'entrée semblent plus artistiques que méchants. N'oublions pas que les soldats boukhares, qui se promènent à travers les rues, culottes blanches, tunique noire, bonnet d'astrakan, grandes bottes, sont commandés par des officiers russes, dorés sur toutes les coutures.

Près du palais, à droite, se dresse la plus vaste mosquée de la ville, la mosquée de Mesdjidi-Kelan, qui fut bâtie par Abdullah Khan Sheibani. C'est un monde de coupoles, de clochetons, de minarets, dont les cigognes paraissent être des hôtes assidus, et de ces oiseaux-là, il y en a quelques milliers par la ville.

Allant toujours à l'aventure, j'arrive sur les bords du Zarafchane, au nord-est de la ville. Ses eaux fraîches et limpides

balaient les canaux une ou deux fois par quinzaine. Mesure de
salubrité. Et, précisément, l'hygiénique introduction vient d'être
faite. Hommes, femmes, enfants, chiens, bipèdes, quadrupèdes,
se baignent dans une promiscuité tumultueuse, dont je ne saurais ni donner l'idée ni conseiller l'exemple.

En suivant la direction du sud-ouest, vers le centre de la cité,
je croise au passage des groupes de derviches coiffés de bonnets
pointus, le grand bâton à la main, la chevelure en coup de vent,
s'arrêtant parfois pour prendre leur part d'une danse que n'auraient pas désavouée les fanatiques de l'Élysée-Montmartre,
pendant qu'un cantique, littéralement vociféré, rythme leurs
pas des plus caractéristiques.

[...]

[À Samarkande.]

XII

Samarkande est située au milieu de cette riche oasis qu'arrose
le Zarafchane, à travers la vallée de Sogd. Une petite brochure,
dont j'ai fait achat à la gare, m'apprend que cette grande cité
pourrait bien occuper un des quatre emplacements où les géo-
graphes « s'accordent » à placer le Paradis Terrestre. Je laisse
cette discussion aux exégètes de profession...

Incendiée par les armées de Cyrus, trois cent vingt-neuf ans
avant Jésus-Christ, Samarkande fut en partie détruite par Gen-
giz-Khan, vers 1219. Devenue la capitale de Tamerlan, cette
situation, dont elle pouvait certainement s'enorgueillir, ne l'em-
pêcha pas d'être ravagée par les nomades du XVIIIe siècle. On le
voit, c'est avec ces alternatives de grandeurs et de ruines qu'ont
débuté les villes importantes de l'Asie centrale.

Cinq heures d'arrêt à Samarkande, pendant le jour, voilà qui
me promet quelque agrément et quelques pages de copie. Mais
il n'y a pas de temps à perdre. Comme de juste, la ville est
double : l'une, qui a été bâtie par les Russes, toute moderne,
avec des parcs verdoyants, des avenues plantées de bouleaux,
des palais, des cottages ; l'autre, l'ancienne, riche encore des
magnifiques restes de sa splendeur, et qui exigerait plusieurs
semaines pour être consciencieusement étudiée.

Cette fois, je ne serai pas seul. Le major Noltitz est libre, il
m'accompagnera. Nous étions déjà hors de la gare, lorsque
M. et Mme Caterna se présentent.

« Vous allez courir la ville, monsieur Claudius ? me demande le trial, en arrondissant son geste de manière à figurer la vaste enceinte de Samarkande.

– C'est notre intention, monsieur Caterna.

– Si le major Noltitz et vous étiez assez aimables pour me permettre de me joindre...

– Comment donc !

– Avec Mme Caterna, car je ne fais rien sans elle...

– Notre exploration n'en sera que plus agréable », répond le major en s'inclinant devant l'aimable dugazon.

Et moi d'ajouter :

« Afin d'éviter la fatigue et de gagner du temps, mes chers compagnons, j'offre une arba.

– Une arba ? s'écrie M. Caterna en se déhanchant. Qu'est-ce que cela peut être, une arba ?

– Une voiture du pays.

– Va pour une arba ! »

Nous envahissons une de ces caisses roulantes, qui stationnaient devant la gare. Sous promesse d'un bon « silao » ou pourboire, le yemtchik ou cocher nous promet de donner des ailes à ses deux colombes, autrement dit ses deux petits chevaux, et nous sommes partis d'un bon train.

Nous laissons sur la gauche la ville russe, disposée en éventail, la maison du gouverneur, environnée de beaux jardins, le parc public, et ses allées enfouies sous de frais ombrages, puis l'habitation du chef de district, qui entame un peu l'emplacement de la vieille ville.

En passant, le major nous montre la forteresse que notre arba contourne. Là sont creusées les tombes des soldats russes, morts à l'attaque de 1868, dans le voisinage de l'ancien palais de l'émir de Boukhara.

De ce point, par une rue étroite mais rectiligne, notre arba arrive sur la place du Righistan, « qu'il ne faut pas confondre avec la place du même nom à Boukhara », fait observer naïvement ma brochure.

Beau quadrilatère, peut-être un peu gâté par ce fait que les Russes l'ont agrémenté de pavés et orné de candélabres, – ce qui plaira certainement à Fulk Ephrinell, s'il se décide à visiter Samarkande. Sur trois côtés de cette place se dressent les ruines bien conservées de trois médressés, où les « mollahs » donnent aux enfants une instruction très complète. Ces médressés, – on compte dix-sept de ces collèges à Samarkande et quatre-vingt-cinq mosquées, – ces médréssés s'appellent Tilla-Kari, Chir-Dar et Oulong-Beg. D'une façon générale, on peut dire qu'ils se ressemblent : portique au centre, conduisant aux cours intérieures, murs en briques émaillées, teintes de jaune pâle et de bleu tendre, arabesques dessinées en lignes d'or sur fond de bleu turquoise, la couleur dominante, minarets inclinés qui menacent de tomber et ne tombent jamais, heureusement pour leur revêtement d'émail, que l'intrépide voyageuse Mme de Ujfalvy-Bourdon déclare très supérieur à celui de nos plus beaux émaux craquelés. Et il ne s'agit pas là d'un vase à mettre sur une cheminée ou sur un socle, mais de minarets de belle hauteur.

Ces merveilles sont encore en l'état où les trouva Marco-Polo, le voyageur vénitien du XIIIe siècle.

« Eh bien, monsieur Bombarnac, demande le major, n'admirez-vous pas cette place du Righistan ?

– Elle est superbe ! dis-je.

– Oui, répond notre trial, et quel magnifique décor pour un ballet, Caroline ! Cette espèce de mosquée au côté jardin, et cette autre au côté cour…

– Tu as raison, Adolphe, dit la dugazon, mais peut-être faudrait-il redresser les tours pour la régularité, et planter au milieu des fontaines lumineuses…

– Excellente idée, Caroline ! voyons, faites-nous un drame, monsieur Claudius, un drame à grand spectacle avec un troisième acte dans ce décor… Quant au titre…

– *Tamerlan* est tout indiqué ! » ai-je répondu.

Le trial me semble faire une moue très significative. Le conquérant de l'Asie lui paraît manquer d'actualité. Il n'est pas assez fin de siècle.

Et, d'ailleurs, se penchant vers sa femme, M. Caterna s'empresse d'ajouter :

« Comme place, j'ai vu mieux que cela à la Porte-Saint-Martin dans le *Fils de la Nuit*…

– Et moi au Châtelet dans *Michel Strogoff* [1]. »

2. Le voyage en Russie

Voyageurs et romanciers ont chanté les paysages russes et l'immensité de la steppe. Parmi eux :

---

1. Sur cette représentation (1880) voir le dossier historique et littéraire, pp. 501-509.

• Alexandre Dumas, *Voyage en Russie*, 1865-1866, chap. LXV :

LES STEPPES ET LES LACS SALÉS

Nous allumâmes un grand feu de bruyères en face de la porte de notre tente, qui, étant tournée du côté opposé au vent, ne recevait du feu que la chaleur, la fumée étant emportée vers Astrakhan et s'allongeant dans l'air, aussi épaisse et aussi noire que celle d'un bateau à vapeur.

J'écrivis toute la soirée. Notre tente avait une table circulaire tenant au poteau du milieu. C'était la première fois, depuis mon départ de France, que les murailles d'une maison, les cloisons d'un chemin de fer ou les parois d'un bateau à vapeur ne pesaient pas sur moi. J'avais, d'ailleurs, toutes les peines du monde à me persuader à moi-même que j'étais entre l'Oural et le Volga, ayant les Tartares à ma gauche et les Kalmouks à ma droite, au milieu de ces populations mongoles qui vinrent d'Asie en Europe sur les pas du khan Tchengis et de Timour le Boiteux.

La ligne de Cosaques au milieu de laquelle nous avons campé, et qui contourne les lacs en exploitation, a pour but de les garantir des dépressions de ces braves Kirghizes, qui, voleurs dans l'âme, se glissent la nuit entre les postes, si rapprochés qu'ils soient, pour emporter leur charge de sel. Cette ligne de Cosaques passée à travers une vingtaine de petits lacs de même essence, sinon de même formation, va rejoindre la mer Caspienne, et se prolonge tout le long de la côte en une accolade dont Astrakhan forme le point de réunion, protégeant à la fois les salines et les pêcheries.

Au moment où j'allais me décider à me jeter sur ma touloupe, un Cosaque m'arriva avec un mot du général Beklemichef et un magnifique « papak » blanc. Le « papak » est un bonnet de peau de mouton d'Astrakan ayant la forme de celui de nos hussards, mais n'ayant pas la même raideur. Le papak était destiné à me tenir chaud à la tête pendant la nuit, et la lettre m'expliquait la destination du papak. Ce bonnet, magnifique du reste, avait attiré mon attention sur la tête du général, et deux ou trois fois, malgré moi, mes yeux s'étaient portés dessus. Le général, à la direction de mes yeux, avait deviné que j'ambitionnais une parure semblable à la sienne, et il me l'envoyait. Ne regardez jamais deux fois une chose qui appartienne à un Russe, ou, quel que soit le prix qu'il y attache, il vous la donnera.

Grâce à l'attention du général Beklemichef, je pus mettre en pratique, dès cette nuit-là, la première passée au bivac, un des préceptes d'hygiène des Orientaux, qui est de se tenir la tête chaude. Le second vint tout seul, grâce au vent coulis qui passait sous ma tente : c'est de se tenir les pieds froids. L'hygiène exige toute le contraire en Occident. Le lendemain, à neuf heures du matin, le général Beklemichef nous fit dire que le déjeuner nous attendait. Nous nous rendîmes aussitôt à l'invitation. En sortant de table, nous trouvâmes les chevaux scellés et bridés, notre tente chargée, notre escorte prête.

Nous mîmes trois heures à contourner une des rives du lac formant un immense hémicycle. Partout l'aspect en est le même, invariablement de la bruyère rougie en approchant de l'eau salée. On croirait qu'elle est en fleur ; point : c'est la plante elle-même qui change de couleur. Nulle part le plus petit monticule ne domine cette immense étendue d'eau, qui a trois lieues et demie de long et plus de deux lieues de large.

À dix ou douze verstes les uns des autres, nous trouvions de petits postes de Cosaques de trois hommes, avec une petite écurie pour trois chevaux. Ces postes, si minimes qu'ils soient, suffisent à la garde du lac. MM. les Kirghizes ne se permettent jamais l'attaque à main armée, comme font les Tcherkesses, les Tchetchens et les Lesghiens.

Nous nous arrêtâmes, vers deux heures de l'après-midi, au bord d'un second lac qui n'a pas de nom, quoiqu'il ait cinq lieues de tour. Il est situé à peu près à moitié chemin du lac Eltone au lac Bestouchef-Bogdo. Notre dîner y était préparé sous notre tente, qui nous avait précédés et qui s'ouvrait sur les rives du lac.

Rien ne peut donner une idée – je ne puis m'empêcher de revenir sur ce point – de la profonde mélancolie qu'inspirent ces immenses plaines unies comme la mer dans ses jours de calme, et qui ne donnent pas même aux voyageurs la distraction d'une tempête, à moins que ce ne soit celle des tempêtes de sable. Il est vrai que nous faisions connaissance avec la steppe dans son mauvais moment, quand elle était desséchée par les premiers vents d'hiver. Au printemps, lorsque toutes ces absinthes sont vertes, lorsque toutes ces camomilles sont jaunes, lorsque toutes ces bruyères sont roses, ce ne sont plus des steppes, ce sont des prairies.

Le dîner fini, nous avions encore trois heures de jour et, en pressant nos chevaux, nous pouvions aller coucher au village de Stafka-Karaïskaïa, petite bourgade d'une quarantaine de maisons ; si bien que, le lendemain au soir, nous pouvions être à Tzaritzine. La bourgade de Stafka-Karaïskaïa se compose, comme je viens de le dire, d'une quarantaine de maisons, dont six ou huit appartiennent à l'administration ou à des employés. Les autres appartiennent à des Arméniens et sont des hôtels garnis. C'est là que se tiennent tous les officiers russes commandant à cette ligne de Cosaques. J'eus donc, ce soir-là, une chambre garnie. La garniture de cette chambre se composait d'une chaise en paille, d'un canapé en bois, d'une table couverte d'une toile cirée, d'un portrait de l'empereur Alexandre II et de sa famille, faisant pendant à un portrait de Napoléon Ier, avec des épaulettes d'or en paillon. Notre souper avait été commandé par le général dans le restaurant de la localité. Ce restaurant possède un billard qui est porté en ligne de compte comme une des suprêmes distractions de Stafka-Karaïskaïa. Aussi est-il toujours retenu deux ou trois jours d'avance. Et, en effet, à quoi peuvent s'amuser une vingtaine d'officiers isolés au milieu des steppes, dans les plaines sans gibier, près d'un lac sans poissons ? Ils ont bien l'agrément de voir tirer le sel. Cela peut être curieux pendant les premières heures ; mais, au bout d'un mois, cela devient monotone. Jugez au bout d'un an !

Nous fîmes le tour du billard après souper, comme nous avions fait le tour du lac après déjeuner. L'hospitalité est si sainte en Russie, que l'on voulait nous céder le billard. On comprend que nous refusâmes. Ce qui perpétue les dévouements, c'est de ne pas en abuser.

Le lendemain, nous gravîmes la seule montagne qu'il y ait dans ces steppes ; c'est d'elle que le lac de Bestouchef tire son second nom de Bogdo, qui veut dire colline. Au sommet de cette colline et en se tournant vers l'est, on a la Volga derrière soi ; à gauche, le lac, que l'on découvre dans toute son étendue : en face de soi, un petit fortin cosaque ; de l'autre côté du lac et à droite, les prairies salées couvertes de moutons.

Le but de notre voyage était rempli ; nous avions fait trois cents verstes dans les steppes ; nous avions vu des kibitkas kirghizes ; nous avions visité les deux plus grands lacs salés de la Russie, et nous avions fait connaissance avec un des plus braves et des plus aimables officiers de l'armée russe. En outre, nous avions trouvé une tarantasse sur laquelle nous ne comptions pas.

• N. V. Gogol, *Tarass Boulba*, 1835, chap. II, trad. française de Jarl-Priel :

Depuis longtemps, le soleil s'était levé dans un ciel purifié et baignait la steppe d'une clarté chaude et vivifiante. Les voyageurs dirent adieu aux tristes pensées et à un reste de torpeur, et leur cœur sembla prendre son vol, comme un oiseau.

Plus on marchait, plus la steppe devenait belle. En ces temps-là, tout le Sud, l'espace qui forme actuellement la Nouvelle Russie jusqu'à la mer Noire, était une solitude vierge noyée dans la verdure. Jamais charrue n'avait fendu les vagues infinies des plantes sauvages, et seuls les chevaux, qui s'y dissimulaient comme dans des forêts, y laissaient la marque de leurs foulées. La nature ne peut offrir plus riant spectacle. Toute la surface de la terre paraissait un océan de verdure et d'or, qu'avivaient des millions de corolles. Sur le fond des herbes minces, éclataient les bleuets, qui passaient par toutes les nuances du bleu et du violet ; les genêts allongeaient leur pyramide de fleurs dorées ; les parasols du trèfle blanc égayaient le gazon, et des épis venus Dieu sait d'où mûrissaient dans le lacis d'herbes folles. Les perdrix se faufilaient sous les tigelles, en tendant le cou ; l'air n'était que ramages et gazouillis. Immobiles au ciel, des éperviers planaient, les ailes grandes ouvertes, et dardant sur la steppe des yeux perçants. De très loin, venait le cri d'un vol de canards sauvages cinglant vers quelque lac. S'élevant d'un effort régulier, la mouette prenait son essor pour se baigner avec volupté dans l'azur, où elle se noyait jusqu'à devenir un point noir, et soudain, virant sur l'aile, elle surgissait, toute en or, dans le soleil. Ô steppes, de par tous les diables, que vous étiez belles !...

Les voyageurs ne faisaient que de courtes haltes pour le dîner. Mettant pied à terre, les dix hommes de l'escorte détachaient de la selle les barils d'eau-de-vie et les calebasses qui servaient de gobelets. La seule nourriture était du pain et du lard, ou des galettes, que l'on arrosait d'un trait d'eau-de-vie, uniquement pour reprendre des forces, car Tarass ne permettait jamais de s'enivrer durant la route. Puis l'on se remettait en chemin jusqu'à la chute du jour.

Vers le soir, la steppe se transformait. Les derniers reflets du soleil embrasaient cette immensité bariolée qui ne tournait que peu à peu au vert sombre, de sorte que l'on pouvait suivre de l'œil les progrès de l'obscurité. Les émanations devenaient plus denses ; chaque fleur, chaque brin d'herbe exhalait son ambre, et tout l'espace n'était plus que parfums. Des bandes d'un rose doré, très larges, comme étalées par le pinceau d'un géant, barraient le firmament dont l'azur se fonçait. Parfois, des nuages ténus et transparents pâlissaient, semblables à des flocons, et la brise plus enchanteresse que les vagues de l'océan folâtrait à la cime des herbes et frôlait la joue du voyageur. Les rumeurs du jour se taisaient pour céder la place à d'autres sons. Les gerboises à robe tachetée rampaient hors de leurs trous, et, dressées sur leurs pattes de derrière, faisaient retentir la steppe de leurs sifflements. Le crissement des grillons augmentait de force. Soudain, de quelque lac perdu dans le lointain, s'élevait le cri d'un cygne, qui résonnait comme un timbre d'argent dans l'air vespéral. Faisant halte dans les champs, les voyageurs choisissaient l'emplacement pour le bivouac. Ils allumaient sous la marmite de gruau un feu dont la fumée montait et se couchait au souffle du vent. Laissant vaguer les chevaux entravés, les hommes étendaient leurs manteaux pour se coucher sous le regard des étoiles. Leur ouïe pouvait alors distinguer les rumeurs innombrables des insectes qui pullulaient dans le gazon, et dont le vrombissement, le stridulement et le grincement éclataient comme pour bercer leur sommeil. Et si quelque Cosaque se redressait, la steppe apparaissait à ses yeux toute scintillante de vers luisants. Parfois, l'incendie des roseaux secs au bord des étangs ou des rivières empourprait de place en place les ténèbres, et des cygnes, voguant en longues files vers le nord, se teintaient soudain de reflets roses et argentés qui les rendaient pareils à des mouchoirs rouges flottant au ciel de nuit.

• Vladimir Arseniev, *Dersou Ouzala*, 1923, Pocket n° 4323, trad. française de Pierre P. Wolkonsky :

PREMIÈRE PARTIE

1

LA VALLÉE DE VERRE

Au cours de l'année 1902, lors d'une mission que j'accomplissais à la tête d'une équipe de chasseurs, je remontais la rivière Tzimou-khé qui se jette dans la baie de l'Oussouri, près du village de Chkotovo. Mon convoi se composait de six tireurs sibériens et comportait quatre chevaux chargés de bagages.

L'objet de cette mission était l'étude pour les services de l'armée de la région de Chkotovo et l'exploration des cols du massif montagneux du Da-dian-chan où prennent leurs sources quatre fleuves : le Tzimou, le Maï-khé, la Daoubi-khé et le Léfou. Je devais ensuite relever toutes les pistes avoisinant le lac de Hanka et le chemin de fer de l'Oussouri.

La chaîne de montagnes dont il est question ici commence près de l'Iman et descend vers le sud, parallèlement au fleuve Oussouri, se dirigeant du nord-nord-est vers le sud-sud-ouest, de telle façon qu'elle a à l'ouest le fleuve Soungari et le lac de Hanka, et, à l'est, la rivière Daoubi-khé. Puis elle se sépare en deux parties. L'une de celles-ci s'étend vers le sud-ouest et forme la chaîne de montagne ayant nom La Riche Crinière (Bogataïa Griva) qui s'étire tout le long de la péninsule Mouraviev-Amourski, tandis que l'autre se dirige vers le sud et se fond avec la haute chaîne formant la séparation entre les rivières Daoubi-khé et Soutchan.

La partie nord de la baie de l'Oussouri s'appelle la crique de Maïtoun. Jadis, cette crique entrait bien plus profondément dans le continent. Cela saute aux yeux à première vue. Les falaises sont maintenant reculées de quelque cinq kilomètres de la côte. Jadis, l'embouchure de la Tanegoöuze se trouvait à l'emplacement actuel des lacs Sane et El-Poöuza, tandis que l'embouchure du Maï-khé était un peu plus haut que l'endroit où, de nos jours, cette rivière est coupée par la voie ferrée. Tout cet espace d'une superficie de vingt-deux kilomètres carrés représente une plaine marécageuse remplie par les alluvions du Maï-khé et de la Tanegoöuze. Parmi les marais, il reste encore quelques petits lacs ; ils marquent les endroits qui étaient anciennement les plus profonds. Ce lent processus du retrait de la mer et de la croissance de la terre ferme se poursuit encore. Pareil sort attend aussi la crique de Maïtoun. Déjà maintenant elle est très peu profonde. Ses côtes ouest sont formées de porphyres, ses côtes est sont des terrains tertiaires ; dans la vallée du Maï-khé abondent les granits et les siennites, tandis qu'à l'est de cette rivière dominent les formations basaltiques.

Le village de Chkotovo se trouve sur la rive droite du Tzimou-khé, près de son embouchure. Construit en 1864, il fut brûlé par des houndhouzes en 1868 et rebâti en 1869. Prjevalski n'y trouva, en 1870, que six maisons avec trente-quatre habitants. Lors de ma venue, c'était déjà un village d'une certaine importance.

Nous y passâmes deux jours, parcourant les environs et nous préparant à notre lointain voyage.

La rivière Tzimou-khé, longue de trente kilomètres, coule dans une direction est-ouest et n'a sur sa rive droite qu'un seul affluent, la Béïtza. La vallée qu'elle parcourt est appelée, par les habitants du pays, la Vallée de Verre. Ce nom lui vient d'une fanza chinoise de trappeurs dans la fenêtre de laquelle on avait fixé au milieu un petit carreau de verre. À l'époque, la région de l'Oussouri ne possédait aucune fabrique de verre et celui-ci, auprès de ces populations reculées, en acquérait par là une très grande valeur. Au fond des montagnes et des forêts, le verre formait monnaie d'échange. On pouvait troquer une bouteille vide contre de la farine ou du sel.

Les anciens racontent qu'en cas de disputes, les adversaires essayaient de pénétrer dans la maison l'un de l'autre pour briser la verrerie. Il n'y a pas lieu de s'étonner dans ces conditions qu'un morceau de verre dans la fenêtre d'une fanza chinoise ait été considéré comme un grand luxe. Les premiers colons en demeurèrent tellement frappés, qu'en outre de la fanza chinoise et de la rivière, ils appelèrent toute la région la Vallée de Verre.

De Chkotovo, en remontant la vallée du Tzimou-khé, on suit d'abord une petite route qui, après le village de Novorossisk, se transforme en sentier. Celui-ci conduit au Soutchan et à la rivière Kangoouzon, dans la direction du village de Novonéjine. La route traverse la rivière à plusieurs reprises, ce qui fait que dans les moments de crue les communications se trouvent interrompues.

Partis de bonne heure de Chkotovo, nous atteignîmes le jour même la Vallée de Verre et nous nous y engageâmes. La Béïtza coule vers l'ouest-sud-ouest, presque en ligne droite, puis s'infléchit vers l'ouest, mais seulement à proximité de son embouchure. La largeur de la Vallée de Verre varie selon les endroits. Tantôt elle diminue pour se réduire à cent mètres, tantôt, au contraire, elle dépasse un kilomètre. Comme la plupart de celles de la région de l'Oussouri, cette vallée est uniformément plate. Les montagnes qui l'encadrent, recouvertes de maigres chênaies, ont des pentes très abruptes. Le passage de la plaine à la montagne est extrêmement brusque, ce qui témoigne d'importants phénomènes d'érosion. Dans les temps anciens, cette vallée était beaucoup plus profonde ; elle ne se combla que plus tard par les alluvions de la rivière.

À mesure que nous avancions dans la montagne, la végétation devenait riche. Les maigres chênaies firent place à des bois épais d'essences variées où on remarquait de nombreux cèdres. Un petit sentier, formé par des chasseurs chinois et des chercheurs de ginseng, nous servait de fil conducteur. Deux jours après, nous arrivâmes à l'endroit où se trouvait jadis la fameuse fanza de verre, mais il n'en restait que des ruines. Chaque jour, le sentier devenait de plus en plus difficile. Visiblement, aucun pied humain ne s'y était posé depuis longtemps. Il était envahi par les grandes herbes et encombré de bois mort. Peu après, nous le perdîmes tout à fait. Nous rencontrions des pistes d'animaux, nous les suivions tant qu'elles nous menaient dans notre direction.

[…]

[Le narrateur rencontre un chasseur qui lui sert de guide : Dersou Ouzala.]

5

NOTRE NAVIGATION LE LONG DU LÉFOU

Dersou nous réveilla quand il fit jour. Il fit chauffer le thé et rôtir de la viande. Après le déjeuner, nous lançâmes le bateau à l'eau et commençâmes notre périple.

À l'aide des perches, l'embarcation suivit facilement le courant. Au bout de cinq kilomètres, nous arrivâmes à un pont ferroviaire où nous fîmes un arrêt. Dersou nous raconta qu'il avait accompagné son père dans cette région lorsqu'il n'était encore qu'un gamin. Ils y venaient chasser le daim. Mais jamais le Gold n'avait vu un chemin de fer, bien qu'il en eût entendu parler par les Chinois.

Près du pont s'élevaient les derniers contreforts des montagnes. Je quittai le bateau pour monter sur la hauteur la plus proche et faire un dernier tour d'horizon. Un beau panorama se développa devant mes yeux. En arrière, vers l'est, se massaient des montagnes ; au sud, se déployaient des pentes douces, revêtues de forêts clairsemées et dépourvues de conifères ; au nord, s'étendait à perte de vue un terrain bas, infini et couvert d'herbe. J'avais beau forcer la vue, je n'en voyais pas la limite. Il s'en allait disparaître au-delà de l'horizon. Chaque fois qu'un coup de vent balayait cette plaine, l'herbe ondulait et s'agitait comme une mer. On pouvait suivre de l'œil sur une grande distance le cours du Léfou d'après les bosquets d'aunes et de saules, poussant en abondance sur ses bords.

Ce repos ne fut pas long ; nous nous remîmes en route et fîmes la grande halte d'assez bonne heure. Chacun en avait assez de rester assis pendant des heures dans le bateau ; nous voulions tous en sortir pour détendre nos muscles engourdis. J'avais envie de battre la campagne. Olynetiev et Martchenko se mirent à installer un campement, tandis que Dersou et moi allions chasser.

Dès notre départ, nous fûmes entourés de hautes herbes sauvages. Elles étaient si grandes et si épaisses qu'un homme semblait s'y noyer. Au-dessous comme au-dessus de nous et de tous les côtés à la fois, il n'y eut bientôt plus que de l'herbe ; ce n'est que juste sur notre tête que l'on apercevait le ciel bleu. Il nous semblait que nous marchions au fond d'une mer verte. Cette impression ne faisait que s'accentuer quand je grimpais sur quelque motte d'où je pouvais voir les remous de la steppe. Avec une appréhension prudente, je replongeais dans l'herbe pour continuer le chemin. Dans cette région, on s'égare aussi facilement que dans une forêt. Plus d'une fois, nous perdîmes la direction et dûmes nous empresser de réparer notre faute. Aussitôt que je trouvais une motte, je montais dessus, essayant de voir ce qu'il y avait par-devant. Dersou saisissait des brassées d'herbes sauvages pour les plier à terre et me permettre de regarder devant moi, mais je ne voyais toujours que cette mer verte, infinie et ondulante.

Ces steppes marécageuses sont principalement peuplées d'oiseaux. Par surcroît, c'était le moment de leur migration d'automne. On ne peut s'imaginer ce qui se passe dans le bassin du Léfou lors de cette grande migration. Des millions et des millions d'oiseaux s'en vont vers le Midi, en grandes ou petites troupes. Certains se dirigeaient cependant en sens inverse ou encore en biais. Tantôt leurs volées s'élançaient vers le ciel, tantôt elles redescendaient. L'horizon semblait couvert d'une sorte de toile d'araignée.

Tout en haut, dominaient les aigles. Les ailes étendues, ils planaient en décrivant de larges cercles. Que leur importent les distances ? Certains de ces rois de l'air exécutaient leurs rondes à une telle hauteur qu'ils étaient à peine perceptibles. Au-dessous d'eux, mais toujours très haut, on voyait voler les oies. Ces oiseaux prudents, qui avançaient en triangles réguliers, à mouvements d'ailes lourds et peu coordonnés, faisaient retentir l'air de leurs cris stridents. À la même hauteur volaient des tadornes et des cygnes.

Plus bas, assez rapprochés de la terre, venaient les canards empressés. Il y avait là des troupes de gros canards sauvages ordinaires, ainsi que d'innombrables sarcelles et d'autres espèces plus menues. Les faucons décrivaient à leur tour de belles courbes et s'arrêtaient longtemps à un point fixe, faisant palpiter leurs ailes et épiant leur proie sur la terre. Quelquefois, ils se déplaçaient un peu, tournoyaient de nouveau et descendaient tout à coup en flèche, les ailes ployées, pour venir à peine frôler l'herbe et se relancer aussitôt vers le ciel.

3. Une autre révolte contre le pouvoir central

Dans *La Fille du capitaine* de Pouchkine (1836, Pocket, n° 2681, trad. française d'André Markowicz), le romancier raconte la révolte, sous le règne de Catherine II, des Cosaques conduits par Iémelian Pougatchev. Le héros, Piotr Andréïtch Griniov, se trouve pris entre son attachement pour l'impératrice et l'étrange affection que lui porte le rebelle. On lira dans les pages suivantes la genèse de la révolte :

Avant d'aborder la description des étranges événements dont je fus témoin, il me faut dire quelques mots de la situation du gouvernement d'Orenbourg à la fin de l'année 1773.

Ce riche et vaste gouvernement était habité par une multitude de peuples à demi sauvages qui n'avaient reconnu que très récemment l'autorité des souverains russes. Leurs révoltes incessantes, leur inaccoutumance aux lois et à la vie civile, leur frivolité et leur cruauté exigeaient de l'État une surveillance inlassable afin de les maintenir dans la soumission. Des forts furent érigés aux endroits jugés favorables ; on les peupla dans leur plus grande partie de Cosaques, possesseurs de longue date des rives du Yaïk. Mais ces Cosaques du Yaïk qui avaient la charge d'assurer la paix et la sécurité de la contrée se montraient eux-mêmes depuis un certain temps des sujets turbulents et dangereux pour l'État. En 1772, une révolte se produisit dans leur petite capitale. Les causes en étaient les mesures sévères prises par le général-major Traubenberg pour ramener la troupe à la discipline requise. Tout cela eut pour conséquence le sauvage assassinat de Traubenberg, l'élection arbitraire de nouveaux chefs, enfin, l'apaisement de la révolte par la mitraille et de cruels châtiments.

Ces événements eurent lieu quelque temps avant mon arrivée au fort de Bélogorskoié. Tout était calme, ou tout semblait tel ; le commandement avait cru trop facilement au prétendu repentir des perfides mutins qui couvaient leur colère en secret et n'attendaient que l'occasion favorable pour susciter de nouveaux désordres.

J'en viens à mon récit.

Un soir (au début du mois d'octobre 1773), j'étais tout seul à la maison, à écouter les hurlements du vent d'automne et regarder dans la fenêtre les nuages qui couraient devant la lune. On vint m'appeler de la part du commandant. Je m'y rendis tout de suite. Chez le commandant, je retrouvai Chvabrine, Ivan Ignatytch et le sous-officier des Cosaques. Je ne vis dans la pièce ni Vassilissa Iégorovna ni Maria Ivanovna. Le commandant me salua d'un air soucieux. Il ferma les portes, nous fit tous asseoir, sauf le sous-officier qui restait debout devant les portes, sortit un papier de sa poche et nous dit : « Messieurs les officiers, une nouvelle importante. Écoutez ce qu'écrit le général. » Ici, il chaussa ses lunettes et nous lut ce qui suit :

> « À monsieur le commandant
> du fort de Bélogorskoié,
> le capitaine Mironov.
> Secret.

Par la présente, je vous informe que le Cosaque du Don et schismatique Émélian Pougatchov, évadé de prison, ayant fait preuve de l'impardonnable audace de s'attribuer le nom du défunt empereur Pierre III, a rassemblé une bande de malfaiteurs, suscité des troubles dans les villages du Yaïk, et s'est déjà emparé de quelques forts qu'il a détruits, perpétrant partout pillages et massacres homicides. En conséquence, dès réception de la présente, il vous appartient, Monsieur le capitaine, de prendre sans délai les mesures qui s'imposent afin de repousser ledit malfaiteur et usurpateur et, dans la mesure du possible, d'œuvrer à son anéantissement complet, s'il marche sur le fort confié à votre garde. »

« Prendre les mesures qui s'imposent ! dit le commandant en ôtant ses lunettes et repliant le papier. Tu parles, facile à dire.

Faut croire qu'il est pas faible, le bandit ; et nous, tout ce qu'on a, c'est cent trente hommes, sans compter les Cosaques, à qui on peut pas se fier, soit dit sans reproche, Maximytch. (Le sous-officier eut un sourire). Pourtant, il n'y a rien à faire, messieurs les officiers ! Soyez vigilants, postez des sentinelles, établissez des tours de garde pour la nuit ; en cas d'attaque, fermez les portes et faites sortir les soldats. Toi, Maximytch, ouvre l'œil sur tes Cosaques. Vérifiez le canon et nettoyez-le un bon coup. Et surtout, gardez le secret sur tout cela, que personne dans le fort ne puisse l'apprendre prématurément. »

Ces ordres donnés, Ivan Kouzmitch nous permit de disposer. Je sortis avec Chvabrine en méditant sur ce que nous venions d'entendre. « Qu'est-ce que tu crois ? Comment ça va se terminer ? lui demandai-je. – Qui peut savoir, répondit-il, on verra bien. Pour l'instant, je ne vois encore rien de grave. Et si… » À ces mots, il resta songeur et, dans sa distraction, se mit à siffloter un air français.

En dépit de toutes nos précautions, la nouvelle de l'apparition de Pougatchov se répandit dans le fort. […]

[Le fort est attaqué.]

Nous nous rendîmes au rempart, une élévation naturelle du terrain, renforcée par une palissade. Les habitants du fort s'y pressaient déjà. La garnison était en armes. Le canon y avait déjà été transporté la veille. Le commandant marchait de long en large devant sa petite troupe. La proximité du danger enflammait le vieux guerrier d'une vivacité extraordinaire. Dans la steppe, à assez courte distance du fort, on voyait tournoyer une vingtaine de cavaliers. C'étaient des Cosaques, semblait-il, quoiqu'on trouvât parmi eux des Bachkirs, facilement reconnaissables à leurs bonnets de lynx et leurs carquois. Le commandant fit le tour de sa troupe et dit aux soldats : « Bon, les enfants, aujourd'hui, on va défendre notre mère la souveraine, on va prouver au monde entier qu'on est des hommes, des braves, des fidèles ! » Les soldats exprimèrent leur accord d'une voix ferme. Chvabrine était à côté de moi, fixant l'ennemi avec toute son attention. Les cavaliers, ayant remarqué le mouvement dans le fort, se réunirent en petit groupe et se mirent à parler entre eux. Le commandant donna l'ordre à Ivan Ignatytch de pointer le canon sur eux et plaça lui-même la mèche. Le boulet bourdonna et leur passa au-dessus, sans leur faire aucun mal. Ils se dispersèrent et disparurent immédiatement ; la steppe redevint déserte.

À ce moment, Vassilissa Iégorovna se présenta aux remparts, accompagnée par Maria Ivanovna qui n'avait pas voulu la quitter. « Alors ? dit la commandante. Comment va l'affaire ? Mais où est l'ennemi ? – L'ennemi n'est pas loin, répondit Ivan Kouzmitch. Dieu aidant, ça ira bien. Alors, Macha, tu as peur ? – Non, papa, répondit Maria Ivanovna ; j'ai plus peur à la maison toute seule. » Ici, elle me regarda et me sourit avec effort. Je serrai malgré moi le pommeau de mon épée, me souvenant que c'est d'elle que je l'avais reçue la veille, comme pour la défense de ma bien-aimée. Mon cœur brûlait. Je me voyais déjà son chevalier servant. J'avais soif de montrer que j'étais digne de sa confiance, j'attendais avec impatience la minute décisive.

Au même moment, sur une hauteur qui se trouvait à une demi-verste du fort, apparurent de nouvelles foules de cavaliers, et la steppe fut bientôt comme semée d'une multitude de gens armés de flèches et de lances. Au milieu d'eux, sur un cheval blanc, un homme s'avançait, vêtu d'un caftan rouge, une épée nue à la main : c'était Pougatchov en personne. […]

[Le fort tomba aux mains des rebelles.]

Pougatchov trônait dans un fauteuil sur le perron de la maison du commandant. Il portait un caftan rouge de Cosaque, bordé de galons. Un haut bonnet de zibeline à glands d'or était enfoncé sur ses yeux étincelants. Son visage me sembla connu. Les chefs cosaques l'entouraient. Le père Guérassime, pâle et tremblant, se tenait devant le perron, le crucifix dans les mains ; il semblait le supplier silencieusement pour ses victimes prochaines. Sur la place, on dressait à la hâte une potence. Quand nous approchâmes, les Bachkirs dispersèrent le peuple et nous présentèrent à Pougatchov. Les cloches se turent. Il se fit un profond silence. « Qui c'est, le commandant ? » demanda l'usurpateur. Notre sous-officier des cosaques sortit de la foule et désigna Ivan Kouzmitch. Pougatchov lui lança un regard terrible et lui dit : « Comment as-tu osé me résister, à moi, ton souverain ? » Le commandant, épuisé par sa blessure, rassembla ses dernières forces et répondit d'une voix ferme : « T'es pas mon souverain, t'es un voleur et un usurpateur, t'entends ? » Pougatchov se rembrunit et agita un mouchoir blanc. Quelques

Cosaques se saisirent du vieux capitaine et le traînèrent jusqu'à la potence. À califourchon sur la traverse, je vis le Bachkir mutilé que nous avions interrogé la veille. Il serrait la corde dans sa main, et, une minute plus tard, le pauvre Ivan Kouzmitch était pendu en l'air. Alors, on amena à Pougatchov Ivan Ignatytch. « Prête serment, lui dit Pougatchov, à ton souverain Pierre le Troisième ! – T'es pas notre souverain, répondit Ivan Ignatytch, répétant les paroles de son capitaine. T'es un voleur et un usurpateur, mon vieux ! » Pougatchov agita de nouveau son mouchoir blanc et le bon lieutenant se retrouva pendu auprès de son vieux chef.

C'était mon tour. Je dévisageais Pougatchov avec courage, prêt à répéter la magnanime réponse de mes camarades. Alors, à mon indicible stupéfaction, parmi les chefs des mutins, je découvris Chvabrine, les cheveux coupés rond et vêtu d'un caftan cosaque. Il s'approcha de Pougatchov et lui dit quelques mots à l'oreille. « Pendez-le ! » dit Pougatchov sans même lever les yeux sur moi. On me passa le nœud coulant. Je commençai mes prières, offrant à Dieu ma sincère repentance pour les péchés que j'avais commis, et priant pour le salut de tous ceux dont mon cœur était proche. On me traîna jusqu'à la potence. « Aie pas peur, aie pas peur », me répétaient mes assassins, voulant peut-être vraiment me donner du courage. Soudain, j'entendis un cri : « Attendez, bandes de damnés, attendez !… » Les bourreaux s'arrêtèrent. Que vois-je ? Savéliitch se prosternait aux pieds de Pougatchov. « Mon père ! disait le pauvre serviteur. Qu'est-ce qu'elle peut te donner, la mort d'un petit noble ? Laisse-le partir ; on te paiera une rançon pour lui ; et pour l'exemple, et pour la peur, fais-moi plutôt pendre moi-même, car moi, je suis vieux ! » Pougatchov fit un signe, on me libéra immédiatement. […]

5. Une guerre du futur

Le capitaine Danrit (nom de plume du commandant Driant) a écrit au début du XXe siècle des romans d'anticipation qui tournent autour de la guerre. Dans *L'Invasion jaune* (1905), le romancier imagine que l'Occident est envahi par une coalition sino-japonaise. Dans le tome III, *À travers l'Europe*, il fait le sanglant récit de la défaite russe devant les hordes jaunes :

La fatalité, d'ailleurs, se joua en cette journée des précautions des Russes ; plus de vingt ballons de campagne dominant de

500 à 600 mètres l'ensemble du champ de bataille, eussent dû éventer de loin ces énormes mouvements et suppléer à l'absence presque complète des reconnaissances que Grivisky n'avait osé jeter au-delà du fleuve ; un épais brouillard couvrit, ce jour-là, tout le champ de bataille ; il montait des inondations qui, peu à peu filtraient sur la rive gauche et qui, survenant huit jours plus tôt, eussent rendu inabordable le terrain par où la masse principale des Jaunes abordait le fleuve.

Et ce fut d'ailleurs un spectacle tel que l'histoire n'en avait jamais enregistré que la marche de ces centaines de mille hommes dans ces terrains détrempés, dans ces marécages du Sok, affluent de gauche de la Volga, à travers ces immenses champs de roseaux ; des cavaliers précédaient les colonnes, sondant de leurs longues lances, et les fantassins suivaient ne s'occupant que de préserver leurs fusils. En certains points, les bataillons avaient de l'eau jusqu'au cou, des grappes d'hommes disparaissaient soudain dans des trous insoupçonnés, les autres allaient toujours, élevant leurs fusils au-dessus de leurs têtes et ne laissant paraître au-dessus du marais que leurs faces d'ocre aux traits impassibles, où brillaient de petits yeux habitués à regarder la mort en face.

En vérité, il valait mieux que le brouillard cachât aux Russes ce formidable mouvement d'ennemis, semblables aux légions de noirs batraciens qui couvrent certains marécages de l'Oré-noque, car bien des courages eussent été ébranlés derrière les parapets de la rive droite en voyant grossir et s'approcher dans leur silencieuse implacabilité ces Jaunes, que rien ne semblait pouvoir arrêter.

Quelques chaussées, quelques mamelons formaient îlots au milieu de l'immense plaine : l'artillerie s'y installa sans tirer. Les cinq corps d'armée de Hô passèrent la nuit dans l'eau : aucun feu ne fut allumé, et la marche, reprise quelques heures avant le lever du jour, amena les colonnes du Ti-taï à huit kilomètres du fleuve, derrière un léger renflement du sol qui émergeait des marécages.

Quelques bataillons russes, sortis de Samara à la pointe du jour, tombèrent dans un essaim de Japonais d'avant-garde : ils furent refoulés, mais ne purent donner de renseignements sur la surprise qui se préparait, car les Japonais avaient, par ordre, cessé la poursuite.

L'état-major de Grivisky en conclut qu'on n'avait eu affaire de ce côté qu'à un détachement de flanc chargé de protéger les troupes dont le canon faisait rage à quelques kilomètres au sud devant les ouvrages de la falaise méridionale de la presqu'île.

De son côté, Luong-Tich menait l'action avec toute la fougue nécessaire pour donner le change, avec la prudence voulue pour ne pas s'engager à fond.

L'Empereur, son élève, faisait là ses premières armes contre les Européens, car jusque-là la cavalerie n'avait que peu ou pas donné dans les combats de montagne du Turkestan.

Sing était là au milieu de ses escadrons préférés.

Il avait tenu à rester de sa personne avec la cavalerie, espérant qu'à la fin de l'action, quand se serait produit l'effet des attaques des deux armées sur le flanc droit, l'heure des cavaliers mongols sonnerait enfin, et qu'à leur tour ils pourraient montrer ce dont ils étaient capables sous les yeux de leur Empereur.

Yukinaga, resté à l'aile droite, s'était d'ailleurs incliné devant ce désir et n'y avait vu que des avantages.

La présence de l'Étoile à la IVe Armée ne pouvait qu'augmenter encore, si c'était possible, l'entrain et le fanatisme des troupes, et si les tentes et l'étendard jaune du Fils du Ciel étaient signalés de ce côté aux Russes par quelque espion à leur service, le renseignement ne pourrait qu'augmenter encore leur croyance en la venue par le sud de l'attaque principale.

Enfin et peut-être le généralissime japonais, malgré son désintéressement personnel, n'était-il pas exempt d'un sentiment égoïste : cette première bataille, qui pouvait par répercussion décider de toutes les autres, il tenait à la gagner seul, par sa conception, par sa manœuvre, à plus de cent kilomètres du point où l'Empereur escadronnerait.

Il lui avait fallu seulement se séparer une fois de plus de Nagaharou, dont la place était à la tête de l'escadron d'amazones et que l'Empereur, lui aussi, n'eût plus consenti à laisser s'éloigner.

Car la présence de la Japonaise était devenue pour lui un besoin impérieux.

Sa fougue sauvage, son ardeur passionnée avaient su se contenir devant cette jeune fille qu'il aimait chaque jour davantage, mais chaque pas en avant fait dans la direction de ce Paris où il la posséderait enfin, lui faisait prendre patience en même temps que la crainte de s'aliéner Yukinaga s'il dépassait certaines limites, continuait à le maintenir grondant aux pieds de la future Impératrice.

Il avait seulement exigé qu'elle ne s'exposât point et, dans la bataille qui allait se livrer, qu'elle restât constamment à ses côtés.

Et dans l'épouvantable fracas dont les batteries des deux rives emplissaient l'atmosphère, ce n'étaient pas les milliers d'escadrons galopant sous ses yeux qui l'occupaient, c'était ce corps de femme souple et nerveux, ce visage adorable où il semblait lire le goût des voluptés prochaines, alors que seuls une cruauté froide et un besoin de vengeance mettaient dans l'œil noir de la Japonaise une lueur de passion.

La marche d'approche des Ire et IIe armées dura un jour et deux nuits : la brume continua à la favoriser et les projecteurs n'arrivèrent point à percer le voile sous lequel se glissaient ces 1 700 000 hommes.

Aussi la surprise et le désarroi furent grands dans les camps russes, lorsque le 9 avril, de grand matin, l'armée de Kanioura apparut brusquement à hauteur de Simbirsk, bombardant les ouvrages de la tête de pont organisée sur la rive gauche, rendant intenables les tranchées, bousculant les parapets, crevant les caponnières.

Trois heures après la chute du premier obus, Simbirsk n'était plus qu'un immense brasier, d'où les régiments de la 22e division de Novgorod qui en avaient la garde devaient s'enfuir dans le plus grand désordre.

[...]

[La Volga est franchie.]

L'armée russe, en effet, était maintenant rivée, immobilisée sur sa position.

À l'idée préconçue de Yukinaga, à sa manœuvre audacieusement préméditée, Grivisky n'avait su ou pu offrir que l'« immobilité ».

Une fois de plus, l'armée russe allait être la victime de « cette défense passive qui voue inéluctablement à la défaite toute armée qui s'y renferme ».

[L'Occident est atterré.]

Et voilà que ces premières batailles se réduisaient à une seule, formidable, écrasante, décisive : voilà que l'élan jaune était décuplé par ce succès sans précédent, que cette vitesse acquise apparaissait à tous ce qu'elle était réellement, irrésistible.

Des deux races qui se rencontraient dans ce choc suprême, l'une ne comprenait que des combattants prêts à mourir sur un signe, l'autre ne savait plus mourir.

Seuls les Russes avaient conservé en Europe ce fatalisme qui maintient debout contre la mort les régiments débordés. S'ils n'avaient rien pu contre ces fanatiques d'Orient, que feraient les autres peuples ?

Et l'effroi s'étendit sur l'Europe entière à la façon de l'ombre que projette sur le sol un nuage de tempête.

Les détails de la bataille de Samara n'étaient point connus, ceux du moins qui avaient marqué l'hécatombe finale, puisque les reporters, à quelques rares exceptions près, y avaient été englobés et ce gigantesque holocauste auquel les journalistes eux-mêmes, ces frelons de la bataille, n'avaient pu se sous-traire, était encore grossi par l'absence des dépêches et les hypothèses terrifiantes par lesquelles les journaux les avaient remplacées.

Quant à la Russie, elle était à terre et l'effort qu'elle avait fait n'aurait pas de lendemain.

Moujiks, tchinn, seigneurs, tout dans l'empire moscovite était frappé de stupeur. Toute vie semblait suspendue, toute énergie brisée.

Samara ! On balbutiait de bouche en bouche, d'isba en isba, ce nom lugubre ; au bord du grand fleuve, qui avait jadis protégé la sainte Russie, contre les hordes asiatiques, l'armée natio-nale gisait, charnier sans nom, force à jamais détruite.

Pour l'imagination populaire, les Jaunes n'étaient plus des hommes ni des soldats, c'étaient des êtres diaboliques, invin-cibles, farouches instruments d'un Dieu vengeur, d'un indomp-table Justicier.

Et la fuite seule, la fuite lointaine, éperdue, vers le nord en Finlande, en Laponie, chez les Samoyèdes, vers le sud en Tau-ride, en Caucasie, la fuite sans un regard en arrière semblait le seul remède à ces effroyables maux.

• PISTES DE RECHERCHES

Elles seront au nombre de dix.

1. Le héros vernien voyageur : comparaison entre le voyage de Michel Strogoff et celui de Phileas Fogg.

2. Le héros vernien vengeur : Michel Strogoff, Nemo et Mathias Sandorf : ressemblances et différences.

3. Le personnage du journaliste chez Verne. Retrouvez cette figure dans l'œuvre du romancier.

4. La Russie chez les romanciers du XIXe siècle : dossier littéraire. On s'aidera de l'ensemble composé par Claude De Grève : *Le Voyage en Russie* (Laffont, Bouquins, 1990).

5. L'œuvre de Jules Verne : tour d'horizon. On s'aidera de Daniel Compère : *Jules Verne. Parcours d'une œuvre* (Encadrage, Références 2, 1996).

6. Jules Verne, romancier pour la jeunesse ? On s'aidera de Herbert R. Lottman : *Jules Verne*, Flammarion, 1996.

7. Jules Verne et la science de son temps. On s'aidera de Jean-Paul Dekiss : *Jules Verne. Le rêve du progrès*, Découvertes Gallimard, 1991, n° 119.

8. Jules Verne au cinéma. On s'aidera des pages 522-524 du dossier historique et littéraire et du texte cité ci-dessous.

9. Les romanciers russes du XIXe siècle. Dossier général pour une initiation à la littérature romanesque russe.

10. La Russie du temps de Jules Verne à aujourd'hui. Tableau général, historique et politique.

• PARCOURS CRITIQUE

« Herman Melville, Jules Verne, auteurs américains tous deux dans leur nouveauté et leur façon de prendre d'assaut l'univers et notre monde qui tournoie parmi cet univers » (Ray Bradbury).

« Verne ne cherchait nullement à élargir le monde selon des voies romantiques d'évasion ou des plans mystiques d'infini ; il cherchait sans cesse à le rétracter, à le peupler, à le réduire à un espace connu et clos, que l'homme pourrait ensuite habiter confortablement » (Roland Barthes, *Mythologies*).

« Le tsar de toutes les Russie, c'était Dieu le Père ; suscité du néant par un décret singulier, Michel, chargé, comme toutes les créatures, d'une mission unique et capitale, traversait notre vallée de larmes, écartait les tentations et, franchissant les obstacles, goûtait au martyre, bénéficiait d'un concours surnaturel, glorifiait son créateur puis, au terme de sa tâche, entrait dans l'immortalité » (Jean-Paul Sartre, *Les Mots*).

• UNE ŒUVRE / DES FILMS

On lira dans le dossier historique et littéraire (pp. 522-524) tout ce qui concerne les adaptations de *Michel Strogoff* au cinéma. On a simplement, ici, donné un texte d'ensemble sur la production cinématographique relative à l'œuvre de Jules Verne. Ce texte de Claude Aziza a paru dans *L'Histoire*, n° 187, avril 1995, pp. 18-20.

LE TOUR DE JULES VERNE EN 80 FILMS

Le cinéma n'avait que dix ans lorsque Jules Verne est mort, le 24 mars 1905. Il en était encore à ses premiers balbutiements et pourtant le romancier aura pu voir, entre 1901 et 1905, cinq adaptations de ses romans, signées des plus illustres pionniers du cinéma, Georges Méliès, Ferdinand Zecca, pour la France, Robert William Paul pour l'Angleterre, Wallace McCutcheon, le mari de Pearl White, pour l'Amérique. C'est dire qu'entre les « Voyages extraordinaires » de Verne et ceux qu'inventèrent les frères Lumière, il n'y a pas de différence de nature. Tous furent faits pour rêver...

Il fait nuit, dans le vieux donjon du château des Carpathes deux hommes qui se haïssent, Rodolphe de Gortz et Franz de Télek, sont pris sous le charme de la femme qu'ils aiment tous deux à la folie, la Stilla. Elle est là, debout sur une estrade, en pleine lumière et elle chante. Mais son chant se brise comme un éclat de verre lorsque Frank, en proie à la folie, casse l'écran-miroir où se profile l'image de sa bien-aimée. Elle n'était déjà plus qu'un reflet de lumière par la magie d'un appareil qu'on nommera, trois ans plus tard, le cinématographe. Et que Jules Verne, dès 1892, dans ce merveilleux roman qu'est *Le Château des Carpathes*, avait pressenti. Roman auquel ne pensera guère, hélas, l'ingrat cinéma (un projet de Cavalcanti inabouti en 1957) et qui se réfugiera à la télévision en 1975 dans une belle adaptation de Jean-Christophe Averty. D'autres romans auront plus de chance, d'autres héros plus d'aventures cinématographiques, Nemo ou Strogoff. D'autres voyages impossibles, dans la Lune, au centre de la Terre, ou tout simplement autour du monde, d'autres savants fous, Robur ou Thomas Roch, verront le jour dans les studios du monde entier.

Les voyageurs de l'impossible

C'est par un voyage au long cours que commence la filmographie de Jules Verne, *Les Enfants du capitaine Grant*, adapté par Ferdinand Zecca, en 1901, pour Pathé. Volent sur leurs traces, dès 1903, avec l'Anglais Robert William Paul et dès 1907, avec le Français Louis Feuillade, à la recherche du pôle Nord, le capitaine Hatteras et ses compagnons. Mais il est réconfortant de constater que la deuxième adaptation de l'œuvre de Verne, *Le Voyage dans la Lune*, de Georges Méliès, en 1902, donne déjà naissance à un chef-d'œuvre que n'égalera pas, en 1906, une tentative conjuguée de Feuillade et d'Alice Guy, pour Gaumont. Le coup d'envoi est donné. Les enfants du capitaine Grant s'élancent à la poursuite de leur père en 1913, en 1935-1936 (un film soviétique), en 1962 enfin, dans un film de Robert Stevenson où notre Maurice Chevalier national a belle allure et pousse la chansonnette. On fait le tour du monde dès 1913, encore en 1918-1919 (une production allemande), en 1922-1923, en 1956, en Todd-Ao, s'il vous plaît, dans un film de John Farrow et Michaël Anderson et, en 1990, enfin, dans un film de six heures dû à Buzz Kulik.

Mais il est d'autres voyages bien plus dangereux. Si la Lune n'attire plus beaucoup les réalisateurs du parlant, sinon, en 1957, Byron Haskin, dans une médiocre déformation du roman, la Terre, elle, recèle encore assez de mystères pour qu'on en explore les entrailles. Méliès s'était emparé de la Lune, son talentueux rival Segundo de Chomon s'adjugea le centre du globe. On lui doit, en 1909, la première adaptation (9 minutes !) du *Voyage au centre de la Terre*. D'autres suivront en 1964, au Mexique, en 1977 en Espagne, mais nulle n'égalera le beau film d'Henry Levin (1964) où la magie de l'univers vernien se combine avec le thème du monde perdu dont la littérature et le cinéma sont si friands.

Faut-il signaler dans cette rubrique les errances d'un *Capitaine de quinze ans* mises en images dès 1945-1946, en URSS et encore en 1971 ? Faut-il suivre les fantaisistes *Tribulations d'un Chinois en Chine*, sinon pour le talent de Philippe de Broca (1965) et la gouaille de Jean-Paul Belmondo ? On préférerait, sentimentalement, retrouver le premier roman, celui qui ouvrit à Verne la voie du succès, *Cinq semaines en ballon*. Mais, si l'on excepte un dessin animé de 1978, une seule ressource : un film d'Irving Allen, de 1963, qui brille par sa puérilité. D'aucuns, on les comprend, préférèrent rêver sans images en écoutant à la radio Orson Welles, en 1938, et Jean Cocteau, en 1948, nous entraîner sur les traces de Phileas Fogg.

Rebelles et patriotes

Il est d'autres combats que ceux qu'on livre avec la nature ou les éléments déchaînés, pour la liberté, pour Dieu, sans oublier le tsar ! Nemo et Strogoff sont les deux héros verniens les plus populaires : le cinéma les a bien récompensés. Une vingtaine d'adaptations en tous genres pour le premier, une quinzaine pour le second.

La saga de Nemo commence, on l'a vu, en 1905. Dix ans plus tard, Stuart Paton offre au monde ébloui un film de près de deux heures avec vues sous-marines. Trois dessins animés pour la seule année 1917. Le technicolor bichrome, en 1926-1929, pour une *Île mystérieuse* où éclatent les talents de Maurice Tourneur et de Benjamin Christensen. Une île qui sera accommodée aussi à toutes les sauces, soviétique en 1941, du *serial*, en quinze épisodes, en 1951, de la télévision, pour un Santelli de grand cru en 1963, de l'animation avec Karel Zeman, en 1966-1967, de la série, en 1972. Tandis que Nemo triomphe sur les écrans en empruntant les traits de Robert Ryan (en 1970), d'Herbert Lom (en 1961), de José Ferrer (en 1977), de James Mason, surtout, en 1954 dans ce qui reste la meilleure adaptation, celle de Richard Fleischer. Inoubliable Nemo qu'affronte le bouillant Ned Land auquel Kirk Douglas a prêté sa fossette et sa fantaisie, en compagnie d'Esmeralda, une sympathique otarie, qui constitue – horreur ! – la seule entorse au roman…

On peut, selon les goûts, préférer le patriote à l'anarchiste. L'odyssée de Strogoff à travers les steppes de l'Asie centrale a fait battre bien des cœurs. Le sien, tout plein du souvenir de sa vieille maman, lui a épargné la cécité (qu'on nous pardonne de dévoiler la fin de l'histoire). Dès 1908, il caracole sur les écrans américains. Deux ans plus tard l'équipe du premier *Frankenstein*, J. Searle Dawley, cinéaste, et Charles Ogle, acteur, le fait revivre. Arthur Lubin encore, en 1914. Et puis Victor Tourjansky, pour la France, en 1925-1926. Lequel, un peu plus décrépit, récidivera en 1961 ! En 1936, l'Allemagne s'y met… pour interdire le film dès 1939, malgré le pacte germano-soviétique. Et ça continue : Amérique (1937), Mexique (1943), Italie (1956, 1970), télévision (1975) jusqu'à ce que le X s'en mêle et nous donne en 1978 *Les Exploits érotiques de Michel*

Strogoff. On devine que le héros ne saurait laisser les femmes de glace, on peut penser néanmoins qu'il aura trouvé, dès 1956 et l'adaptation de Carmine Gallone, en la personne de Curd Jurgens, qui eut son heure de gloire, un interprète à sa taille.

Mathias Sandorf, à côté, fait un peu pâle figure. Il nous faut pourtant mentionner que ce sympathique héros positif trouva en Henri Fescourt, en 1920 et en neuf épisodes, un cinéaste doté du sens de l'épique. Bien plus que Georges Lampin en 1962-1963 qui lui prêtait les traits assez fades de Louis Jourdan.

Savants fous

La science que Jules Verne prôna si souvent et dont il se méfia dans ses dernières années a aussi engendré des monstres. On compte chez le romancier quelques belles figures de savants fous. S'en détache celle de Robur le conquérant, mis en scène dès 1908, sans cesse illustré en 1909, 1910, 1911 (deux fois), par un effet d'imitation, on suppose, et qui n'a trouvé qu'en 1961 un honorable adaptateur en la personne de William Whitney, un vieux routier du *serial*, avec l'aide de Vincent Price, un des princes de l'horreur.

Thomas Roch, le héros de *Face au drapeau*, est fou au sens propre du terme mais il détient un terrible secret. On le verra chez Karel Zeman, en 1956-1957. Quant à Wilhelm Storitz, on devra au talent de Claude Santelli de le voir à la télévision en 1967. Enfin, de l'entrevoir puisqu'il possède le secret de l'invisibilité.

Ce même Santelli à qui on doit quelques belles adaptations de romans injustement méconnus comme *Les Indes noires* (1964).

D'autres, au cinéma de nouveau, choisiront les pirates du *Phare du bout du monde* (1970), les poursuites de *L'Étoile du Sud* (1968), les errances de *La Jangada* (1958-1959). On regrette qu'ils n'aient pas été plus nombreux et que tant de romans soient restés dans l'ombre. On regrette que la société des Films Jules Verne créée par Michel-Jules Verne, le propre fils du romancier, n'ait produit, entre 1916 et 1919, que quatre films invisibles aujourd'hui et qu'on dit de médiocre qualité. On regrette et on rêve à de nouvelles retrouvailles, sous le signe des conquérants de l'impossible...

DOSSIER HISTORIQUE ET LITTÉRAIRE

I. REPÈRES CHRONOLOGIQUES

1828 8 février : naissance de Jules Verne à Nantes. Passe sa jeunesse dans l'ancien quartier des armateurs. Milieu bourgeois. Son père, Pierre Verne, est avoué. « Je suis né à Nantes, où mon enfance s'est tout entière écoulée. Fils d'un père à demi parisien et d'une mère tout à fait bretonne, j'ai vécu dans le mouvement maritime d'une grande ville de commerce, point de départ et d'arrivée de nombreux voyages au long cours » (*Souvenirs d'enfance et de jeunesse*, reproduits pour la première fois dans le numéro spécial de *L'Herne* consacré à Jules Verne en 1974).

René Caillié pénètre à Tombouctou. Ouverture de la première ligne de chemin de fer entre Saint-Etienne et Andrézieux ; la traction est assurée par des chevaux.

1829 26 juin : naissance de son frère Paul (1829-1897) qui deviendra officier de marine.

Début du cycle de *La Comédie humaine* de Balzac avec la publication de *Le Dernier Chouan ou la Bretagne en 1800* qui deviendra par la suite *Les Chouans*. Alexandre Dumas père : *Henri III et sa cour*. Comte de Ségur, *Histoire de Russie et de Pierre-le-Grand*.

1830 26 juillet : tentative de Charles X de gouverner par ordonnances ; rétablissement de la censure, dissolution de la Chambre, modification de la loi électorale.

27-29 juillet : insurrection parisienne des Trois Glorieuses.

2 août : abdication de Charles X.

1830-1848 : Monarchie de Juillet (Louis-Philippe). Régime de la monarchie bourgeoise. Corps expéditionnaire français en Algérie.

1830-1831 : insurrection polonaise.

1830-1842 : Auguste Comte, *Cours de philosophie positive*.

25 février 1830 : première mouvementée d'*Hernani* de Victor Hugo qui marque symboliquement l'émergence du nouveau théâtre romantique.

Stendhal : *Le Rouge et le Noir*. Mort de Johann-Rudolf Wyss, auteur du *Robinson suisse* (1813, traduit en français en 1816) particulièrement affectionné par Jules Verne enfant.

1831   Émeute des canuts de Lyon. Charles Sauria découvre le principe des allumettes à friction. Électrolyse ; induction électromagnétique (Faraday).

Alexandre Dumas père : *Antony*. Victor Hugo, *Notre-Dame de Paris*.

1832   George Sand, *Indiana*. Création du *Journal des enfants*.

1833 : loi Guizot. Liberté de l'enseignement primaire. Balzac, *Eugénie Grandet*.

1834 : Balzac, *Le Père Goriot*.

1835 : attentat de Fieschi contre Louis-Philippe. Vigny, *Servitude et grandeur militaires*.

1836 : Musset, *La Confession d'un enfant du siècle*. Théophile Gautier : *Mademoiselle de Maupin*.

1837 : inauguration en France du chemin de fer de Paris à Saint-Germain, en Russie de la ligne de chemin de fer Saint-Pétersbourg-Tsarkoïe Selo-Pavlovsk.

1838-   Élève au collège Saint-Stanislas.
1840   « C'était le temps des réverbères, des sous-pieds, de la garde nationale et du briquet fumade. Oui ! j'ai vu naître les allumettes phosphoriques, les faux-cols, les manchettes, le papier à lettre, les timbres-poste, le pantalon à jambe libre, le paletot, le gibus, la bottine, le système métrique, les bateaux à vapeur de la Loire, dits " inexplosibles " parce qu'ils sautaient un peu moins que les autres, les omnibus, les chemins de fer, les tramways, le gaz, l'électricité, le télégraphe, le téléphone, le phonographe ! » (*Souvenirs...*, *loc. cit.*).

1838 : compagnie des chemins de fer d'Orléans.

1839   Aurait tenté une fugue sur un long-courrier, fugue à laquelle le père aurait mis un terme rapide en le rattrapant à Paimbœuf, sur la rive gauche de l'estuaire de la Loire.

> Daguerre et Niepce : invention de la photographie.
> Stendhal, *La Chartreuse de Parme*.
> 1840 : la loi du 4 juillet 1837 rend le système métrique définitivement obligatoire à partir du 1er janvier. Traduction française de la *Description des hordes et des steppes des Kirghiz-Kaïssaks* de Levchine.

1841-
1843   Elève au Petit-Séminaire Saint-Donatien, « une maison dont le caractère religieux offre les plus sûres garanties ».

> 1841 : la durée du travail des enfants dans les ateliers est fixée légalement à 12 heures de 12 à 16 ans, à 8 heures de 8 à 12 ans. Bunsen invente la pile électrique qui porte son nom.
> 1842 : création du réseau des chemins de fer.
> 1843 : destruction de la smala d'Adb el-Kader. Hetzel crée *Le Nouveau Magasin des enfants*. Publication de *La Russie en 1839* de Custine.
> 1842-1843 : Eugène Sue, *Les Mystères de Paris*.
> 1843-1844 : Paul Féval, *Les Mystères de Londres*.

1844-
1845   Classe de Rhétorique au Collège royal de Nantes.

> 1844 : Auguste Comte, *Discours sur l'Esprit positif*. Alexandre Dumas père, *Les Trois Mousquetaires*. 1844-1845 : Eugène Sue, *Le Juif errant*.
> 1845 : le télégraphe morse équipe la ligne Paris-Rouen. Alexandre Dumas père, *Le Comte de Monte-Cristo*.

1846   Bachelier.

> George Sand, *La Mare au diable*.
> 1846-1847 : grande dépression économique.

1847-
1850   Études de droit à Paris. Licencié en droit. Choix d'une carrière littéraire. Fréquente différents salons où il rencontre, notamment, Alexandre Dumas père. Écrit des poèmes et de nombreuses pièces de théâtre (tragédie, comédie, vaudeville, drame), soit seul, soit en collaboration, dont plusieurs sont représentées.

> 1848 février : révolution, chute de la Monarchie

de Juillet, proclamation de la République. Instauration du suffrage universel. Rétablissement des libertés. Suppression de la peine de mort et de l'esclavage. La journée de travail est fixée à 10 heures. 1848-1852 : IIe République. Louis Napoléon Bonaparte président de la République

1848 : K. Marx et F. Engels, *Manifeste du parti communiste*.

1849 : 1er janvier — premier timbre français sur l'initiative d'Etienne Arago. Traduction française du *Dernier des Mohicans* de Fenimore Cooper (1826). George Sand, *La Petite Fadette*.

1850 (15 mars) : loi Falloux sur l'enseignement renforçant le contrôle de l'enseignement par le clergé.

1850 : Des câbles télégraphiques sous-marins relient l'Angleterre à la France. Chateaubriand, *Mémoires d'outre-tombe*.

1851-1854 Secrétaire de Jules Sevestre, directeur du Théâtre lyrique.

1851-1855 Publication des premiers textes dans *Le Musée des familles* (étude historique, nouvelles, essai critique).

1851 (2 décembre) : coup d'État du président. Arrestation et exil des républicains et socialistes. En Russie : ligne de chemin de fer Saint-Pétersbourg-Moscou.

1852 (2 décembre) : proclamation de l'Empire. Louis Napoléon Bonaparte prend le nom de Napoléon III.

Johan Edvard Lundström imagine l'allumette de sûreté dite « suédoise ». Pose de la première ligne télégraphique publique entre Saint-Pétersbourg et Moscou.

1852-1870 : Second Empire. Empire autoritaire s'appuyant sur le clergé, la bourgeoisie d'affaires, l'armée. Développement du grand capitalisme. Expansion coloniale.

1852 : Auguste Comte, *Catéchisme positiviste*. Tourgueniev, *Récits d'un chasseur*.

1853 : annexion de la Nouvelle-Calédonie. Lancement du vapeur britannique *Great Eastern*. George Sand, *Les Maîtres sonneurs*.

1853-1856 : guerre de Crimée.

1854 : Charles Bourseul crée l'un des premiers appareils téléphoniques. Création de la Compagnie générale des omnibus. Faidherbe gouverneur du Sénégal.

1855 : Exposition universelle de Paris. Fin du règne de Nicolas Ier.

1855-1881 : règne d'Alexandre II.

1856   Achète une part d'agent de change dans une étude parisienne.

Histoires extraordinaires d'E. Poe, trad. Ch. Baudelaire.

1854-1856 : guerre de Crimée.

1857   Épouse Honorine Morel, une jeune veuve qui a deux filles.

Création des tirailleurs sénégalais. Le journal politique *Kolokol (La Cloche)* est lancé par Herzen et Nikolaï Ogareff. Baudelaire : *Les Fleurs du mal*. Flaubert : *Madame Bovary*. Fondation de la « Bibliothèque rose » chez Hachette. Traduction française du voyage de Humboldt en Sibérie.

1858   Attentat manqué d'Orsini contre l'empereur.

1858-1859 : intervention militaire en Italie. 42 % de Russes vivent dans le servage. Début des polémiques entre Pasteur et Pouchet sur la génération spontanée. Théophile Gautier, *Le Roman de la momie*. Comtesse de Ségur, *Les Petites Filles modèles*. Offenbach, *Orphée aux Enfers*.

1859   Août : voyage avec son ami Hignard en Écosse.

1859-1867 : conquête de la Cochinchine.

Début du percement du canal de Suez. Installation à Saigon.

1859-1861 : exploration du Sahara par Henri Duveyrier.

Comtesse de Ségur, *Les Vacances*, *Les Petites Filles modèles*, *Les Malheurs de Sophie*.

1860   Fait la connaissance de Nadar (Félix Tournachon, 1820-1910), photographe, aéronaute, dessinateur et écrivain.

Progressive libéralisation du régime.

Comtesse de Ségur, *Les Mémoires d'un âne.*

1861   Voyage de six semaines avec Hignard en Norvège et
en Scandinavie. Pendant son absence, naît, le 3 août,
son fils Michel (1861-1925) qui lui causera, sa vie
durant, de nombreux soucis.
Abolition du servage en Russie.
E. et J. de Goncourt, *Sœur Philomène.*
Comtesse de Ségur, *Pauvre Blaise!*

1862   Rencontre l'éditeur et littérateur Pierre-Jules Hetzel
(1814-1886).
1862-1867 : échec de l'expédition du Mexique.
Hugo, *Les Misérables.* Comtesse de Ségur, *Les
Deux Nigauds.*

1863   *Cinq Semaines en ballon.* Succès de librairie.
Nadar fait construire le ballon *Le Géant* avec
lequel il effectue plusieurs ascensions.
L'indépendance polonaise est proclamée le 22
janvier. Établissement du protectorat sur le
Cambodge. Théophile Gautier, *Le Capitaine
Fracasse.*

1864   Commence, avec *Les Anglais au pôle nord*, sa parti-
cipation au *Magasin d'éducation et de récréation*
d'Hetzel et de Jean Macé dont le premier numéro
paraît le 20 mars. *Voyage au centre de la Terre.* La
seconde édition, augmentée, date de 1867. Publie
dans *Le Musée des familles* une étude critique consacrée à « Edgar Poe et ses œuvres ».
Loi sur les coalitions permettant le droit de
grève. Erckmann-Chatrian, *L'Ami Fritz, Histoire d'un conscrit de 1813.* E. et J. de Goncourt, *Renée Mauperin.* Comtesse de Ségur, *La
Fortune de Gaspard.* Offenbach, *La Belle
Hélène.* Henri Russell-Killough, *Seize Mille
Lieues à travers l'Asie et l'Océanie.*

1865   *De la Terre à la Lune.*
Claude Bernard, *Introduction à l'étude de la
médecine expérimentale.* E. et J. de Goncourt,
Germinie Lacerteux.
1865-1885 : en Russie, conquête de l'Asie centrale.

1866   Installation au Crotoy, sur la baie de la Somme.
Apparition du faux titre *Voyages extraordinaires*

comme titre général de l'œuvre romanesque de Jules Verne. *Voyages et aventures du capitaine Hatteras*. Pose du premier câble transatlantique par le *Great Eastern*. Jean Macé fonde la Ligue française de l'enseignement. En Russie, attentat manqué contre Alexandre II. Daudet, *Lettres de mon moulin*. Hugo, *Les Travailleurs de la mer*. Comtesse de Ségur, *Le Général Dourakine*. Offenbach, *La Vie parisienne*. Achille Poussielgue publie le *Voyage en Chine et en Mongolie* de M. et Mme de Bourboulon.

1867   Voyage aux États-Unis, avec son frère Paul, à bord du *Great Eastern*. New York, les chutes du Niagara. *Les Enfants du capitaine Grant*.

K. Marx, *Le Capital*. E. et J. de Goncourt, *Manette Salomon*. Zola, *Thérèse Raquin*. Offenbach, *La Grande duchesse de Gérolstein*. Comtesse de Ségur, *Diloy le chemineau*.

1868   Jules Verne achète son premier bateau, le *Saint-Michel*. Rédige *La Géographie illustrée de la France et de ses colonies* (en collaboration avec Th. Lavallée).

Daudet, *Le Petit Chose*. Offenbach, *La Périchole*.

1869   Installation à Amiens.

Gustave Flaubert, *L'Éducation sentimentale*. Comtesse de Ségur, *Après la pluie le beau temps*.

1870   *Vingt Mille Lieues sous les mers. Autour de la Lune*. Jules Verne chevalier de la Légion d'honneur.

1870-1871 : guerre franco-allemande. 2 septembre : capitulation de Sedan. 4 septembre : proclamation de la République. 1870-1940 : IIIᵉ République.

1871   *Une ville flottante*, suivi de *Les Forceurs de blocus*. 22 janvier : capitulation de Paris. 28 janvier : signature d'un armistice. Mars-mai : la Commune écrasée par Thiers et Mac-Mahon. Août : Thiers nommé président de la République française. Le nouvel Empire allemand annexe l'Alsace-Lorraine. 1871-1893 : Émile Zola, *Les Rougon-Macquart, Histoire naturelle et sociale d'une famille sous le Second Empire*.

1872 *Installation à Amiens. Jules Verne y mènera la vie d'un notable provincial. Élu à l'académie d'Amiens. L'Académie française couronne Les Voyages extraordinaires. Aventures de trois Russes et de trois Anglais.*

Alphonse Daudet, *Aventures prodigieuses de Tartarin de Tarascon.*

1873 *Le Pays des fourrures. Le Tour du monde en quatrevingts jours.*

Mac-Mahon président de la République. Création du *Journal de la jeunesse* chez Hachette.

1874 Jules Verne achète le *Saint-Michel II.* Publie *Le Docteur Ox.*
1874-1875 : *L'Ile mystérieuse.*

Loi réduisant la durée du travail des femmes et des enfants. Création de l'Union postale générale après le congrès de Berne.

1875 *Le Chancellor*, suivi de *Martin Paz.*

Essor des tramways. Premier voyage de Savorgnan de Brazza au Congo. La Russie possède 73 716 km de lignes télégraphiques, 1 877 appareils pour 18 141 394 télégrammes échangés dans l'année.

1876 *Michel Strogoff.*

G. Bell : téléphone. La Russie possède 19 000 km de voies ferrées. J.K. Huysmans, *Marthe, histoire d'une fille.* Alphonse Daudet, *Jack.*

1877 Jules Verne achète les *Saint-Michel III.* Candidature infructueuse auprès de l'Académie française. *Hector Servadac. Les Indes noires.*

Ch. Cros et Edison : invention du phonographe. Naissance de Raymond Roussel. E. Zola, *L'Assommoir.* E. de Goncourt, *La Fille Elisa.* G. Bruno, *Le Tour de France par deux enfants.*

1878 25 mai-26 août : croisière en Méditerranée. *Un capitaine de quinze ans.* 1878-1880 : *Histoire des grands voyages et des grands voyageurs*, en collaboration avec Gabriel Marcel.

Lampe à incandescence à filament de carbone.

Troisième Exposition universelle de Paris. Hector Malot, *Sans famille*. Alphonse Daudet, *Le Petit Chose, histoire d'un enfant*.

1879 *Les Tribulations d'un Chinois en Chine. Les Cinq Cents Millions de la Bégum*, suivi des *Révoltés de la Bounty*. Juillet : croisière en Angleterre et en Écosse. 15 mars : première représentation au Teatro de la Zarzuela de Madrid de *Guerra santa*, une adaptation de *Michel Strogoff* réalisée par Emilio Arrieta y Corera en 3 actes et 10 tableaux. Librettistes : Enrique Perez Escrich et Luis Mariano de Larra.

Élection du républicain Jules Grévy à la présidence de la République. Edison : lampe électrique à filaments de charbon. E. de Goncourt, *Les Frères Zemgano*. J.K. Huysmans, *Les Sœurs Vatard*. Jules Vallès, *L'Enfant*.

1880 Voyage au Danemark, en Irlande, en Écosse et en Norvège. *La Maison à vapeur*. 17 novembre : première représentation au théâtre du Châtelet de *Michel Strogoff*, pièce à grand spectacle en 5 actes et 16 tableaux, d'Adolphe d'Ennery et Jules Verne, musique de M. Artus.

Ferdinand de Lesseps entreprend le percement du canal de Panama. Annexion de Tahiti. Les jésuites doivent cesser d'enseigner. *Astronomie populaire* de Camille Flammarion. Émile Zola, *Le Roman expérimental*. Zola, Maupassant, Huysmans, Céard, Hennique, Alexis, *Les Soirées de Médan*.

1881 Juin : croisière en Hollande, en Allemagne, au Danemark. *La Jangada*.
19 février : 100e représentation de *Michel Strogoff* au Châtelet.

En Russie : assassinat d'Alexandre II. 1881-1894 : règne d'Alexandre III. Loi Ferry. Gratuité des écoles primaires publiques. J.K. Huysmans, *En ménage*. Jules Vallès, *Le Bachelier*.

1882 *Le Rayon vert*, suivi de *Dix heures en chasse. L'École des Robinsons*.

1er juillet : inauguration du premier réseau téléphonique dans les villes de Saint-Pétersbourg, Moscou, Varsovie, Odessa et Riga. Krach de

l'Union générale. La loi Ferry rend l'enseignement primaire obligatoire et laïque. J.K. Huysmans, *A vau-l'eau*. Georges Ohnet, *Le Maître
de forges*.

1883   *Kéraban-le-Têtu*.
         Maupassant, *Une vie. Les Contes de la Bécasse.*
         Villiers de l'Isle-Adam, *Contes cruels*.

1884   Mai-juillet : croisière en Méditerranée, Afrique du
         Nord, Sicile, Italie. *L'Étoile du Sud. L'Archipel en
         feu*.
         J.K. Huysmans, *A Rebours*.

1885   *Mathias Sandorf. L'Épave du Cynthia*, en collabora-
         tion avec André Laurie.
         1885-1889 : crise boulangiste. Pasteur : pre-
         mière inoculation du vaccin antirabique.
         E. Zola, *Germinal*.

1886   Jules Verne vend le *Saint-Michel III*. Attaqué le
         9 mars par son neveu Gaston qui tire sur lui dans un
         accès de folie, il est blessé au pied. 17 mars : mort
         d'Hetzel à Monaco. *Robur le Conquérant. Un billet
         de loterie*, suivi de *Frritt-Flacc*.
         Organisation générale de l'enseignement pri-
         maire. Léon Bloy, *Le Désespéré*. Edouard Dru-
         mont, *La France juive*. Maupassant, *Bel-ami*.
         Jules Vallès, *L'Insurgé*. Villiers de l'Isle-Adam,
         L'Ève future. Vogüé, *Le Roman russe*.

1887   15 février : mort de sa mère à Nantes. *Le Chemin de
         France*, suivi de *Gil Braltar. Nord contre Sud*.
         Création du gouvernement général de l'Indo-
         chine. Ondes électromagnétiques (Hertz).

1888   Est élu au conseil municipal d'Amiens sur la liste
         républicaine. Sera réélu trois fois. *Deux ans de
         vacances*.
         1888-1893 : affaire de Panama.

1889   *Sens dessus dessous. Famille-sans-Nom*.
         Les élections marquent le triomphe des républi-
         cains. Inauguration de la tour Eiffel (Exposition
         universelle). Edouard Martel descend dans le
         gouffre de Padirac. Paul Bourget, *Le Disciple*.
         Création du *Petit Français illustré*.

1890 *César Cascabel.*
     Clément Ader réalise le premier vol au monde
     d'un avion plus lourd que l'air, à moteur.
     E. Zola, *La Bête humaine.*

1891 *Mistress Branican.*
     1891-1894 : alliance franco-russe ; la France sort
     de son isolement.
     1891-1917 : construction du Transsibérien.

1892 Président de l'Académie d'Amiens. Officier de la
     Légion d'honneur. *Le Château des Carpathes. Claudius Bombarnac.*
     Loi fixant la durée du travail des femmes et des
     enfants à 12 heures. Proclamation du protectorat français sur le Dahomey.

1893 *P'tit-Bonhomme.*
     Création d'une armée coloniale et de l'Union
     coloniale française.

1894 *Les Mirifiques aventures de Maître Antifer.*
     Mars-juin : attentats anarchistes.
     1894-1899 : affaire Dreyfus. Jules Verne est
     antidreyfusard.
     1894-1917 : règne de Nicolas II. Création d'un
     ministère des Colonies. Jules Renard, *Poil de
     carotte.*

1895 *L'Ile à hélice.*
     Émeutes de mineurs grévistes à Carmaux. Création du gouvernement général de l'Afrique-
     Occidentale française. Découverte des
     rayons X (Roentgen). Frères Lumière : première projection cinématographique.

1896 *Face au drapeau. Clovis Dardentor.*
     Radioactivité naturelle de l'uranium (H. Becquerel). Mise au point de la télégraphie sans fil
     par Marconi. Annexion de Madagascar.

1897 27 août : mort de son frère Paul. *Le Sphynx des
     glaces.*
     Ader : premier vol mécanique avec un passager.
     Marconi : première communication par T.S.F.
     Maurice Barrès, *Les Déracinés.* Edmond Rostand, *Cyrano de Bergerac.*

1898 *Le Superbe Orénoque.*
        Découverte du radium (P. et M. Curie).
        E. Zola, *J'accuse.*

1899 *Le Testament d'un excentrique.*
        Raymond Roussel rend visite à Jules Verne.

1900 *Seconde patrie.*
        2 avril : millième représentation de *Michel Strogoff*
        au théâtre du Châtelet.
        Publication des Mémoires de Nadar, *Quand
        j'étais photographe*. Première ligne de métro
        Maillot-Vincennes. Exposition universelle. Pre-
        mier dirigeable rigide de Zeppelin. Freud : *La
        Science des rêves.*

1901 *Le Village aérien. Les Histoires de Jean-Marie Cabi-
        dolin.*
        Juillet : loi sur les associations ; seules les
        congrégations religieuses autorisées pourront
        enseigner. Sully Prudhomme obtient le premier
        prix Nobel de Littérature.

1902 *Les Frères Kip.*
        Réforme de l'enseignement secondaire. Mai
        1902-juillet 1904 : série de mesures anticléri-
        cales. Georges Méliès : *Le Voyage dans la lune.*

1903 *Bourses de voyage.*

1904 *Maître du monde. Un drame en Livonie.*
        Juillet : rupture avec le Saint-Siège. Interdic-
        tion des écoles congréganistes. Entente cordiale
        franco-anglaise.
        1904-1912 : Romain Rolland, *Jean-Christophe.*

1905 24 mars : mort de Jules Verne à Amiens. *L'Invasion
        de la mer. Le Phare du bout du monde.*
        Séparation de l'Église et de l'État. Premier
        autobus à essence, rue de Rennes. Première
        révolution russe.

1908 Première adaptation cinématographique de *Michel
        Strogoff* (voir ci-dessous la filmographie).

        Nous n'indiquons pas dans ces repères chrono-
logiques la publication des œuvres posthumes dont
l'authenticité est l'objet de nombreux débats entre
spécialistes, la part de Michel Verne aux œuvres
signées Jules Verne étant — à des titres divers —
indéniable. Nous signalerons en revanche quelques

repères révélateurs de la consécration et de la conservation de Jules Verne dans le champ institutionnel :

1927 *La Petite-Fille de Michel Strogoff*, grand roman d'aventures, prix Jules Verne 1927, par Octave Béliard.

1935 *Bulletin de la Société Jules Verne*. 13 numéros de 1935 à 1938.

1955 Cinquantenaire de la mort de Jules Verne. Les revues *Europe* et *L'Arc* lui consacrent chacune un numéro spécial.

1966 Une partie des *Voyages extraordinaires* est rééditée dans la collection du « Livre de Poche ».

1967 *Bulletin de la Société Jules Verne*, nouvelle série. Le petit-fils du romancier, Jean Jules-Verne, publie une suite à *Michel Strogoff* dans la Bibliothèque verte avec *Le Triomphe de Michel Strogoff*.

1971 Publication des *Œuvres complètes* aux Éditions Rencontre.

1976 Les éditions Minard lancent une « série Jules Verne » dans les *Archives des Lettres modernes*.

1977 *Voyage au centre de la Terre* figure au programme de l'agrégation de Lettres modernes.

1978 Jules Verne fait l'objet d'un colloque à Cerisy.

1989 *Poésies inédites.*
Voyage à reculons en Angleterre et en Ecosse.

N.B. N'ont été indiquées ci-dessus que les dates de publication en volume et non pas les prépublications dans des journaux ou des magazines afin de ne pas alourdir ces simples repères chronologiques.

II. MONTAGES RUSSES

« Ainsi que l'a dit M. Levchine, "un front serré ou un carré de bonne infanterie résiste à une masse de Kirghis dix fois plus nombreux, et un seul canon peut en détruire une quantité effroyable » (I, chap. II, « Russes et Tartares »).

« La race caucasique, celle, a dit Abel de Rémusat, "qui est regardée en Europe comme le type de la beauté de notre espèce, parce que tous les peuples de cette partie du monde en sont issus", réunit sous une même dénomination les Turcs et les indigènes de souche persane » (*ibid.*).

« Il possédait donc l'une des qualités les plus recommandables en Russie, suivant l'observation du célèbre romancier Tourguéniev, qualité qui conduit aux plus hautes positions de l'empire moscovite » (I, chap. III, « Michel Strogoff »).

« Tomsk est-elle une jolie ville ? Il faut convenir que les voyageurs ne sont pas d'accord à cet égard. Mme de Bourboulon, qui y a demeuré quelques jours pendant son voyage de Shang-Haï à Moscou, en fait une localité peu pittoresque. A s'en rapporter à sa description, ce n'est qu'une ville insignifiante, avec de vieilles maisons de pierre et de brique, des rues fort étroites et bien différentes de celles qui percent ordinairement les grandes cités sibériennes, de sales quartiers où s'entassent plus particulièrement les Tartares, et dans laquelle pullulent de tranquilles ivrognes, « dont l'ivresse elle-même est apathique, comme chez tous les peuples du Nord ! ». Le voyageur Henri Russell-Killough, lui, est absolument affirmatif dans son admiration pour Tomsk. Cela tient-il à ce qu'il a vu en plein hiver, sous son manteau de neige, cette ville, que Mme de Bourboulon

n'a visitée que pendant l'été ? Cela est possible et confirmerait cette opinion que certains pays froids ne peuvent être
appréciés que dans la saison froide, comme certains pays
chauds dans la saison chaude. Quoi qu'il en soit, M. Russell-Killough dit positivement que Tomsk est non seulement la plus jolie ville de la Sibérie, mais encore une des
plus jolies villes du monde [...] » (II, chap. IV, « L'entrée
triomphale »).

*Levchine, Abel de Rémusat, Tourguéniev, Mme de Bour-
boulon, Henri Russell-Killough… Jules Verne, on le voit,
s'est renseigné pour rédiger les aventures de son courrier du
tsar. Tout écrivain fait de même car on n'écrit jamais que sur
du déjà écrit. A la différence de certains, en revanche, Verne
ne cherche pas à dissimuler ses principales sources documentaires. Il n'hésite pas à citer nommément les pré-textes
sur lesquels il s'appuie et à placer entre guillemets des
passages — exacts — tirés de ses lectures. On trouvera
ci-dessous quelques extraits de récits de voyageurs consultés
par Jules Verne. Le lecteur pourra ainsi pénétrer dans le
laboratoire vernien et observer comment, à partir d'anec-
dotes prélevées dans des écrits documentaires, s'est élaborée
la fabrique de* Michel Strogoff.

*On renverra ainsi, sous la forme d'un petit lexique pré-
senté par ordre alphabétique, au livre de* Fd de Lanoye, La
Sibérie *d'après les voyageurs les plus récents,* Paris,
Hachette et Cie, « Bibliothèque des jeunes filles », 1865,
435 pages, illustré *(abrégé ici en* L), *au* Voyage en Chine et
en Mongolie *de M. de Bourboulon ministre de France et de
Mme de Bourboulon 1860-1861* par M. Achille Poussielgue, Paris, Librairie de L. Hachette et Cie, 1866,
446 pages *(abrégé en* P) *et à* Seize mille lieues à travers
l'Asie et l'Océanie, *voyage exécuté pendant les
années 1858-1861* par le comte Henri Russell-Killough,
membre de la Société française de géographie : Sibérie,
Désert de Gobi, Péking, Fleuve Amour, Japon, Australie,
Nouvelle-Zélande, Inde, Himalaya…, *Paris, Hachette,
1864, 2 vol. (abrégé en* R).

*Lanoye retrace la destinée douloureuse d'Eve Félinska,
« d'une noble famille de l'ancienne Ukraine » exilée en
Sibérie vers la fin de 1838 par un ukase « ou décret de
transportation en Sibérie ». Verne (voir ci-dessous « Korpanoff ») a probablement utilisé le nom réel d'un marchand*

*cité dans un épisode de la vie d'Eve Félinska pour doter d'un
faux nom son héros lorsque ce dernier doit dissimuler sa
« véritable » identité. M. et Mme de Bourboulon, qui
rentrent de Chine, effectuent quant à eux un trajet inverse à
celui de Michel Strogoff en se rendant de Pékin à Saint-
Pétersbourg via la Sibérie orientale, Irkoutsk, la Sibérie
occidentale et la Russie d'Europe après avoir résidé dix
années en Chine. Russel-Killough enfin réalise un voyage en
Sibérie en partant de Saint-Pétersbourg.*

BAÏKAL

Le lac Baïkal est situé à dix-sept cents pieds au-
dessus du niveau de la mer. Sa longueur est environ de
neuf cents verstes, sa largeur de cent. Sa profondeur
n'est pas connue. Mme de Bourboulon rapporte, au
dire des mariniers, qu'il veut être appelé « madame la
mer ». Si on l'appelle « monsieur le lac », il entre
aussitôt en fureur (*Michel Strogoff*, II, chap. x).

« O Baïkal, tes tempêtes sont affreuses, tes mariniers
prétendent que tu veux être appelé *Madame la mer*, mais
que si on t'appelle *Monsieur le lac*, tu soulèves aussitôt tes
vagues en fureur ! Sois-moi propice ! Je ne t'offenserai plus
par un nom indigne de toi [...] » [P, p. 406].

CHAÎNE D'ICHIM

C'est à cet endroit même, où le tarentass venait de
franchir le fleuve, que se termine ce qu'on appelle en
langage militaire la « chaîne d'Ichim » [...] (*Michel
Strogoff*, I, chap. XIII).

« En quittant *Omsk*, nous traversons en bac l'*Irtisch*, un
des trois grands fleuves de la Sibérie : il m'a paru moins
large que le *Ienisseï*.

« Dans la nuit du 22, il nous faut franchir près d'*Abatskaïa* la rivière *Ichim*, un de ses principaux affluents ; là, se
termine *la chaîne d'Ichim*, qui s'étend pendant près de
quatre cents verstes depuis les frontières du midi. On
appelle ainsi des tours ou fortins en bois espacés régulièrement, qui jadis protégeaient le pays contre les incursions
des Kirghis et des Kalmouks. Depuis que les Russes n'ont
plus rien à craindre des nomades qu'ils ont soumis, ces
fortifications primitives sont délaissées et tombent en
ruine » [P, p. 435].

EXILÉS POLITIQUES

Les exilés politiques, répartis dans toute la province, avaient été en effet concentrés à Irkoutsk depuis le début de l'invasion (*Michel Strogoff*, II, chap. XII).

« Je ne puis quitter *Irkoutsk* sans dire quelques mots des exilés politiques qu'on y envoie chaque année. Séparés à leur arrivée, des malfaiteurs condamnés au bagne dans les mines, ils sont répartis dans les localités qui leur sont assignées pour résidences : ils y sont bien vus ; les autorités ne s'en plaignent pas, au contraire, et, comme le but du gouvernement russe est de les éloigner de leur pays et de peupler les déserts sibériens, on cherche à les y fixer, à leur donner des occupations lucratives, à les marier dans le pays, mais on est impitoyable quand ils cherchent à s'échapper. En définitive, ils sont mieux traités qu'on ne le croit en Europe, et ils seraient relativement heureux, si rien pouvait remplacer la patrie, cette mère que n'oublient jamais les cœurs généreux ! » [P, pp. 412-413].

GLAÇONS

Et tous deux se couchèrent sur ce morceau de glace, qu'un léger balancement dégagea du barrage (*Michel Strogoff*, II, chap.XI).

(Cet épisode particulièrement rocambolesque a pu être inspiré à Jules Verne par une anecdote authentique rapportée par Lanoye, celle du capitaine Krusenstern...)

« Chargé par le gouvernement Russe de faire l'hydrographie des côtes sibériennes entre le détroit de Vaigatz et l'embouchure du Yéniseï, le navigateur vit son navire l'*Yerak* écrasé par les glaces de la mer de Kara et eut grand'peine à atteindre le continent, en flottant avec son équipage, de glaçons en glaçons » [L, pp. 70-71].

HOMMES DE FER

— Sire, il peut supporter jusqu'aux dernières limites le froid, la faim, la soif, la fatigue.
— Il a un corps de fer ?
— Oui, Sire (*Michel Strogoff*, I, chap. III).

« Habitués dès leur enfance à supporter tous les genres de privations, ces hommes sont singulièrement endurcis : quant au froid, il semble, en vérité, qu'ils ne le sentent pas !

Un Yakoute, pour voyager en hiver, ne prend avec soi ni tentes ni pelisses. C'est dans son costume habituel qu'il se met en route, quelque long que soit le voyage et malgré la rigueur de la saison. Arrivé au bivouac, le Yakoute étend sur la neige la couverture de son cheval, place sa selle de bois à l'un des bouts, en guise d'oreiller ; puis il ôte sa légère pelisse, son sayanak, se couche, et l'étend sur lui de manière à garantir les reins et les épaules, tandis que le restant du corps demeure à peu près découvert. Après s'être un peu réchauffé sous cette couverture, notre homme l'attire en haut, pour couvrir une partie du visage : c'est ainsi qu'il dort du plus profond sommeil, par un froid de 20 ou 30 degrés. Quelquefois le *sayanak* glisse des épaules et une épaisse couche de givre s'étend sur le corps du dormeur sans que son sommeil soit troublé, et que sa santé souffre la moindre atteinte. Ces hommes supportent aussi la faim à un degré extrême ! Aussi donne-t-on aux Yakoutes, en Sibérie, le surnom d'*hommes de fer* » [L, pp. 262-263].

IENISSEI

> — Moi ! s'écria Nicolas. Je réalise enfin un de mes rêves : naviguer en charrette ! (*Michel Strogoff*, II, chap. VII).

« A propos de notre passage sur le *Ienissei*, il faut que je parle d'une histoire qui vient de m'être racontée, et qui, en même temps qu'elle prouve qu'on peut dormir aussi profondément que moi en traversant ce fleuve, atteste la vigueur et l'énergie de ces chevaux sibériens à demi sauvages, élevés dans les steppes du pays, qui viennent de nous faire parcourir quatre cents lieues en quelques jours avec une vitesse de quatre lieues à l'heure.

« Un cultivateur des faubourgs de *Krasnoiarsk*, qui était allé assister à une noce dans un village à cinquante verstes au-delà du *Ienissei*, ayant fêté outre mesure le *kwass* et l'eau-de-vie d'orge, s'était au retour endormi profondément du lourd sommeil de l'ivrogne dans son *kibitka*[1], attelé de deux vigoureux chevaux ; ces intelligents animaux, abandonnés à eux-mêmes et connaissant bien la route qu'ils avaient parcourue plusieurs fois, l'amenèrent rapidement jusqu'aux bords du fleuve, mais là sans doute, impatientés de ce que leur maître ne se réveillait pas, fatigués de hennir

_____
1. Sorte de charrette.

en vain pour appeler les passeurs du bac qui dormaient aussi, encouragés enfin par la pensée de la litière et de l'excellente avoine qui les attendaient à l'écurie, ils entrèrent tout simplement dans l'eau pour passer le fleuve à la nage, traînant à leur suite le *kibitka* auquel ils étaient attelés : l'ivrogne s'éveilla soudain plongé jusqu'au ventre dans les eaux froides du *Ienissei*! Ce bain inattendu ayant rafraîchi ses idées, et le danger lui ayant rendu sa présence d'esprit, il jugea préférable de s'en rapporter à l'intelligence de ses chevaux qui avaient déjà gagné le milieu du fleuve, et se tint coi sur son banc, plus mort que vif, sans faire un mouvement et sans leur adresser une parole. On juge quelle dut être la stupéfaction des riverains de *Krasnoiarsk*, en voyant apparaître au petit jour ce nouveau Neptune, piteusement accroupi, le buste au-dessus de l'eau, flottant avec son char à ridelles dont les deux roues faisaient office de gouvernail et dont les coursiers fendaient bravement les flots, rejetant comme des monstres marins l'onde par leurs naseaux fumants. Enfin ce brave homme aborda au rivage avec son attelage, ayant échappé à un terrible danger ; car le *Ienissei* a dans cet endroit plus de deux mille mètres de large, et ses courants et ses tourbillons y sont d'une violence effroyable » [P, pp. 417-419].

IRKOUTSK

> Irkoutsk, capitale de la Sibérie orientale, est une ville peuplée, en temps ordinaire, de trente mille habitants (*Michel Strogoff*, II, chap. XII).

« *Irkoutsk*, capitale du gouvernement de la Sibérie orientale, contient 23 000 habitants. Cette ville est assise sur un des versants élevés de l'*Angara*, dans un coude que forme le fleuve. Reliée à ses faubourgs, situés de l'autre côté de l'eau par deux ponts en bois, bâtis sur pilotis jusqu'au chenal où ils se convertissent en ponts de bateaux mobiles pour ne pas entraver la navigation, *Irkoutsk*, comme toutes les villes sibériennes, est remarquable par le nombre considérable de ses églises, dont les clochers dépassent de tous côtés les maisons en briques des riches marchands et les cahutes en bois qu'habitent les gens du peuple. Outre les vingt églises qu'on y compte actuellement, on est en train de bâtir une nouvelle cathédrale sur des proportions gigantesques, au moyen de souscriptions faites par la communauté marchande.

« Nous avons été saisis, en entrant ici à la suite de quarante jours passés au désert, de l'animation et du mouvement qui annoncent une grande ville : il y a une grande circulation de voitures, tarentas, telegas, drosckis de place à un cheval, sorte de cabriolets découverts où peuvent tenir deux personnes, et même petits coupés de maître à la mode ; les rues en terre battue (la pierre est très-rare dans le pays), sont bordées de trottoirs en bois ; les portes des maisons communiquent avec la rue par de vrais ponts, jetés sur les grands fossés pleins d'eau, qui occupent les côtés des principales rues, et qui sont plantés de bouleaux centenaires ; beaucoup de maisons ont deux et trois étages ; la grande rue contient nombre de belles boutiques, dont quelques-unes à devanture en glaces avec des enseignes en russe et même en français […] » [P, pp. 408-409].

KAMSK

Le lendemain, trente-cinq verstes au-delà, elle arrivait à Kamsk, bourgade plus considérable… (*Michel Strogoff*, II, chap. VIII).

« *Kamsk*, où nous avons quelques heures pour nous reposer, est aussi une petite ville assise sur la rivière *Kamsk*, un des principaux affluents du fleuve *Iénisseï* ; elle se compose d'une place carrée, entourée de maisons construites en grossiers madriers de sapin, et ornée d'une cathédrale remarquable par son haut clocher, et sa coupole ronde décorée de quatre clochetons et surmontée de l'inévitable croix dorée » [P, p. 421].

KORPANOFF

Ce podaroshna était fait au nom de Nicolas Korpanoff, négociant, demeurant à Irkoutsk (*Michel Strogoff*, I, chap. IV).

Lanoye rapporte qu'Eve Félinska, quittant Tobolsk pour Bérésov où elle est exilée, s'embarque sur un navire sur l'Irtych. Le 19 mai 1839 elle manque de tomber à l'eau et ne doit son salut qu'à l'intervention d'un passager, marchand de farine : « il s'appelait Korpanoff » [L, p. 24].

KRASNOÏARSK

Krasnoïarsk était déserte ! Il n'y avait plus un Athénien dans cette « Athènes du Nord », ainsi que l'appelle Mme de Bourboulon. […] Pas une élégante

Sibérienne, habillée aux dernières modes de France…
(*Michel Strogoff*, II, chap. VII).

« *Krasnoïarsk*, bâtie sur un plateau, possède un fort beau jardin public, taillé et tracé dans un antique bois de bouleaux, dont les derniers arbres poussent leurs racines sur les falaises du fleuve, élevées de quatre-vingts pieds à pic. Une large avenue parfaitement plane, et où plusieurs voitures peuvent passer de front, traverse ce jardin et donne en enfilade sur tout le cours de l'*Ienissei* dont le panorama est splendide. C'est ce que la ville présente de plus remarquable ! […] *Krasnoïarsk* me fait l'effet d'être l'Athènes de la Sibérie ! […] Partout où j'ai voyagé, j'ai remarqué que les prétendues modes parisiennes, les choses les plus excentriques et du plus mauvais goût étaient portées d'abord par les dames des contrées les plus éloignées, les plus inconnues, où elles arrivent toutes faites, et sans qu'il leur soit possible de contrôler si elles seront acceptées par le public. De là les toilettes hétéroclites qu'on remarque chez les étrangères qui arrivent à Paris, persuadées qu'elles sont mises à la dernière mode » [P, pp. 419-421].

MARAIS

Les voyageurs obligés de traverser la Baraba, pendant l'été, ont le soin de se munir de masques de crins… (*Michel Strogoff*, I, chap. XV).

« Nous traversons le fleuve *Obi*, près de *Dombrovino* : c'est le plus grand cours d'eau que nous ayons vu après l'*Ienisseï*. La route qui suit son cours jusqu'à *Orskoïbor* cotoie des marais ; l'*Obi* lui-même coule doucement au milieu des tourbières et de gigantesques roseaux. Lorsqu'il déborde au printemps, il inonde les landes environnantes, où ses eaux, croupies par les rayons brûlants du soleil, font naître les fièvres intermittentes qui désolent le pays.

« Des hameaux peuplés par les Tartares s'élèvent çà et là dans la steppe, et j'aperçois de temps en temps des femmes et des enfants couverts de peaux de bêtes, qui poussent devant eux de chétifs moutons, d'un aspect aussi misérable que leurs maîtres. Les bonnes terres, les gras pâturages sont exploités par la race russe conquérante[1], et les pauvres

---

1. La Sibérie est en réalité une conquête des Cosaques ; plus tard, les exilés et les déportés l'ont peuplée.

Bourates, descendants des Tartares jadis maîtres de la contrée, en sont réduits à travailler aux mines, tandis que leurs familles cherchent leur vie dans les steppes [...]

« Après avoir dépassé la petite ville de *Kolyvan*, le paysage devient de plus en plus désolé ; nous parcourons une steppe immense, parsemée de buissons nains, de bruyères et d'ajoncs d'une verdure grisâtre, parmi laquelle font tache de gros cailloux en silex blanc ; puis, à minuit, à la station de *Sektinskaïa*, on nous prévient que nous allons entrer dans les fameux marais de la Baraba que nous mettrons deux jours à traverser. D'après les indications qu'on nous avait données, nous nous empressons de mettre nos masques achetés à Tomsk : qu'on se figure des ovales en crins, adaptés à la forme de la figure, et déployés sur une petite crinoline en fil de fer doublée de calicot, qui nous tombe jusqu'aux épaules comme un camail ; on a l'air ainsi d'avoir mis en cage la partie supérieure de son individu !

« Cette mascarade ne laisse pas que de nous amuser beaucoup et, après avoir muni nos mains d'épais gants de feutre, nous montons chacun dans notre voiture, en nous souhaitant bon courage.

« Je m'assois dans un coin, enroulée dans mes couvertures, et j'ouvre le châssis vitré d'une des portières, toute prête à la refermer, si l'ennemi dont on m'avait tant fait peur, c'est-à-dire les cousins et les moustiques, tentait une invasion sur ma personne : l'air est lourd et chaud, la nuit profonde ; des nuages noirs chargés d'électricité roulent au-dessus de moi, dessinant çà et là à la lueur des éclairs de grandes ombres fantastiques ; au loin j'entends les lourds grondements de l'orage, et le vent m'apporte ces senteurs à la fois âcres et fades qui annoncent le voisinage des marais... peu à peu je m'endormis : j'avais gardé mon masque à camail, mais le carreau était resté ouvert... une vive sensation de froid, et des démangeaisons intolérables aux mains et à la figure me réveillèrent : le jour naissait ; les marais m'apparurent dans leur splendide horreur, mais j'avais payé cher mon imprudence : toutes les parties de ma figure, que touchait mon masque dans la position où je m'étais endormie, avaient été percées des milliers de fois à travers le treillage de crin par des milliers de trompes et de suçoirs affamés de mon sang ; les parties saillantes, le front, les joues, le menton étaient ridiculement enflées ; je ne me reconnaissais plus ! Mon poignet, laissé à découvert entre le gant et le commencement de la manche, était orné d'une

boursouflure régulière qui me formait un véritable bracelet
autour du bras; enfin partout où l'ennemi avait pu pénétrer, il avait causé des ravages incalculables! La voiture
était inondée de maringouins et de cousins bourdonnant à
mes oreilles; à mesure que le jour se faisait, d'autres
essaims affamés montaient à l'assaut; l'air en était noir... en
un clin d'œil, j'eus repoussé l'invasion à grands coups de
mouchoir; les plus gros maringouins, alourdis par le sang
qu'ils avaient bu, tombèrent morts, ou s'enfuirent, mais
rien ne put me débarrasser des milliers de petits cousins
presque imperceptibles, bourdonnant leurs cris de vengeance et de mort dans une sarabande perpétuelle, dansée à
la hauteur de ma figure.

« Enfin le soleil se leva, et la chaleur de ses rayons fit
disparaître peu à peu ces ennemis invisibles.

« [...] Pour en finir avec ces vilains insectes, je dirai qu'il
n'y a pas ici de moustiques comme dans les pays chauds,
mais qu'il y a la plus riche collection de diptères suceurs,
depuis la tipule grosse comme une tête d'épingle, jusqu'au
maringouin à ailes noires et au taon doré, qui ont plusieurs
pouces de long, et sont armés de trompes, de suçoirs et de
lancettes formidables. Ces animaux sont avec les fièvres
intermittentes la véritable plaie des marais de la Baraba, et
les rendent inhabitables pendant les trois mois d'été.

« A partir de *Karguinsk*, nous voyageons tout à fait dans
l'eau; on a rendu la route praticable, en y plaçant en travers
des rondins de sapin jointifs et recouverts d'argile, ballas-
tage d'un nouveau genre qui n'est guère solide : les roues
des voitures, en roulant sur ce sol artificiel, font résonner le
creux; tout tremble sur le passage de nos lourdes tarentass;
l'eau des marais s'agite et fume, les grandes herbes tré-
pident comme si quelque reptile hideux cherchait à escala-
der leurs tiges, la route ondule et gémit, et, en regardant en
arrière, je la vois dérouler au milieu des marais verdoyants
ses longs anneaux jaunes; là, où l'argile est tombée par le
frottement des roues, les branches des bouleaux, couvertes
encore de leur écorce blanche, ont l'air d'un charnier de
grands ossements antédiluviens.

« [...] La Baraba, même après la Terre des Herbes, est
un sujet d'étonnement pour nous » [P, pp. 428-432].

Lorsque Michel Strogoff sentait que son cheval,
rompu de fatigue, était sur le point de s'abattre, il
s'arrêtait à l'un de ces misérables hameaux, et là,
oublieux de ses propres fatigues, il frottait lui-même

les piqûres du pauvre animal avec de la graisse chaude, selon la coutume sibérienne...
(*Michel Strogoff*, I, chap. XVII).

« *Kamsk* est tellement ravagée par les fièvres à l'automne, que les employés, qui en forment presque la seule population, émigrent à *Kolyvan*, et même jusqu'à *Omsk*. Il ne reste alors dans la Baraba que quelques Bourattes ou des Tartares à demi sauvages, qui la parcourent avec leurs troupeaux ; encore sont-ils pâles, décharnés, et toujours tremblants de la fièvre ; on m'a assuré qu'il était rare qu'un de ces *Barabintses* atteignît jusqu'à cinquante ans.

« Nous sommes restés à *Kamsk* le 17 depuis le matin jusqu'à midi. En entrant dans cette ville j'avais remarqué que nos chevaux étaient couverts de sang, les palefreniers de la poste s'étaient empressés de les frotter de graisse chaude pour cicatriser leurs plaies. Les piqûres incessantes des mouches rendent leurs attelages furieux ; ils s'emportent, en entraînent les voitures dans les tourbières : ce n'est pas là un des moindres dangers de la traversée de la Baraba, et nous en fîmes bientôt l'expérience.

« [...] Les pasteurs qui y campent toute l'année ne peuvent conserver leurs troupeaux qu'en les parquant sous le vent de véritables incendies qu'ils allument avec des branches de bois vert, mouillées sans cesse pour entretenir la fumée ; eux-mêmes ont toujours la figure couverte de masques faits avec des vessies enduites de poix, qui leur donnent l'air de véritables brigands » [P, pp. 433-434].

NAVIGATION FLUVIALE

Quoi qu'il en soit, au dîner de ce jour, le Français, toujours ouvert et même un peu loquace, l'Anglais, toujours fermé, toujours gourmé, trinquaient à la même table, en buvant un Cliquot authentique, à six roubles la bouteille, généreusement fait avec la sève fraîche des bouleaux du voisinage (*Michel Strogoff*, I, chap. VII).

« Nous nous sommes embarqués à *Perm* sur les bateaux à vapeur *Caucase* et *Mercure*, appartenant à une compagnie qui fait le service entre *Perm* et *Nijni-Novgorod* par la *Kama* et le *Volga*. Ils sont fort bien emménagés, mais on ne vous y souffre que vingt livres de bagages par tête, ce qui n'est guère commode. Les voyageurs sont divisés en trois classes strictement séparées. Il y a un très-bon restaurant à bord, où les repas et les vins sont d'un prix fou : une bouteille de vin rouge ordinaire vaut quatre roubles[1], le champagne six roubles; malgré cela il s'en boit considérablement sur notre bateau. Je ne crois pas qu'il y ait de pays au monde, où on consomme autant de ce vin qu'en Russie; tous les vignobles de la Champagne n'y suffiraient pas! Heureusement qu'il y a ici des fabriques, où on en fait de passable avec la sève fraîche des bouleaux; cela mousse, pétille et fait sauter le bouchon, c'est tout ce qu'il faut!

« *Kasan* est une très-ancienne et très-pittoresque ville, fondée en 1257 par *Batu*, grand khan des Tartares, descendants des anciens indigènes; c'est l'entrepôt du commerce entre la Sibérie, la Boukharie et la Russie d'Europe, le centre d'une assez grande industrie, et le siège d'un archevêché grec et d'une université. [...] nos bateaux à vapeur, chargés de ballots de marchandises qu'ils portaient à la foire de *Nijni-Novgorod*, des trains de bois, des barques de pêche toutes pleines de poix et de goudrons, et des bandes de canards sauvages qui s'envolaient, effrayés par le hoquet continuel de la machine... » [P, pp. 440-441].

NIJNI-NOVGOROD

C'était un peu en dehors de la ville que se tenait cette foire de Nijni-Novgorod, avec laquelle celle de Leipzig elle-même ne saurait rivaliser. Dans une vaste plaine, situé au-delà du Volga... (*Michel Strogoff*, I, chap. v).

« C'est une chance pour notre curiosité, que d'être arrivés à *Nijni-Novgorod* juste au moment de la foire, qui est la plus célèbre d'Europe avec celle de *Leipsick*; elle jette une animation extraordinaire dans cette ville déjà fort peuplée, car on assure qu'il y vient plus de cent mille marchands de toutes les parties du monde.

« *Nijni-Novgorod* est située sur des escarpements très-élevés au-dessus du fleuve; les différents quartiers de la ville sont séparés par des ravins tellement à pic, qu'il a fallu les relier par des ponts.

1. Le rouble vaut environ cinq francs.

« La foire se tient dans une grande plaine de l'autre côté du *Volga*, où le gouverneur habite dans un palais tout le temps de sa durée.

« Au moment de notre arrivée, les eaux débordées ne faisaient que rentrer dans leur lit, et des milliers d'ouvriers s'empressaient d'y élever les constructions provisoires, qui allaient servir au commerce. La foire n'était pas ouverte : des masses de ballots de marchandises de toute forme et de toute couleur gisaient çà et là pêle-mêle sur le bord du fleuve, sous la garde d'agents spéciaux de police. La foule des marchands et des acheteurs était déjà immense : on y voyait tous les peuples de l'Orient, Persans, Géorgiens, Turcs, Arméniens, Kalmouks, Khirghis, Indous, Turcomans, se coudoyant avec des Russes, des Juifs, des Cosaques, des Tartares et des négociants de tous les pays de l'Europe. Une foule de spectacles, de charlatans, de jeux, emplissaient de vastes baraques, et formaient déjà un quartier destiné aux plaisirs.

« Ce que j'y ai vu de plus curieux sur un théâtre ambulant, c'était un acteur, nègre des Antilles, qui jouait *Othello* en anglais, tandis que les autres personnages disaient leur rôle en russe. Cela faisait une cacophonie assez étrange ! J'ai trouvé cet acteur noir très-bon (en revenant de Chine, on n'est pas difficile). Il y avait aussi des danseuses bohémiennes, de vraies zingaris, au teint cuivré, qui exécutaient voluptueusement les danses du shall et de l'abeille [...] » [P, pp. 442-443].

PODAROSHNA

Ainsi, en lui remettant une somme importante, qui devait suffire à son voyage et le faciliter dans une certaine mesure, le général Kissoff ne lui donna-t-il aucun ordre écrit portant cette mention : service de l'empereur, qui est le Sésame par excellence. Il se contenta de le munir d'un « podaroshna » (*Michel Strogoff*, I, chap. IV).

« Le lecteur sait peut-être que pour voyager par la poste en Russie, il ne suffit pas d'un passe-port ; il faut aussi avoir un "*podaroshna*", ou permis pour prendre les chevaux de poste, lequel permis se paye généralement fort cher et d'autant plus cher que l'on emploie plus de chevaux ; le prix de ces chevaux se paye d'ailleurs à part à chaque relais » [R, pp. 28-29].

POLICE

Le czar était, depuis quelques instants, immobile à la fenêtre de son cabinet, lorsque les huissiers en ouvrirent de nouveau la porte. Le grand maître de police apparut sur le seuil (*Michel Strogoff*, I, chap. II).

(La Russie de l'époque est un empire autocratique. Le romancier, afin de ne pas compromettre commercialement le marché du lectorat russe, a été amené à modérer le caractère absolutiste de son tsar. Dans la réalité, le libéralisme du régime était nettement moins affirmé comme on s'en convaincra à la lecture du témoignage de ce voyageur de 1869 sur la police secrète.)

« La police secrète possède une autorité immense ; elle ne reconnaît au-dessus d'elle que le chef de l'Etat. Elle a une sphère d'action spéciale, distincte, mais elle domine tous les autres pouvoirs. Son chef, le comte Schouvalof, est le premier fonctionnaire de l'empire, le seul qui possède le droit de se présenter à toute heure devant le tsar. Chez les nations orientales, le privilège d'approcher du souverain donne la mesure à peu près exacte du rang que l'on occupe dans l'Etat. Le droit d'audience est, dans le Palais d'Hiver, soumis à des règles très-simples. Les ministres de l'intérieur, de l'instruction publique, des finances ne sont admis près de l'empereur qu'une fois par semaine. Les ministres plus élevés dans la hiérarchie, celui de la guerre par exemple et celui des affaires étrangères, sont reçus chaque jour, mais à une heure fixe. Le ministre de la police peut entrer dans le cabinet impérial à toute heure du jour, dans sa chambre à coucher à toute heure de la nuit.

« Il y a peu d'années, le pouvoir de ce ministre égalait son rang à la cour ; dans les affaires intérieures il était souverain, et il advint à plus d'un pauvre administrateur de devenir sa dupe après lui avoir servi d'instrument. Une partie de ses attributions sont maintenant dévolues aux tribunaux ; mais la police n'en continue pas moins à se placer au-dessus de la loi : elle peut infirmer un arrêt et, *par mesure administrative*, envoyer en exil un prévenu que les cours impériales ont absous » (William Hepworth Dixon, « La Russie libre », *Le Tour du monde*, second semestre 1872, p. 54).

POSTILLONS

La ficelle qui lui servait de guides n'aurait eu aucune action sur des animaux à demi emportés, mais « napravo », à droite, « na lèvo », à gauche, — ces mots, prononcés d'une voix gutturale, faisaient meilleur effet que bride ou bridon (*Michel Strogoff*, I, chap. IX).

« [...] les jurons des postillons : *Shareié, Tishe, Zapriagati, Napravo*, plus vite, doucement, à droite, à gauche ; un cocher russe parle sans cesse à ses chevaux qu'il entretient comme des camarades, et qu'il invective quelquefois de toute la kyrielle des noms de saints du calendrier grec » [P, p. 427].

SIBÉRIENS

Dans les champs, peu ou pas de ces paysans sibériens, à figure pâle et grave, qu'une célèbre voyageuse a justement comparés aux Castillans, moins la morgue (*Michel Strogoff*, I, chap. XII).

« Il ne faudrait pas en conclure que les paysans sibériens soient très-démonstratifs, loin de là, ils sont calmes, dignes, galants même, mais très-contenus : à la fierté près, ils me rappellent les Castillans » [P, p. 438].

TARENTASS

Michel Strogoff aurait bien été forcé d'employer la télègue, s'il n'eût été assez heureux pour découvrir un tarentass.

Ce n'est pas que ce dernier véhicule soit le dernier mot du progrès de l'industrie carrossière (*Michel Strogoff*, I, chap. IX).

« [...] il [M. d'Ozeroff] nous attendait à cette station avec trois tarentass, grandes chaises de poste à cinq et six chevaux, et des télégas, sorte de traîneaux à trois chevaux affectés au service des dépêches [...] » [P, pp. 393-394].

« Voici comment nous nous étions arrangés pour faire le trajet de Moscou à Kazan. La neige n'étant pas encore assez bien affermie pour aller partout en traîneau, dont les meilleurs se trouvent à Kazan, il fallut nous résigner à voyager dans le singulier véhicule connu de tous les Russes sous le nom de tarentass, qui, Dieu merci, n'est connu nulle

autre part. C'est une charrette, couverte ou non couverte, à
quatre roues, sans ressorts, et possédant, quoique en bois,
toutes les qualités du fer, à commencer par une rigidité à
toute épreuve ; si ce voyage était à refaire, j'aimerais mieux
aller à pied, voire même à chameau, que de rentrer jamais
dans un tarentass. Sur un espace ouvert à tous les vents, de
deux mètres carrés tout au plus, il fallut empiler quelque
chose comme cinq cents kilogrammes de malles, nous
percher, nous asseoir et chercher à nous allonger au sommet de l'édifice ou sur ses angles, nous accrochant fortement les uns aux autres pour ne pas disparaître subitement,
comme l'on fait sur les glaciers quand on craint de tomber
dans les crevasses » [R, p. 30].

*La description des moyens de transport en Russie est un
véritable* topos *présent dans tous les récits de voyage de
l'époque. Le témoignage de M. William Hepworth Dixon
sur « La Russie libre » publié dans* Le Tour du monde
*(second semestre 1872) a sans doute été lu par Jules Verne.
Dixon, notons-le au passage, a assisté durant son séjour en
Russie en 1869 à un mariage villageois. La jeune mariée
s'appelait Nadia, la femme de son informateur, Marfa...*

« [...] Ma seconde étape, d'Arkhangel à Vietegra, devra
s'accomplir à l'aide de chevaux de poste ; c'est une course
de huit cents verstes à travers une forêt de pins et de
bouleaux. Cette portion de voyage sera féconde en tribulations. Le *podorodjna*, sorte de passe-port délivré par la
police, confère au porteur le droit de se faire délivrer des
chevaux dont le prix est taxé. [...]

« Alors se pose la question du véhicule : voiture, charrette ou traîneau ? Il n'existe pas de messageries qui
conduisent le voyageur à la capitale ; une frêle charrette,
juste assez grande pour contenir un sac de lettres et un
enfant, transporte les dépêches. Elle part deux fois par
semaine, mais nul autre que le jeune commis ne peut y
prendre place. Il faut qu'un étranger organise lui-même ses
moyens de transport, et il n'a de choix qu'entre une charrette, une tarentass et un traîneau. Je choisis la tarentass.

Une tarentass est une charrette améliorée par l'addition
d'un soufflet, d'un garde-crotte et d'un marchepied. Elle
n'a pas de ressorts et se compose de deux longues et
flexibles traverses en bois de pin, façonnées avec une hache
de paysan, et fixées sur les essieux de deux paires de roues

qui sont écartées l'un de l'autre de neuf à dix pieds. On entasse les personnes et les bagages dans la caisse de cette voiture, on la bourre ensuite avec du foin et de la paille. Un rideau et un tablier de cuir préservent quelque peu le voyageur de la pluie, très-peu en vérité ; car les bourrasques et les rafales défient toute résistance. C'est une machine légère, élastique ; il n'est besoin de beaucoup d'industrie ni pour la construire, ni pour la raccommoder. Une des traverses vient-elle à se rompre par suite d'un cahot, vous vous arrêtez à la lisière de la forêt, vous abattez un pin, vous en enlevez les feuilles et les branches, et voilà une autre traverse. En moins d'une demi-heure, tout le dommage est réparé [...] » [article cité, p. 2].

TIOUMEN

Le même jour, 22 juillet, à une heure du soir, les deux tarentass arrivaient, soixante verstes plus loin, à Tioumen (*Michel Strogoff*, I, chap. XII).

« *Tioumen*, où j'écris ces mots, est une ville assez importante, où on trouve des usines métallurgiques et une fonderie de cloches. C'est le premier centre de population fondé par les Russes en Sibérie » [P, p. 436].

TOMSK

Tomsk, fondée en 1604, presque au cœur des provinces sibériennes, est l'une des plus importantes villes de la Sibérie asiatique. (*Michel Strogoff*, II, chap. IV).

Tomsk, 13 juillet au soir.

« Notre entrée dans la Sibérie occidentale a été signalée par le mauvais état des routes, qui m'ont paru détestables entre *Atchinsk* et ici. Le paysage monotone ne présente que des landes perpétuelles, entrecoupées de quelques forêts de sapins et de quelques belles vallées situées le long des cours d'eau qui sont nombreux, car il nous a encore fallu passer en bac les rivières de *Mariinsk* et d'*Ichimsk*.

« La civilisation a déjà pris racine ici : *Tomsk*, la ville la plus peuplée de la Sibérie avec Irkoutsk (vingt-deux mille habitants), est le centre d'un grand commerce, alimenté par les riches mines d'or, de platine et de cuivre, dont les gisements sont nombreux dans les contre-forts des monts Altaï. Quoique n'étant pas la capitale officielle de la Sibérie occidentale (c'est *Omsk* qui a cet honneur), *Tomsk* a complètement détrôné *Tobolsk*, située dans un pays plus froid, moins cultivé, et où l'industrie n'a pas plus d'avenir que l'agriculture. Cette ville est peu pittoresque : cependant on y voit sur les bords d'un bras canalisé du *Tom*, qui la traverse d'une extrémité à l'autre, nombre d'anciennes maisons en briques et en pierres, d'une architecture qui remonte aux premiers temps de l'occupation de la Sibérie. Quelques rues étroites, de vieux quartiers habités par les Tartares, étonnent l'œil quand on arrive d'*Irkoutsk* et de *Krasnoiarsk*, dont les rues sont si larges et si droites, les maisons si bien peintes et si bien alignées. On y trouve aussi un vaste jardin public, analogue à ceux que j'ai déjà décrits, avec des cafés, des salles de bal et des marchands ambulants de toute sorte ; là on rencontre les types si divers de la population sibérienne, Bourriates, Kalmouks, Khirgis, achetant, vendant, et surtout buvant des boissons fortes. Une grande partie de ce qu'ils gagnent est employée à satisfaire cette déplorable passion... pourtant, malgré la quantité d'ivrognes, on n'entend point de cris, de querelles ; tout se passe paisiblement et avec ordre : l'ivresse même est apathique chez les gens du Nord ! » [P, pp. 421-422].

« Tomsk est non-seulement la plus jolie ville de Sibérie, mais une des plus jolies villes du monde ; elle a bon nombre de maisons de pierre, à colonnades et péristyles, des trottoirs en bois, des rues aussi larges que régulières, quinze ou seize fort belles églises, et un assez bon petit théâtre. Elle couvre du haut en bas une colline longue et escarpée ; ses mille fenêtres flamboient tout le jour au soleil, et ses pieds se baignent dans une rivière superbe, le *Tom*, qui même là est infiniment plus large qu'aucune rivière de France [...] » [R, p. 50].

III. IMAGES RUSSES

Jules Verne n'est pas le premier écrivain français à avoir choisi la Sibérie comme toile de fond d'une œuvre littéraire. De nombreux articles de revues attirent au XIXe siècle l'attention des lecteurs sur le sort des exilés politiques, notamment polonais, relégués dans ces lointaines régions d'un empire autocratique. La Russie soviétique de notre siècle n'a, hélas, pas inventé le goulag.

En 1806, Mme Cottin (1770-1807) situe en Sibérie l'action sentimentale de son roman, Élisabeth ou les Exilés en Sibérie. *Xavier de Maistre (1763-1852) a repris en 1825, avec* La Jeune Sibérienne, *le récit de cette « jeune fille qui, vers la fin du règne de Paul Ier [1796-1801, mort assassiné; son fils Alexandre Ier lui succéda], partit à pied de la Sibérie, pour venir à Saint-Pétersbourg demander la grâce de son père ». Il a seulement voulu le restituer dans sa vérité et lui ôter le caractère romanesque dont l'avait doté Mme Cottin.*

Prascovie Lopouloff effectue le même type de périple que Nadia Fédor, mais dans le sens inverse : de la Sibérie des exilés vers la capitale de l'Empire.

XAVIER DE MAISTRE

LA JEUNE SIBÉRIENNE

[...] Prascovie Lopouloff était son nom. Son père, d'une famille noble d'Ukraine, naquit en Hongrie, où le hasard des circonstances avait conduit ses parents, et servit quelque temps dans les housards noirs ; mais il ne tarda pas à les quitter pour venir en Russie, où il se maria. Il reprit ensuite dans sa patrie la carrière des armes, servit longtemps dans les troupes russes, et fit plusieurs campagnes contre les Turcs. Il s'était trouvé aux assauts d'Ismaïl et d'Otchakoff, et avait mérité par sa conduite l'estime de son corps. On ignore la cause de son exil en Sibérie, son procès, ainsi que la révision qu'on en fit dans la suite, ayant été tenu secret. Quelques personnes ont cependant prétendu qu'il avait été mis en jugement par la malveillance d'un chef, pour cause d'insubordination. Quoi qu'il en soit, à l'époque du voyage de sa fille, il était depuis quatorze ans en Sibérie, relégué à Ischim, village près des frontières du gouvernement de Tobolsk, vivant avec sa famille de la modique rétribution de dix kopecks par jour, assignée aux prisonniers qui ne sont pas condamnés aux travaux publics.

La jeune Prascovie contribuait par son travail à la subsistance de ses parents, en aidant les blanchisseuses du village ou les moissonneurs, et en prenant part à tous les ouvrages de la campagne dont ses forces lui permettaient de s'occuper : elle rapportait du blé, des œufs ou quelques légumes en payement. Arrivée en Sibérie dans son enfance, et n'ayant aucune idée d'un meilleur sort, elle se livrait avec joie à ces pénibles travaux, qu'elle avait bien de la peine à supporter. Ses mains délicates semblaient avoir été formées pour d'autres occupations. Sa mère, tout entière aux soins du pauvre ménage, semblait prendre en patience sa déplorable situation ; mais son père, accoutumé dès sa première jeunesse à la vie active des armées, ne pouvait se résigner à son sort, et s'abandonnait souvent à des accès de désespoir que l'excès même du malheur ne saurait justifier.

Quoiqu'il évitât de laisser voir à Prascovie les chagrins qui le dévoraient, elle avait été plus d'une fois témoin de ses larmes à travers les fentes d'une cloison qui séparait son réduit de la chambre de ses parents, et elle commençait depuis quelque temps à réfléchir sur leur cruelle destinée.

Lopouloff avait adressé depuis plusieurs mois une supplique au gouverneur de la Sibérie, qui n'avait jamais répondu à ses demandes précédentes. Un officier, passant par Ischim pour des affaires de service, s'était chargé de la dépêche et lui avait promis d'appuyer ses réclamations auprès du gouverneur. Le malheureux exilé en avait conçu quelque espoir ; mais on ne lui fit pas plus de réponse

qu'auparavant. Chaque voyageur, chaque courrier venant
de Tobolsk (événement bien rare) ajoutait le tourment de
l'espérance déçue aux maux dont il était accablé.

Dans un de ces tristes moments, la jeune fille, revenant
de la moisson, trouva sa mère baignée de larmes, et fut
effrayée de la pâleur et des sombres regards de son père,
qui se livrait à tout le délire de la douleur. « Voilà, s'écria-
t-il lorsqu'il la vit paraître, le plus cruel de tous mes
malheurs ! voilà l'enfant que Dieu m'a donnée dans sa
colère, afin que je souffre doublement de ses maux et des
miens, afin que je la voie dépérir lentement sous mes yeux,
épuisée par de serviles travaux, et que le titre de père, qui
fait le bonheur de tous les hommes, soit pour moi seul le
dernier terme de la malédiction du ciel ! » Parscovie épouvantée se jeta dans ses bras. La mère et la fille parvinrent à
le tranquilliser en mêlant leurs larmes aux siennes ; mais
cette scène fit la plus grande impression sur l'esprit de la
jeune fille. Pour la première fois, ses parents avaient ouvertement parlé devant elle de leur situation désespérée ; pour
la première fois, elle put se former une idée de tout le
malheur de sa famille. [...]

Xavier de Maistre, pp. 300-302. *La Jeune Sibérienne*[1].

Prascovie décide de se rendre à Saint-Pétersbourg à pied
afin de réclamer la grâce de son père. Elle parvient, à force
d'obstination, à obtenir un passeport qui l'autorise à quitter
son village et part, avec pour seule aide « cette foi qui
transporte les montagnes ». *On comparera la scène suivante
à celle du choix du supplice de Michel Strogoff.*

[...] Lopouloff était dans l'usage de lire le soir un chapitre
de la Bible à sa famille : il expliquait aux femmes les mots
slavons qu'elles ne comprenaient pas, et cette occupation
plaisait infiniment à sa fille. A la fin d'une triste soirée, ces
trois solitaires étaient auprès d'une table sur laquelle était le
livre saint ; la lecture était achevée, et le plus morne silence
régnait entre eux, lorsque Prascovie s'adressant à sa mère,
sans autre but que celui de renouer la conversation :
« Ouvrez, je vous prie, la Bible, lui dit-elle, et cherchez
dans la page à droite, la onzième ligne. » Sa mère prit le

1. In *Œuvres complètes,* nouvelle édition précédée d'une notice
sur l'auteur par M. Sainte-Beuve, Paris, Garnier, 1866.

livre avec empressement et l'ouvrit avec une épingle ;
ensuite, comptant les lignes jusqu'à la onzième à droite, elle
lut à haute voix les paroles suivantes[1] :

« Or un ange de Dieu appela Agar du ciel et lui dit :
" Que faites-vous là ? ne craignez point. " »

L'application de ce passage de l'Écriture sainte était trop
facile à faire pour que l'analogie frappante qu'il présentait
avec le voyage projeté pût échapper à personne. Prascovie,
transportée de joie, prit la Bible et en baisa les pages à
plusieurs reprises. « C'est vraiment singulier », disait sa
mère en regardant son mari. Mais celui-ci, ne voulant pas
favoriser leur idée à ce sujet, s'éleva fortement contre ces
ridicules divinations. « Croyez-vous, disait-il aux deux
femmes, que l'on puisse ainsi interroger Dieu en ouvrant un
livre avec une épingle, et qu'il daigne répondre à toutes vos
folles pensées ? Sans doute, » ajouta-t-il, en s'adressant à sa
fille, « un ange ne manquera pas de vous accompagner dans
votre extravagant voyage, et de vous donner à boire quand
vous aurez soif ! Ne sentez-vous pas quelle est la folie de
s'abandonner à de semblables espérances ? »

Prascovie lui répondit qu'elle était bien loin d'espérer
qu'un ange lui apparût pour l'aider dans son entreprise.
« Mais cependant, disait-elle, j'espère et crois fermement
que mon ange gardien ne m'abandonnera pas, et que mon
voyage aura lieu, quand je m'y opposerais moi-même. »
[...]

Xavier de Maistre, *La Jeune Sibérienne, op. cit.*, pp. 314-
316.

*Prascovie parvient au terme de son voyage, obtient la
grâce de son père et de deux de ses compagnons. Elle prend
le voile à Kiew, s'établit dans un couvent à Nijeni et meurt en
1809.*

1. Il s'agit d'un passage de la Genèse, 21 : 17.

RUFIN PIOTROWSKI

LE KNOUT

Marfa Strogoff, « l'indomptable Sibérienne », se précipite sur son fils, on s'en souvient, dans la maison de poste d'Omsk. Mais l'homme qu'elle interpelle avec tant de passion reste impassible et prétend ne pas la connaître (I, chap. XIV). En discutant avec Nadia, Marfa finira par comprendre que son fils — car ce ne pouvait être que lui ! — est chargé d'une mission secrète qui justifie sa conduite autrement inexplicable (II, chap. II). Seule sa condamnation au supplice du knout par Ivan Ogareff amènera Michel Strogoff à se démasquer, rompant ainsi son serment (il avait juré de ne pas chercher à voir sa mère) et compromettant dangereusement sa mission. Jules Verne explique rapidement à ses lecteurs en quoi consistait ce châtiment :

> « Le knout se compose d'un certain nombre de lanières de cuir, à l'extrémité desquelles sont attachés des fils de fer tordus. On estime qu'une condamnation à cent vingt coups de ce fouet équivaut à une condamnation à mort » (II, II).

Le romancier n'entre pas dans le détail de ce supplice atroce. Voilà comment le décrit Rufin Piotrowski dans ses Souvenirs d'un Sibérien, *publiés en 1861, que Julian Klaczko a présentés aux lecteurs de* La Revue des Deux Mondes *en 1862. L'auteur de cette relation, Rufin Piotrowski, arrêté le 31 décembre 1843, a été déporté en Sibérie d'où il est parvenu à s'évader pour rejoindre à pied Saint-Pétersbourg, s'embarquer pour Riga et gagner enfin Paris qu'il avait quitté quatre ans auparavant.*

[...] Le *knout* est une longue et étroite lanière recuite dans une espèce d'essence et fortement enduite de limaille métallique. Ainsi préparée, la lanière acquiert une dureté et une pesanteur extrêmes ; mais avant qu'elle ne se durcisse, on a soin de replier sur eux-mêmes les bords amincis à dessein, et qui forment de cette façon une rainure s'étendant dans toute la longueur de la courroie, à l'exception toutefois de l'extrémité, laissée souple pour qu'elle puisse s'enrouler autour du poignet de l'exécuteur ; à l'autre bout est fixé un petit crochet en fer. S'abattant sur le dos nu du patient, le knout tombe de son côté concave sur la peau, que les bords de l'instrument coupent comme un couteau ; la lanière ainsi incrustée dans les chairs, l'exécuteur ne l'enlève pas, mais la tire à lui horizontalement, ramenant au moyen du crochet et par longues bandelettes les parties détachées. Si le bourreau n'est pas gagné et fait consciencieusement son métier, le supplicié perd toute connaissance après le troisième coup, et quelquefois il expire dès le cinquième. Un oukase de Pierre le Grand a fixé le maximum des coups à cent un ; mais on va rarement à cette limite, à moins qu'on ne veuille amener la mort. Notons aussi une singularité de la loi russe, qui veut que le chiffre de coups de knout soit toujours impair. L'échafaud sur lequel le patient est placé s'appelle en russe une cavale (*kobyla*) : c'est une planche inclinée sur laquelle on attache l'homme, le dos nu ; la tête étant fortement appuyée sur le bord supérieur, les pieds sur le bord inférieur, et les mains liées embrassant la planche, tout mouvement devient impossible. Après avoir appliqué le nombre de coups prescrit, on détache le malheureux et on lui fait subir à genoux le supplice de la *marque*. Ce sont les lettres *vor* (voleur, malfaiteur), taillées en pointes de fer sur une estampille que le bourreau lui enfonce dans le front et les deux joues. Pendant que le sang coule, on enduit les plaies d'une essence noire, dans la composition de laquelle entre de la poudre de chasse. Ces plaies guéries, la marque prend une teinte bleuâtre et reste toute la vie. Autrefois, après avoir ainsi marqué l'homme, on lui arrachait encore les narines avec un instrument de fer ; mais un oukase des derniers temps d'Alexandre Ier a définitivement aboli ce surcroît de barbarie. J'ai cependant rencontré en Sibérie plus d'un condamné aussi hideusement défiguré ; tous appartenaient à l'époque antérieure à la publication de l'oukase. Quant à ceux qui portaient sur leur visage la triple inscription de *vor*, j'en ai vu en Sibérie un nombre incalculable. Je crois cependant que les femmes ne sont pas passibles de ce châtiment, et je n'en vis aucune qui portât la triple marque.

Le *plète*, qu'on confond si souvent et à tort avec le knout, est un instrument de supplice moins terrible. Ce sont trois fortes lanières terminées au bout par des balles de plomb ; l'autre extrémité s'enlace autour du bras du bourreau. D'après la loi, l'instrument doit peser de cinq à six livres. Quand il tombe sur le dos nu du patient, il le frappe comme d'un triple bâton. Il n'arrache pas les chairs, comme le knout ; mais la peau se fend sous les coups, qui lèsent la colonne vertébrale et les côtes, et parfois même, à ce qu'on m'a dit, détachent les viscères de leurs parois. Ceux à qui les coups de plète ont été infligés en très grand nombre sont ordinairement atteints de phtisie. Pour se donner plus de force, le bourreau prend un élan, court et ne frappe du knout ou du plète qu'en arrivant près de la *cavale*. J'ai dit qu'on pouvait gagner le bourreau : dans ce cas, il fait en sorte de ne point appuyer sur l'instrument le petit doigt de la main, et cela suffit pour amortir la force du coup, sans que l'attention de l'officier soit éveillée ; le lecteur peut en faire l'expérience avec un bâton. Si le nombre de coups toutefois doit être considérable, on achète le bourreau pour qu'il donne de toute sa force les premiers coups en les dirigeant de préférence sur les côtes, de manière à mettre un terme plus prompt à la vie et aux douleurs du condamné.

Un troisième genre de châtiment est celui du *défilé*. Il est ordinairement réservé aux soldats ; cependant beaucoup de mes compatriotes l'ont subi après des condamnations politiques. Pour l'infliger, on prend de longues baguettes fraîchement coupées, qu'on fait tremper quelques jours dans l'eau pour les rendre plus souples. Des soldats se rangent sur deux files à une assez grande distance l'un de l'autre, afin qu'ils puissent frapper de toutes leurs forces sans se gêner réciproquement. Le condamné, nu jusqu'à la ceinture, passe entre les rangs ; ses mains sont attachées devant lui à un fusil dont la baïonnette s'appuie sur sa poitrine ; la crosse est tenue par un soldat qui le conduit. Il marche lentement, recevant les verges sur le dos et sur le cou ; quand il tombe évanoui, on le relève. Un oukase de Pierre le Grand fixe le maximum des coups à douze mille ; mais il est rare qu'on dépasse deux mille en une fois, à moins qu'on ne veuille « faire un exemple ». Ordinairement, après deux mille coups, on porte le patient à l'hôpital, et quand il y est guéri de ses blessures, il subit le reste de sa peine. [...]

Rufin Piotrowski, *Souvenirs d'un Sibérien*,
Revue des Deux Mondes 1ᵉʳ mai 1862, II,
« La déportation et la vie d'exil en Sibérie », pp. 48-49.

NAVIGATION SUR LA DVINA

Le même auteur évoque dans un autre passage une navigation en barque sur la Dvina. Il s'est fait engager par un marinier en se faisant passer pour un bohomolets, *un pèlerin qui se rend à pied vers un saint lieu. Sa description nous donne une idée des conditions réelles de navigation fluviale dans la Russie du milieu du XIXᵉ siècle. On la rapprochera avec profit du passage de l'Yeniseï du chapitre VII de la deuxième partie.*

[...] Quoique la population d'Oustioug ne dépasse pas quinze mille âmes, cette ville n'en a pas moins une importance commerciale assez grande ; elle est en effet le dépôt naturel des produits divers des pays de Viatka, Perm, Vologda et Sibérie. Ces produits, qui consistent en blés de toute sorte, lin, chanvre, graisse, viandes salées, goudrons, bois, fourrures, etc., s'accumulent à Véliki-Oustioug, pour être de là transportés par la Dvina à Archangel et chargés dans ce dernier port sur des vaisseaux destinés à tous les points du globe. Nombre de mariniers y arrivent de diverses contrées pour attendre le dégel de la Dvina et mener alors à Archangel les produits amassés sur des milliers de barques pour le compte des entrepreneurs, appelés *prikastchiki*. Ces entrepreneurs accordent alors aux *bohomolets* le passage gratuit sur les barques, à la condition de se nourrir eux-mêmes pendant la traversée et d'apporter à bord à cet effet un approvisionnement suffisant de farine, de gruau et de poisson sec. Le pèlerin qui s'engage à manier la rame reçoit en plus quinze roubles en assignats des *prikastchiki*, qui sont très heureux de ces offres, vu le besoin immense de bras. Je n'avais jamais manié la rame dans de grands bateaux ; j'acceptai cependant cette besogne dans l'espoir d'améliorer un peu mes finances. J'avais dépensé juste quinze roubles depuis mon départ d'Irbite, le pain coûtant très peu dans ces contrées et l'occasion m'ayant manqué,

---

1. Nous avons conservé les graphies des textes d'origine.

pendant le passage des monts Ourals et par la suite, de faire de folles dépenses. J'étais très heureux néanmoins de pouvoir ramener mon viatique à son chiffre antérieur de 75 roubles. Au premier jour où la Dvina devint navigable, après avoir passé presque un mois à Véliki-Oustioug au milieu d'un ennui mortel et d'actes de dévotion interminables, je fis en compagnie d'autres confrères un accord avec un des entrepreneurs. Je devais toutefois lui remettre mon passeport pour qu'il le gardât selon l'usage en dépôt pendant la traversée, et cette proposition me troubla un peu ; mais le tumulte si facile à prévoir de l'embarquement me rassurait. En effet, l'entrepreneur ne fit guère que jeter un regard sur mon malheureux billet de passe, et la vue du cachet lui suffit. Le 10 mai 1846, je me trouvai donc installé dans une barque et prêt à partir pour Archangel.

C'est une construction curieuse qu'une barque de la Dvina ; vue de loin, elle ressemble à une maison ou à un grenier flottant. L'art n'y est pour rien, tout y est laissé au travail musculaire des hommes, et chaque bâtiment exige de quarante à soixante mariniers. Le nombre des rames est de trente à quarante ; ce sont de simples sapins entiers assez minces. Parmi les diverses et bizarres parties du bâtiment, destinées soit à servir de magasin pour les marchandises, soit à abriter les hommes pendant la nuit, ou à répondre aux autres besoins des passagers, je mentionnerai seulement une grande caisse carrée, en bois grossier, placée sur le toit au-dessus de quatre pieux et remplie de terre jusqu'à la moitié : c'est la cuisine de l'équipage. Le feu y est entretenu pendant toute la journée. A deux grands arbres appuyés transversalement sur les parois de la caisse sont suspendues, par des crochets en bois, des marmites dans lesquelles se préparent les aliments. Nous transportâmes le soir nos bagages sur le bâtiment, et nous couchâmes à bord. Au point du jour, le *nosnik*, c'est-à-dire le patron du bateau, cria à haute voix : « Assieds-toi et prie Dieu ! » Tout le monde prit place sur le toit, et après avoir gardé un instant une attitude toute musulmane, chacun se leva, fit une quantité de signes de croix et de *poklony*. La prière achevée, chaque homme de l'équipage, depuis le patron jusqu'au plus pauvre des *bohomolets*, jeta dans le fleuve une pièce de monnaie en cuivre ; c'est le moyen de se rendre les flots de la Dvina propices.

L'aspect de la Dvina, couverte de nombreuses embarcations, est très animé. Après chaque halte un peu prolongée, au moment de repartir, le patron criait son « assieds-toi et prie Dieu », et l'équipage recommençait l'acte accoutumé. Les signes de croix et les *poklony* allèrent aussi leur train toutes les fois qu'apparaissait dans le lointain une des innombrables petites chapelles qui se trouvent le long des deux bords de la Dvina. Pendant le calme, le bâtiment était porté par le seul courant du fleuve, et alors tout le monde se reposait, conversait ou chantait. Je fus frappé du grand vide d'idées et de sentiment que décelaient ces couplets de l'équipage malgré une mélodie suave et gracieuse ; c'est là le caractère commun à tous les chants populaires russes. Au moment d'une tempête et à l'approche des endroits dangereux, les mariniers se mettaient en branle et travaillaient alors avec autant de vigueur que d'agilité. Je mis moi-même un zèle exemplaire à m'acquitter des devoirs de ma charge, et je crois pouvoir dire sans me flatter que j'acquis bien vite une supériorité remarquable dans le maniement de la rame et du timon ; j'eus la satisfaction de me voir applaudi par les vieux pilotes, et d'entendre le nom de *Lavrenti* (mon nom supposé) invoqué dans tous les moments difficiles. Malgré notre diligence, le bateau toucha cependant deux fois les bas-fonds, et alors il fallut travailler de toutes nos forces pendant dix ou douze heures pour le remettre à flot. Un de nos divertissemens était l'arrivée fréquente à notre bord, dès que nous étions en vue d'un rivage, de petites nacelles toutes remplies de femmes et d'enfants qui nous demandaient l'aumône. Ils chantaient alors une des plus plaintives et des plus douces mélodies que j'aie jamais entendues de ma vie, et dont le refrain était toujours : « Petits pères, petites mères, donnez-nous du pain ; *batiouchki, diadiouchki, daïtiè khlebtsa.* » Personne de l'équipage, les mariniers pas plus que les *bohomolets*, ne se refusaient à l'offrande, et les mendians entonnaient de nouveau des couplets pour nous souhaiter bonne et heureuse traversée.

Notre navigation sur la Dvina dura une quinzaine de jours. A mesure que nous approchions d'Archangel, les nuits devenaient plus courtes ; la dernière ne fut marquée que par deux heures d'intervalle entre le coucher et le lever du soleil ; encore faisait-il même alors si clair qu'on aurait pu lire et écrire sans la moindre gêne. Quand enfin les sommets dorés des églises d'Archangel scintillèrent aux rayons du soleil levant, tout l'équipage poussa un cri d'allégresse, et les mariniers s'empressèrent de jeter dans le fleuve la grande caisse remplie de terre qui nous avait servi de cuisine. Ainsi firent les autres barques de leurs cuisines respectives, car c'est là l'usage consacré. Bientôt après les rameurs brisèrent avec un effroyable fracas les parties inférieures de leurs avirons, — autre coutume étrange des navigateurs de la Dvina, — et, arrivés au port, nous reçûmes chacun des mains du *prikastchik* notre passeport et les quinze roubles gagnés par un rude travail. [...]

Rufin Piotrowski, *Souvenirs d'un Sibérien,*
Revue des Deux Mondes, 15 mai 1862, III,
« L'évasion et le retour », pp. 278-281.

MAURICE GEHRI

PRISONS RUSSES

Maurice Gehri émigre de Suisse en Russie en octobre 1904 et enseigne le français au premier gymnase classique de Gitomir, en Ukraine. Révoqué de ses fonctions au gymnase, arrêté dans la nuit du 29 au 30 août 1906 pour avoir participé aux activités d'une société de secours mutuels et avoir entretenu des relations avec quelques députés travaillistes, il est déporté en Sibérie d'où il parvient à s'échapper avec une de ses compagnes, Dounia. Son témoignage, publié en 1909, n'a rien de fictionnel. Il ne fait que mieux ressortir le réalisme de Jules Verne. Nous avons choisi cette description d'un trajet dans le Transsibérien que l'on rapprochera du chapitre 4 de la première partie du roman.

[...] A l'intérieur des voitures, c'est un bizarre chaos de races et de langues : Kirguises, Bouriates, Allemands, Japonais, Chinois, Caucasiens, Bachkyres, militaires rejoignant leur corps de troupe, paysans, ouvriers d'usines, marchands, artisans, courtiers à mine affairée roulant des chiffres. Dans le coin des brasseurs d'or, on n'entend parler que de puits miniers, de placers, de minerai, de filons : la *taïga* gonflée de pépites excite les convoitises. Les uns s'en vont ; d'autres prennent leur place. C'est un mouvement perpétuel. Les vagons sont sales, mais spacieux et bien chauffés : on n'y est pas mal. Ils sont divisés en petits coupés qui ouvrent sur un couloir latéral. Sur et sous les banquettes, aux patères, c'est tout le bric-à-brac que le Russe emporte dans ses voyages : sacs, manteaux, matelas, oreillers, couvertures, sans oublier la théière, les verres et le sucre dans un sachet de toile. Il y a des tablettes fixées aux fenêtres : on y joue aux cartes, mange, lit. Comme les vagons sont mal éclairés, le soir, on allume des chandelles qu'on fixe à la tablette avec quelques gouttes de suif. On descend à chaque arrêt du train pour aller au buffet, faire les cent pas sur le quai et se dégourdir ; puis on revient préparer le thé. Toute la journée, les verres de thé circulent, on grignote, on fume, on cause. Le Russe, qui adore la parlote, ne peut pas prendre le thé sans causer, de même qu'il ne peut pas causer sans prendre le thé. On cause de tout, des événements récents, du pays qu'on traverse, de mille riens, à bâtons rompus ; on se livre, en inconnus qui se font des amabilités pour chasser l'ennui et qui sont d'autant plus aimables et ouverts qu'ils ne se reverront plus et s'oublieront. Souvent, on discute l'une des grandes « questions sibériennes » : colonisation, chemins de fer, navigation fluviale, invasion des industriels étrangers, etc.

— Vous voyagez pour affaires, monsieur ?... Hé ! monsieur ! — C'est moi que vous questionnez ? fais-je sévèrement. — Parfaitement... Vous travaillez dans les mines, peut-être ? — Hm !... n-n-non !... pas précisément. — Dans le commerce, alors ? — Non... c'est-à-dire... oui... au fait... on peut bien dire que je suis dans le commerce. — Ah ! bien !... c'est ça !... Dans les étoffes, n'est-ce pas ? — Les étoffes ?... oui, j'ai quelquefois à m'occuper d'étoffes... c'est selon les cas. — Nda !... C'est ça !... Et aussi dans les laines ? — Non, pas dans les laines. — Ah ! bien !... parfaitement... (Un silence.) C'est du Chapochnikov que vous fumez ? — Non, c'est du Iermolov. — Ah ! moi, je fume toujours du Chapochnikov. Il est très bon. Vous voulez une papirosse ? C'est du tabac à vingt copecs l'once. — Non, merci. Je n'aime pas à changer. — Oui, oui, je comprends ça. Je suis la même chose... (Un silence.) Et vous allez loin ? — Loin ? non... Je vais à Irkoutsk. — A Irkoutsk ?... Ah ! oui !... Ah ! Vous êtes d'Irkoutsk... Nda !... Moi, je vais à Kharbine... Vous connaissez la maison Kunst et Albers, à Kharbine ? — Non, je ne la connais pas. Pourquoi ? — Oh ! je vous demande comme ça !... Un mot en amène un autre... J'ai une connaissance qui est employée dans cette maison... — Connais pas. — Comment ?... Oh ! sûrement, vous devez la connaître !... C'est une maison très connue... une maison importante... (Un silence). Nda !... Alors, oui... c'est ça... C'est dommage que vous ne soyez pas dans les laines. Je voulais vous demander si les prix n'ont pas baissé. J'ai un beau-frère qui est dans les laines... etc. etc.

Je me tiens à l'écart, autant que possible, pour éviter la conversation, les périlleuses questions. Mais cela ne me réussit pas toujours. Tous les jours, à l'aube, j'achète à la station quelques vivres, j'y remplis ma théière ; et, jusqu'au soir, je ne sors plus du vagon.

Le voyage de Krasnoïarsk à Vladivostok dure neuf jours. Neuf jours ternes, lents, monotones. Par-ci par-là, un incident : à Kansk, j'assiste à l'arrestation mouvementée d'un jeune homme qu'on dit, dans le vagon, être un fugitif politique ; il échappe au gendarme qui l'a saisi au moment où il montait dans le train ; et, pendant deux minutes, la gare est pleine de tintamarre, de cris, de coups de feu. A Inokentievskaïa (un peu avant Irkoutsk), les gendarmes contrôlent les passeports des voyageurs ; il me semble que le mien a été examiné avec une attention particulière et je décide de profiter de l'arrivée à Irkoutsk (quatre heures) pour m'en procurer un nouveau. Nous y arrivons le jeudi 27, de grand matin. Je loue un fiacre à l'heure et je vais tout droit chez un commerçant de la ville haute qui me procure, toute affaire cessante, le passeport dont j'ai besoin.

Deux heures après avoir quitté Irkoutsk, on arrive au lac Baïkal, à la « mer », comme le surnomment les indigènes. C'est un lieu d'une incomparable beauté. Le ruban ferré contourne la rive méridionale du lac, se faufilant comme une chenille au flanc des pentes abruptes, suspendu à quelques mètres au-dessus de l'eau, perçant dans la roche trente-trois tunnels et franchissant un nombre indéfini de ponts. [...]

Maurice Gehri, *Prisons russes*,
Saint-Blaise, Foyer Solidariste,
1909, pp. 412-415.

IV. LA CHANSON INCONNUE DE *MICHEL STROGOFF*

C'est sous ce titre que M. Olivier Dumas a révélé dans le nº 76 du Bulletin de la Société Jules Verne *(3ᵉ trimestre 1986, pp. 24-25) les paroles d'une chanson fantôme de* Michel Strogoff. *On se souvient en effet qu'à bord du Caucase, le héros observe une troupe de tsiganes (I, VIII). Une des bohémiennes « fredonnait une chanson d'un rythme étrange, dont les premiers vers peuvent se traduire ainsi :*

> Le corail luit sur ma peau brune,
> L'épingle d'or à mon chignon !
> Je vais chercher fortune
> Au pays de...

La rieuse fille continua sa chanson sans doute, mais Michel Strogoff ne l'écoutait plus ».

Lorsque le héros, capturé, va subir le supplice qui lui fera apparemment perdre la vue (II, V) un jeune tsigane interprète au son de sa doutare *une chanson d'un rythme très bizarre. Ce sont les paroles de cette chanson, qui figurent sur le manuscrit de* Michel Strogoff *mais qui ont disparu de la version imprimée, que M. Olivier Dumas a livrées à la curiosité des verniens. Au lecteur de décider si Jules Verne a eu tort ou raison de délaisser la Muse au profit du genre romanesque... Pour plus de détails sur les activités poétiques de Jules Verne, voir* Poésies inédites, *édition établie par Christian Robin, Paris, Le Cherche-Midi, coll. « La Bibliothèque Verne », 1989, 251 p.*

> Le corail luit sur ta peau brune,
> L'épingle d'or à ton chignon.
> Viens-tu chercher fortune

Du pays de Mignon?

Quand le tambour de basque
Résonne sous ta main,
J'ai le désir fantasque
D'être amoureux demain!

A mon chalet, noire hirondelle,
Viens-tu dès que l'hiver finit,
Pour la saison nouvelle
Suspendre ton doux nid?

Quand le tambour de basque
Réveille cet espoir,
J'ai le désir fantasque
D'être amoureux ce soir!

Tu pars, mais si jamais tu m'aimes,
Ton ciel où fleurit l'oranger,
Contre nos hivers mêmes
Tu voudras l'échanger!

Le gai tambour de basque!
De loin quand je l'entends,
J'ai le désir fantasque
D'être amoureux longtemps!

Tu pars, comme tes yeux sont tristes!
Ton jeune cœur semble hésiter!
En vain, tu lui résistes!
Il te dit de rester!

Prends ton tambour de basque!
Et chante nos amours!
J'ai le désir fantasque
D'être amoureux toujours!

V. MICHEL STROGOFF AU THÉÂTRE

A force de vouloir ne considérer Jules Verne que comme un auteur pour la jeunesse, on a un peu trop tendance à oublier la façon dont l'écrivain est entré dans la carrière des Lettres. Les spécialistes connaissent bien pourtant les essais poétiques puis les diverses tentatives théâtrales — tragédies, vaudevilles, comédies, livrets, drames, opérettes —, dont Robert Pourvoyeur a dressé la « théâtrographie » dans son édition de Clovis Dardentor *(Paris, U.G.E., coll. 10/18, Série « Jules Verne inattendu », 1979, pp. 285-289). Tous ont signalé les traces que ce goût du théâtre a laissées dans les romans. Et l'attrait pour le spectacle et l'aspect économique d'un genre particulièrement rentable sous le second Empire ont poussé Jules Verne à adapter certaines de ses grandes œuvres romanesques. Parmi ces dernières,* Michel Strogoff, *représenté pour la première fois au Châtelet le 17 novembre 1880 (voir Bibliographie). On pourra se faire une idée, sinon du faste de la représentation à grand spectacle, du moins du parti pris par d'Ennery et Jules Verne dans l'adaptation du roman, en lisant les passages ci-dessous, extraits des VIIIe et IXe tableaux, et qui correspondent aux chapitres « Une attitude d'Alcide Jolivet » (II, II), « Coup pour coup » (II, III), « L'entrée triomphale » (II, IV), « Regarde de tous tes yeux, regarde ! » (II, V).*

HUITIÈME TABLEAU

SCÈNE II

LES MÊMES, BLOUNT, PUIS JOLIVET.

Blount. — L'émir ! je voulais parler à l'émir.

Féofar. — Qu'est-ce donc ?

Ivan. — Que voulez-vous ?

Blount. — Je voulais parler à l'émir.

L'émir. — Parle.

Blount. — Emir Féofar, je suppliai... non !... je conseillai à toi de entendre moi !

Féofar. — Approche.

Blount. — Je demandai au puissante Féofar d'empêcher le fouillement d'un gentleman !

Féofar. — Que signifie ?

Ivan. — Un étranger qui a osé m'insulter et dont j'ai ordonné le châtiment !

L'émir. — Qu'on amène cet homme. *(Jolivet est amené et se place près de Blount.)*

Blount. — Et si je conseillai à toi, grande Féofar, de rendre son liberté à mister Jolivet, c'était dans le intérêt de toi, de ton sécourité, car si une seule cheveu tombait de son tête à lui, il mettait en danger ton tête à toi !

Féofar. — Et qui donc aurai-je à redouter ?

Blount. — Le France !

Féofar. — La France !

Blount. — Oui, le France qui ne laisserait pas impiouni le assassinat d'une enfant à elle ! Et je avertis toi, que si on ne rendait pas la liberté à lui, je restai prisonnier avec ! Je prévenai toi que si on touyait lui, il fallait me touyer avec, et qu'au lieu de le France tout seule, tu auras sur les bras le France et le Angleterre avec !... Voilà ce que j'avais à dire à toi, émir Féofar. A présent, fais touyer nous si tu voulais !

Féofar. — Ivan, que les paroles de cet homme s'effacent de ta mémoire et qu'on épargne sa vie !

Ivan. — Mais il m'a insulté !

Féofar. — Je le veux.

Ivan. — Soit ! Qu'on le chasse du camp à l'instant même.

Jolivet. — Vous prévenez mes désirs, monsieur Ogareff !... J'ai hâte de n'être plus en votre honorable compagnie !... Blount, je n'oublierai pas ce que vous venez de faire pour moi !

Blount. — Nous étions quittes et très bonnes amis, Jolivet !

Jolivet. — Et nous continuerons la campagne ensemble !

Blount. — All right !

(Tous deux sortent par le fond.

Féofar et ses officiers rentrent avec lui sous une tente à gauche.)

SCÈNE III

IVAN, SANGARRE

Ivan, *voyant entrer Sangarre.* — Sangarre ! Tu le vois, elle s'achèvera bientôt la tâche que je me suis imposée !

Sangarre. — Parles-tu de la vengeance ?

Ivan. — Oui, oui, de cette vengeance qui est maintenant assurée !

Sangarre. — Elle t'échappera, si le Grand-Duc est prévenu à temps, si un courrier russe parvient jusqu'à lui !

Ivan. — Comment un courrier passerait-il à travers nos armées ?

Sangarre. — Il en est un qui, sans moi, serait en ce moment sur la route d'Irkoutsk !

Ivan. — Parle, explique-toi.

Sangarre. — Ivan, je suis plus près que toi du but que chacun de nous veut atteindre ! Le Grand-Duc n'est pas encore entre tes mains, tandis que j'ai en mon pouvoir cette Marfa Strogoff, dont j'ai juré la mort !

Ivan. — Achève.

Sangarre. — La vieille Sibérienne a été prise au poste de Kolyvan, avec beaucoup d'autres. Mais, dans ce poste, Marfa n'était pas la seule qui portât ce nom de Strogoff !

Ivan. — Que veux-tu dire ?

Sangarre. — Hier, un homme a refusé de reconnaître Marfa, qui l'appelait son fils !... Il l'a reniée publiquement. Mais une mère ne se trompe pas à une prétendue ressemblance. Cet homme qui ne voulait pas être reconnu était bien Michel Strogoff, un des courriers du czar.

Ivan. — Où est-il? Qu'est-il devenu? A-t-on pu s'emparer de lui?

Sangarre. — Après la victoire, tous ceux qui fuyaient le champ de bataille ont été arrêtés. Pas un des fugitifs n'a pu nous échapper, et Michel Strogoff doit être parmi les prisonniers!

Ivan. — Le reconnaîtrais-tu? Pourrais-tu le désigner?

Sangarre. — Non.

Ivan. — Il me faut cet homme! Il doit être porteur de quelque important message. Qui donc pourra me le faire connaître?

Sangarre. — Sa mère!

Ivan. — Sa mère?

Sangarre. — Elle refusera de parler, mais...

Ivan. — Mais je saurai bien l'y forcer... Qu'on l'amène. *(Sangarre s'éloigne par le fond.)* Un courrier évidemment envoyé vers le Grand-Duc! Il est porteur d'un message! Ce message, je l'aurai!..

SCÈNE IV

IVAN, SANGARRE, MARFA, NADIA,
PUIS DES PRISONNIERS, SOLDATS, ETC.

Nadia, *bas.* — Pourquoi nous conduit-on ici?

Marfa, *bas.* — Pour m'interroger, sans doute, sur le compte de mon fils, mais j'ai compris qu'il ne voulait pas être reconnu!... il est déjà loin... Ils ne m'arracheront pas mon secret.

Sangarre. — Regarde-moi, Marfa, regarde-moi bien!... Sais-tu qui je suis?

Marfa, *regardant Sangarre.* — Oui! l'espionne tartare que j'ai fait châtier!

Sangarre. — Et qui te tient à son tour en son pouvoir!

Nadia, *lui prenant la main.* — Marfa!

Marfa, *bas.* — Ne crains rien pour moi, ma fille!

Ivan, *à Marfa.* — Tu te nommes?...

Marfa. — Marfa Strogoff.

Ivan. — Tu as un fils?

Marfa. — Oui !

Ivan. — Où est-il maintenant ?

Marfa. — A Moscou, je suppose.

Ivan. — Tu es sans nouvelles de lui ?

Marfa. — Sans nouvelles.

Ivan. — Quel est donc cet homme que tu appelais ton fils, hier, au poste de Kolyvan ?

Marfa. — Un Sibérien que j'ai pris pour lui. C'est le deuxième en qui je crois retrouver mon fils, depuis que Kolyvan est rempli d'étrangers.

Ivan. — Ainsi ce jeune homme n'était pas Michel Strogoff ?

Marfa. — Ce n'était pas lui.

Ivan. — Et tu ignores ce que ton fils est devenu ?

Marfa. — Je l'ignore.

Ivan. — Et depuis hier, tu ne l'as pas vu parmi les prisonniers ?

Marfa. — Non !

Ivan — Ecoute. Ton fils est ici, car aucun des fugitifs n'a pu échapper à ceux de nos soldats qui cernaient le poste de Kolyvan. Tous ces prisonniers vont passer devant tes yeux, et si tu ne me désignes pas ce Michel Strogoff, je te ferai périr sous le knout !

Nadia. — Grand Dieu !

Marfa. — Quand tu voudras, Ivan Ogareff. J'attends.

Nadia. — Pauvre Marfa !

Marfa. — Je serai courageuse !... je n'ai rien à craindre pour lui !

Ivan. — Qu'on amène les prisonniers. *(A Sangarre.)* Et toi, observe bien si l'un d'eux se trahit !

(Les prisonniers défilent. — Michel Strogoff est parmi eux, mais quand il passe devant elle, Marfa ne bouge pas.)

Ivan. — Eh bien ! ton fils ?

Marfa. — Mon fils n'est pas parmi ces prisonniers !

Ivan. — Tu mens !... désigne-le... parle... je le veux.

Marfa, *résolument.* — Je n'ai rien à vous dire.

Sangarre, *bas.* — Oh ! je la connais, cette femme !... Sous le fouet, même expirante, elle ne parlera pas !...

Ivan. — Elle ne parlera pas, dis-tu !... Eh bien, il parlera, lui !... Saisissez cette femme, qu'elle soit frappée du knout jusqu'à ce qu'elle en meure !

(Marfa est saisie par deux soldats et jetée à genoux sur le sol. Un soldat portant le knout se place derrière elle.)

Ivan, *au soldat.* — Frappe !

(Le knout est levé sur Marfa, Strogoff se précipite, arrache le knout et en frappe Ivan au visage.)

Strogoff. — Coup pour coup, Ogareff!

Marfa. — Qu'as-tu fait, malheureux!

Ivan. — L'homme du relais.

Sangarre. — Michel Strogoff!

Strogoff. — Moi-même! Oui, moi, que tu as insulté, outragé! moi dont tu veux assassiner la mère!

Tous. — A mort! à mort!

Ivan. — Ne tuez pas cet homme! Qu'on prévienne l'émir!

Marfa. — Mon fils!... Ah! pourquoi t'es-tu trahi!

Strogoff. — J'ai pu me contenir quand ce traître m'a frappé!... Mais le fouet levé sur toi, ma mère!... oh! c'était impossible!

Ivan. — Eloignez donc cette femme!... et qu'on le fouille!

(Les soldats exécutent cet ordre.)

Strogoff, *résistant.* — Me fouiller! Lâche! misérable!

Ivan, *lui prend la lettre qu'il portait sur sa poitrine et la lit.* — Oh! il était temps!... Cette lettre perdait tout!... Maintenant le Grand-Duc est à moi!

SCÈNE V

LES MÊMES, FEOFAR, ET SA SUITE.

Ivan. — Emir Féofar, tu as un acte de justice à accomplir.

Féofar. — Contre cet homme?

Ivan. — Contre lui.

Féofar. — Quel est-il?

Ivan. — Un espion russe.

Tous. — Un espion!...

Marfa. — Non, non... mon fils n'est pas un espion! Cet homme a menti!...

Ivan. — Cette lettre, trouvée sur lui, indiquait le jour où une armée de secours doit arriver en vue d'Irkoutsk... le jour où faisant une sortie, le Grand-Duc nous aurait pris entre deux feux!

Tous. — A mort! à mort!

Nadia. — Grâce pour lui!

Marfa. — Vous ne le tuerez pas!

Tous. — A mort! à mort!

Ivan, *à Strogoff*. — Tu les entends?

Strogoff, *à Ivan*. — Je mourrai, mais ta face de traître, Ivan, n'en portera pas moins, et à jamais, la marque infamante du knout!

Ivan. — Emir, nous attendons que ta justice prononce.

Féofar. — Qu'on apporte le Koran.

Tous. — Le Koran! Le Koran!

Féofar. — Ce livre saint a des peines pour les traîtres et les espions!... C'est lui-même qui prononcera la sentence!

(Des prêtres tartares apportent le livre sacré et le présentent à Féofar.)

Féofar, *à l'un des prêtres*. — Ouvre ce livre à l'endroit où il édicte les peines et châtiments. Mon doigt touchera un des versets... et ce verset contiendra sa sentence!

(Le Koran est ouvert. Le doigt de Féofar se pose sur une des pages, et un prêtre lit à haute voix le verset touché par l'émir.)

Le prêtre, *lisant*. — « Ses yeux s'obscurciront comme les étoiles sous le nuage, et il ne verra plus les choses de la terre! »

Tous. — Ah!

Féofar, *à Strogoff*. — Tu es venu pour voir ce qui se passe au camp tartare! Regarde! Maintenant que notre armée triomphante se réjouisse, que la fête ait lieu qui doit célébrer nos victoires!

Tous. — Gloire à l'émir!

Féofar, *prenant place sur son trône*. — Et toi, espion, pour la dernière fois de ta vie, regarde de tous tes yeux!... regarde!

(Strogoff est conduit au pied de l'estrade. Marfa est à demi couchée sur le sol. Nadia est agenouillée près d'elle.)

NEUVIÈME TABLEAU

LA FÊTE TARTARE

BALLET

(Après la première reprise, la voix d'un prêtre se fait entendre et répète les paroles de l'émir.)

Le prêtre. — Regarde de tous tes yeux... Regarde!

(Après la deuxième reprise, la voix du prêtre se fait encore entendre.)

Le prêtre. — Regarde de tous tes yeux... Regarde!

(Le ballet fini, Strogoff est amené au milieu de la scène. Un trépied, portant des charbons ardents, est apporté près de lui, et le sabre de l'exécuteur est posé en travers sur les charbons.

Sur un signe de Féofar, l'exécuteur s'approche de Strogoff. Il prend le sabre qui est chauffé à blanc.)

Féofar. — Dieu a condamné cet homme! Il a dit que l'espion soit privé de la lumière!... Que son regard soit brûlé par cette lame ardente!

Nadia. — Michel! Michel!

Strogoff, *se tournant vers Ivan.* — Ivan! Ivan le traître! la dernière menace de mes yeux sera pour toi!

Marfa, *se précipitant vers son fils.* — Mon fils! mon fils!...

Strogoff. — Ma mère!... ma mère! oui! oui! à toi mon suprême regard!... Reste là, devant moi!... Que je voie encore ta figure bien-aimée!... Que mes yeux se ferment en te regardant!

Ivan, *à Strogoff.* — Ah! tu pleures! Tu pleures comme une femme!

Strogoff, *se redressant.* — Non! comme un fils!

Ivan. — Bourreau, accomplis ton œuvre!

(Les bras de Strogoff ont été saisis par des soldats; il est tenu agenouillé de manière à ne pouvoir faire un mouvement. La lame incandescente passe devant ses yeux.)

Strogoff, *poussant un cri terrible.* Ah!!!! *(Marfa tombe évanouie. Nadia se précipite sur elle.)*

Ivan. — A mort maintenant, à mort l'espion!

Tous. — A mort! à mort! *(Des soldats se jettent sur Strogoff pour le massacrer.)*

Féofar. — Arrêtez!... arrêtez!... Prêtre, achève le verset commencé.

Le prêtre. — ...« Et aveugle, il sera comme l'enfant, et comme l'être privé de raison, sacré pour tous!... »

Féofar. — Que nul ne touche désormais à cet homme, car le Koran l'a dit : « Vous tiendrez pour sacrés les enfants, les fous et les aveugles. »

Ivan, *à Sangarre.* — Il n'est plus à craindre maintenant.

(Féofar, Ivan et tout le cortège sortent par le fond. Une demi-nuit s'est faite, et il ne reste plus en scène que Strogoff, Marfa et Nadia.)

(Strogoff se relève et se dirige en tâtonnant vers l'endroit où est tombée sa mère.)

Strogoff. — Ma mère! Ma mère!... Ma mère!... ma pauvre mère!...

Nadia, *venant à lui.* — Frère! frère! mes yeux seront désormais tes yeux!.. je te conduirai...

Strogoff. — A Irkoutsk! (*Il embrasse une dernière fois sa mère.*) A Irkoutsk! [...]

D'Ennery (Adolphe) et Verne (Jules),
Michel Strogoff.
Pièce à grand spectacle en
5 actes et 16 tableaux. Musique de
M. Artus [Paris, Châtelet,
17 novembre 1880],
Paris, s.d., 32 p. (pp. 22-24).

VI. HÉRITIER NATUREL

Michel Strogoff *n'a pas manqué d'héritiers. Les spécialistes signalent une version cinématographique érotique italienne (voir filmographie). Dans un domaine plus familial, au double sens du terme, le petit-fils de l'auteur, Jean Jules-Verne a naguère imaginé* Le Triomphe de Michel Strogoff *publié dans la célèbre Bibliothèque verte. On trouvera un avatar sans doute moins connu de notre héros dans* La Petite Fille de Michel Strogoff, *grand roman d'aventures d'Octave Béliard, qui obtint le prix Jules Verne en 1927 et fut publié dans trois livraisons de* Lecture pour tous *en juillet (pp. 109-128), août (pp. 111-128) et septembre 1927 (pp. 111-128). On se fera une idée de ce récit en lisant le résumé des deux premiers épisodes publié en tête de la troisième partie.*

Un jeune peintre français, Jean-Paul Hibeau, sans ressources sur les quais d'Amsterdam, rencontre un riche armateur anglais, sir Herbert Froggie, qu'il a naguère connu à Paris.

Sir Herbert invite le peintre à prendre part à la croisière scientifique qu'il va faire en Norvège sur son yacht la *Gipsy*. Hibeau accepte avec reconnaissance. Mais retiré dans sa cabine, la première nuit de voyage, il a une singulière vision. Un panneau de la chambre s'éclaire, laissant apercevoir, dans la pièce voisine, croit-il, et à travers la transparence d'une glace, son hôte sir Herbert torturant une jeune fille blonde extrêmement belle.

Jean-Paul, indigné, ne peut trouver qu'une explication à cette vision ; le noble anglais auquel il s'est naïvement remis est un scélérat qui séquestre une femme sur son navire.

Il a une explication violente avec son hôte. Mais celui-ci lui prouve sans peine qu'aucune femme n'est prisonnière à bord. Ce que Jean-Paul a pris pour une vitre derrière laquelle se passait une scène abominable était... l'écran d'un *appareil de télévision*.

La *Gipsy* a appartenu au frère de sir Herbert, George Froggie, un savant physicien qui a construit et porté à sa perfection cet appareil.

Où donc s'est passée la scène dont Hibeau a surpris l'image ? Grâce à certains indices (l'heure qu'Hibeau a pu lire à une pendule parue sur l'écran, l'identité de la jeune fille qui est reconnue par sir Herbert) l'Anglais conclut que c'est en Russie. Et, changeant aussitôt l'itinéraire de son voyage, il entraîne le jeune peintre au pays des Soviets pour arracher à son frère indigne, qui lui ressemble trait pour trait, une victime qui n'est autre que la grande-duchesse Tatiana, fille du dernier tsar.

En compagnie de trois amis de rencontre : Lazare Puy-cassou, journaliste marseillais, le baron viennois Otto de Lilienthal et la jeune étudiante Sonia Strogoff, petite-fille du célèbre courrier du tsar, sir Herbert et Jean-Paul se rendent à Kazan, où ils ont appris que s'est retiré George Froggie, sous le nom de Serge Narskine.

Les confidences de Sonia Strogoff, dont le père a été assassiné dans des circonstances mystérieuses, accablantes pour le pseudo-Narskine, ne permettent pas de douter que celui-ci a commis un meurtre pour arracher la princesse Tatiana aux mains de Strogoff, qui l'avait sauvée.

Quand Jean-Paul et ses compagnons arrivent à Kazan, Narskine, averti par une indiscrétion de la présence de son frère en Russie, a déjà pris la fuite avec sa prisonnière, à bord d'un petit bateau automobile, l'*Hydra*.

Dans le repaire du fugitif, ils retrouvent le décor entrevu par Jean-Paul, grâce au poste de télévision de la *Gipsy*.

Mais un coup de théâtre imprévu interrompt leurs recherches : un incendie éclate, évidemment préparé par Serge Narskine à l'aide de procédés chimiques à retardement.

Force est à la petite troupe de battre en retraite au plus vite, au risque d'être elle-même accusée et poursuivie comme incendiaire.

Octave Béliard, résumé des deux premiers épisodes de *La Petite Fille de Michel Strogoff*, fin, *Lecture pour tous*, septembre 1927, pp. 111-112.

VII. ARRÊT SUR IMAGES

Dès la première édition grand in-8° en un seul volume de 1876 (voir le descriptif détaillé de l'édition préoriginale et de l'E.O. dans le répertoire bibliographique procuré par M. Piero Gondolo della Riva), figurent les dessins de J. Férat gravés par Ch. Barbant reproduits dans le présent volume. Statut ambigu que celui des illustrations des livres de Jules Verne. Comment étaient-elles reçues au XIXᵉ siècle ? Comment les percevons-nous aujourd'hui sous la forme souvent réduite d'une édition au format de poche ? Quoi qu'il en soit, et même si on les regarde parfois d'un œil distrait, elles font à l'évidence partie consubstantiellement du texte. Elles rythment notre lecture, induisent des stratégies différentes (la découverte au fil du récit ? les images d'abord avec la délicieuse attente qu'elles figurent, le texte et les images à nouveau ensuite ?), participent de l'imaginaire du roman, de l'auteur, de l'époque, du lecteur... Bref, en aucun cas elles ne sont négligeables.

Parmi les trop peu nombreux travaux récents qui traitent de cette question, on retiendra les réflexions sémiologiques de Guy Gauthier. Dans « Image et texte : le récit sous le récit » (voir bibliographie) l'auteur se demande pourquoi l'œuvre de Jules Verne est « à peu près inséparable, dans l'opinion courante, de gravures qui furent en leur temps au mieux d'une honnête moyenne ».

Dans une autre contribution (voir bibliographie), le même auteur constate que dans la seconde moitié du XIXᵉ siècle le récit d'exploration et le roman d'aventures, illustrés de gravures exécutées par les mêmes artistes, se sont développés simultanément. Il confronte à ce propos les illustrations qui accompagnent des relations de voyage de Jean Chaffanjon

*(Voyage à travers les llanos de Caura et Voyage aux sources
de l'Orénoque, Le Tour du Monde, tome LVI, 1888) et Le
Superbe Orénoque de Jules Verne (1898) et commente
notamment :*

[...] Les images revendiquent une autonomie relative par
rapport au texte dans lequel elles s'inscrivent : il est d'ailleurs facile de les isoler. Non seulement la mise en page leur
assure une certaine indépendance en obligeant à rompre la
linéarité de la lecture, mais la référence est souvent exté-
rieure au texte lui-même. La gravure transpose alors fréquemment une photographie, gage d'authenticité, tout en
tolérant quelques interventions « artistiques » mineures.
On a ainsi remarqué que, sur 54 gravures qui illustrent
l'ensemble de la relation de Chaffanjon, 37 sont des photo-
graphies prises par l'explorateur lui-même. La photographie ayant ses contraintes techniques d'époque, elle ne peut
guère représenter que des paysages, des objets, ou des
personnages en pose. Elle exclut donc les « moments de
risque » du récit et apparaît, à son corps défendant, comme
une rhétorique du documentaire. Il n'est donc pas étonnant
qu'aucune d'entre elles (à une exception près non significative) n'ait été conservée par Roux pour le roman de Verne.
  L'autre référence, la plus fréquente, la plus pesante, c'est
celle de la peinture. Ce n'est plus alors le contenu qui
s'impose, mais la manière : tout un courant pictural, largement représenté depuis le XIXᵉ siècle, a élaboré des
modèles de scènes de genre, empruntés à la mythologie
comme à la vie bourgeoise, à partir desquels les peintres se
contentent de proposer des variations plus ou moins personnelles. Plus narratives que les précédentes, les gravures
relevant de cette inspiration tendent à déborder le texte
écrit en suscitant, par un jeu subtil de citations indirectes,
l'évocation d'un imaginaire très souvent stéréotypé. Résur-
gences picturales dans le domaine réservé de l'écrit, elles
préservent malgré tout une autonomie partielle, encore
renforcée par une mise en page complaisante. La relation
de voyage les tolère mieux que le récit romanesque parce
qu'elles préservent l'alibi documentaire (elles sont de tradition réaliste) tout en apportant, au fil d'un texte parfois
austère, des bouffées d'imaginaire. Elles entreraient en
revanche en compétition avec la fiction littéraire. Il faut
ajouter que l'auteur d'une relation de voyage est souvent

l'auteur des dessins qui sont à l'origine des gravures, ce qui n'est jamais le cas d'un romancier, même s'il est lui-même dessinateur (Victor Hugo). On connaît ce détail amusant, relevé par Gombritch et rappelé par Umberto Eco : un voyageur qui dessine d'après nature est plus influencé par son bagage de représentations que par ce qu'il a sous les yeux. L'illustration des romans, en revanche, était complètement abandonnée à des professionnels, que la logique du roman et l'urgence de la tâche entraînaient à prendre quelque distance avec une idéologie picturale par ailleurs singulièrement mise à mal en cette fin de siècle.

C'est ce qui explique en partie que la seconde tendance, plus moderne, soit aussi plus résolument syntagmatique. Roux puise bien aux mêmes sources que Riou — quand il ne s'inspire pas de Riou lui-même — mais il les retravaille, dans le sens que nous avons signalé.

L'illustrateur du roman d'aventures est d'abord conduit à prélever, dans la continuité du texte écrit, quelques segments qui vont devenir ainsi des unités narratives privilégiées. Dans les premiers romans de Jules Verne, au moins en publication périodique (*Le Magasin d'éducation et de récréation*), les illustrations étaient dépourvues de légendes, mais elles étaient aussi plus descriptives, de l'ordre du paradigme comme nous l'avons souligné en analysant la première tendance de l'illustration (elles étaient d'ailleurs signées Edouard Riou). Dès que la légende apparaît, le champ narratif de l'image se resserre, non seulement parce que la phrase, ou le segment de phrase qui l'accompagne, est brève, mais aussi parce que le lecteur, souvent, ne prélève dans l'image que les éléments en accord avec sa légende. [...]

Guy Gauthier, « Des images en plus »,
Hors cadre (Le cinéma à travers champs disciplinaires),
n° 2, 1984, « Cinénarrable », pp. 172-173.

VIII. UN SUPPLICIÉ PARLE

Ivan Mosjoukine, la grande vedette masculine du cinéma muet, dont on dit qu'il serait le père naturel de Romain Gary, a raconté dans Quand j'étais Michel Strogoff *ses souvenirs d'acteur et notamment ceux du tournage du film de Tourjansky dans lequel il interprétait le rôle de Michel Strogoff (voir filmographie). On lira dans l'extrait ci-dessous l'atmosphère qui régnait sur le plateau au moment du tournage de la fameuse scène du supplice au cours de laquelle le héros va « perdre la vue ».*

[...] Quelques jours plus tard, nous devions tourner la fameuse scène de l'aveuglement de Michel Strogoff, par les Tartares, au camp de l'Emir Féofar. Mais nous retardions toujours cette scène, faute de soleil, car il ne se passait pas de jour sans pluie, et la lumière qui était suffisante pour tourner des scènes de détail, ne l'était plus lorsqu'il s'agissait de grands ensembles, même avec le secours des plus puissants projecteurs et réflecteurs. Enfin, un jour se leva, où le ciel parut d'une limpidité extraordinaire ; le soleil avait un éclat inaccoutumé. On décida de profiter sans tarder de cette accalmie. Devant la tente de l'Emir, je fus lié à un poteau. Le yatagan du bourreau fut chauffé à blanc et l'heure sonna de l'aveuglement. Devant plus de dix mille personnes, dont deux mille cavaliers, on allait brûler les yeux de Michel Strogoff, courrier du tzar. Alors l'Emir se leva ; mais j'avais peine à reconnaître en cet homme à la peau jaune, aux ongles d'une longueur démesurée, au visage sinistre, le frère de la belle Nathalie Kovanko, mon camarade Boris Fastowitch. L'Emir se leva, dis-je, et prononça ces paroles redoutables, attendues dans la crainte, le désespoir et l'horreur : « Regarde de tous tes yeux ! Regarde ! Tu ne verras jamais plus le soleil !... »

Ah ! non, c'en était trop. Je bondis sur l'Emir autant que mes liens me le permettaient et lui répliquai : « Ah ! ça, par exemple ! vous en avez de bonnes, vous ! prophète de mauvais augure ! Il y a un mois que nous sommes ici à attendre le soleil, et, le premier jour que nous le voyons enfin apparaître dans toute sa splendeur, vous lui dites presque de s'effacer et de nous replonger dans l'ombre. Ah ! non, taisez-vous, c'en est trop... » Ces paroles, inutile de vous le dire, firent se tordre tout le monde. Alors il fallut recommencer la scène, mais on la reprit de bon cœur après cet éclat de gaieté. [...]

Ivan Mosjoukine, *Quand j'étais Michel Strogoff*, Paris, La Renaissance du Livre, coll. « Nos grandes vedettes et leurs films », s.d. [1926], pp. 47-49.

IX. BIBLIOGRAPHIE CHOISIE

BESSIÈRE (Jean) éd., *Modernités de Jules Verne*, université de Picardie, Centre d'études du roman et du romanesque, Presses Universitaires de France, 1988, 249 p.

CADOT (Michel), *La Russie dans la vie intellectuelle française (1839-1856)*, Paris, Fayard, coll. « L'histoire sans frontières », 1967, 643 p.

Colloque d'Amiens, *Jules Verne 1* : « Nouvelles recherches : Jules Verne et le voyage », Paris, Minard, « La thésothèque » — *réflexion et recherche universitaires* —, n° 2, 1978, 116 p.

COMPÈRE (Cécile), « Maroussia, sœur de Michel Strogoff ? », *Bulletin de la Société Jules Verne*, 1973, pp. 52-61.

COMPÈRE (Daniel), « Le fin mot dans *Voyage au centre de la Terre* et autres récits », *La Revue des lettres modernes*, série Jules Verne 2, 1978, pp. 165-171.

DECRÉ (Françoise), sous la direction de Luce Courville, *Catalogue du fonds Jules Verne*, bibliothèque municipale, musée Jules Verne, ville de Nantes, 1978, 575 p., 16 pl.

DE GRÈVE (Claude), *Le Voyage en Russie : anthologie des voyageurs français aux XVIIIe et XIXe siècles*, Paris, Robert Laffont, coll. « Bouquins », 1990, 1 295 p.

DEKISS (Jean-Paul), *Jules Verne l'enchanteur*, Le Félin, 1999.

DELABROY (Jean), « Michel Strogoff ou le sacrifice du spectacle », *Revue des lettres modernes*, Jules Verne, 4, 1983, pp. 149-160.

DUMAS (Olivier), « La chanson inconnue de Michel Strogoff », *Bulletin de la Société Jules Verne*, n° 79, 3e trimestre 1986, pp. 24-25.

Jules Verne, avec la publication de la correspondance inédite de Jules Verne à sa famille, Lyon, La Manufacture, 1988, 525 p.

GAUTHIER (Guy), « Image et texte : le récit sous le récit »,
    Langages, n° 75, septembre 1984, pp. 9-21.

« Des images en plus », *Hors cadre*, n° 2, 1984, pp. 151-175.

GOLDENSTEIN (Jean-Pierre), « *Michel Strogoff* : initiation
    au récit, récit d'initiation », *Pour une lecture-écriture*,
    Bruxelles-Paris-Gembloux, A. de Boeck-Duculot, 1985,
    pp. 36-68.

GONDOLO DELLA RIVA (Piero), *Bibliographie analytique de
    toutes les œuvres de Verne*, t. I, « Œuvres romanesques
    publiées », Paris, Société Jules Verne, 1977, 179 p. ; t. II,
    « Œuvres non romanesques publiées et œuvres inédites »,
    Paris, Société Jules Verne, 1985, 160 p.

JULES-VERNE (Jean), *Le Triomphe de Michel Strogoff*, Biblio-
    thèque verte, 1967.

Jules Verne, Paris, Hachette, 1973, 384 p.

LAISSUS (Joseph), « Verne dans l'imagerie publicitaire »,
    Bulletin de la Société Jules Verne, n° 16, 4e trimestre 1970,
    pp. 166-167.

LENGRAND (Claude), *Dictionnaire des voyages extraordinaires*,
    Encrage, 1998.

LOTTMAN (Herbert), *Jules Verne*, Flammarion, 1996.

MOSJOUKINE (Ivan), *Quand j'étais Michel Strogoff*, Paris, La
    Renaissance du Livre, coll. « Nos grandes vedettes et leurs
    films », s.d. [1926], 203 p., pl.

Nouvelles Recherches sur Jules Verne et le voyage, colloque
    d'Amiens (11-13 novembre 1977), Paris, Minard, 1978,
    115 p.

OZANNE (Henriette), « De quelques sources verniennes », col-
    loque d'Amiens, *Jules Verne I*, pp. 7-16.

PARMÉNIE (A.) et BONNIER DE LA CHAPELLE (C.), *Histoire d'un
    éditeur et de ses auteurs : P.-J. Hetzel*, Paris, Albin Michel,
    1953, nouv. éd. 1985, 681 p.

POURVOYEUR (Robert), « Musique pour Strogoff », *Bulletin
    de la Société Jules Verne*, n° 62, 2e trimestre 1982, pp. 224-
    229.

« L'invention des noms étrangers chez Jules Verne », *in*
    Bessière (Jean) éd., *Modernités de Jules Verne*, pp. 69-85.

RAYMOND (François), COMPÈRE (Daniel), *Le Développement
    des études sur Jules Verne*, Paris, Minard, Archives Jules
    Verne, n° 1, 1976, 96 p.

ROBIN (Christian) dir., *Jules Verne*, université de Nantes, textes
    et langages, 10, 1984, 185 p.

SERRES (Michel), « Œdipe messager », *Jouvences sur Jules Verne*, Paris, les Editions de Minuit, 1974, pp. 37-61.

SORIANO (Marc), « Chronologie vernienne », *Europe*, n° 595-596, nov.-déc. 1978, pp. 147-163.

Jules Verne (le cas Verne), Paris, Julliard, 1978, 413 p.

TADIÉ (Jean-Yves), « *Michel Strogoff* au fil du texte » dans *Le roman d'aventures*, Paris, P.U.F., coll. « Ecriture », 1982, pp. 76-93.

TERRASSE (Pierre), « Un centenaire : *Michel Strogoff* au théâtre du Châtelet », *Bulletin de la Société Jules Verne*, n° 56, 4ᵉ trimestre 1980, pp. 298-309.

TOUTTAIN (Pierre-André), « Sur le nom d'Alcide Jolivet », *Bulletin de la Société Jules Verne*, n° 13, 1970, pp. 105-106.

Dir., *Jules Verne*, L'Herne, 1974, 368 p.

VIERNE (Simone), *Jules Verne et le roman initiatique*, Paris, Editions du Sirac, 1973, 782 p. Lire en particulier les pages 122-129, 315-316, 338-339, 397-406, 508-512, 587-588.

Jules Verne, Paris, Balland, coll. « Phares », 1986, 448 p.

Quatre volumes des « Voyages extraordinaires », chacun placé sous le signe d'un élément, sont désormais disponibles aux éditions Omnibus, choix, préface et commentaires de Claude Aziza. *Michel Strogoff* figure dans le volume sur « La Terre », 2002.

X. FILMOGRAPHIE

DUMONT (Hervé), « Filmographie de Jules Verne », *L'Ecran fantastique*, n° 9, pp. 99-109.
L'Ecran fantastique, n° 9, *Spécial Jules Verne cinéma*. Paris, Librairie des Champs-Elysées, 1979, 130 p.
GALLOIS (Colette), « Filmographie de Verne », Cahiers du Centre d'études verniennes et du musée Jules Verne, Nantes, IV, 1984, pp. 69-75.
GIRES (Pierre), « Jules Verne et le cinéma », *L'Ecran fantastique*, n° 9, pp. 58-98.

1908 *Michael Strogoff*, U.S.A. Production Essanay-Film, réalisation Gilbert-Max Anderson.
1910 *Michael Strogoff*, U.S.A. Production Edison Mfg Company, réalisation J. Searle Dawley. Michel Strogoff : Charles Ogle, Nadia : Mary Fuller, Ogareff : Marc McDermott.
1914 *Michael Strogoff*, U.S.A. Production Arthur Lubin Co, réalisation John Ince. Michel Strogoff : Jacob P. Adler, Nadia : Lottie Briscoe, Ogareff : Earle Metcalf.
Michael Strogoff, U.S.A. Production L. Lawrence Weber, réalisation Lloyd B. Carleton. Michel Strogoff : David Powell, Nadia : Olga Petrova.
1925-1926 *Michel Strogoff*, France. Production Noé Bloch-Westi, réalisation Victor Tourjansky. Michel Strogoff : Ivan Mosjoukine ; Nadia Fedoroff : Nathalie Kovanko [la femme de Tourjansky] ; Ogareff : Arkady Chakatouny ; Marfa : Jeanne Brindeau ; Jolivet : Gabriel de Gravonne ; Blount : Henri Debain ; Zangara : Tina de

Yzarduy ; Phéophar Khan : Defas [Boris Fastowitch, le frère de N. Kovanko] ; Basil Fedoroff : K. Kvanine ; Général Kissoff : Prince N. Kougoucheff ; Alexandre II, empereur de Russie : E. Gaidoroff. Direction artistique de Noé Bloch. Décors de A. Lochawoff-Gosch et G. Lacca. Opérateurs : Burel, Toporkoff, Bourgassoff. Le tournage est effectué à Billancourt pour les scènes d'intérieur, en Lettonie pour les extérieurs et en Norvège pour les paysages de neige. Sur cette version, voir *Michel Strogoff*, film cinématographique des « Films de France », *La Petite Illustration cinématographique*, 7 août 1926, 16 p., ainsi que les souvenirs d'Ivan Mosjoukine.

1936 *Der Kurier des Zaren*, Allemagne/France. Production Richard Eichberg-Film, Berlin/Les Productions J.-N. Ermolieff, Paris, réalisation Richard Eichberg. Michel Strogoff : Adolf Wohlbrück, Nadia : Maria Andergast, Marfa : Lucie Höflich, Ivan Ogareff : Alexander Golling, Sangarre : Hilde Hildebrand, Feofar Khan : Bernard Goetzke, Alcide Jolivet : Kurt Vespermann, Harry Blount : Theo Lingen. La version française supervisée par Jacques de Baroncelli présente la distribution suivante : Nadia (Yvette Lebon), Marfa (Marcelle Worms), Ivan Ogareff (Charles Vanel), Sangarre (Colette Darfeuil), Alcide Jolivet (Charpin), Harry Blount (Armand Bernard).

1937 *The Soldier and the Lady*, U.S.A. Production Pandro S. Berman, réalisation George Nicholls Jr. Michel Strogoff : Adolf Wohlbrück, Nadia : Elizabeth Allan, Marfa : Fay Bainter, Ogareff : Akim Tamiroff, Sangarre : Margot Grahame, Harry Blount : Eric Blore.

1943 *Miguel Strogoff, el Correo del Zar*, Mexique. Production Joseph N. Ermolieff, réalisation Miguel M. Delgado. Michel Strogoff : Julián Soler, Nadia : Lupita Tovar, Marfa : Victoria Argota, Ogareff : Julio Villarreal, Feofar Khan : Manuel Dondé.

1956 *Michel Strogoff/Michele Strogoff/Der Kurier des Zaren*, France/Italie/Allemagne. Production Emile Natan, Les Films Modernes, Paris/Illiria/Ufus, réalisation Carmine Gallone. Michel Strogoff : Curd Jürgens, Nadia : Geneviève Page, Marfa : Sylvie, Ogareff : Henri Nassiet, Sangarre : Silva Koscina, Féofar Kahn : Valéry Inkijinoff, Alcide Jolivet : Jean Parédès, Harry Blount : Gérard Buhr.

1961 *Le Triomphe de Michel Strogoff ou La Deuxième mission de Michel Strogoff*, France/Italie. Production Emile Natan, Les Films Modernes, Paris/Fono Roma, réalisation Victor Tourjansky. Michel Strogoff : Curd Jürgens.

1970 *Michele Strogoff, corriere dello Zar/Michel Strogoff, le courrier du tsar/Strogoff*, Italie/France/Allemagne. Production Alfonso Sansone, Henri Chroshicki, Arthur Brauner, Sancrosiap (Roma)/Les Films Corona (Nanterre)/C.C.C.-Film (Berlin), réalisation Eriprando Visconti (It.). Michel Strogoff : John Philip Law, Nadia : Mimsy Farmer, Marfa : Elizabeth Bergner, Ogareff : Hiram Keller, Sangarre : Delia Boccardo, Feofar Khan : Kurt Meisel, Alcide Jolivet : Donato Castellaneta, Harry Blount : Christian Marin.

1975 *Michel Strogoff/Michael Strogoff/Michele Strogoff/Mihály Strogov*, France/Allemagne/Italie/Belgique/Suisse/Hongrie. Adaptation télévisuelle réalisée à partir de la pièce de Jules Verne et d'Adolphe d'Ennery. Production O.R.T.F. (F. 1)/Télé-Munich (Z.D.F.)/RAI Roma/R.T.B. Bruxelles/S.S.R. Genève/Hungaro Film Technisonor, réalisation Jean-Pierre Decourt. Michel Strogoff : Raimund Harmstorff, Nadia : Lorenza Guerrieri, Marfa : Teri Horvath, Ogareff : Valerio Popesco, Sangarre : Rada Kassimov, Feofar Khan : Jozsef Madaras, Alcide Jolivet : Pierre Vernier, Harry Blount : Vernon Dobtcheff.

Hervé Dumont, à qui nous empruntons l'essentiel des précisions ci-dessus, signale trois projets inaboutis, deux français en 1923 et 1938 (*Le Fils de Michel Strogoff*), un franco-allemand en 1968 ainsi qu'une version érotique italienne de *Michele Strogoff* sur laquelle, si l'on ose dire, il ne s'étend malheureusement pas.

XI. DISCOGRAPHIE

Gaudin (Edmond), « Les *Voyages extraordinaires* en disques », Bulletin de la Société Jules Verne, n° 22, 1972, pp. 131-136.

Michel Strogoff (FLDZ 170 « Festival »)

    Michel Strogoff : Jean Desailly
    Marfa Strogoff : Alice Reichen
    Nadia : Nicole Favart
    Jolivet : Philippe Noiret
    Blount : Bertrand Jérôme
    Ivan Ogareff : Dominique Rémy

XII. ADAPTATIONS EN BANDES DESSINÉES

BÉDAT (Arnaud), « Verne en bandes dessinées », *Bulletin de la Société Jules Verne*, n° 61, 1er trimestre 1982, pp. 180-187.

COMPÈRE (Daniel), « Jules Verne et les bandes dessinées », Bulletin de la Société Jules Verne, n° 22, 1972, pp. 137-139.

Michel Strogoff, Les classiques illustrés, n° 56, 1960.

Michel Strogoff, s.n. d'auteur, mars 1961, « Samedi-Jeunesse », Bruxelles, n° 41, 80 p., ill., coul. Couverture de Xavier Merto.

La Voix du Nord, feuilleton hebdomadaire de *Michel Strogoff* chaque jeudi en 1970. Adapt. de G. de Corbie, ill. de R. Auger.

Mickey Courrier du Tsar, s.n. d'auteur, 1971, Éd. Édi-Monde, Paris, *Mickey* 990 bis, pp. 193-254, ill. n.b. et coul. Version très libre de *Michel Strogoff*.

Michel Strogoff, dessins de Franco Caprioli, adaptation de Roudolph, 1976, Éd. du Domino, Paris, 58 p., ill. coul.

ID. 1979, Éd. Sagedition, Paris, coll. Aventure et mystère ».

Des adaptations illustrées en italien (1976), portugais (1976), espagnol (1979) ont été signalées par les spécialistes.

Jules Verne, *Michel Strogoff*, adaptation française de Henry Daussy, édition adaptée pour la jeunesse, illustrée en bandes dessinées, Édito-Service S.A., Genève, 1981, 120 p., ill. coul.

Outre les adaptations en bandes dessinées signalées ci-dessus, il faut mentionner les nombreuses éditions illustrées depuis la première édition gr. in-8° en un seul volume de chez Hetzel, s.d. [1876], dessins de J. Férat gravés par Ch. Barbant[1] jusqu'aux illustrations de Charles Popineau (Hachette, Collection des grands romanciers, 1958) en passant par celles de Henri Faivre (Hachette, 1928), de René-Georges Gautier pour la Bibliothèque verte (Hachette, 1947), de Jean Reschofsky (Hachette, Idéal-Bibliothèque, 1953), etc.

1. C'est cette édition que nous reproduisons.

XIII. ADAPTATION THÉÂTRALE

BURGAUD (Philippe), « *Michel Strogoff* et les théâtres de Bruxelles », *Bulletin de la Société Jules Verne*, nᵒˢ 37-38, 1ᵉʳ et 2ᵉ trimestres 1976, pp. 116-122.
DUMAS (Olivier), RAYMOND (François) et TERRASSE (Pierre), « Table thématique des études concernant le théâtre de Verne », *Bulletin de la Société Jules Verne*, nᵒ 57, 1ᵉʳ trimestre 1981, pp. 39-44.

D'ENNERY (Adolphe) et VERNE (Jules), *Michel Strogoff*, pièce à grand spectacle en 5 actes et 16 tableaux. Musique de M. Artus [Paris, Châtelet, 17 novembre 1880], *Revue théâtrale illustrée*, Paris, s.d. [1880], 30 p.

Distribution

Michel Strogoff	MM. Marais
Ivan Ogareff	Paul Deshayes
Blount	Dailly
Jolivet	Joumard
Le Grand-duc	Bouyer
Le Gouverneur de Moscou	Rosny
Wassili Fédor	Coulombier
Le maître de police	Donato
L'Émir Féofar	Romani
Le Général Kissoff	Frumence
Un capitaine tartare	Vialdi
Le maître de poste	Vivier
Le Général Voronzoff	Raymond
Un employé du télégraphe	Debray

Premier fugitif	Samson
Deuxième fugitif	Andrieu
Un aide de camp	Deguy
Un agent de police	Branche
Un grand prêtre	Maillart
Deuxième aide de camp	Alfred
Un sergent tartare	Jules
Premier voyageur	Auguste
Deuxième voyageur	Cartenau
Un bohémien	Andureau
Marfa Strogoff	Mmes Marie Laurent
Nadia Fédor	Augé
Sangarre	Paul Deshayes

Désignation des tableaux

1er Le Palais Neuf
2e Moscou illuminé
3e La Retraite aux flambeaux
4e Le Relais de poste
5e L'Isba du télégraphe
6e Le Champ de bataille de Kolyvan
7e La Tente d'Ivan Ogareff
8e Le Camp de l'Émir
9e La Fête tartare
10e La Clairière
11e Le Radeau
12e Les Rives de l'Angara
13e Le Fleuve de naphte
14e La Ville en feu
15e Le Palais du Grand-Duc
16e L'Assaut d'Irkoutsk

Deux grands ballets réglés par M.A. Fuchs.

D'Ennery (Adolphe) et Verne (Jules), *Les voyages au théâtre*, dessins par L. Benett et H. Mayer, Paris, J. Hetzel et Cie, s.d. [1881], 378 p. L'adaptation théâtrale de *Michel Strogoff* occupe les pages 265-375.

Varna (Henri), Marc-Cab, Richard (René), *Michel Strogoff*, opérette à grand spectacle en 2 actes et 18 tableaux d'après Jules Verne et A. d'Ennery. Musique de Jack Ledru [Paris, Théâtre Mogador,

5 décembre 1964], Paris, Joubert, 1965, 128 p. Michel Strogoff : Marcel Merkès, Nadia Fédor : Paulette Merval. Selon Pierre Terrasse (voir bibliographie) « la pièce dépassa la 350ᵉ ».

TABLE DES MATIÈRES

LES CLÉS DE L'ŒUVRE

I - AU FIL DU TEXTE

- La date
- Le titre
- Composition :
  - Point de vue de l'auteur
  - Structure de l'œuvre

- ●◆ Droit au but
  - *Le courrier du tsar*
  - *La rencontre*
  - *Mère et fils*

- ↩ En flânant
  - *Premier combat*
  - *Le duel impossible*

- Les thèmes clés

- Lectures croisées

- Pistes de recherches
- Parcours critique
- Une œuvre/des films

II - DOSSIER HISTORIQUE ET LITTÉRAIRE

POCKET CLASSIQUES

collection dirigée par Claude AZIZA

GUIDES POCKET CLASSIQUES

DICTIONNAIRE DE VOCABULAIRE I et II
MÉMENTO DE LITTÉRATURE FRANÇAISE I et II
LE BAROQUE EN FRANCE ET EN EUROPE
LE ROMANTISME EN FRANCE ET EN EUROPE
LE SURRÉALISME EN FRANCE ET EN EUROPE
LE CLASSICISME EN FRANCE ET EN EUROPE
LA LITTÉRATURE POLICIÈRE
LA LITTÉRATURE ANGLAISE
LA LITTÉRATURE AMÉRICAINE

Dans la série *Analyse de l'œuvre* :

La controverse de Valladolid de J.-C. Carrière
Un roi sans divertissement de J. Giono
Le Horla de G. de Maupassant
Pourquoi j'ai mangé mon père de R. Lewis
Les Rougon-Macquart d'É. Zola
L'Œuvre de J.-J. Rousseau *(à venir)*
L'Œuvre de G. Flaubert *(à venir)*

Impression réalisée sur Presse Offset par

BRODARD & TAUPIN

GROUPE CPI

29524 – La Flèche (Sarthe), le 14-06-2005
Dépôt légal : janvier 1992
Suite du premier tirage : juin 2005

POCKET – 12, avenue d'Italie - 75627 Paris cedex 13
Tél. : 01.44.16.05.00

Imprimé en France